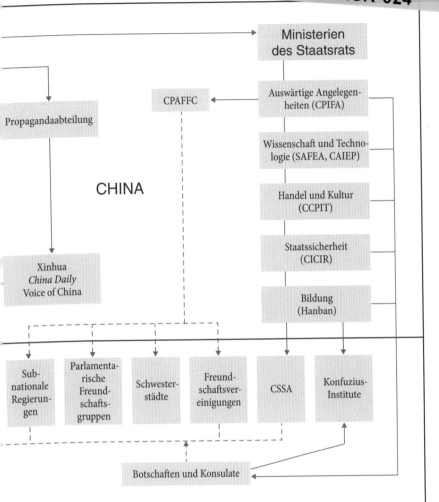

Ministerien
des Staatsrats

Propagandaabteilung

CPAFFC

Auswärtige Angelegen-
heiten (CPIFA)

Wissenschaft und Techno-
logie (SAFEA, CAIEP)

CHINA

Handel und Kultur
(CCPIT)

Staatssicherheit
(CICIR)

Xinhua
China Daily
Voice of China

Bildung
(Hanban)

Sub-
nationale
Regierun-
gen

Parlamenta-
rische
Freund-
schafts-
gruppen

Schwester-
städte

Freund-
schaftsver-
einigungen

CSSA

Konfuzius-
Institute

Botschaften und Konsulate

WESTLICHES LAND

Clive Hamilton
Mareike Ohlberg

DIE
LAUTLOSE
EROBERUNG

Clive Hamilton
Mareike Ohlberg

DIE LAUTLOSE EROBERUNG

Wie China westliche Demokratien unterwandert und die Welt neu ordnet

Deutsche Verlags-Anstalt

Die Originalausgabe ist 2020 unter dem Titel *Hidden Hand. Exposing how the Chinese Communist Party is Reshaping the World* bei Hardie Grant Books in Melbourne, Australien, erschienen.

Sollte diese Publikation Links auf Webseiten Dritter enthalten, so übernehmen wir für deren Inhalte keine Haftung, da wir uns diese nicht zu eigen machen, sondern lediglich auf deren Stand zum Zeitpunkt der Erstveröffentlichung verweisen.

INHALT

4 Politische Eliten im Zentrum: Europa

5 Politische Eliten in der Peripherie

6 Das Wirtschaftskonglomerat der Partei

7 Die Mobilisierung der chinesischen Diaspora

8 Die Ökologie der Spionage

9 Medien: »Unser Nachname ist Partei«

13 Der Umbau der globalen Ordnung

VORWORT

Die beruhigende Vorstellung, die demokratischen Freiheitsrechte hätten die Geschichte auf ihrer Seite und würden sich am Ende überall
durchsetzen, ist stets von Wunschdenken gefärbt gewesen. Die weltweiten Entwicklungen in den vergangenen zwei bis drei Jahrzehnten
haben gezeigt, dass wir diese Freiheiten nicht länger als selbstverständlich betrachten können. Die universellen Menschenrechte, die
demokratische Entscheidungsfindung und die Rechtsstaatlichkeit
haben mächtige Feinde, und der vermutlich bedrohlichste dieser
Feinde ist China unter der Herrschaft der Kommunistischen Partei.
Die KPCh verfolgt ein ambitioniertes, gut geplantes Programm zur
weltweiten Einflussnahme und Einmischung und kann gewaltige
wirtschaftliche und technologische Ressourcen einsetzen, um ihr Vorhaben zu verwirklichen. Tatsächlich sind die groß angelegte Kampagne zur Unterwanderung der Institutionen in westlichen Staaten und
die Versuche, die Eliten dieser Länder an China zu binden, sehr viel
weiter fortgeschritten, als die Parteiführung selbst erwartet haben
dürfte.

Die demokratischen Institutionen und die nach dem Zweiten Weltkrieg errichtete internationale Ordnung haben sich als überraschend
zerbrechlich erwiesen und sind verwundbar durch die neuen Waffen der politischen Kriegführung, die heute gegen sie eingesetzt werden. Die Kommunistische Partei Chinas nutzt gezielt die Schwächen
der demokratischen Systeme, um diese zu untergraben. Im Westen

sträuben sich viele gegen dieses Eingeständnis, aber die Demokratien müssen dringend ihre Widerstandskraft erhöhen, wenn sie überleben wollen.

Die von der KPCh ausgehende Bedrohung wirkt sich auf das Recht aller Menschen aus, ein Leben ohne Furcht zu führen. Viele Chinesen in westlichen Ländern sowie Tibeter, Uiguren, Anhänger von Falun Gong und Demokratieaktivisten in Hongkong sind bereits heute den Repressionsmaßnahmen des chinesischen Regimes direkt ausgesetzt und führen ein Leben in ständiger Angst. Regierungen, akademische Einrichtungen und Manager fürchten sich vor finanziellen Repressalien, sollten sie das Regime in Beijing verärgern. Diese Furcht ist ansteckend und wirkt zersetzend. Sie darf nicht zu dem normalen Preis werden, den Länder für ihren Wohlstand bezahlen müssen.

Betroffen sind sämtliche westlichen Demokratien. Durch den nur halbherzigen Widerstand ermutigt, setzt das chinesische Regime die Taktiken von Zwang und Einschüchterung gegen eine wachsende Zahl von Gruppen ein. Selbst für jene, die die harte Hand der KPCh nicht direkt fühlen, ändert sich die Welt, weil China seine autoritären Normen überall auf den Globus exportiert.

Wenn sich in westlichen Ländern Verleger, Filmemacher und Theaterdirektoren entschließen, Äußerungen zu zensieren, weil diese »die Gefühle des chinesischen Volkes verletzen« könnten, wird die Meinungsfreiheit unterdrückt. Wenn ein Tweet Beijing missfällt, kann das eine Person ihren Arbeitsplatz kosten. Wenn Universitätsverwaltungen Lehrkräfte drängen, sich mit Kritik an der KPCh zurückzuhalten, oder Vorträge des Dalai Lama auf ihrem Campus unterbinden, wird die Freiheit von Forschung und Lehre untergraben. Wenn buddhistische Organisationen Xi Jinping Treue geloben und in Kirchengemeinden Spione des chinesischen Regimes platziert werden, ist die Religionsfreiheit bedroht. Der wuchernde chinesische Überwachungsstaat, zu dessen Maßnahmen auch das Eindringen in die Privatsphäre im virtuellen Raum und der Einsatz chinesischer Bürger zählen, die bei legalen Kundgebungen die Teilnehmer filmen, verletzt massiv die persönlichen Freiheitsrechte. Die Demokratie selbst wird attackiert, wenn mit der KPCh verbundene Organisationen und Strohmänner der Partei politische Repräsentanten in anderen Ländern korrumpieren und wenn Beijing einflussreiche Wirtschaftslobbys in anderen Ländern einsetzt, um seine Ziele zu erreichen.

Das Was, Warum und Wie der von der KPCh praktizierten Einflussnahme, Einmischung und Subversion in Nordamerika und Westeuropa (im Folgenden meist als »der Westen« bezeichnet) ist Thema dieses Buches. Die Aktivitäten des chinesischen Regimes in Australien (die in *Silent Invasion* genau beschrieben sind) und Neuseeland werden gelegentlich erwähnt. Es ist jedoch wichtig, dass wir uns bewusst machen, worin das eigentliche Ziel der KPCh besteht: Sie will die gesamte Welt neu ordnen, und während ihr Vorgehen in verschiedenen Weltregionen unterschiedliche Formen annimmt, hat die Erfahrung des Westens große Ähnlichkeit mit der von Ländern rund um den Erdball. Es gibt kaum ein Land, das nicht Ziel groß angelegter Offensiven ist, von Samoa bis zu Ecuador, von den Malediven bis zu Botsuana. Der Einfluss der KPCh im Globalen Süden bedarf dringend einer genauen Analyse und öffentlichen Diskussion, aber das würde den Rahmen dieses Buches sprengen.

Die KPCh setzt alles daran, die chinesische Bevölkerung und die Menschen in aller Welt davon zu überzeugen, dass sie *für das gesamte chinesische Volk* spricht. Sie nimmt für sich die Deutungshoheit in Bezug auf sämtliche Aspekte des chinesischen Lebens in Anspruch und beharrt darauf, dass Chinesen, wo immer sie leben und wer immer sie sind, ihr Land nur lieben können, wenn sie die Partei lieben. Sie behauptet, dass *die Partei das Volk ist*; folglich ist jede Kritik an der Partei ein Angriff auf das chinesische Volk.

Es ist irritierend, dass so viele Menschen im Westen darauf hereinfallen und jene, die das in China herrschende Regime kritisieren, als Rassisten oder Chinahasser abstempeln. Indem sie das tun, verteidigen sie nicht das chinesische Volk, sondern bringen jene Chinesen, die das Regime der KPCh ablehnen, sowie die von diesem Regime verfolgten ethnischen Minderheiten zum Schweigen oder drängen sie an den Rand. Im schlimmsten Fall werden diese Personen sogar selbst zu

Erfüllungsgehilfen der Partei. In diesem Buch unterscheiden wir daher ausdrücklich zwischen der Kommunistischen Partei Chinas und dem chinesischen Volk. Wenn wir das Wort »China« verwenden, bezeichnen wir damit die von der KPCh beherrschte politische Einheit, so wie jemand sagen würde, dass »Kanada«, also die kanadische Regierung, für eine in den Vereinten Nationen eingebrachte Resolution gestimmt hat.

Die Gleichsetzung von Partei, Nation und Volk führt zu einer Vielzahl von Missverständnissen, und genau das ist die Absicht der KPCh. Das hat unter anderem zur Folge, dass chinesischstämmige Gemeinden im Ausland von manchen als Feind betrachtet werden, obwohl oft gerade sie Opfer der KPCh sind, wie wir sehen werden. Sie sind oft sehr gut über die Aktivitäten der Partei im Ausland informiert, und viele von ihnen wollen dazu beitragen, den Einfluss der KPCh zurückzudrängen.

Die Unterscheidung zwischen Partei und Volk ist ebenfalls von zentraler Bedeutung, wenn wir begreifen wollen, warum der Wettbewerb zwischen China und dem Westen kein »Zusammenstoß zwischen Zivilisationen« ist, wie mancherorts behauptet wird. Wir haben es nicht mit einem fremdartigen konfuzianischen »Wesen« zu tun, sondern mit einem autoritären Regime, mit einer leninistischen Partei samt Zentralkomitee, Politbüro und Generalsekretär, die über gewaltige wirtschaftliche, technologische und militärische Ressourcen verfügt. Der eigentliche Wettbewerb ist jener zwischen den repressiven Wertvorstellungen und Praktiken der KPCh und den in der Allgemeinen Menschenrechtserklärung der Vereinten Nationen festgeschriebenen Freiheitsrechten: der Redefreiheit, der Versammlungsfreiheit, der Religions- und Glaubensfreiheit, der Freiheit von Verfolgung, dem Recht auf Privatsphäre und Gleichheit vor dem Gesetz. Die KPCh lehnt alle diese Rechte in Worten oder Taten ab.

Völker, die in nächster Nachbarschaft Chinas leben, verstehen das sehr viel besser als die meisten Menschen im Westen. Diese unmittelbare Kenntnis des chinesischen Regimes löste die jüngsten Proteste in Hongkong aus und führte im Jahr 2020 zur Wiederwahl von Präsidentin Tsai Ing-wen in Taiwan. Ihr überwältigender Wahlsieg bedeutete in erster Linie, dass das taiwanesische Volk die Wahlurnen nutzte, um Nein zur KPCh zu sagen.

Ein Teil der Linken im Westen sucht nach Gründen, um die Augen vor der wahren Natur von Chinas Regierung unter Xi Jinping verschließen zu können. Die Linken verstehen sich historisch als Verteidiger der Unterdrückten, aber einige haben dabei aus den Augen verloren, dass der Totalitarismus die Menschenrechte erstickt. Doch die Besorgnis angesichts der Aktivitäten der KPCh macht nicht an den parteipolitischen Grenzen halt. Zum Beispiel haben Demokraten und Republikaner im US-Kongress ein Bündnis geschlossen, um Beijing die Stirn zu bieten. Ähnliches ist in Europa zu beobachten. Trotz zahlreicher Meinungsverschiedenheiten sind sich viele auf der Linken und auf der Rechten darin einig, dass China unter der KPCh eine Bedrohung nicht nur für die Menschenrechte, sondern auch für die nationale Souveränität ist.

Die Gründe dafür, dass so viele Menschen im Westen die von der KPCh ausgehende Gefahr herunterspielen oder leugnen, sind eines der zentralen Themen dieses Buches. Ein Grund ist natürlich finanzielles Interesse. Wie Upton Sinclair sagte: »Es ist schwer, jemanden dazu zu bringen, etwas zu verstehen, wenn sein Gehalt davon abhängt, dass er es nicht versteht.« Ein anderer Grund ist der aus sowjetischen Zeiten bekannte »Whataboutism«, der insbesondere von einigen Linken praktiziert wird. Die Argumentation geht so: Mag sein, dass in China einiges im Argen liegt, aber was ist mit den Vereinigten Staaten? Diese Taktik funktioniert mit Donald Trump im Weißen Haus besser, aber was auch immer man historisch und in der Gegenwart an den Vereinigten Staaten und ihrer Außenpolitik kritisieren kann – und wir sind überzeugte Kritiker –, diese Kritik kann die extremen Menschenrechtsverletzungen und die Unterdrückung der Freiheitsrechte durch das Regime der KPCh nicht relativieren oder entschuldigen.

Trotz all ihrer Fehler gibt es in der amerikanischen Demokratie sowie in allen demokratischen Ländern weiterhin eine funktionierende Opposition und Wahlen, die einen Regierungswechsel herbeiführen können. Es gibt vom Staat unabhängige Gerichte, vielfältige Medien, die frei berichten können und die Regierung oft hart kritisieren, und es gibt eine starke Zivilgesellschaft, die sich gegen Unrecht zur Wehr setzen kann. In China gibt es unter der Herrschaft der KPCh nichts von alledem. Die autokratischen Neigungen einiger Politiker in westlichen Demokratien sind tatsächlich beunruhigend, aber sie werden durch das System im Zaum gehalten, in dem sich diese Politiker bewegen. Für Xi Jinpings autokratische Impulse gibt es keine Einschränkungen, vor allem nicht, seit er und seine Verbündeten den politischen Konsens außer Kraft gesetzt haben, der den Aufstieg eines weiteren »großen Vorsitzenden« wie Mao Zedong verhindern sollte. Obwohl also im Westen und in den Demokratien im Allgemeinen einiges im Argen liegt, ist das von der KPCh angebotene politische Modell nicht die Lösung für die Probleme.

Unwissenheit ist eine weitere Erklärung dafür, dass es den westlichen Gesellschaften schwerfällt, die Bedrohung durch die KPCh richtig einzuschätzen. Dazu kommt, dass der Westen noch nie mit einem solchen Gegner konfrontiert war. Im Kalten Krieg unterhielt kein einziges westliches Land eine enge wirtschaftliche Beziehung zur Sowjetunion. Im Wissen um die wirtschaftliche und strategische Bedeutung Chinas versuchen viele Länder, mehr über das Land herauszufinden, während Beijing große Summen in das Vorhaben investiert, dem Westen dabei zu helfen, »China besser zu verstehen«. Es mag den Anschein haben, dass es vernünftig ist, Information direkt aus der Quelle zu beziehen, aber wie wir sehen werden, ist das in Wahrheit ein schwerer Fehler.

1

EIN ÜBERBLICK ÜBER DIE
BESTREBUNGEN DER KPCH

Die Kommunistische Partei Chinas (KPCh) ist entschlossen, die internationale Ordnung zu verändern und die Welt nach ihren Vorstellungen zu gestalten. Anstatt andere Länder von außen anzugreifen, sucht die Partei Verbündete, bringt Kritiker zum Schweigen und unterwandert westliche Institutionen, um den Widerstand gegen ihr Machtstreben von innen zu schwächen.

Politische Analysten auf beiden Seiten des Atlantik grübeln noch immer über die Frage, ob China als »Widersacher« oder sogar als »Feind« einzustufen ist, aber die KPCh hat diese Frage für sich selbst bereits vor 30 Jahren beantwortet. Nach dem Zusammenbruch der Sowjetunion sah sich das kommunistische China von Feinden umringt, die es neutralisieren oder besiegen musste. Während die KPCh und ihre Verbündeten im Westen gerne von einem »neuen Kalten Krieg« gegen China sprechen, führt die Partei seit Langem einen ideologischen Krieg gegen »feindliche Kräfte«. Für die KPCh hat der Kalte Krieg nie geendet.

Die Partei will Bündnisse umformen und die Vorstellung der Welt von China umgestalten, um ihre Herrschaft daheim abzusichern, ihren globalen Einfluss zu erhöhen und China langfristig zur wichtigsten globalen Macht zu machen. Wie die KPCh das zu tun gedenkt, hat sie in Reden und Dokumenten ausführlich erklärt. Die Strategie zur Umsetzung des Vorhabens sieht vor, Einfluss auf die westlichen Eliten zu nehmen, damit sie Chinas Vormachtstellung entweder begrüßen oder sich mit der Unvermeidlichkeit seiner Hegemonie abfinden. In einigen Ländern ist die Mobilisierung der Vermögen und des politischen Einflusses der Auslandschinesen ein zentraler Bestandteil dieser Strategie. Gleichzeitig sollen kritische Stimmen in der Diaspora zum Schweigen gebracht werden.

Gestützt auf seine gewaltige wirtschaftliche Macht, übt China diplomatischen Druck aus, wendet Überredungskunst an, betreibt Einheitsfront-Politik und »Freundschaftsarbeit« und manipuliert Medien, Denkfabriken und Universitäten, wobei diese Taktiken einander überschneiden und gegenseitig verstärken. Manche Leute behaupten, dass sich Beijings Versuche, rund um die Welt Einfluss zu nehmen, nicht vom Verhalten aller anderen Länder abheben, doch während nicht alles, was die KPCh tut, einzigartig ist, unterscheidet sich ihr Vorgehen erheblich von den normalen diplomatischen Aktivitäten anderer Länder, nämlich durch ein hohes Maß an Organisation und die ausgeprägte Bereitschaft, Zwang auszuüben.

Als größte Fabrik und zweitgrößte Volkswirtschaft der Welt ist China ein Magnet für ausländische Unternehmen und viele westliche Politiker. Ausländische Industrien sind auf Zugang zum riesigen chinesischen Markt angewiesen, und Beijing ist bereit, diese Abhängigkeit als politische Waffe einzusetzen. Um es mit den Worten eines Beobachters zu sagen:

Wenn du nicht tust, was die politische Führung in Beijing will, wird sie dich wirtschaftlich bestrafen. Sie setzt Politikern in aller Welt wirtschaftliche Daumenschrauben an. Das tut sie seit Jahren, und es funktioniert.[1]

Gelegentlich zieht Beijing die Daumenschrauben ganz unverhohlen an. Beispielsweise stellte China den Import von kanadischen Sojabohnen, Raps und Schweinefleisch ein, nachdem die Huawei-Managerin Meng Wanzhou im Dezember 2018 in Kanada verhaftet worden war.

Nachdem Dissident Liu Xiaobo 2010 in Oslo den Friedensnobelpreis verliehen bekam, verschärfte die chinesische Regierung die Importkontrollen für norwegischen Lachs und ließ Tonnen an Fisch vor der chinesischen Küste verrotten. Noch drastischer reagierte Beijing, als Südkorea im Jahr 2017 in Reaktion auf das aggressive Verhalten des nordkoreanischen Regimes mit der Installation eines amerikanischen Raketenabwehrsystems begann: Zu den 43 chinesischen Vergeltungsmaßnahmen zählten ein Verbot von Urlaubsreisen nach Südkorea, die Verbannung eines koreanischen Industriekonglomerats aus China sowie ein Bann über K-Pop-Stars und die Blockade von Elektronik- und Kosmetikimporten.[2] Die Strafmaßnahmen gegen Südkorea waren noch im Oktober 2019 in Kraft, als die chinesische Führung der renommierten Eastman School of Music an der University of Rochester drohte, eine China-Tour des Orchesters der Musikhochschule platzen zu lassen, wenn nicht drei südkoreanische Studenten aus dem Orchester verbannt würden.[3] Mit der Begründung, eine Absage der Konzerttour werde Eastmans Ansehen in China schweren Schaden zufügen, erklärte sich der Dekan der Musikhochschule bereit, die Koreaner nicht mitzunehmen. Erst nach wütenden Protesten von Studenten und ehemaligen Absolventen entschloss sich Eastman schließlich dazu, die China-Tour abzusagen.[4]

Als Daryl Morey, der Geschäftsführer des Basketballteams der Houston Rockets, Ende des Jahres 2019 in einem Tweet seine Unterstützung für die Demonstranten in Honkong bekundete, reagierte Beijing sofort.[5] (Die Flut kritischer Stimmen auf Twitter stammte offenbar von Trollen und falschen Konten in China.[6]) Die Übertragungen der Spiele der Houston Rockets in China, wo der Club eine große Fangemeinde hat, wurden eingestellt. Sponsoren zogen sich zurück. Beijing beschuldigte Morey, er habe »die Gefühle des chinesischen Volkes verletzt«. Das Chinesische Zentralfernsehen CCTV definierte die Meinungsfreiheit neu und erklärte, sie schließe »Anfechtungen der nationalen Souveränität und der gesellschaftlichen Stabilität« aus.[7] In dem verzweifelten Bemühen, ihren wachsenden Markt in China zu retten, veröffentlichte die NBA eine kriecherische Entschuldigung, die sich las, als sei sie von der Propagandaabteilung der KPCh verfasst worden.[8] Dies ist kein Einzelfall. Nachdem sich Mesut Özil öffentlich gegen die Verfolgung der uigurischen Minderheit in China ausgesprochen hatte, distanzierte sich der britische Fußballclub Arsenal sofort. Die Übertragung von Arsenal-Spielen im chinesischen Fernsehen wurde trotzdem gestrichen, und Özil schlug eine Welle des Hasses entgegen.

Wenige extrem harte Strafen genügen, um Furcht zu verbreiten, und im Allgemeinen beschränkt sich die chinesische Führung auf unbestimmte Drohungen, die dementiert werden können. Auf diese Art werden diejenigen, gegen die sich die Drohungen richten, im Ungewissen gehalten. Perry Link erklärt, dass vage Drohungen einer größeren Zahl von Menschen Angst machen, weil niemand ausschließen kann, selbst Adressat der Drohung zu sein, was dazu führt, dass all jene, die sich angesprochen fühlen, »breiter gefächerte Aktivitäten einschränken«.[9]

China hat sich zum Meister der dunklen Kunst der wirtschaftlichen Hypnose gemausert. Dass ihm das gelungen ist, liegt zum Teil daran, dass sich die westlichen Länder in den letzten Jahrzehnten dagegen gesträubt haben, den Freihandel aus politischen Gründen zu behindern. Deshalb reagierte die Welt geschockt, als Donald Trump im Jahr 2018 einen Handelskrieg mit China anzettelte. Trumps Irrtümer sind zahlreich, aber er hat recht, wenn er sagt, dass Beijing systematisch – und ungestraft – gegen die Prinzipien des globalen wirtschaftlichen Austauschs verstößt.

Das gewaltige Infrastrukturprogramm, das Beijing unter dem Namen »Belt and Road Initiative« (im Deutschen meist als »Neue Seidenstraße« oder »Seidenstraßen-Initiative« übersetzt) vorantreibt, ist das vollkommenste Werkzeug der wirtschaftlichen Staatskunst – oder besser: der wirtschaftlichen Erpressung. Die Seidenstraßen-Initiative bietet der chinesischen Bauindustrie ein riesiges Betätigungsfeld und ermöglicht es dem Land, seine Kapitalreserven einzusetzen. Gleichzeitig bringt die Initiative vielen Staaten, die unter Kapitalmangel leiden und keinen Zugang zu den herkömmlichen Finanzierungsquellen haben, dringend benötigte Investitionen. Vielen Regierungen fällt es schwer, das Angebot zinsgünstiger Kredite auszuschlagen, vor allem wenn sie nicht mit Umweltschutzvorgaben und anderen Bedingungen verknüpft sind.[10]

Doch die Ziele der Seidenstraßen-Initiative sind keineswegs darauf beschränkt, ein Einsatzgebiet für chinesische Kapitalüberschüsse zu finden oder die wirtschaftliche Entwicklung ärmerer Länder zu fördern: Die »Neue Seidenstraße« ist Beijings wichtigstes Instrument zur geopolitischen Neuordnung. Eine genaue Analyse chinesischsprachiger parteiinterner Dokumente zeigt, dass die chinesischen Analysten »sowohl in diplomatischen als auch in militärischen Publikationen offen darüber sprechen, die Auslandshilfe und die Seidenstraßen-Initiative als Vorwand für die Verfolgung der großen Strategie Chinas zu verwenden«.[11] Xi Jinpings wichtigstes Vorhaben ist mittlerweile so eng mit fast allen Auslandsaktivitäten des chinesischen Staates – seien sie kommerzieller, technologischer, akademischer oder kultureller Art – verknüpft, dass es nicht mehr von der übergeordneten diplomatischen Ausrichtung der Volksrepublik getrennt werden kann.

Xi Jinping hat die Seidenstraßen-Initiative wiederholt als unverzichtbaren Bestandteil seiner Vision von einer »Schicksalsgemeinschaft der Menschheit« bezeichnet.[12] Die Idee mag in westlichen Ohren gut klingen, aber ihr Ziel ist jene sino-zentrische Welt, von der die Falken träumen, die Xi in die Parteiführung geholt hat. Diese betrachten eine von China dominierte Weltordnung als einen essentiellen Bestandteil der »großen Wiederauferstehung des chinesischen Volkes«.[13]

Die Seidenstraßen-Initiative ist also das wichtigste Instrument Beijings für die Neugestaltung der internationalen Ordnung.[14] In einer aufschlussreichen Rede beschrieb Qiao Liang, ein Militärstratege und ehemaliger Generalmajor der Volksbefreiungsarmee die Seidenstraßen-Initiative als Vehikel, das China eine Vormachtstellung gegenüber den Vereinigten Staaten sichern solle. Die »Neue Seidenstraße« steht für Chinas neue und unwiderstehliche Form der Globalisierung, deren Erfolg daran gemessen werden wird, ob der Renminbi den Dollar als globale Leitwährung verdrängen kann, womit die Position der

Vereinigten Staaten »ausgehöhlt« würde.[15] Qiao gehört in China zu
den aggressiveren Meinungsmachern, aber aus der geostrategischen
Logik der Seidenstraßen-Initiative wird auch anderswo kein Hehl gemacht. Beispielsweise geht aus dem geleakten Protokoll einer chine-
sisch-malaysischen Verhandlung über BRI-Projekte hervor, trotz der
»politischen Natur« des Vorhabens müsse es gegenüber der Öffentlichkeit als marktorientiert dargestellt werden.[16]

Die »Neue Seidenstraße« wird gerne als »gewaltiges« Vorhaben bezeichnet, und als der chinesische Spitzendiplomat Yang Jiechi im April
2019 erklärte, die Seidenstraßen-Initiative spiele »keine kleinen geopolitischen Spielchen«, sagte er die Wahrheit.[17] Nayan Chanda, der
ehemalige Herausgeber der *Far Eastern Economic Review*, beschreibt
die Seidenstraßen-Initiative als »offenen Ausdruck von Chinas Macht-
anspruch im 21. Jahrhundert«.[18] Beijings Ziel ist es, die globale geo-
politische Landschaft umzugestalten. So wie andere von der chinesischen Regierung aufgebaute »Parallelinstitutionen«, darunter die
Asiatische Infrastrukturinvestitionsbank, gibt die Seidenstraßen-Initiative vor, keine Herausforderung für die bestehenden Institutionen
darzustellen. Ziel ist jedoch, die Interessen der beteiligten Länder
Schritt für Schritt neu auszurichten und das globale Machtgleich-
gewicht zu verschieben. Ein Schlüsselbestandteil der Vorstellungen
der KPCh von der globalen und regionalen Machtdynamik ist die
Identifizierung eines »wesentlichen Widerspruchs« und eines »Hauptfeindes«, gegen den gemeinsam Front gemacht werden soll. Auf globaler Ebene sind dies die Vereinigten Staaten, die von ihren Verbündeten abgekoppelt und isoliert werden müssen.

Der Brexit, die Uneinigkeit in der Europäischen Union und der
Wahlsieg Donald Trumps haben Beijing eine strategische Chance eröffnet, die transatlantische Allianz zu schwächen und die europäische
Einheit weiter zu untergraben. Nachdem die KPCh Europa lange Zeit
als im Wesentlichen irrelevanten Juniorpartner der Vereinigten Staaten betrachtete, hat Beijing in diesem Kontinent mittlerweile ein wertvolles Ziel erkannt. Indem es Europa auf seine Seite zieht, hofft China
die Welt davon zu überzeugen, dass es der »Vorreiter des Multilatera-

lismus« und ein dringend erforderliches Gegengewicht zum Unilateralismus der amerikanischen Hegemonialmacht ist.[19] Beijing will europäische Unterstützung für die von China geleiteten Initiativen in den Entwicklungsländern mobilisieren – oder zumindest dafür sorgen, dass die öffentliche Kritik daran verstummt. (Obwohl wir uns in diesem Buch nicht damit beschäftigen, verfolgt China in anderen Teilen der Welt ähnliche Strategien, um bestehende Allianzen zu spalten.)

Trotz all der Medienberichte über »Schuldendiplomatie«, »globale Konnektivität« und »beiderseitig vorteilhafte Kooperation« zeigt sich bei der »Neuen Seidenstraße« klar, dass das Ziel einer strategischen Verschiebung nicht nur durch die mit dem eigentlichen Infrastrukturprogramm einhergehende politische Einflussnahme, sondern auch durch ein subtiles und mehrgleisiges Programm der globalen Meinungssteuerung erreicht werden soll. Die »Neue Seidenstraße« dient der Machtausübung, indem die Bedingungen der Debatte kontrolliert werden. (Mehr dazu in Kapitel 6.) Es reicht nicht mehr, die Diskussion über die Seidenstraßen-Initiative auf die geschäftlichen und wirtschaftlichen Aspekte zu beschränken, denn sie kommt überall zum Vorschein, vom Silk Road Think Tank Network über Medienvereinbarungen und Verbindungen zwischen Kultureinrichtungen bis zur Aufnahme von Städtepartnerschaften und »Volk-zu-Volk-Austauschprogrammen« – das alles ist häufig Teil von Absichtserklärungen zur Seidenstraßen-Initiative.

Die KPCh fürchtet sich weiterhin sehr vor der »ideologischen Infiltration« durch feindliche Kräfte, die einen Regimewechsel in China anstreben. In einem von der Zentralen Propagandaabteilung herausgegebenen Handbuch aus dem Jahr 2006 heißt es: »Wenn feindliche Kräfte versuchen, in einer Gesellschaft Verwirrung zu stiften und ein politisches Regime zu Fall zu bringen, beginnen sie stets damit, ein Loch zu öffnen, durch das sie in den ideologischen Raum eindringen können, um das Volk zu verwirren.«[20] Diese Haltung, die auf der Überzeugung beruht, die Partei befinde sich in einem Kalten Krieg mit der Außenwelt, muss man kennen, um verstehen zu können,

dass die internationalen Aktivitäten der KPCh in erster Linie ein globaler Ausdruck des Bedürfnisses nach Stabilisierung des Regimes
sind.

Angesichts der Gefahr einer »ideologischen Infiltration« ist die
KPCh zu der Überzeugung gelangt, Angriff sei die beste Verteidigung.
Wenn die Parteiführung also von ihrem Ziel spricht, die internationale Ordnung »demokratischer«, »offener« und »vielfältiger« zu machen, ist das eine verschlüsselte Beschreibung einer Ordnung, in der
»autoritäre Systeme und Werte global denselben Status beanspruchen
können wie liberale und demokratische«, wie es Melanie Hart und
Blaine Johnson ausdrücken.[21]

Im April 2016 gab die *Global Times*, das unverhohlen aggressive
Boulevardblatt der Partei, der Leserschaft einen Hinweis auf die Geis-
teshaltung der KPCh, als es die zur Zensur des Internets errichtete
»Große Firewall« als *vorübergehende* Verteidigungswaffe bezeichnete,
die eingesetzt werde, um »die westlichen Versuche zur ideologischen
Eroberung Chinas« zu unterbinden.[22] Hat die KPCh erst einmal die
globale öffentliche Meinung manipuliert, haben ihre Werte und das
politische System Chinas erst einmal weltweit Anerkennung gefunden,
so werde die »Große Firewall« möglicherweise nicht mehr benötigt.
Mittlerweile glaubt die Partei, einflussreich genug zu sein, um globale
Konversationen ändern zu können.[23]

Beijing will auch dafür sorgen, dass die Weltgemeinschaft einen Bogen um chinesische Dissidenten und Befürworter der Unabhängigkeit
Taiwans macht. Das Regime will nicht nur weltweite Unterstützung
für die Vorstellung, dass die KPCh die einzige Partei ist, die in der
Lage ist, China zu regieren, sondern es möchte auch, dass die Welt an-
erkennt, dass das politische und wirtschaftliche System Chinas der
westlichen Demokratie und der liberalen kapitalistischen Wirtschaftsordnung überlegen ist und dass das von der KPCh beherrschte China
im Gegensatz zu den Vereinigten Staaten ein verantwortungsbewuss-
ter globaler Akteur ist, der das Wohl der Menschheit im Sinn hat.

Einige Beobachter sind der Meinung, der Versuch der Partei, ihre
Ideologie zu exportieren, sei zum Scheitern verurteilt, aber wie wir

sehen werden, ist diese Annahme zu optimistisch. Andere finden Chinas Behauptung, es sei eine verantwortungsbewusste Weltmacht, und seine Kritik an den USA mit Blick auf die Snowden-Leaks, auf den katastrophalen Fehlschlag der Irakinvasion, auf Donald Trumps Ruf nach einem Regimewechseln in Venezuela und andere Entwicklungen durchaus überzeugend. Der große Widerspruch in Trumps Präsidentschaft ist, dass er auf der einen Seite entschlossenen Widerstand gegen die Ausweitung der chinesischen Wirtschaftsmacht leistet, auf der anderen Seite jedoch die Vereinigten Staaten von ihren Verbündeten isoliert, womit diese anfälliger für die Einmischung der KPCh werden. Chinas wachsender Einfluss in Europa wird von denen, die den Vereinigten Staaten misstrauen, sowie von einigen Europaskeptikern begrüßt, die in China ein Gegengewicht zur Europäischen Union oder zu den größeren, mächtigeren Ländern des Kontinents sehen.

Andere stellen die Funktionstüchtigkeit der Demokratie infrage und äußern Bewunderung für das autoritäre Regime Chinas. Wieder andere, darunter Scharen westlicher Journalisten, die Rundreisen auf Kosten des chinesischen Staates unternehmen, sind fasziniert vom rasanten Wachstum des Landes und dem technologischen Fortschritt, wobei sie vergessen, dass andere Länder in ihrer wirtschaftlichen Aufholphase genauso schnell wuchsen und dass es die KPCh selbst war, die China mehrere Jahrzehnte an jeglichem Fortschritt hinderte. Viele im Westen wiederholen die Behauptung der kommunistischen Partei, sie habe 700 Millionen Menschen aus der Armut befreit, aber es wäre zutreffender zu sagen, dass die KPCh nach der Gründung der Volksrepublik 1949 drei Jahrzehnte lang Hunderte Millionen Chinesen in der Armut *gefangen hielt*; erst als die Partei den Menschen einige grundlegende Freiheiten zugestand – die Freiheit, Eigentum zu besitzen, ein Unternehmen zu gründen, den Arbeitsplatz und den Wohnort zu wechseln –, befreite sich das chinesische Volk *selbst* aus der Armut.

2

EINE LENINISTISCHE PARTEI ZIEHT IN DIE WELT HINAUS

Die KPCh sieht sich in einem Kalten Krieg

Zu den bevorzugten rhetorischen Werkzeugen, mit denen der chinesische Parteistaat Kritik abzuwehren versucht, zählt der Vorwurf des »McCarthyismus« oder einer »Mentalität des Kalten Kriegs« an die Adresse seiner Gegner. Hua Chunying, eine Sprecherin des Außenministeriums, verwendet vorzugsweise den zweiten Begriff, den sie durch das ebenfalls beliebte »Nullsummendenken« ergänzt.[1] Im Jahr 2019 erklärte die nationalistische *Global Times*, der chinesische Telekommunikationsausrüster Huawei sei Opfer eines »Hightech-McCarthyismus« geworden.[2] Der chinesische Botschafter in Großbritannien, Liu Xiaoming, hat die amerikanischen Manöver zur Wahrung der Schifffahrtsfreiheit im Südchinesischen Meer als »Kanonenboot-Diplomatie« bezeichnet, die einer »Kalter-Krieg-Mentalität« entspringe.[3] Selbst Kritik an den schweren Menschenrechtsverstößen in China wird auf derartiges Denken zurückgeführt.[4]

Der Vorwurf einer im Kalten Krieg verhafteten Denkweise wird im Westen häufig aufgegriffen. Im März 2019 warnte Susan Shirk, ehemalige Staatssekretärin im Außenministerium unter Bill Clinton, bei einem internationalen Symposium der Peking Universität vor einem drohenden »McCarthy-Wahn« in den Vereinigten Staaten angesichts einer vorgeblich von China ausgehenden »roten Gefahr«.[5] Nach Einschätzung von Shirk treibt ein »Herdeninstinkt« die Amerikaner dazu, überall chinesische Bedrohungen zu sehen, was potenziell verheerende Konsequenzen haben könne.[6]

Diese Aussage ist nicht nur unglücklich, weil sie legitime Bedenken pauschal vom Tisch wischt. Sie wirkt auch widersinnig, weil kaum jemand in seinem Denken derart im Kalten Krieg gefangen ist wie die chinesische Führung selbst. Diese Mentalität wurde unter Xi Jinping noch verstärkt.

Im Dezember 2012 erklärte Xi als neuer Generalsekretär der Kommunistischen Partei in einer Rede, China dürfe trotz seines Wirtschaftswachstums die Lehren aus dem Zusammenbruch der Sowjetunion nicht vergessen. Er beschrieb insbesondere drei Fehler, die das Schicksal des sowjetischen Imperiums besiegelt hätten: Erstens habe die Führung der Kommunistischen Partei der Sowjetunion (KPdSU) die Kontrolle über das Militär verloren. Zweitens sei es ihr nicht gelungen, die Korruption unter Kontrolle zu bringen. Drittens habe die Partei ihre Leitideologie aufgegeben und dadurch die Fähigkeit eingebüßt, sich gegen die ideologische Infiltration durch »feindliche Kräfte im Westen« zur Wehr zu setzen. Die KPdSU habe ihren Untergang selbst verschuldet.[7]

Aufmerksame Beobachter sahen in Xis Rede den ersten Hinweis darauf, dass sich die Hoffnung, er werde ein »liberaler Reformer« sein, die Öffnung Chinas vorantreiben und seine Integration in die internationale Ordnung ermöglichen, als unbegründet erweisen würde.[8]

Im März 2019 veröffentlichte das maßgebliche theoretische Parteiorgan, die Zeitschrift *Qiushi* (»Wahrheitssuche«) einen Auszug aus einer weiteren Rede von Xi, die er im Januar 2013 vor den 300 Mitgliedern des ZK der KPCh gehalten hatte. Das Thema war die »Verteidigung und Entwicklung des Sozialismus«. Xi erklärte, das chinesische System werde letzten Endes über den Kapitalismus triumphieren, aber die Partei müsse sich auf eine »langfristige Kooperation und Auseinandersetzung zwischen den beiden Systemen« vorbereiten. Er rief den ZK-Genossen erneut in Erinnerung, einer der Hauptgründe für den Zusammenbruch der Sowjetunion sei gewesen, dass die dortige Führung »die Geschichte der Sowjetunion und die Geschichte der KPdSU vollkommen verleugnet« habe. »Sie verleugnete Lenin und Stalin; sie praktizierte ›historischen Nihilismus‹ [das heißt, sie kritisierte die Vergangenheit der Partei] und beschwor ein ideologisches Chaos herauf.«[9]

Das war keine bloße Rhetorik. Die KPCh ließ diesen Worten entschlossene Taten folgen. Im April 2013 bereitete das Zentralkomitee ein Kommuniqué mit dem Titel *Mitteilung zur gegenwärtigen Situation in der ideologischen Sphäre* vor, besser bekannt als »Dokument Nr. 9«. In dieser berüchtigten Verlautbarung, die an die hochrangigen Parteifunktionäre von der Ebene der Präfektur aufwärts verteilt wurde, waren sieben »falsche ideologische Tendenzen« beschrieben, welche die Kader nicht länger unterstützen durften: westliche konstitutionelle Demokratie, »universelle Werte«, Zivilgesellschaft, Neoliberalismus, westliche Grundsätze des Journalismus, historischer Nihilismus und Zweifel an der sozialistischen Natur des Sozialismus chinesischer Prägung.[10] Die Partei lehnte die Demokratie und die universellen Menschenrechte kategorisch ab, und auf die Verlautbarung folgten harte Repressionsmaßnahmen gegen jene, die sich in China dafür einsetzten. Das Dokument Nr. 9 war nur der Anfang einer neuen Kampagne der KPCh zur Ausrottung von Vorstellungen, die nach Ansicht der Partei ihre Macht gefährdeten.[11] Offenbar hielt sich die Partei an den Stalin zugeschriebenen Grundsatz: »Ideen sind mächtiger als Waffen. Wir würden nicht zulassen, dass sich unsere Feinde bewaffnen; warum sollten wir zulassen, dass sie Ideen haben?«

Im Oktober 2013 wurde ein interner Dokumentarfilm mit dem Titel *Lautloser Wettbewerb*, der vermutlich von der Nationalen Verteidigungsuniversität der Volksbefreiungsarmee produziert worden war, geleakt.[12] In dem 90-minütigen Film wurde der Vorwurf wiederholt, die Vereinigten Staaten versuchten, durch »ideologische Infiltration« einen Regimewechsel in China herbeizuführen. Beschuldigt wurden ausländische Nichtregierungsorganisationen (NRO) wie die Ford Foundation sowie angeblich von westlichem Gedankengut überzeugte chinesische Wissenschaftler, die eine »innere Bedrohung« darstellten. Nachdem der Film ins Internet gelangt war, versuchte die *Global*

Times, die darin geäußerten Vorwürfe als Ansichten einer kleinen Gruppe nationalistischer Militärexperten darzustellen.[13] Doch die aggressiven Kampagnen gegen »heterodoxes Denken« an chinesischen Universitäten, die verstärkte Kontrolle der Medien sowie neue Gesetze wie jenes über die Tätigkeit ausländischer NRO von 2018, das das Aktivitätsfeld internationaler NRO erheblich einschränkte, entsprachen der in *Lautloser Wettbewerb* geäußerten Warnung, was darauf hindeutete, dass sich die Aussagen des Dokumentarfilms mit der Vorstellung der KPCh von den ideologischen Bedrohungen deckte.[14]

Doch die meisten westlichen Beobachter ignorierten weiterhin die zutiefst ideologische Natur von Xis Regime, etwas, was sich nur langsam zu ändern beginnt. Im August 2017 hielt John Garnaut, ein ehemaliger Chinakorrespondent und Berater der australischen Regierung, der die Funktionsweise der KPCh gut kennt, vor hochrangigen australischen Beamten eine Rede, in der er Xis Rückkehr zu den Vorstellungen Stalins und Maos beschrieb.[15] Xi Jinping misst der Ideologie größere Bedeutung bei als seine Vorgänger, aber Garnaut wies darauf hin, dass der eigentliche Wendepunkt im Jahr 1989 erreicht wurde, als die Parteiführung von den Studentenprotesten auf dem Tiananmenplatz überrascht wurden und Gewalt einsetzte, um die Demokratiebewegung niederzuschlagen. Fünf Monate später musste die chinesische Führung mit ansehen, wie die Berliner Mauer fiel und wie sich der noch kurz zuvor so mächtig wirkende Ostblock auflöste. Die chinesischen Kommunisten begannen, sich auf die »ideologische Sicherheit« als unverzichtbaren Bestandteil der Sicherheit des Regimes zu konzentrieren.[16] Wie Anne-Marie Brady gezeigt hat, bewegten diese Geschehnisse die Partei zu einer massiven Ausweitung von Propaganda und ideologischer Arbeit.[17] Das Hauptaugenmerk lag auf der politischen Indoktrinierung daheim, die eine »patriotische Erziehung« in den chinesischen Schulen und Maßnahmen gegen das Eindringen »feindlicher Ideen« beinhaltete.

Im Jahr 1990 führte Joseph Nye das Konzept der *soft power* ein.[18] In den Augen der chinesischen Parteiführung bewies seine These, dass die Vereinigten Staaten vorhatten, China ideologisch zu untergraben.

Auszüge aus Nyes Buch *Bound to Lead* wurden unverzüglich ins Chinesische übersetzt und im Januar 1992 vom Verlag für Übersetzungen im Bereich von Militärangelegenheiten veröffentlicht. Im Vorwort erklärte der Herausgeber, dass er die chinesischen Übersetzer aufgefordert habe, das Buch rasch zu übertragen, um die amerikanischen Pläne bloßzustellen.[19] Die Leser wurden darüber aufgeklärt, dass Nye vorschlage, die kulturelle und ideologische Einflussnahme auf China, die ehemalige Sowjetunion und die Dritte Welt zu intensivieren, um diese Länder dazu zu bewegen, das amerikanische Wertesystem zu übernehmen. Die Vereinigten Staaten planten, ihre globale Vormachtstellung nicht nur politisch zu festigen, sondern sie wollten die Welt auch kulturell und ideologisch dominieren; das chinesische Volk müsse verstehen, dass der Kampf gegen den amerikanischen Plan einer »friedlichen Evolution« langwierig, komplex und intensiv werden würde.[20]

In der KPCh setzte sich die Vorstellung durch, China führe einen Kampf auf Leben und Tod gegen feindselige westliche Kräfte, die versuchten, das Land ins Chaos zu stürzen. Im Jahr 2000 verstieg sich Sha Qiguang, ein Funktionär aus dem Büro für Auslandspropaganda, das im Ausland unter der Bezeichnung Informationsbüro des Staatsrats bekannt ist, zu der Behauptung, der Westen habe im vergangenen Jahrzehnt einen »Dritten Weltkrieg ohne Rauch« gegen China geführt.[21] In den Augen des Regimes ist die »ideologische Subversion« keine abstrakte Gefahr: Die »Sonnenblumen-Bewegung« in Taiwan und die »Regenschirm-Bewegung« in Hongkong im selben Jahr wurden als westliche Verschwörungen zur Destabilisierung Chinas betrachtet.[22] Dasselbe gilt natürlich auch für die Proteste die in Hongkong im Jahr 2019 begannen, obwohl dort große Menschenmassen für die demokratischen Freiheitsrechte auf die Straße gingen.

Weder die Aufnahme Chinas in die Welthandelsorganisation im Jahr 2001 noch seine zunehmende wirtschaftliche Interdependenz mit dem Westen verringerten die Angst vor ideologischer Infiltration. Die Jahre 2000 bis 2004, in denen die ersten Farbenrevolutionen in Osteuropa stattfanden, verschlimmerten die Furcht der KPCh nur noch.

Die Parteiführung gab eine Reihe von Studien über den Zusammenbruch der Sowjetunion in Auftrag.[23] Im Jahr 2004 gestand sie erstmals ein, dass ihr Machterhalt nicht auf Dauer garantiert sei. Die Partei begann zu begreifen, dass sie zuverlässigere und dauerhaftere Legitimationsquellen als die Wirtschaft, die in eine Krise geraten konnte, und den Nationalismus brauchte, der sich gegen die Partei wenden konnte, wenn sie die Erwartungen des hypernationalistischen Teils der Bevölkerung nicht länger erfüllen konnte.[24]

Die Parteiführung sah, dass China trotz seines wirtschaftlichen Gewichts nicht in der Lage war, die internationale Debatte zu gestalten und zu beeinflussen, wie andere Länder China, sein politisches System und seine Rolle in der Welt sahen. In der Arena der Weltöffentlichkeit, so die Einschätzung der Partei, »war der Westen stark und China schwach«.[25] Das musste geändert werden: China brauchte »Diskursmacht« *(huayuquan)* und ein Image, das seinem Status entsprach.[26]

»Groß angelegte Außenpropaganda«

Im Jahr 1993 brachte Wang Huning, ein junger Professor an der Fudan-Universität in Shanghai, der einige Jahre früher Gastwissenschaftler an mehreren amerikanischen Hochschulen war, mit einem Artikel im *Journal of Fudan University* das Konzept der *soft power* einem größeren Kreis chinesischer Experten für internationale Beziehungen näher.[27] Ursprünglich als potentielle Gefahr für das Regime verstanden, wurde das Konzept später neu definiert und als Möglichkeit der KPCh gedeutet, ihre eigene Art von *soft power* einzusetzen. Im Jahr 2017 wurde Wang von Xi Jinping überraschend in das leitende Parteiorgan berufen, den siebenköpfigen Ständigen Ausschuss des Politbüros. Wang, der zu Xis engsten Vertrauten zählt und offiziell den fünften Rang in der chinesischen Machthierarchie einnimmt, ist als Chinas Chefideologe für Propaganda und Ideologiearbeit zuständig.[28]

Wang Huning baut auf der Arbeit mehrerer Jahrzehnte auf. Anfangs war die Neuausrichtung der internationalen Unterstützung für

die KPCh und ihre Vorstellungen und Maßnahmen Teil der Bemühungen der Partei, China in eine Weltmacht zu verwandeln, ohne
Widerstand der etablierten Mächte zu provozieren.[29] Im Dezember
2003 erklärte der damalige Parteichef Hu Jintao in einer wenig beachteten Rede, die »Schaffung eines günstigen Umfelds in der internationalen öffentlichen Meinung« sei wichtig »für Chinas nationale Sicherheit und gesellschaftliche Stabilität«.[30] Zu diesem Zweck führte
die KPCh die »groß angelegte Außenpropaganda« ein: Ziel war es,
eine größere Zahl von Staats- und Parteiabteilungen sowie größere
Teile der Bevölkerung in ihre externen Propagandabemühungen ein-
zubeziehen.[31]

Damit sich die KPCh sicher fühlen kann, muss ihre Botschaft »die
lauteste unserer Zeit« werden.[32] Dass die Bemühungen um globale Legitimität, eine Neugestaltung der Weltordnung und eine Steuerung
der globalen Diskussionen innenpolitisch motiviert sind, nimmt
ihnen nichts von ihrer Bedeutung. Im Gegenteil: Die Tatsache, dass
diese Bemühungen mit der Sicherheit des Regimes verknüpft werden,
bedeutet, dass für die Partei sehr viel auf dem Spiel steht.

Die Partei beschäftigt sich seit den neunziger Jahren mit den Kon-
zepten einer ideologischen Infiltration und eines neuen Kalten Kriegs
der Ideen, aber die Strategien, die sie anwendet, um vermeintlichen
Bedrohungen zu begegnen, haben sich wesentlich geändert und sind
mittlerweile deutlich aggressiver. Schon im Jahr 2005 erklärte ein Parteitheoretiker in einem Artikel mit dem Titel »Auslandspropaganda
und Befähigung der Partei zur Herrschaft«, wie die Umformung der
internationalen öffentlichen Meinung dazu beitragen könne, eine
Unterminierung der Herrschaft der KPCh im eigenen Land zu verhindern. Der Autor beschrieb die chinesische Propaganda im Ausland als
»Vorhut im [Kampf] gegen die ›friedliche Evolution‹«, denn sie half,
die Botschaften feindlicher Kräfte zu diskreditieren, bevor sie China
erreichten.[33]

In der Finanzkrise von 2008/2009 erkannten die Parteiführung
und chinesische Wissenschaftler eine Chance für China, seinen globalen Einfluss zu vergrößern und sein Gesellschafts- und Wirtschafts-

modell als Alternative zur westlichen Ordnung darzustellen. Die Analysten der Partei verwiesen darauf, dass die Krise die Schwächen des deregulierten Finanzsystems und der mangelnden Aufsicht über die Märkte aufgedeckt habe. Im Gegensatz dazu könnten die behutsameren chinesischen Reformen eine solche Katastrophe vermeiden. In den chinesischen akademischen Kreisen begann eine erste intensive Diskussion über das »chinesische Modell« und seine Eignung für den globalen Export als Alternative zu westlichen Regulierungsmodellen.[34]

Unter Xi Jinping haben diese Bemühungen eine neue Dimension angenommen. Während frühere Generationen von politischen Führern den Begriff des »chinesischen Modells« mieden, wirbt die KPCh mittlerweile in anderen Ländern offen für das, was sie als den »chinesischen Ansatz« und die »chinesische Weisheit« bezeichnet.[35] Während des Nationalen Volkskongresses im Jahr 2019 erklärte Colin Linneweber, ein amerikanischer Mitarbeiter der amtlichen Nachrichtenagentur Xinhua, es werde »allgemein anerkannt, dass Chinas System der Demokratie ein Schlüssel zu seinem Erfolg ist«.[36] Bei einem Besuch in Paris im Jahr 2019 bot Xi Jinping den »chinesischen Ansatz« und die »Neue Seidenstraße« als Lösungen an, um den Vertrauensverlust und die schwindende Kooperationsbereitschaft in der internationalen Gemeinschaft zu überwinden.[37]

Wie das National Endowment for Democracy erklärt, stützen sich autoritäre Regimes wie das chinesische nicht auf *soft power*, also nicht auf weiche, sondern auf *scharfe Macht*, das heißt auf Zwang und Manipulation.[38] Tatsächlich zeigt sich dies in chinesischen Debatten zu diesem Thema, in denen es immer vorrangig um die Macht und weniger um die Anwendung »weicher« Methoden geht.

Es wäre ein Fehler, die Versuche der KPCh zur Verbreitung der »Demokratie chinesischer Prägung« und anderer den Bedürfnissen des Regimes angepasster Konzepte (Menschenrechte, Rechtsstaatlichkeit usw.) herablassend zu betrachten oder zu glauben, diese Bemühungen seien zum Scheitern verurteilt, weil es dem chinesischen System an Attraktivität mangelt. Zum einen wissen große Teile des

Zielpublikums der Partei in den Entwicklungsländern und im Westen wenig über China, wenn man von seinem wirtschaftlichen Erfolg absieht. Manche glauben, westliche Regierungen und Medien zeichneten ein »verzerrtes« Bild von China. Andere sind der Meinung, ein autoritäreres Regierungssystem habe seine Vorteile, wie aktuelle Umfragen zeigen, und einige Argumente der KPCh dürften tatsächlich überzeugend auf sie wirken, da die Partei Krisen in demokratischen Ländern nutzt, um auf Chinas Stärken hinzuweisen. So wurden der Brexit und der Wahlsieg Donald Trumps im Jahr 2016 als Belege für die Behauptung ins Feld geführt, die Demokratie führe zwangsläufig zu Chaos und Ineffizienz.[39] Während der Coronavirus-Krise überzeugte der Bau eines Krankenhauses innerhalb von zehn Tagen auch viele in westlichen Ländern von der vermeintlichen autokratischen Effizienz der KPCh.

Die Partei herrscht

Im Juli 2021 wird die Kommunistische Partei Chinas 100 Jahre alt. Sie ist von wenig mehr als einem Dutzend Mitgliedern im Jahr 1921 auf 90 Millionen in der Gegenwart gewachsen, hat eine eigene Streitmacht von 2 Millionen Mann und stützt sich auf eine Vielzahl von Organisationen, die versuchen, sämtliche Aspekte des gesellschaftlichen Lebens zu kontrollieren. Der Staatsapparat ermöglicht es ihr, sich auf der internationalen Bühne unter Bedingungen zu bewegen, die in den Augen der übrigen Welt normal scheinen. Doch in der Debatte über den Einfluss Chinas in der Welt wird die Partei von vielen westlichen Beobachtern ausgeblendet.

Eine der größten Herausforderungen im Umgang mit China ist eben die politische Unkenntnis der ausländischen Gesprächspartner, die sich vor allem von Organisationen täuschen lassen, deren Ziel die Beeinflussung ist und die ihre Verbindung mit der Partei zu verbergen versuchen. Die internationale Gemeinschaft versteht in vielen Situationen die zentrale Rolle nicht, die die KPCh in China spielt. Um zu verdeutlichen, wie vollkommen die Partei alle anderen Institutionen beherrscht, sei darauf hingewiesen, dass die Volksbefreiungsarmee keine *nationale* Armee, sondern der bewaffnete Arm der Kommunistischen Partei ist.[40] Manager von Staatsbetrieben werden von der Organisationsabteilung der Partei ernannt. Die chinesischen Medien befinden sich nicht im Staatsbesitz, sondern im Besitz der Partei, die über ihre Propagandaabteilungen eine Mehrheitsbeteiligung hält.

Im Westen wird über China oft so gesprochen, als existierte die Kommunistische Partei nicht, aber um das politische Gebilde, mit dem wir es zu tun haben, verstehen zu können, müssen wir uns auf die Partei konzentrieren. Wie wir gesehen haben, entspringt die chinesische Einflussnahme im Ausland den Strategien und Erfordernissen der Partei im Inneren. Dieses Vorgehen ist nur verständlich, wenn wir es mit Blick auf den eigentümlichen Charakter der Partei und ihre Geschichte betrachten.

In der Geschichte der Volksrepublik China gab es Zeiten, in denen chinesische Institutionen und Bürger offener mit Ausländern interagierten. Xi Jinping hat den Trend der schrittweisen Öffnung umgekehrt und die Kontrolle durch die Partei wieder verstärkt. Auf dem 19. Parteitag im Jahr 2017 zitierte er Mao, um die Rolle der Kommunistischen Partei in China zu erklären. »Regierung, Militär, Gesellschaft und Schulen, Norden, Süden, Osten und Westen – die Partei herrscht über alles.« Das waren keine leeren Worte. Ein halbes Jahr später, im Jahr 2018, segnete der Nationale Volkskongress bei seiner jährlichen Versammlung eine Reihe von Änderungen ab, mit denen verschiedene Regierungsorganisationen aufgelöst und in Parteiabteilungen integriert wurden.[41] Jede Delegation, die Erlaubnis erhält, China zu verlassen, wird von mindestens einem Parteifunktionär begleitet, der die ausdrückliche Aufgabe hat, ein wachsames Auge auf sämtliche Delegationsmitglieder zu haben.[42]

Die KPCh ist eine leninistische Partei, die dezidiert als »revolutionäre Avantgarde« des chinesischen Volkes gegründet wurde. Als solche wurde sie als zentrale Organisation konzipiert, die sämtliche Bereiche der chinesischen Gesellschaft durchdringen soll und über allen anderen Institutionen steht, einschließlich der Streitkräfte und der staatlichen Behörden. Die wichtigsten und mächtigsten Organisationen im Bereich der Beeinflussungsarbeit sind seit jeher Teil der Parteibürokratie, nicht des chinesischen Staates, der eher ein verlängerter Arm der Kommunistischen Partei ist. Die Propagandaabteilung, die Internationale Verbindungsabteilung und die Abteilung für Einheitsfrontarbeit sind allesamt Parteiorganisationen.

Die Abteilung für Einheitsfrontarbeit (mit der wir uns im nächsten Abschnitt befassen werden) hat die Aufgabe, die Verbindungen zu allen Kräften außerhalb der KPCh herzustellen, darunter anerkannte religiöse Organisationen und andere Interessengruppen. Außerdem soll sie 50 bis 60 Millionen Menschen chinesischer Herkunft im Ausland anleiten. Die Tätigkeit der Abteilung im Inland ist nicht klar von den Aktivitäten im Ausland zu trennen, weil viele Auslandschinesen zahlreiche familiäre und geschäftliche Beziehungen zur alten Heimat unterhalten, welche die Partei bei Bedarf versucht sich zunutze zu machen.

Die Abteilung für internationale Verbindungen (siehe Kapitel 3) ist für die Kontakte zu politischen Parteien im Ausland zuständig.[43] Sie dient als »eine Art von ›Radar‹, um aufstrebende Politiker im Ausland zu identifizieren, noch bevor sie landesweit ins Rampenlicht treten und in Ämter gewählt werden«.[44] Im Mai 2018 unterstrich Xi in einer Rede die Vormachtstellung der Partei in der außenpolitischen Arbeit.[45] Wie Anne-Marie Brady erklärt, zeigt diese Änderung, »wie die revolutionäre und transformative außenpolitische Agenda und die Methoden der KPCh mit den üblichen außenpolitischen Aktivitäten des chinesischen Staates in Bereichen wie Handel, Investitionen und Spitzendiplomatie verschmolzen werden. Zum letzten Mal wurden diese beiden Aspekte vor der Machtergreifung der KPCh in den vierziger Jahren miteinander verknüpft.«[46]

Selbstverständlich beteiligen sich die staatlichen Organe weiterhin an der Beeinflussungsarbeit, aber sie stehen unter strenger Kontrolle der Partei, dienen deren Interessen und führen ihre Anweisungen aus. In der Vergangenheit versuchten einige Parteichefs, Partei und Staat voneinander zu trennen und die Rolle der KPCh schrittweise auf einige wesentliche Funktionen zu verringern, aber Xi Jinping hat diesen Trend umgekehrt.

Dasselbe gilt für die Wirtschaft. Chinesische Privatunternehmen sind seit Langem verpflichtet, Parteizellen einzurichten, aber erst unter Xi wird diese Vorschrift wieder weitgehend durchgesetzt. Alle großen und mittelständischen Unternehmen einschließlich solcher in ausländischem Besitz müssen eine interne Parteiorganisation aufbauen.[47] International tätige Konzerne wie Huawei, Alibaba und Tencent bemühen sich sehr, ihre Unabhängigkeit von der KPCh zu demonstrieren, aber die Unterschiede zwischen privaten und Staatsbetrieben werden dennoch geringer.

Die Einheitsfront

Man kann die Einflussnahme der KPCh im Westen unmöglich verstehen, ohne ihre Einheitsfrontpolitik zu verstehen. Diese Bemühungen dienen dazu, alle Einrichtungen außerhalb der Partei durch Anreize, Kooption oder Zwang dazu zu bewegen, sich einer »Einheitsfront« anzuschließen – das heißt einer Koalition von Gruppen, die ihre Aktivitäten den Interessen der Partei anpassen – und die Tätigkeit all jener zu unterminieren, die in den Augen der Partei Feinde sind.[48] (Zu beachten ist, dass unterschieden werden muss zwischen Einheitsfrontgruppen im engen Sinne, also solchen, die direkt mit dem Organisationsnetz der Abteilung für Einheitsfrontarbeit verbunden sind, und Einheitsfrontgruppen im weiten Sinne, also solchen, deren Einflussarbeit unter das breitere Dach der Partei und der mit ihr verbundenen Organisationen fällt.)

Die Einheitsfrontstrategie hat ihren Ursprung in der leninistischen Theorie. Sie wurde in China in den zwanziger Jahren des vergangenen Jahrhunderts weiterentwickelt, um das Bündnis mit den Nationalisten (Kuomintang) zu rechtfertigen und in den dreißiger und vierziger Jahren im Bürgerkrieg unter anderem angewandt, um kleinere Parteien und ethnische Minderheiten an die Kommunistische Partei zu binden. Wie es Anne-Marie Brady ausdrückt, ging es darum, »eine möglichst große Koalition von Interessengruppen zu schmieden, um die Position des ›Hauptfeindes‹ zu untergraben«.[49] Mao Zedong sah in der Einheitsfrontarbeit eine der drei »Wunderwaffen« der Kommunistischen Partei.[50] Nach der Gründung der Volksrepublik wurden die übergeordnete Strategie und die entsprechenden Einrichtungen der Partei weiterhin eingesetzt, um ethnische und religiöse Minderheiten zu kooptieren und gefügig zu machen und die Unterstützung unabhängiger und marginalisierter Gruppen zu gewährleisten.

In den Augen der Partei ist die Einheitsfrontstrategie eine auf marxistisch-leninistischen Prinzipien beruhende Wissenschaft, die den praktischen Erfordernissen angepasst werden muss.[51] Die Parteitheoretiker haben eine Reihe von Einheitsfronttheorien entwickelt, die auf politische Parteien, Intellektuelle außerhalb der Partei, ethnische Minderheiten, religiöse Organisationen, Privatunternehmen und Gemeinschaften von Auslandschinesen angewandt werden können. Im Jahr 2015 genehmigte das Bildungsministerium die Einrichtung eines Master-Studiengangs für Einheitsfrontpolitik, und im Jahr 2018 machte an der Universität Shandong der erste Jahrgang seinen Abschluss in diesem Studium.[52]

Unter der Aufsicht der Abteilung für Einheitsfrontarbeit der KPCh geht eine Vielzahl von Parteibehörden und mit der Partei verbundenen Organisation Aktivitäten nach, die den Kern der Beeinflussungs- und Einmischungsaktivitäten der Partei im Ausland bilden. (Kapitel 7 enthält weitere Details.) Die Einheitsfrontarbeit ist nicht auf die Aktivitäten der zuständigen Abteilung beschränkt, sondern zählt zu den Pflichten jedes Parteimitglieds.[53]

Die Einheitsfrontarbeit wurde ausgeweitet, als Xi Jinping im Jahr 2012 Generalsekretär der KPCh wurde.[54] Im Jahr 2014 sagte er über die Einflussnahme auf Auslandschinesen *(qiaowu)*: »Wenn die Auslandschinesen geeint sind, können sie einen unverzichtbaren Beitrag zur Verwirklichung des chinesischen Traums von der ›nationalen Wiederauferstehung‹ leisten, denn sie sind patriotisch und besitzen viel Kapital, Talent, Ressourcen und geschäftliche Verbindungen.«[55] Die Einheitsfrontaktivität soll sich, wie es Brady ausdrückt, auf »einem neuen Niveau der Ambition«[56] in eine »Wunderwaffe« verwandeln, die noch wirksamer ist, als sich Mao erhoffte, vor allem in Ländern mit einer relativ großen und erfolgreichen chinesischstämmigen Bevölkerung.

In den letzten Jahren sind die Einheitsfrontaktivitäten zunehmend darauf ausgerichtet worden, in der Öffentlichkeit westlicher Länder ein vorteilhafteres Bild von der Volksrepublik zu zeichnen. Diese Aktivitäten werden in diesem Buch untersucht. Die Bemühungen zur Beeinflussung des Denkens und der Einstellungen zielen in erster Linie auf die Eliten, wobei einer negativen Einschätzung der Einparteienherrschaft in China entgegengewirkt und ihre positiven Merkmale hervorgehoben werden sollen. Wie wir sehen werden, stellen einflussreiche Personen aus dem Westen, die die chinesische Kultur kennenlernen oder Kontakt zu chinesischen Geschäftsleuten aufnehmen möchten, möglicherweise fest, dass die Organisation, mit der sie zu tun haben, ein verdeckter Bestandteil der Einheitsfrontstruktur der Partei ist und sie manipuliert.

Politiker sind ein natürliches Ziel, vor allem, wenn sie aus wahltaktischen Gründen die Nähe ihrer heimischen chinesischen Gemeinde suchen. Die Organisationen der Einheitsfront sind in Heimatbünde und Kulturgruppen sowie in der Gemeinschaft der Wirtschaftstreibenden besonders aktiv, darunter chinesische Handelskammern, in denen die Maßnahmen zur Einflussnahme infolge des raschen Wachstums von Handel und Investitionen verstärkt worden sind. Westliche Manager suchen Gelegenheiten, um Geschäftsleute chinesischer Herkunft kennenzulernen und mit ihnen zusammenzuarbeiten. Die Einheitsfrontagenten in der Wirtschaftsgemeinde sammeln Informationen, die sie an die chinesischen Konsulate weitergeben, und pflegen Kontakte mit dem Ziel, ein vorteilhaftes Bild von der Volksrepublik zu verbreiten. Viele führende Wirtschaftstreibende im Westen dienen mittlerweile als Sprachrohre Beijings und leiten die Botschaften der KPCh an ihre Regierungen und die heimische Öffentlichkeit weiter. Sie raten davon ab, »die Beziehung zu China zu beschädigen«, und warnen davor, dass Äußerungen, die dem Regime in Beijing missfallen, Vergeltungsmaßnahmen auslösen können. (In Kapitel 12 beschäftigen wir uns mit einer ähnlichen Rolle der akademischen Eliten.)

Die Spionage gehört möglicherweise nicht in die Kategorie der Operationen zur Einflussnahme im Ausland, weil im Westen Spione Geheimnisse stehlen, um militärische und strategische Vorteile daraus zu ziehen. Aber Chinas Spionagetätigkeiten sind fest mit den Beeinflussungsaktivitäten verbunden. Informationen über Privatleben, Gesundheitszustand, politische Ausrichtung und sexuelle Neigungen westlicher Politiker, Geschäftsleute, Hochschulmanager und Meinungsführer werden genutzt, um persönliche Profile zu erstellen und gelegentlich Zielpersonen unter Druck zu setzen. Die Einheitsfrontagenten der Partei tauschen Informationen mit Geheimagenten aus. Der Zusammenhang zwischen den Einheitsfrontaktivitäten und der chinesischen Auslandsspionage wird in Kapitel 7 eingehend behandelt.

Mehrfache Identitäten und doppelte Firmenschilder

Wenn sich Ausländer der Allgegenwärtigkeit der Partei nicht bewusst sind und nicht richtig verstehen, mit wem sie es zu tun haben, ist das nicht ausschließlich ihr Fehler, denn die KPCh ist aktiv um Verschleierung bemüht. Eine ihrer bevorzugten Taktiken ist der Einsatz von Tarnorganisationen. In den westlichen Ländern gibt es Hunderte Organisationen für Bürger chinesischer Herkunft, die allesamt direkt oder indirekt mit dem von der Abteilung für Einheitsfrontarbeit betriebenen Netzwerk verbunden sind. Manche dieser Organisationen verfolgen ausdrücklich politische Ziele, darunter zum Beispiel jene, die in ihrem Namen den Ausdruck »Friedliche Wiedervereinigung« führen, aber zumeist handelt es sich um Wirtschaftsvereinigungen, Berufsverbände oder kulturelle und Gemeindeeinrichtungen. Mit diesen Organisationen werden wir uns in Kapitel 7 näher beschäftigen, aber es lohnt sich, bereits an dieser Stelle darauf hinzuweisen, dass sie selbst dann, wenn man die Funktionsweise der Einheitsfrontarbeit versteht, oft schwer als Instrumente dieser Politik zu erkennen sind, weil sie ihren Aktivitäten verdeckt nachgehen.

Darüber hinaus ist es in den offiziellen Strukturen der KPCh üblich, dass Personen mehrere verschiedene Rollen spielen und Organisationen abhängig von der Situation verschiedene Bezeichnungen tragen. Beispielsweise wird Zheng Bijian, der Mann, der das Konzept des »friedlichen Aufstiegs« Chinas prägte, abwechselnd als »ein chinesischer Intellektueller«, als Vorsitzender des China Reform Forum (einer »gemeinnützigen akademischen Nichtregierungsorganisation«) und als »ein Berater der chinesischen Führung« vorgestellt.[57] In diesen Positionen hat er freundschaftliche Beziehungen zu zahlreichen Politikern und Intellektuellen in aller Welt geknüpft. Die Bezeichnungen sind allesamt irreführend, denn es gibt Positionsbeschreibungen, die sehr viel mehr darüber verraten, welche Rolle er tatsächlich als hochrangiger Kader in der KPCh spielt. Von 1992 bis 1997 war Zheng stellvertretender Leiter der Zentralen Propagandaabteilung der KPCh, und von 1997 bis 2002 bekleidete er das Amt des geschäftsführenden Vizepräsidenten (de facto des Leiters) der Zentralen Parteischule. Außerdem war er ein hochrangiges Mitglied der Politischen Konsultativkonferenz des Chinesischen Volkes (PKKCV).[58]

Sehen wir uns ein weiteres Beispiel an. Lü Jianzhong ist Mitglied des Nationalen Volkskongresses und Vorsitzender der Silk Road Chamber of International Commerce. Er stellt sich aber auch als Vorsitzender des in Xi'an ansässigen Unternehmens Datang West Cultural Industry Investment Co., Ltd., als Vizepräsident der Internationalen Handelskammer Chinas, als stellvertretender Vorsitzender der China International Studies Foundation oder als Vorsitzender der Shaanxi-Vereinigung zur Förderung der chinesischen Kultur vor.[59]

Diese mehrfachen Identitäten können unter anderem genutzt werden, um Ausländer in die Irre zu führen, aber sie haben auch einen unbeabsichtigten Nutzen für uns: Sie erlauben uns, annähernd zu bestimmen, welchen Platz eine bestimmte Organisation in der chinesischen Bürokratie einnimmt. Wenn eine Person gleichzeitig die Organisation B leitet und stellvertretende Leiterin der Organisation A ist, untersteht eine in der Regel der anderen. (In manchen Fällen sind A und B zwei unterschiedliche Namen für dieselbe Organisation.) Beispielsweise war der Leiter der Chinesischen Vereinigung für internationale Freundschaftskontakte (CAIFC) bis vor Kurzem gleichzeitig stellvertretender Leiter der Verbindungsabteilung der Allgemeinen Politischen Abteilung der Volksbefreiungsarmee, was auf eine institutionelle Verbindung zwischen den beiden Einrichtungen hindeutet.[60]

Das Informationsbüro des Staatsrats organisiert unter diesem Namen Pressekonferenzen der Regierung und tritt in den Augen der Außenwelt im Allgemeinen nicht als Parteiorgan, sondern als Teil der Regierung auf. Intern wird es jedoch als Zentralbüro für Auslandspropaganda der KPCh bezeichnet, und aus amtlichen chinesischen Quellen geht hervor, dass es nicht dem Staatsrat, sondern der Partei untersteht.[61]

Diese mehrfachen Identitäten und doppelten Firmenschilder sind normal in China, und manchmal nutzt die KPCh die Unkenntnis von Ausländern, um ihre Kontrolle über Einrichtungen zu verschleiern. Beispielsweise wurde im Jahr 1997 innerhalb des Zentralinstituts für Sozialismus, einer direkt der Abteilung für Einheitsfrontarbeit unterstellten Ausbildungseinrichtung, eine neue Akademie gegründet, die kulturelle Einheitsfrontarbeit im Ausland leisten sollte. Angesichts der Tatsache, dass das Wort »Sozialismus« im Ausland »unvorteilhaft« wirken konnte, beschloss die Partei, der neuen Einrichtung den Namen Akademie der Chinesischen Kultur zu geben.[62]

Die chinesischen Medien und andere an der Auslandspropaganda beteiligte Organisationen haben Anweisung, sich im Kontakt mit Ausländern nicht als Staatsorgane (geschweige denn als Parteiorgane) zu erkennen zu geben, sondern »ihr geschäftliches Gesicht zu zeigen«.[63] Beispielsweise verwendet das Fremdsprachenbüro der KPCh in seinen Beziehungen zur Außenwelt das »Firmenschild« China International Publishing Group (CIPG, Internationale chinesische Verlagsgruppe).

Wie wir sehen werden, nutzen die Volksbefreiungsarmee und das Ministerium für Staatssicherheit ebenfalls Frontorganisationen für die Aufklärungsarbeit. In einigen Fällen, beispielsweise bei der Chinesischen Vereinigung für internationale Freundschaftskontakte, ist die Verbindung zur Volksbefreiungsarmee und zum Ministerium für Staatssicherheit bekannt. Doch das Ministerium setzt Geschäftsleute als Mittelsmänner für die Kontaktpflege mit Ausländern ein und nutzt Forschungseinrichtungen wie die Akademie der Sozialwissenschaften in Shanghai, um an sie heranzutreten.[64]

Das Volk, seine Freunde und seine Feinde

Eine weitere Art von Organisationen, die bei den Begegnungen mit Ausländern vorgeschoben werden, sind die sogenannten Volksorganisationen. »Das Volk« und seine »Freundschaft« mit Ausländern sind Konzepte von besonderer Bedeutung in der chinesischen Politik, welche nur wenige im Westen verstehen. Das von der Partei verfochtene zynische und opportunistische Verständnis der Freundschaft erklärte Xi Jinping im Jahr 2017, als er den Kadern einschärfte, ihre Freunde außerhalb der Parteien seien nicht ihre »persönlichen Ressourcen«, sondern müssten zu »Freunden der Partei« oder »Freunden des Gemeinwohls« gemacht werden: »Selbstverständlich werden sich außerhalb der Partei geschlossene Freundschaften zu persönlichen Freundschaften entwickeln. Aber persönliche Freundschaften müssen sich mit der Arbeit für das Gemeinwohl decken. Prinzipien, Disziplin und Regeln müssen aufrechterhalten werden.«[65]

Anne-Marie Bradys 2003 erschienenes Buch *Making the Foreign Serve China* ist eine unverzichtbare Orientierungshilfe für jeden, der das von der KPCh entwickelte System »externer Freundschaften« verstehen will.[66] Brady erklärt die politische Freundschaft als »Anwendung der Einheitsfrontprinzipien zur Spaltung der Feinde durch Konzentration auf Widersprüche und Verschmelzung aller Kräfte, die durch ein gemeinsames Ziel geeint werden können«. Die KPCh verwendet das Konzept der Freundschaft, »um oppositionelle Kräfte psychologisch zu neutralisieren und die Realität neu zu ordnen«. Ausländische Freunde, schreibt Brady, sind Personen, die bereit und imstande sind, die Interessen Chinas zu vertreten.[67]

In China sind die Einrichtungen der Zivilgesellschaft nie unabhängig, sondern stets durch Einheitsfrontorganisationen an das Parteisystem gebunden. So wie in Großbritannien keine Gemeindeorganisation den Begriff »royal« ohne offizielle Genehmigung im Titel führen darf, kann in China keine Gemeindegruppe die Worte »Volk« oder »Freundschaft« ohne Erlaubnis der Partei im Titel führen.

Andere Worte, die ungefährlich und positiv klingen – »wohlmeinend«, »Frieden«, »Entwicklung«, »Verständnis«, »Einheit« – deuten, wenn sie in Bezeichnungen von Einrichtungen auftauchen, auf von der Partei gesteuerte Einheitsfrontorganisationen hin. Die Gesellschaft des Chinesischen Volkes für Freundschaft mit dem Ausland (CPAFFC), der Chinesische Rat für die Förderung der friedlichen nationalen Wiedervereinigung (CCPPNR) und die Chinesische Vereinigung für internationale Freundschaftskontakte (CAIFC) sind allesamt Beispiele, die in diesem Buch auftauchen.

In einem Essay mit dem Titel »Über Widersprüche« definierte Mao im Jahr 1937 zwei Arten von Widersprüchen, nämlich solche »innerhalb des Volkes« *(renmin neibu maodun)* und solche »zwischen dem Volk und den Feinden des Volkes« *(di wo maodun).*[68] Das Konzept des Volkes und seiner Feinde taucht sowohl auf nationaler als auch auf internationaler Ebene in vielen verschiedenen Formen auf. In seiner Rede auf der Nationalen Konferenz für Propaganda und Ideologie im Jahr 2013 identifizierte Xi Jinping drei Zonen in der ideologischen Sphäre, denen er jeweils eine Farbe zuwies: Rot für die Bastion der KPCh, Grau für eine Zwischenzone und Schwarz für die negative öffentliche Meinung, das heißt die »feindliche« Zone.[69] Xi wies die Partei an, die rote Zone zu verteidigen, die Annäherung an die graue Zone zu suchen, um diese in die rote Zone zu integrieren, und die schwarze Zone zu bekämpfen.[70] In den internationalen Beziehungen unterteilt die KPCh die Ausländer in solche, die bereits mit der Partei sympathisieren, solche, die der »politischen Mitte« angehören und das Hauptziel der Beeinflussungsarbeit sind, und Gegner, die nicht überzeugt werden können.[71]

Auch im Umgang mit Debatten und abweichenden Meinungen unterscheidet die KPCh drei Kategorien von Fragen, die jeweils unterschiedliche Zugänge erfordern: akademische Fragen, Missverständnisse (die als »Probleme des ideologischen Verständnisses« definiert werden) sowie politische Fragen. In akademischen Fragen bezieht die Partei keine klare Position,[72] weshalb sie eine Diskussion und einen offenen Gedankenaustausch über solche Fragen erlaubt, die nach maoistischer Definition Konflikte innerhalb des Volkes sind. Die zweite Kategorie, jene der Missverständnisse, umfasst Fragen, in denen die KPCh eine klare Vorstellung davon hat, was korrekt ist, ohne jedoch der Person oder Gruppe, die eine von ihrer eigenen Haltung abweichende Position vertritt, bösartige Absichten zu unterstellen. In diesen Fällen versucht die Partei die andere Seite zu überzeugen, indem sie ihr »geduldig« erklärt, welches die richtige Position ist.

Die dritte Kategorie – politische Themen – umfasst jene Fragen, in denen die KPCh die richtige Position definiert hat, sich jedoch »feindlichen Kräften« im In- und Ausland gegenübersieht, die versuchen, ihre Position zu unterminieren, indem sie absichtlich die Unwahrheit verbreiten. Geht die Partei einmal von bösen Absichten und Vorsatz aus, so wird die Person oder Gruppe, die auf dem falschen Standpunkt beharrt, dem Lager der »Feinde« zugeordnet und muss entschlossen bekämpft werden. Unter Xi haben die Parteitheoretiker eine wachsende Zahl von Fragen der politischen Kategorie zugeschlagen.[73]

Das Konzept des Vorsatzes wird zur Klassifizierung politischer Handlungen herangezogen. Wenn Gruppen behaupten, dass eine Protestkundgebung spontan war, tun sie das, um zu vermeiden, dass ihre Aktivitäten als politisch und von feindlichen Kräften oder einer »schwarzen Hand« *(heishou)* gesteuert eingestuft werden. Und die KPCh bezeichnet Kundgebungen zugunsten der Partei oft als »spontan«, um Vorwürfe zu entkräften, sie hätte diese Aktionen orchestriert oder implizit unterstützt. Beispielsweise äußerte sich der chinesische

Generalkonsul im neuseeländischen Auckland lobend über den »spontanen Patriotismus« chinesischer Auslandsstudenten, die an der örtlichen Universität Demonstranten attackiert hatten, die an einer Solidaritätskundgebung mit der Demokratiebewegung in Hongkong teilgenommen hatten.[74] Umgekehrt bezeichnet die KPCh jene Protestkundgebungen, die sie nicht gutheißt, als »nicht spontan« und beschuldigt »feindliche Kräfte im Ausland«, diese Proteste »orchestriert« zu haben.[75]

Wichtig ist, dass den Reaktionen der KPCh keine Grenzen gesetzt sind, wenn sie mit einem Widerspruch zwischen dem Volk und seinen Feinden konfrontiert ist. Dann muss sie alles tun, was in ihrer Macht steht, um den »Volksfeinden«, die keinerlei Rechte haben, Einhalt zu gebieten. Im ideologischen Kosmos der KPCh behindern diese Personen den Fortschritt der Menschheit und müssen mit allen Mitteln bekämpft werden. Die Partei nutzt die Unterscheidung zwischen dem Volk und den Volksfeinden, um die extrem brutale Behandlung von Dissidenten und anderen »Störenfrieden« zu rechtfertigen, seien sie Menschenrechtsanwälte oder Anhänger von Falun Gong.[76] Aufschlussreich ist, dass die Unterscheidung zwischen den »Widersprüchen innerhalb des Volkes« und den »Widersprüchen zwischen dem Volk und seinen Feinden« unter Xi Jinping wieder offiziell in die Parteistatute aufgenommen wurde.[77]

Fünf-Prozent-Regel und stille Diplomatie

Wie wird die Bevölkerung also in »das Volk« und die »Volksfeinde« unterteilt? Mao erklärte, 95 Prozent der Menschen seien gut, das heißt, sie standen auf der Seite des Volkes und damit automatisch auf der Seite der Kommunistischen Partei, die nicht umsonst die »Avantgarde des Volkes« war. Das politische System Chinas ist berüchtigt für Quoten, und Maos Aussage über die 95 Prozent wirkte sich auf die Kampagnen jener Zeit aus: Es wurde oft eine Quote von 5 Prozent »schlechter« Menschen festgelegt, die Ziel einer »Säuberung« werden mussten.[78] Das offizielle Urteil über die Demokratiebewegung auf dem Tiananmenplatz lautet nach wie vor, dass »eine winzige Handvoll Personen Studentenproteste ausnutzte, um einen geplanten und organisierten politischen Aufruhr anzuzetteln«.[79]

Diese Vorstellung wird auch auf die internationalen Beziehungen übertragen. Da die KPCh gut ist und die große Mehrheit der Menschen gut ist, ist es unmöglich, dass eine große Zahl von Menschen gegen die Position der KPCh ist. Wenn es nach der chinesischen Propaganda geht, deckt sich die Haltung des Regimes in Beijing im Allgemeinen mit dem, was die Mehrheit der Welt denkt. Wer anders denkt als die KPCh, muss naturgemäß einer winzigen Minderheit angehören. Beispielsweise schrieb ein Sprecher des Außenministeriums in Reaktion auf einen offenen Brief, in dem die Freilassung der Kanadier Michael Kovrig und Michael Spavor gefordert wurde (die zur Vergeltung für die Verhaftung der Huawei-Managerin Meng Wanzhou in Kanada in China ins Gefängnis gesteckt worden waren), in *China Daily*: »Wenn alle chinesischen Bürger einen offenen Brief an die kanadische Führung schrieben, würde ihre Stimme einen größeren Nachhall haben, und sie würden zweifellos in Einklang mit der *Mehrheitsmeinung* der internationalen Gemeinschaft sein, die auf der Seite der Gerechtigkeit ist. […] Die *Handvoll Personen,* die hinter dem offenen Brief steht, erzeugt vorsätzlich eine Atmosphäre der Panik.«[80] (Die kursiv hervorgehobenen Teile, sowohl hier als auch im nächsten Absatz, wurden von den Autoren gekennzeichnet.)

Als die australische Regierung dem Geschäftsmann Huang Xiangmo, gestützt auf nachrichtendienstliche Informationen, die unbefristete Aufenthaltsgenehmigung entzog, erklärte er in der *Global Times*, dass »die antichinesische Gruppe [in Australien] nur aus einer *winzigen Handvoll* Personen« bestehe.[81] Die chinesische Botschaft in Schweden beklagte sich im Jahr 2019 in einer Stellungnahme darüber, dass sich »eine *sehr kleine Handvoll* Personen« als Chinaexperten ausgäben, um Stimmung gegen China zu machen.[82] Und nach Aussage eines chinesischen Regierungssprechers ist es »aussichtslos, dass eine *Handvoll Einwohner Hongkongs* mit ausländischen Kräften zusammenarbeiten, um sich in die Angelegenheiten Hongkongs einzumischen«.[83]

Wie viele Menschen die Politik der KPCh tatsächlich ablehnen, sei es daheim oder im Ausland, ist irrelevant: Die Partei wird immer behaupten, dass es eine geringe Zahl ist, da dies unverzichtbar für ihren Legitimitätsanspruch ist. Doch insbesondere im internationalen Kontext, in dem die KPCh weit von einem Informationsmonopol entfernt ist, kann diese Darstellung nur aufrechterhalten werden, wenn sich andere Gegner der Politik des chinesischen Regimes still verhalten, sofern sie nicht direkt angegriffen werden. Würden sie sich zu Wort melden, um jene zu unterstützen, die attackiert werden, so würde dies dem Narrativ der Partei widersprechen. Das erklärt, warum die KPCh so entschieden darauf beharrt, dass die stille Diplomatie hinter den Kulissen wirksamer ist als die offene Diplomatie. Leider sind rund um den Erdball viele auf diese List hereingefallen und lassen sich manipulieren.

Während des Konflikts im Südchinesischen Meer im Jahr 2016 lautete die offizielle Darstellung der KPCh, dass die Eliten in den Vereinigten Staaten (der Volksfeind) die Philippinen (die als Entwicklungsland naturgemäß »dem Volk« zuzurechnen waren) manipulierten, um sie dazu zu bewegen, die Auseinandersetzung mit China vor den Internationalen Gerichtshof in Den Haag zu bringen. Die Vereinigten Staaten waren demnach der Rädelsführer, die Philippinen wurden in die Irre geführt oder genötigt. Ein ähnliches Narrativ wird in der Auseinandersetzung über Huawei verwendet, wobei die Vereinigten Staaten bezichtigt werden, einen ungerechten »Krieg gegen Huawei« angezettelt zu haben, in dem sie weiterreichende Ziele verfolgen.

Obwohl sie nur gering an der Zahl sind, können die feindlichen Kräfte einiges bewirken, wenn sie es schaffen, »das Volk« in die Irre zu führen oder zu manipulieren, und die KPCh sieht in diesen Kräften *eine dunkle Version ihrer selbst* – eine kleine Gruppe von Personen, die intelligent genug sind, andere zu manipulieren, ihre Macht jedoch einsetzen, um die Menschen auf einen Irrweg zu locken, anstatt sie wie die KPCh in die richtige Richtung zu führen.

Mit der Vorstellung, dass 95 Prozent der Menschen gut sind und daher auf der Seite der Partei stehen, wird das Erfordernis des politischen Akts verbunden, Loyalität gegenüber der KPCh zu bekunden. Wie David Shambaugh erklärt, besteht ein wichtiger »ritueller, rhetorischer und politischer Akt« in China darin, der Partei Gefolgschaft zu bezeugen *(biaotai)*, indem man einen bestimmten Slogan *(kouhao)* oder eine politische Phrase *(tifa)* wiederholt.[84]

Die Praxis des *biaotai* ist auch bei Ausländern immer häufiger zu beobachten. Beispielsweise verlangt die KPCh von ausländischen Gesprächspartnern wiederholte mündliche Bekenntnisse zur »Ein-China-Politik«, denn jede Wiederholung festigt die Legitimität der Partei. Mitglieder des Silk Road Think Tank Network müssen öffentlich bekunden, die »gemeinsame Einschätzung« zu teilen, dass »die Seidenstraßen-Initiative ein wichtiges Vorhaben zur Förderung des globalen Wirtschaftswachstums ist«.[85] Ob ihnen das bewusst ist oder nicht: Diese internationalen Denkfabriken und Organisationen – darunter Chatham House, das Real Instituto Elcano und das Deutsche Institut für Entwicklungspolitik – praktizieren *biaotai*. Die Wiederholung der Wortwahl einer anderen Partei, um politische Loyalität zu bekunden, ist auch in anderen Teilen der Welt bekannt, aber in China wird diese Praxis unter der KPCh auf die Spitze getrieben (im Lauf des Buches werden wir zahlreiche weitere Beispiele dafür geben).

In »Über Widersprüche« brachte Mao ein weiteres Argument vor, das bis heute das Denken der KPCh prägt. Gruppen von Menschen können in einer Situation abhängig von Zeit, Ort oder Frage Verbündete und in einer anderen Situationen Gegner sein. Chinas größter Widersacher auf globaler Ebene sind gegenwärtig die Vereinigten Staaten, die dem »unwiderstehlichen historischen Trend zur Multipolarität« im Weg stehen.[86] Dieser Konflikt wird als eine Auseinandersetzung zwischen dem Volk und einem Volksfeind *(di wo maodun)* eingestuft, was bedeutet, dass die Vereinigten Staaten nicht für die Ziele Chinas gewonnen werden können. Warum versucht die KPCh dann dennoch, die amerikanische Öffentlichkeit und bestimmte amerikanische Interessengruppen für sich zu gewinnen? Der Grund ist,

dass die USA der einzige Feind sind, wenn man das globale Macht-
gleichgewicht in seiner Gesamtheit *(zhengti)* betrachtet. Nur »wenige« Mitglieder der amerikanischen Gesellschaft sind wirkliche
Feinde, das heißt Kräfte, die einen Rückschritt in der Weltgeschichte
anstreben; die meisten Amerikaner sind Teil »des Volkes«. Einige
Angehörige des Volkes sind vielleicht in die Irre geführt worden und
haben falsche Vorstellungen, aber wenn die KPCh weiter geduldig versucht, ihnen die Wahrheit zu erklären, können sie überzeugt werden –
im Gegensatz zu denen, die versuchen, die amerikanische Vormachtstellung zu verteidigen, das heißt gegen den unwiderstehlichen
historischen Trend zur Multipolarität anzukämpfen, der ein Euphe-
mismus für den Niedergang der USA ist.[87]

Prinzipien des Vorgehens der KPCh

Die KPCh versucht im Allgemeinen, sich nicht mit allzu vielen Beteiligten gleichzeitig zu überwerfen, vor allem in einer Situation, in
der die Mehrheit der Öffentlichkeit den Standpunkt der Partei ablehnt. Wenn mehrere Länder ein Verhalten zeigen, das der KPCh
missfällt, richtet sie ihre Kritik oft auf ein einzelnes Land, sei es als
Versuchsballon oder als abschreckende Maßnahme, die allen anderen als Warnung dienen soll. Ein Beispiel ist das aggressive Verhalten
chinesischer Diplomaten und offizieller Medien gegenüber Schweden,
wann immer das Land versucht, sich für den von China entführten
schwedischen Staatsbürger Gui Minhai einzusetzen (mehr zu dem
Fall in Kapitel 4). In einigen Fällen verhält die Partei sich vollkommen still. Diese Reaktion entspringt der Überzeugung, dass immer
noch 95 Prozent der Weltöffentlichkeit auf der Seite Chinas stehen,
und trägt dazu bei, dass sich die Mehrheit der ausländischen Akteure
nicht von der KPCh unter Druck gesetzt fühlen. Ein weiteres von Mao
für die Einheitsfrontarbeit formuliertes Prinzip kommt in dem Motto
»Außen rund, innen eckig« *(wai yuan nei fang)* zum Ausdruck.[88] Dieser auch als »Feste Prinzipien, flexible Strategie« bezeichnete Zugang

ermöglicht es, mit Blick auf die strategischen Ziele gewisse Zugeständnisse zu machen, solange man die wichtigsten Prinzipien nicht aus den Augen verliert.

Eine weitere Praxis, die Aufschluss über die Flexibilität der KPCh gibt, besteht darin, einigen freundlichen Kräften aus strategischen Gründen zu erlauben, Kritik an der Partei zu üben, um ihre Glaubwürdigkeit zu erhöhen. Diese Praxis, die als »Unterstützung in großen Fragen und Kritik bei kleinen Fragen« *(xiao ma da bangmang)* bezeichnet wird,[89] hat ihren Ursprung in der Beobachtung des Verhaltens der Zeitungen unter den Nationalisten vor 1949. Indem sie die Nationalisten in unbedeutenden Fragen kritisierte, während sie sie bei den wichtigen Themen unterstützte, gelang es der Presse, sich als objektiv und ausgewogen zu präsentieren, obwohl sie auf der Seite der Nationalisten stand. Der gegenwärtige Umgang der KPCh mit der *South China Morning Post* (die seit 2016 im Besitz der Alibaba-Gruppe steht) sollte als Beispiel für die Anwendung des Prinzips *xiao ma da bangmang* betrachtet werden.

Die Tatsache, dass so viele westliche Unternehmen in China Geld verdienen oder zu verdienen hoffen, sichert der KPCh in den westlichen Ländern die Unterstützung einflussreicher Lobbygruppen. Wenige Hinweise chinesischer Parteikader zum Zustand einer Beziehung genügen normalerweise, um Wirtschaftsverbände oder Milliardäre dazu zu bewegen, Druck auf ihre Regierung auszuüben, damit diese nichts tut, um Beijing zu verärgern. Diese Taktik wird als *yi shang bi zheng* bezeichnet (was wörtlich »die Wirtschaft einsetzen, um Druck auf die Regierung auszuüben« bedeutet). Es gibt ungezählte Beispiele für diese Praxis: Taiwanesische Tourismusunternehmer gingen auf die Straße, weil Beijing die Zahl der Touristen, die nach Taiwan reisen durften, deutlich verringert hatte. Australische Bergbauunternehmer drängten ihre Regierung, sich nicht zum Tod des Dissidenten Liu Xiaobo zu äußern. Amerikanische Wirtschaftsverbände verlangen von Donald Trump, den Handelskrieg mit China zu beenden. Und deutsche Unternehmer äußerten sich besorgt, Kritik der Bundesregierung an China könne sich negativ auf ihr Geschäft auswirken.

Vor der Machtergreifung im Jahr 1949 mussten sich die Kommunisten aus den Städten zurückziehen und sich auf dem Land neu formieren. Die Lehren aus dieser Erfahrung flossen später in die Strategie ein, »Das Land einsetzen, um die Stadt zu umzingeln« *(nongcun baowei chengshi)*. Dieser Slogan sollte nicht nur in seinem buchstäblichen Sinn verstanden werden; die Idee ist, in jenen Gebieten aktiv zu werden, in denen die Feinde der KPCh schwach sind, die dortige Bevölkerung für die Partei zu gewinnen, zu organisieren und anschließend zu mobilisieren, um die Bastionen des Feindes einzukesseln. Die chinesische Führung zieht auf globaler Ebene eine Parallele zwischen »dem ländlichen Raum« und »der Dritten Welt«: Diese wird als Region betrachtet, in der die KPCh relativ leicht Fuß fassen kann. Hat China erst einmal genug Entwicklungsländer auf seine Seite gebracht, so wird es leichter für die KPCh, die Machtposition der entwickelten Welt zu schwächen.

Eine ähnliche Strategie kommt in dem Slogan »Die Peripherie nutzen, um das Zentrum zu umringen« *(difang baowei zhongyang)*[90] oder sich von der Peripherie zum Zentrum, vom Kleinen zum Großen, vom Rand zum Mainstream zu bewegen. Dies ist eine bewährte externe Beeinflussungsstrategie der KPCh sowie parteieigener Medien wie Xinhua oder chinesischer Unternehmen wie Huawei. Indem kleinere oder Randgruppen, die normalerweise leicht zu überzeugen sind, für die Partei gewonnen werden, dringen die mit der KPCh verbundenen Institutionen langsam in den Mainstream vor. Diese Strategie, der wir in diesem Buch immer wieder begegnen werden, hilft die Bedeutung zu erklären, die Beijing Gemeindeverwaltungen und Städtepartnerschaften im Westen beimisst.

3

POLITISCHE ELITEN IM ZENTRUM: NORDAMERIKA

Freunde finden

Bei der Auseinandersetzung mit Beijings Einflussstruktur im Westen müssen wir versuchen, die Welt so zu betrachten, wie die KPCh sie sieht: Wir müssen uns deshalb ansehen, welches die Machtzentren in den einzelnen Ländern sind, und feststellen, wer die Eliten in Wirtschaft, Politik, Wissenschaft, Denkfabriken, Medien und Kultureinrichtungen sind, zu wem sie Verbindungen unterhalten und wer die Freunde und Familienmitglieder der betreffenden Personen sind.[1] Geschäftliche und persönliche Verbindungen in China sind besonders nützlich. Mit der Abteilung für Einheitsfrontarbeit und mit der Volksbefreiungsarmee verbundene Frontorganisationen werden anschließend beauftragt, Personen auszuwählen, deren Nähe sie suchen können.[2]

Die Karte zur Machtverteilung in der Elite der Vereinigten Staaten sieht anders aus als die für Deutschland, die sich ihrerseits von denen für Kanada und Großbritannien unterscheidet. Aber zu den Zielen der Beeinflussungsarbeit zählen frühere, gegenwärtige und zukünftige politische Führer auf nationaler, Provinz- und Gemeindeebene. Hochrangige Beamte, die Politiker beraten und beeinflussen, sind ebenfalls von großem Interesse.

Die Partei unterteilt Ausländer in verschiedene Kategorien, wie Richard Baum erklärt.[3] Die erste ist die der »Freunde erster Kategorie«:

Das sind Person, die in allen Fragen derselben Meinung sind wie die KPCh und oft in den staatlichen Medien zitiert werden. Die zweite bilden die »freundlichen Personen«: Auf diese stützt sich die Partei, ohne ihnen jedoch wirklich zu vertrauen. In diese Kategorie gehören Geschäftsleute, die für Manipulation offen sind, weil sie ein Interesse daran haben, freundlich zu wirken. Die dritte Kategorie, in der sich viele Wissenschaftler und Journalisten finden, besteht aus Personen, »die China wirklich lieben, aber alle Übel des chinesischen Kommunismus kennen«. Diese Personen können nicht beeinflusst werden. In der vierten Kategorie finden sich Personen, »die China lieben, aber den chinesischen Kommunismus hassen«.[4] Sie werden als »Feinde« eingestuft und bei jeder sich bietenden Gelegenheit diskreditiert. Die letzte Kategorie enthält jene Personen, die »China entweder nicht kennen oder sich nicht besonders dafür interessieren«. Diese Personen sind potenziell nützlich, weil sie immer zu einem Film oder einer Kulturveranstaltung eingeladen werden können und hoffentlich einen positiven Eindruck mit nach Hause nehmen.

Eingeladen werden auch jene, die als potentielle Freunde Chinas eingestuft werden – sie können an Konferenzen, Empfängen oder Kulturveranstaltungen teilnehmen, die von scheinbar neutralen gemeinnützigen oder akademischen Einrichtungen organisiert werden und bei denen eine freundschaftliche Atmosphäre herrscht. Möglicherweise werden Geschenke verteilt, die ein Gefühl der Verpflichtung und den Wunsch wecken, die Gefälligkeit zu erwidern. Vielleicht folgt die Einladung zu einer Chinareise, und im Verlauf des Besuchs wird die Zielperson in einem sorgfältig geplanten Programm von Treffen und Besichtigungstouren intensiv bearbeitet. Die Gastgeber sind oft Frontorganisationen der Abteilung für Einheitsfrontarbeit oder der Verbindungsstelle der Abteilung für politische Arbeit der Zentralen Militärkommission, aber Staatsbetriebe und unter der Ägide von Xi Jinping auch Privatunternehmen können diese Rolle ebenfalls spielen.

Der ehemalige US-Präsident George H.W. Bush gab in seinen Memoiren ein Beispiel dafür, wie leicht westliche Politiker in diese

»Freundschaftsfalle« gehen: »Als mich Deng als *lao pengyou* bezeichnete, als alten Freund Chinas, hatte ich das Gefühl, dass er mir nicht
nur schmeicheln wollte, sondern dass er mir mit dieser Bezeichnung
Anerkennung dafür zollen wollte, dass ich die Bedeutung der amerikanisch-chinesischen Beziehung und die Notwendigkeit verstand,
diese Beziehung zu pflegen.«[5] Anschließend gewährte Deng dem amerikanischen Präsidenten einen »seltenen Einblick in seine Einschätzung« der chinesisch-sowjetischen Beziehung.

Jene, die glauben, hochrangige chinesische Parteifunktionäre hätten ihnen ihre innersten Gedanken anvertraut, verwandeln sich oft in
Fürsprecher Beijings, die andere drängen, »mehr Verständnis« zu zeigen, die Dinge »mit den Augen Chinas zu betrachten« und »eine nuan-
cierte Haltung einzunehmen«. Der ehemalige australische Premierminister Paul Keating, der so wie Henry Kissinger in den internationalen
beratenden Ausschuss der China Development Bank aufgenommen
wurde, deutete an, die persönlichen Ansichten der chinesischen Führung einschließlich des Präsidenten Xi zu kennen. Keating ist einer
der überzeugtesten Anhänger des chinesischen Regimes und bezeichnet Menschenrechte als »westliche Werte«, die auf China nicht an-
wendbar seien. Die Regierung der KPCh preist er als »die beste Regierung der Welt in den letzten dreißig Jahren. Punktum.«[6]

Eine ehemalige hochrangige Beamtin im amerikanischen Außenministerium, Susan Thornton, positioniert sich ebenfalls als Freundin
Chinas. In einem viel beachteten Artikel attackierte sie die amerikanische Regierung für ihr Vorgehen gegen China im Jahr 2019 und erklärte, die USA seien für den Zusammenbruch der Beziehung verantwortlich, und mit guter Diplomatie könne China dazu gebracht
werden, sich in einen verantwortungsbewussten Weltbürger zu verwandeln.[7] Beijing, schrieb sie, bemühe sich sehr, mehr »internationale
öffentliche Güter« bereitzustellen. Thornton behauptet, »der Traum
Chinas sei es, den Vereinigten Staaten ähnlicher zu werden«, und
hochrangigen Parteifunktionären sei es wichtiger, ihre Kinder in amerikanischen Spitzenuniversitäten unterzubringen, als ihrem Land eine
Vormachtstellung gegenüber den USA zu sichern.

Susan Thornton zählt zu den federführenden Autoren eines im Juli 2019 veröffentlichten und von rund 100 besorgten amerikanischen Wissenschaftlern, außenpolitischen Experten und Wirtschaftsvertretern unterzeichneten offenen Briefs, in dem die harte Haltung der Regierung Trump gegenüber China verurteilt wurde.[8] Die Unterzeichner räumten ein, China habe in der jüngeren Vergangenheit ein »beunruhigendes« Verhalten an den Tag gelegt, riefen jedoch zu einer Rückkehr zur kooperativen und freundlichen Haltung früherer amerikanischer Regierungen auf. In ihren Augen war nichts geschehen, was der Einschätzung widersprach, China werde in die globale Wirtschaftsordnung integriert, was zur Folge habe, dass die Kräfte der politischen Liberalisierung in China erstarken und früher oder später die Oberhand gewinnen würden. Die Tatsache, dass genau das Gegenteil geschieht, dass die autoritären Kräfte unter Xi durch die Einbindung Chinas in die Weltwirtschaft erheblich gestärkt worden sind, ist den Unterzeichnern entgangen.

Bezeichnenderweise ist in dem offenen Brief nur von »China« die Rede; die Kommunistische Partei Chinas bleibt unerwähnt. Die Unterzeichner glauben, »China« habe kein Interesse daran, die Vereinigten Staaten als globale Führungsmacht abzulösen. In ihren Augen ist »China« kein ernst zu nehmender wirtschaftlicher Gegner und kein Sicherheitsrisiko. Sie halten die Vereinigten Staaten mit ihrer konfrontativen Haltung und ihrem übertriebenen Gefühl der Bedrohung durch die Volksrepublik für das eigentliche Problem. Präsident Trumps aggressives Auftreten, erklären sie, schwäche jene Kräfte in China, die eine »gemäßigte, pragmatische und wirklich kooperative« Beziehung zum Westen anstrebten.

Selbstverständlich begrüßte die KPCh diesen Vorstoß amerikanischer Experten, die sich für eine Fortsetzung der freundlichen Beziehung aussprachen, die die Führung in Beijing seit Jahren pflegt. Das chinesische Außenministerium bezeichnete den Brief als »rational und objektiv«.[9] Die *Global Times* interviewte einen der fünf Urheber des Briefs, Michael Swaine, ein hochrangiger Mitarbeiter des Carnegie Endowment for International Peace (einer Einrichtung, die neun

Unterzeichner stellte).[10] Swaine verurteilte die aus dem »Kalten Krieg« stammende Reaktion der USA und ihre »extreme Politik« gegenüber China und erklärte, das Land wolle die internationale Ordnung nicht umkrempeln, sondern lediglich reformieren.

In einer der klarsten Entgegnungen auf den offenen Brief wies John Pomfret auf einen »zutiefst paternalistischen Aspekt« des herkömmlichen amerikanischen China-Bildes hin, der in dem Brief zum Ausdruck komme, nämlich die Überzeugung, die natürliche Überlegenheit des amerikanischen Systems werde die chinesische Führung dazu bewegen, es nachzuahmen.[11] Die liberalen Figuren Chinas, auf die die Autoren des Briefs ihre Hoffnungen setzen, hat Xi bekehrt, »gesäubert«, eingesperrt oder auf andere Art zum Schweigen gebracht.

Der traurige Fall von John McCallum

Im Lauf ihrer Geschichte hat die KPCh anspruchsvolle Techniken zur psychologischen Manipulation von Freunden und Feinden entwickelt. Diese Techniken sind mit großem Erfolg bei verschiedensten Personen in westlichen Ländern angewandt worden, die als wertvoll für die Partei eingestuft wurden. Das Ziel ist auch hier, diese Personen auf den politischen Kurs Beijings einzuschwören; zu diesem Zweck werden sie oft überzeugt, dass sie eine besondere Beziehung zu China haben. Wie der China-Experte James Jiann Hua To schrieb, ist diese Art von psychologischer Arbeit »ein wirksames Werkzeug für eine intensive Kontrolle und Manipulation des Verhaltens«, das zugleich »harmlos, wohlmeinend und hilfreich« wirkt.[12]

Im Dezember 2018 wurde die Finanzchefin von Huawei, Meng Wanzhou, auf Ersuchen der amerikanischen Justizbehörden, die ihr unter anderem Bankbetrug vorwarfen, in Kanada festgenommen. Es folgte eine erbitterte diplomatische Auseinandersetzung, bei der Beijing nicht gegen Washington, sondern gegen Ottawa düstere Drohungen ausstieß und zwei kanadische Bürger unter falschen Anschuldigungen inhaftierte. Auf einem ersten Höhepunkt der Auseinandersetzung gab der kanadische Botschafter in China, John McCallum, im Januar 2019 in Ontario eine Pressekonferenz für chinesischsprachige Medien, in der er Meng Ratschläge dazu gab, wie sie sich am besten gegen eine Auslieferung an die Vereinigten Staaten wehren könne.[13] McCallum, der bereits als Freund Chinas bekannt war – kurz zuvor hatte er erklärt, Kanada habe mehr mit China gemein als mit den Vereinigten Staaten[14] –, listete die schweren Mängel auf, die das Auslieferungsansuchen in seinen Augen hatte.

Einige Beobachter erklärten, der Botschafter klinge wie ein Sprecher der chinesischen Regierung, anstatt die Position Kanadas zu vertreten.[15] In Beijing hingegen pries die *Global Times* McCallum dafür, dass er »die Wahrheit gesagt« habe, und verurteilte den Mangel an »moralischer Rechtschaffenheit« der kanadischen Regierung.[16] Nachdem McCallum in der Heimat in die Kritik geraten war, stufte sein ehemaliger Stabschef seine Rede als »verbalen Fehltritt« ein und verteidigte den Botschafter als »von Grund auf anständigen und optimistischen Mann«, einen langjährigen Sinophilen, der China in den vergangenen drei Jahrzehnten gut kennengelernt habe. Das hilft uns zu verstehen, wie es möglich war, dass der Botschafter den psychologischen Techniken der KPCh zum Opfer fiel.[17]

Wenige Tage später ließ McCallum seinen Ratschlägen an Meng zur Vermeidung ihrer Auslieferung die Erklärung folgen, es wäre gut für Kanada, sie freizulassen, womit er der Beschwichtigung Beijings Vorrang vor dem Rechtshilfeabkommen mit den Vereinigten Staaten gab. Ministerpräsident Justin Trudeau sah sich gezwungen, ihn abzuberufen, und die Beobachter zerbrachen sich die Köpfe darüber, wie es möglich war, dass ein so erfahrener Politiker und Diplomat derart in die Irre gegangen war.

Andere Zielpersonen der KPCh werden nicht durch Anreize, sondern dadurch verführt, dass ihre Eitelkeit und ihr Wunsch nach Anerkennung angesprochen werden. Wie es in einer sarkastischen Schlagzeile hieß: »Ich glaube, dieser chinesische Funktionär mag mich wirklich!«[18]

Unter denen, die verstanden, warum McCallum Unterstützung für Meng Wanzhou bekundet hatte, war der ehemalige mexikanische Botschafter in Beijing, Jorge Guajardo. Er war auf dieselbe Art bearbeitet worden.[19] Neu in Beijing eintreffende Gesandte werden von chinesischen Gesprächspartnern isoliert. Nach einer Weile erhalten sie eine Mitteilung, aus der hervorgeht, dass sich ein hochrangiger Funktionär mit ihnen treffen möchte. Bei dieser Begegnung werden sie darüber aufgeklärt, dass sie »ein einzigartiges Verständnis der feinen Nuancen der Position der Partei« besitzen. Sie beginnen, sich »besonders« zu fühlen. Sie erhalten privilegierten Zugang zu hochrangigen Mitgliedern der chinesischen Führung und glauben, dass ihnen ungewöhnliche Einblicke in die inneren Abläufe der chinesischen Politik gewährt werden. Selbstverständlich wird bei anderen Gesandten dieselbe Überzeugung geweckt. Als besondere Freunde Chinas geben die Gesandten ihren Vorgesetzten in der Heimat Ratschläge, die auf ihren »einzigartigen« Einblicken beruhen – und natürlich sind dies genau die Ratschläge, die Beijing den westlichen Regierungen geben möchte.[20]

Der Glaube an die eigene Besonderheit in Verbindung mit dem Bedürfnis, sich wichtig zu fühlen, macht Menschen anfällig für Verführung. McCallums Vorgänger als kanadischer Botschafter in China, David Mulroney, hat diese gekonnte Manipulation der Eitelkeit beschrieben: »Du und nur du allein bist ausreichend begabt und erfahren, um die Situation zu verstehen und deiner Regierung zu erklären. Das Schicksal der bilateralen Beziehung liegt in deinen Händen.«[21] Sehr viel mehr als in jedem anderen Land gelangen die Diplomaten in China zu der Überzeugung, dass es »das Wichtigste in der Welt ist, gute Beziehungen aufrechtzuerhalten«.[22] Sie sind überzeugt, dass China für Ausländer schwer zu verstehen ist, und anstatt der chinesischen Regierung den Standpunkt ihres eigenen Landes zu erklären, betrachten es die Botschafter als ihre Aufgabe, ihrer Regierung die chinesische Position zu erklären. So verwandeln sie sich in Sprachrohre der KPCh. Genau diesen Fehler beging McCallum.

Die Situation ist anders als im Kalten Krieg, als loyale Bürger »umgedreht« wurden und bewusst für die andere Seite zu arbeiten begannen. Die Beeinflussung funktioniert sehr viel besser, wenn die

Fürsprecher der KPCh überzeugt sind, ihrer Heimat treu zu sein, jedoch erkannt zu haben, dass Chinas Position im besten Interesse ihres eigenen Landes ist. (Daher war es unpassend von einer der populärsten Zeitungen Chinas, in einer Schlagzeile zu verkünden, Botschafter McCallum habe mit seiner Unterstützung für Meng »die Seite gewechselt«.[23])

Die Überzeugung, gute Beziehungen zu Beijing seien von größter Bedeutung, ist in vielen Außenministerien der westlichen Welt verbreitet und färbt die Ratschläge, die sie ihren Ministern täglich geben. Diese Regierungsvertreter betrachten ruhige Beziehungen mit zahlreichen bilateralen Treffen als erfolgreiche Diplomatie. In Wahrheit setzen sie die KPCh auf den Kutschbock. Wenn Beijing Treffen absagt und westliche Diplomaten aufs Abstellgleis stellt, geraten diese oft in Panik und raten ihrer Regierung zu Nachgiebigkeit.

Einflussnahme in Washington

Bei der Suche nach Personen, die vielleicht bei einem politischen Entscheidungsträger Gehör finden, sind offizielle und inoffizielle Berater, Beamte, Parteikollegen, Spender, Freunde, Ehepartner und andere Familienmitglieder, Geschäftspartner und hochrangige Militärs potentielle Ziele. Beeinflussungsoperationen sind sehr viel leichter, wenn der Zielperson eine finanzielle Belohnung winkt. Daher kann China über Geschäftsbeziehungen ein Maß an Einfluss auf die Vereinigten Staaten nehmen, von dem die alte Sowjetunion nur träumen konnte. Denkfabriken, insbesondere solche, die von ehemaligen Politikern oder Wirtschaftsführern geleitet werden, können mit Spenden und Forschungskooperationen gelockt werden. (Mit diesem Punkt befassen wir uns in Kapitel 11, und in den folgenden Kapiteln werden andere Wege zur Beeinflussung von Entscheidungsträgern in Washington untersucht. Es ist nicht möglich, die Einflussnahme der KPCh in Washington umfassend darzustellen, aber wir werden versuchen, ihre Ausmaße zu veranschaulichen.)

Im Jahr 2018 berichtete der gut vernetzte *Washington Post*-Kolumnist Josh Rogin, dass China über viele Jahre hinweg Beeinflussungsnetzwerke in den Vereinigten Staaten errichtet habe und dass sich die amerikanische Regierung auf die Möglichkeit vorbereite, die chinesische Regierung könne versuchen, diese Netzwerke als Waffe einzusetzen, um ihre Ziele zu erreichen.[24] (Es ist nicht bekannt, dass Beijing im Westen »aktive Maßnahmen« im sowjetischen Stil durchführt, aber der Grund dafür ist vor allem politisches Kalkül, welches sich ändern kann.) In einer der gewagtesten Infiltrationsoperationen der KPCh, der Aktion »Chinagate«, traf sich ein hochrangiger Geheimdienstmitarbeiter im Jahr 1996 mit einem blauäugigen Präsidenten Clinton im Weißen Haus. Clintons Präsidentschaftskampagne erhielt außerdem Spendengelder über Personen mit Verbindungen zum chinesischen Militär (siehe Kapitel 8).

Die KPCh bemüht sich seit den siebziger Jahren um Einfluss auf den amerikanischen Kongress. Dank der Aktivitäten der Internationalen Verbindungsabteilung der Partei und verbundener Einrichtungen wie der Chinesischen Vereinigung für internationale Freundschaftskontakte (mit der wir uns später befassen) hat China einige einflussreiche Freunde gewonnen.[25] Dennoch ist der Kongress weiterhin überwiegend skeptisch gegenüber China, obwohl seine Position oft durch den Einfluss »prochinesischer« Mitglieder abgeschwächt wurde.[26] Der Präsident, das Weiße Haus, die Bürokratie, Denkfabriken und Lobbygruppen werden mit Erfolg von Beijing ins Visier genommen.

Bis vor Kurzem glaubten fast alle Akteure in Washington und darüber hinaus an die Trope vom »friedlichen Aufstieg Chinas« und an das »konstruktive Engagement«. Die allgemeine Überzeugung war, dass sich das chinesische Regime im Verlauf seiner wirtschaftlichen Entwicklung ganz natürlich in ein liberales System verwandeln würde – Wandel durch Handel. Diese Einschätzung war nicht vollkommen unangebracht, denn liberalere Fraktionen in der KPCh kämpften tatsächlich mit Hardlinern, aber sie verstärkte eine Art von institutioneller Naivität, die von Beijing ausgenutzt wurde. Viele von denen, die auch dann noch an dieser Einschätzung festhielten, als es deutliche Belege für das Gegenteil gab, hatten ein großes persönliches Interesse daran, Beijing zu verteidigen.

Im Mai 2019 hob sich Joe Biden von allen anderen Kandidaten für die Präsidentschaftsnominierung der Demokratischen Partei ab, indem er über die Vorstellung spottete, China sei eine strategische Bedrohung für die Vereinigten Staaten. »China wird uns in die Pfanne hauen? Was für ein Unfug«, erklärte er bei einer Wahlkampfveranstaltung in Iowa City.[27] Der Kommentar kam nicht von ungefähr: Biden befürwortete seit Jahren Entgegenkommen gegenüber China. Als Hillary Clinton, Außenministerin in der Regierung Obama, eine härtere Haltung gegenüber Chinas Vormarsch in Asien einnahm, mahnte Vizepräsident Biden zu Vorsicht. Biden hatte eine freundschaftliche Beziehung zu Xi Jinping geknüpft, als Xi Vizepräsident und zukünftiger Staatschef war.[28]

In seiner zweiten Amtszeit ersetzte Obama Clinton an der Spitze des Außenministeriums durch den entgegenkommenderen John Kerry. Die Vorgänge helfen zu erklären, warum Obamas »Hinwendung zu Asien« im Jahr 2012 ein Rohrkrepierer wurde. Die Vereinigten Staaten hielten sich zurück, während China Inseln und Sandbänke im Südchinesischen Meer annektierte und dort Militärstützpunkte errichtete, obwohl Xi Obama gegenteilige Zusagen gegeben hatte. Mit dem Bruch dieses Versprechens hat sich China einen gewaltigen strategischen Vorteil verschafft.

Joe Biden neigt der mittlerweile von vielen China-Experten und den meisten Politikern in Washington aufgegebenen Überzeugung zu, dass China durch Einbeziehung in einen verantwortungsbewussten Akteur verwandelt werden kann. Das nach ihm benannte Penn Biden Center for Diplomacy and Global Engagement, die Denkfabrik der University of Pennsylvania, soll sich mit Bedrohungen der freiheitlichen internationalen Ordnung auseinandersetzen, aber China zählt nicht zu den als bedrohlich eingestuften Akteuren, die auf der Website der Denkfabrik genannt werden: Russland, Klimawandel und Terrorismus.[29] Biden hat sich zu Menschenrechtsverstößen in China geäußert, hält jedoch immer noch an der Vorstellung vom »friedlichen Aufstieg« des Landes fest.

Spielt es eine Rolle, dass Joe Biden ein anderes Bild von China hat? Ja, denn es gibt Belege dafür, dass die KPCh versucht hat, sich mit Geschäftsvereinbarungen, von denen sein Sohn Hunter Biden finanziell profitiert hat, seine Gunst zu sichern. Diese Zusammenhänge beschreibt Peter Schweizer in seinem Buch *Secret Empires* aus dem Jahr 2019.[30] Einige zentrale Vorwürfe wurden später angefochten, und Schweizer präzisierte sie in einem Gastbeitrag in der *New York Times* (die für ihr gründliches Fact-Checking berühmt ist).[31] Zusammengefasst: Als Vizepräsident Biden im Dezember 2013 eine offizielle Reise nach China unternahm, begleitete ihn sein Sohn in der Airforce Two. Während Biden senior sanfte Diplomatie mit der chinesischen Führung betrieb, nahm Hunter an andersartigen Sitzungen teil. Und »weniger als zwei Wochen nach der Reise schloss Hunters Firma, die er gemeinsam mit zwei anderen Geschäftsleuten [einer von ihnen war John Kerrys Stiefsohn] gegründet hatte, eine Vereinbarung über die Gründung eines Investmentfonds namens BHR Partners, dessen größter Anteilseigner die staatliche Bank of China ist – und das, obwohl Biden junior kaum Erfahrung mit Kapitalbeteiligungen hatte«.[32]

Die Bank of China steht in Staatsbesitz und wird von der KPCh kontrolliert. Welche Rolle Hunter Biden genau in dem Unternehmen spielt, ist umstritten, aber ein Experte schätzt den Wert seines Anteils auf 20 Millionen Dollar.[33]

Es geht hier jedoch nicht um die Ethik der Bidens (die das Thema der Medien ist[34]), sondern um die Art und Weise, wie die KPCh hochrangige Politiker beeinflussen kann. Diese »Stellvertreterkorruption«, bei der sich Politiker die eigenen Hände nicht schmutzig machen, während ihre Familienmitglieder ihre Kontakte nutzen, um ein Vermögen zu verdienen, ist von der »roten Aristokratie« in Beijing perfektioniert worden. In den Jahren 2014 und 2015 sahen Obama, Kerry und Biden tatenlos zu, wie China sein Einflussgebiet im Südchinesischen Meer aggressiv ausweitete.

Der Milliardär und ehemalige New Yorker Bürgermeister Michael

Bloomberg stieg spät ins Rennen um die demokratische Präsident-
schaftskandidatur im Jahr 2020 ein. Er ist Beijing freundlicher gesinnt
als alle anderen Bewerber. Er hat viel Geld in China investiert, lehnt
die Strafzölle auf Importe aus China ab und verteidigt regelmäßig das
Regime der KPCh. Sein Medienunternehmen hat kritische Berichte
über Mitglieder der chinesischen Führung unterdrückt, und Bloomberg selbst behauptete im Jahr 2019, Xi Jinping sei kein Diktator, weil
er die chinesische Bevölkerung zufriedenstellen müsse.[35] Josh Rogin
von der *Washington Post* erklärte, Bloombergs Fehldeutung des We-
sens und der Bestrebungen der chinesischen Regierung könne »verheerende Folgen für die nationale Sicherheit und die Außenpolitik der
Vereinigten Staaten« haben. Bloomberg befürworte eine blauäugige
Politik der Einbindung und ein Wunschdenken, das sich bereits als
Trugschluss erwiesen habe.[36]

Auch die Republikaner werden von chinesischem Geld beeinflusst.
Mitch McConnell aus Kentucky ist seit 2015 Mehrheitsführer im Senat
und damit der nach dem Präsidenten zweitwichtigste Mann in Washington. Der ehemalige Falke verwandelte sich in den neunziger Jahren in der Beziehung zu China in eine Taube (obwohl er im Jahr 2019
Unterstützung für die Demonstranten in Hongkong bekundete, wobei
es sich möglicherweise um einen Fall von »Unterstützung in großen
Fragen und Kritik bei kleinen Fragen« handelte[37]). Im Jahr 1993 heiratete er die Tochter eines seiner Spender, des Geschäftsmanns James
Chao. Elaine Chao leitete unter Präsident George W. Bush das Arbeits-
ministerium und wurde 2017 von Präsident Trump mit der Leitung
des Verkehrsressorts betraut. Sie vergeudete keine Zeit und begann
sofort mit der Organisation einer Chinareise, in deren Verlauf sich
Mitglieder ihrer Familie mit chinesischen Regierungsvertretern treffen sollten; das Vorhaben platzte nur, weil das Außenministerium
ethische Bedenken äußerte.[38]

James Chao hat ausgezeichnete *guanxi* – Verbindungen – in China,
darunter zu seinem ehemaligen Schulkollegen Jiang Zemin, dem einflussreichen ehemaligen Staatspräsidenten Chinas. Seinen Reichtum
verdankt Chao seiner Reederei Foremost Group, die sich dank seiner

engen Beziehung zur China State Shipbuilding Corporation, einem riesigen Staatsunternehmen, vorteilhaft entwickelte. McConnell wurde nach seiner Hochzeit mit Chaos Tochter von hochrangigen Vertretern der KPCh hofiert, und seine angeheiratete Familie machte schon bald Geschäfte mit chinesischen Staatskonzernen.[39]

Im Jahr 2008 schenkte James Chao seiner Tochter und ihrem Ehemann mehrere Millionen Dollar, wodurch sich Mitch McConnell in eines der reichsten Kongressmitglieder verwandelte. Seit den neunziger Jahren bemüht er sich, die Republikaner auf eine chinafreundlichere Haltung einzuschwören.[40] Als sich seine Partei im Jahr 1999 hinter einen Beschluss stellte, mit dem Taiwan Unterstützung zugesichert wurde, scherte McConnell aus. Seither hat er sich Strafmaßnahmen widersetzt, die wegen Menschenrechtsverletzungen und Währungsmanipulation gegen China verhängt wurden. Elaine Chao für ihren Teil wies im Jahr 2000 einen Bericht über chinesische Spionageaktivitäten zurück und weigerte sich anzuerkennen, dass China eine Bedrohung für die Vereinigten Staaten darstellen könne.[41]

Das Weiße Haus

Als Donald Trump im Februar 2017 das Präsidentenamt antrat, begann sich die Einstellung zu China zu ändern, wenn auch langsamer, als man in Anbetracht von Trumps aggressiver Wortwahl im Wahlkampf hätte erwarten können. In seinem ersten Jahr im Amt sicherte sich die Regierung nach allen Seiten ab. Eine der ersten Amtshandlungen des neuen Präsidenten bestand darin, die Transpazifische Partnerschaft zu Fall zu bringen, ein Handelsabkommen zwischen zwölf Pazifikanrainerstaaten, das als Gegengewicht zum wachsenden wirtschaftlichen Einfluss Chinas gedient hätte. Einflussreiche Personen im Weißen Haus, die enge Beziehungen zu China unterhalten, drängten auf eine versöhnliche Politik.

Der neue Handelsminister Wilbur Ross hatte umfangreiche Investments in China, und eines seiner Unternehmen unterhielt eine

Partnerschaft mit einem dortigen Staatsbetrieb (unter Druck löste Ross seine Beteiligungen im Jahr 2019 offenbar auf).[42] Während eines Chinabesuchs im Jahr 2017 warb er dafür, dass eine Partnerschaft von Goldman Sachs und dem staatlichen Investmentfonds China Investment Corp bis zu 5 Milliarden Dollar in amerikanische Industrieunternehmen einschließlich sensibler Assets investieren sollte.[43]

Gary Cohn, Trumps leitender Wirtschaftsberater, war Präsident von Goldman Sachs, das enge geschäftliche Verbindungen zu chinesischen Banken unterhielt, womit Cohn ein persönliches Interesse an ihrem Erfolg hatte. Zu seinen finanziellen Interessen in China vor seiner Ernennung zählte ein Multimillionen-Dollar-Anteil an einer riesigen von der KPCh kontrollierten Bank, der Industrial and Commercial Bank of China, der Cohn dabei half, sich in den amerikanischen Markt einzukaufen. Berichten zufolge ist die Bank der größte kommerzielle Mieter im Trump Tower.[44] Cohn pflegte auch enge Kontakte zu den politischen und Finanzeliten Chinas und bemühte sich um eine Stärkung der Handels- und Investitionsbeziehungen zwischen den beiden Ländern.

Trumps Finanzminister Steven Mnuchin hatte in der Vergangenheit ebenfalls für Goldman Sachs gearbeitet und hielt Aktien der Investmentbank im Wert von mehreren Millionen Dollar, die er kurz nach seinem Amtsantritt abstieß. Mnuchin wurde rasch die führende China-Taube im Weißen Haus und bemühte sich, die Einführung von Zöllen und anderen Sanktionen abzuschmettern oder zu Fall zu bringen.[45]

Donald Trumps eigene Familie hoffte, sich in China bereichern zu können. Als Trump seinen Schwiegersohn Jared Kushner zum Berater des Weißen Hauses ernannte, hatte dieser hohe Summen in Blackstone investiert, ein Unternehmen, das Trumps Freund Stephen Schwarzman gehört, der zahlreiche geschäftliche Interessen in China hat. Laut Berichten aus dem Jahr 2018 war Kushners Immobilienfirma Ziel amerikanischer Ermittlungsbehörden, weil sie anscheinend versucht hatte, chinesische Investoren mit dem Versprechen, ihnen Aufenthaltsgenehmigungen zu beschaffen, zum Kauf von Wohngebäuden in den Vereinigten Staaten zu bewegen.[46]

Die Präsidententochter Ivanka Trump besitzt wertvolle Marken in China, die ihr teilweise nach dem Amtsantritt ihres Vaters verkauft worden waren. Als Geschäftsführerin von Trump Hotels plante sie den Bau von 20 bis 30 Hotels in China.

Anfangs sprach Präsident Trump oft von seinem »wunderbaren Freund Xi Jinping«,[47] aber im Jahr 2018 trübte sich die Atmosphäre in Washington ein. Das »konstruktive Engagement« wurde durch einen konfrontativen Ansatz ersetzt. Die Beeinflussungsstrukturen der KPCh hatten sich als unzureichend erwiesen – aber das lag nicht daran, dass die Partei es nicht versucht hätte. Im März 2019 erschien in der Zeitschrift *Mother Jones* ein Bericht über eine chinesisch-amerikanische Trump-Spenderin namens Cindy Yang, die in Florida mehrere Bordelle betrieb. In dem Bericht hieß es, sie habe reichen Chinesen Einreisevisa beschafft und sich sehr bemüht, in Trumps engeren Kreis vorzudringen, was ihr jedoch nicht gelungen war. Allerdings schaffte sie es, die Schwester des Präsidenten, Elizabeth Trump-Grau, zur Teilnahme an einer Veranstaltung im Ressort Mar-a-Lago zu bewegen. Yang war für Einheitsfrontorganisationen der KPCh tätig, insbesondere für die Niederlassung des Chinesischen Rats für die Förderung der friedlichen nationalen Wiedervereinigung in Florida. Sie hatte auch einen Posten im Nationalkomitee der Asian American Republican Party. Diese als »Asiatische Republikaner« bezeichnete Organisation hat es sich nach Aussage ihres geschäftsführenden Direktors Cliff Zhonggang Li zum Ziel gemacht, »die chinesischstämmigen Amerikaner zur politischen Beteiligung anzuhalten«, was auf die Strategie *huaren canzheng* der KPCh hindeutet (wörtlich übersetzt »politische Partizipation ethnischer Chinesen«, mehr dazu in Kapitel 7).[48]

Es gibt noch anspruchsvollere und wirksamere Programme zur Beeinflussung mächtiger amerikanischer Familien. In den republikanischen Vorwahlen zur Präsidentschaftswahl 2016 schien Jeb Bush bessere Aussichten zu haben als Donald Trump. Zu den wichtigsten Spendern von Bushs Wahlkampfplattform zählte ein in Singapur ansässiges chinesisches Paar: Gordon Tang und Huaidan Chen besaßen eine Immobilienfirma in Kalifornien und hatten in der Vergangenheit durch ihre Verbindungen zu Gary Locke auf sich aufmerksam gemacht, einem ehemaligen Gouverneur des Bundesstaats Washington, der von Obama als Botschafter nach China geschickt worden war.[49] Während Lockes Amtszeit als Gesandter kaufte ihm Huaidan Chen im Jahr 2013 sein Haus in Bethesda (Maryland) für 1,68 Millionen Dollar ab.[50] (Nach Einschätzung von Ethikexperten handelte es sich um einen klaren Interessenkonflikt.[51]) Nach dem Ende von Lockes Amtszeit begann das Unternehmen des Paars, ihm ein Beraterhonorar zu zahlen.

Die Millionenspende Gordon Tangs und Huaidan Chens für Jeb Bushs Wahlkampf erwies sich als Fehlinvestition, aber die beiden hatten seinen Bruder Neil Bush schon im Jahr 2013 zum nicht geschäftsführenden Vorsitzenden ihres Unternehmens SingHaiyi ernannt.[52] Die freundschaftlichen Beziehungen der Familie Bush zum chinesischen Regime gehen auf das Jahr 1974 zurück, als George H. W. Bush als De-facto-Botschafter in Beijing diente. Später erklärte er: »Ich weiß, wie China funktioniert.« Die chinesische Führung bezeichnete ihn als »einen alten Freund«, ein selten vergebener Ehrentitel, der einflussreichen Ausländern verliehen wird, die sich besonders um China verdient gemacht haben. (Weitere Träger dieses Titels sind Henry Kissinger und der ehemalige IOC-Chef Juan Antonio Samaranch.)[53] Als Präsident bemühte sich Bush im Jahr 1989, nach dem Massaker auf dem Platz des Himmlischen Friedens die Wogen zu glätten, und schickte nur einen Monat nach dem Blutbad Anfang Juli eine Geheimdelegation nach Beijing.[54]

Mittlerweile pflegt Neil Bush, der dritte Sohn des ehemaligen Präsidenten, das Vermächtnis seines Vaters: Er leitet die George H. W. Bush China-U.S. Relations Foundation, die unter anderem im Oktober 2018 in Zusammenarbeit mit der Gesellschaft des Chinesischen Volkes für Freundschaft mit dem Ausland (CPAFFC), einer wichtigen Einheitsfrontorganisation, eine große Konferenz in Washington organisierte.[55] Die CPAFFC bemüht sich gemeinsam mit der Bush Foundation um engere Beziehungen zwischen den beiden Ländern und um die »Errichtung einer friedlicheren Zukunft mit größerem Wohlstand«.[56]

Das Problem ist, dass die CPAFFC, die im Chinesischen meist einfach *youxie* (»Freundschaftsgesellschaft«) genannt wird, eine amtliche Einrichtung ist, die sich als NRO tarnt. Sie ist eine Organisation der Politischen Konsultativkonferenz des Chinesischen Volkes (PKKCV), eines Beratungsgremiums, das ein fester Bestandteil der Einheitsfrontarbeit der KPCh ist. Die CPAFFC hat die Aufgabe, unter dem Vorwand der Diplomatie zwischen Völkern Freunde zu gewinnen. Die Freundschaft *(youyi)* ist ein Konzept, das »eng mit dem von der Partei errichteten System von Strukturen und Strategien für den Umgang mit Ausländern zusammenhängt«, wie Anne-Marie Brady erklärt.[57] Durch die Aktivitäten von Organisationen wie der CPAFFC Freunde im Ausland zu gewinnen, ist ein fester Bestandteil des Beeinflussungssystems der KPCh im Ausland. Beispielsweise meldete die Nachrichtenagentur Xinhua im Mai 2019 die Unterzeichnung einer Vereinbarung zwischen der CPAFFC und der irischen Denkfabrik Asia Matters zur Förderung des Austauschs und der Kooperation zwischen den Völkern. Bei der feierlichen Unterzeichnung erklärte der irische Außenminister und stellvertretende Ministerpräsident Simon Coveney, die engere Beziehung werde es Irland erleichtern, die Interessen Chinas in der EU zu vertreten.[58]

Im Juni 2019 berichtete *People's Daily* begeistert, Neil Bush sei der Meinung, die Vereinigten Staaten würden Handelshemmnisse »als politische Waffe« einsetzen, um China »zu bedrängen«.[59] Während China reifer werde, erklärte Bush, sei die amerikanische Demokratie mangelhaft, und die Politiker betrieben »Gehirnwäsche«, um den Amerikanern einzureden, China sei ein Problem. Die Rolle seiner Organisation, erklärte er, bestehe darin, dem amerikanischen Volk die Wahrheit über China nahezubringen. In einem Interview mit dem staatlichen Fernsehsender CGTN schwärmte Bush von »der natürlichen Freundlichkeit und Großzügigkeit der Chinesen«, womit er unabsichtlich verriet, mit welchen Taktiken er zu einem Freund des chinesischen Regimes herangezogen worden war.[60]

Einen Monat später hielt Neil Bush in Hongkong eine Rede auf einer Konferenz, deren Organisator Tung Chee-Hwa war, der erste Chief Executive (Regierungschef) der Sonderverwaltungszone und hochrangiger KPCh-Vertrauter. Bush machte die »antichinesische« Stimmung in den Vereinigten Staaten für die Spannungen verantwortlich und erklärte, die Vereinigten Staaten sollten sich nicht in die inneren Angelegenheiten Chinas einmischen, die Führung der KPCh handle aus Sorge um das Volk, und die »Demokratie amerikanischer Prägung« sei für China ungeeignet.[61] Dieselben Thesen vertrat Bush in einem unterwürfigen Interview mit CGTN im Oktober, in dem er erklärte, die Amerikaner würden ihre Meinung über China ändern, wenn sie »die wachsende Freiheit der Menschen« in diesem Land sehen könnten.[62] Seine Äußerungen hatten so große Ähnlichkeit mit den Verlautbarungen der Propagandaabteilung der Partei, dass man hätte meinen können, diese habe ihm die Rede geschrieben.

Die Abteilung für Feindarbeit

In den letzten Jahren bedient sich Beijing einer zunehmend kriegerischen Sprache und lässt seine militärischen Muskeln spielen. Ein Beispiel für die Neuausrichtung liefern die Annexion und militärische Nutzung mehrerer Inseln im Südchinesischen Meer. Hinter den Kulissen finden unauffälligere und wirksamere Bemühungen statt, eine Vormachtstellung zu erlangen. Ziel dieser Bemühungen ist die »Desintegration« des Feindes. Eine zentrale Rolle in diesem Prozess kommt der Verbindungsstelle der Abteilung für politische Arbeit der Zentralen Militärkommission zu. Die früher als Abteilung für Feindarbeit bezeichnete Verbindungsstelle ist ein fester Bestandteil der chinesischen Geheimdienstgemeinschaft.[63] Aber wie der China-Experte Geoff Wade schreibt, hat sie umfassendere Aufgaben, »knüpft Verbindungen mit globalen Eliten und versucht, Einfluss auf die Politik und das Verhalten von Ländern, Institutionen und Gruppen außerhalb Chinas zu nehmen. Sie geht breit gefächerten Aktivitäten wie Propaganda, Verbindungsarbeit, Einflussnahme, Informationssammlung und Wahrnehmungssteuerung nach.«[64]

Mark Stokes und Russel Hsiao, zwei Experten die zur KPCh forschen, haben den Modus operandi beschrieben. Angehörige der Elite und Organisationen in ausländischen Verteidigungssektoren und Streitkräften werden als Freunde, Feinde oder jene in einer Zwischenposition, die es zu überzeugen gilt, eingestuft – dies ähnelt der Einstufung der in Kapitel 2 beschriebenen Klassifizierung chinesischer Bürger. »In psychologischen Beurteilungen von Angehörigen der Elite«, schreiben Stokes und Hsiao, »werden Führungskräfte untersucht [und] ihre Karriere, kulturelles Niveau, Motivation, Wertvorstellungen, politische Ausrichtung und Parteizugehörigkeit, sozialer Status, Familie und berufliche Kompetenz bewertet«.[65]

Das Hacken von Personaldatenbanken, medizinischen Aufzeichnungen, persönlichen E-Mail-Konten usw. kann besonders nützlich sein, wenn es dazu dient, eine Beziehung zu ehemaligen und gegenwärtigen Angehörigen der militärischen und politischen Eliten sowie zu wissenschaftlichen Kreisen herzustellen. Für diese Tätigkeit hat die Verbindungsabteilung eine Reihe von Tarnorganisationen und -unternehmen ins Leben gerufen.[66]

Einen Monat nach Donald Trumps Amtsantritt kaufte eine chinesisch-amerikanische Geschäftsfrau namens Angela Chen für 15,8 Millionen Dollar eine Wohnung in einem New Yorker Gebäude, das Trump gehört.[67] Die Journalisten Andy Kroll und Russ Choma haben in *Mother Jones* aufgedeckt, dass Chen, deren Beratungsfirma Zugang zu mächtigen Personen verkauft, Vorsitzende einer ausländischen Beeinflussungsorganisation mit Verbindungen zum chinesischen Militärgeheimdienst ist.[68] Diese Organisation, die China Arts Foundation International, ist eine gemeinnützige Einrichtung, die Kulturveranstaltungen finanziert und Galas für die Reichen und Mächtigen ausrichtet. (In Kapitel 10 werden ihre Aktivitäten ausführlich untersucht.) Sie ist mit der Chinesischen Vereinigung für Internationale Freundschaftskontakte verbunden, einer Frontorganisation der Verbindungsstelle der Abteilung für politische Arbeit der Zentralen Militärkommission.[69] (Zu den Tochterorganisationen der Vereinigung für Freundschaftskontakte zählt auch das Zentrum für Friedens- und Entwicklungsstudien.) Offiziell ist es das Ziel der Einrichtung, im Interesse des Weltfriedens und der Entwicklung »den internationalen Austausch und die Kooperation zwischen den Völkern zu fördern«, aber ihre Hauptfunktion besteht laut Stokes und Hsiao darin, »Kontakt zu hochrangigen Mitgliedern ausländischer Verteidigungs- und Sicherheitskreise herzustellen und zu pflegen, darunter Militärs und Parlamentarier im Ruhestand«.[70] In einem Handbuch, das der australische Beijing-Korrespondent John Garnaut zu Gesicht bekommen hat, wird es unverblümter ausgedrückt: Die Organisation ist darauf spezialisiert, »den Feind zu desintegrieren und die Nähe freundlich gesinnter militärischer Elemente zu suchen«.[71] In einem von John Garnaut aufgedeckten Fall hofierten Vertreter der Vereinigung eine Gruppe von hochrangigen australischen Wirtschaftsführern, die nicht ahnten, dass ihr diensteifriger Kontaktmann Xing Yunming ein Generalleutnant der Volksbefreiungsarmee war. Xing war bis 2015 geschäftsführender Vizepräsident der Vereinigung für Freundschaftskontakte und Leiter der Verbindungsabteilung der Allgemeinen Politischen Abteilung der Volksbefreiungsarmee.[72] Er war auch Gastgeber von Tony Blair, Bill Gates und anderen Würdenträgern. Geoff Wade schreibt: »Das intensive Engagement hochrangiger Offiziere der Volksbefreiungsarmee in den Aktivitäten des Verbands für Freundschaftskontakte zeigt deutlich, dass diese ein verdeckter Ableger der Volksbefreiungsarmee ist und Geheimdienst- und Propagandaarbeit leistet.«[73]

China hat zahlreiche ehemalige Militärs in sein Netz von Beeinflussungsoperationen gelockt. Zu den wichtigeren Offizieren, die angeworben wurden, zählte der amerikanische Admiral a.D. Bill Owens, der in seiner aktiven Zeit stellvertretender Vorsitzender der Joint Chiefs of Staff war.[74] Owens erhielt Zugang zu führenden Vertretern der Volksbefreiungsarmee, darunter der stellvertretende Vorsitzende der Zentralen Militärkommission, Xu Qiliang, und Garnaut schrieb im Jahr 2013, Owens habe »in den letzten sechs Jahren vermutlich mehr Zeit mit chinesischen Generälen verbracht als alle aktiven amerikanischen Generäle zusammen«.[75]

Nachdem er im Jahr 1996 seinen Abschied bei der amerikanischen Kriegsmarine genommen hatte, nutzte Owens seine Kontakte in China, um sich eine einträgliche Karriere in einer Investmentfirma in Hongkong und als Berater bei grenzüberschreitenden Technologietransfers aufzubauen. Er pflegte auch Beziehungen mit Meinungsführern in Washington und saß in den Leitungsgremien von Denkfabriken wie Brookings, Carnegie, Rand und dem Council on Foreign Relations.[76] Ab 2008 organisierte er im Rahmen der »Sanya-Initiative« Treffen zwischen zahlreichen hochrangigen amerikanischen Militärs und ihren chinesischen Gegenstücken. Einige amerikanische Offiziere rezitierten nach der Teilnahme an diesen Begegnungen chinesische Propaganda und erklärten beispielsweise, das Land habe nur friedliche Absichten und sei keine Bedrohung. Owens selbst veröffentlichte Meinungsartikel in der *Financial Times*, darunter einen mit dem Titel »Amerika muss beginnen, China als Freund zu behandeln«, in dem er erklärte, es sei nicht im Interesse der Vereinigten Staaten, Waffen an Taiwan zu verkaufen.[77] In einem Bericht über ein Treffen der Sanya-Initiative im Jahr 2008 hieß es, »alle vier amerikanischen Generäle diskutierten bereits darüber, Kommentare in Zeitungen zu veröffentlichen, um die gegenwärtige Darstellung des chinesischen Militärs zu korrigieren«.[78] Die Vereinigung für internationale Freundschaftskontakte (CAIFC) versuchte auch, die Veröffentlichung eines Berichts des amerikanischen Verteidigungsministeriums über die militärische Stärke der Volksrepublik hinauszuzögern.[79]

Im Jahr 2013 gründete Owens eine Beratungsfirma namens Red Bison, die Partnerschaften mit China vermittelt.[80] Der Forschungsdienst des Kongresses äußerte sich in einer Analyse aus dem Jahr 2012 besorgt über die Art der Kontakte zwischen gegenwärtigen und ehemaligen amerikanischen Offizieren und der Volksbefreiungsarmee. In dem Bericht wurden insbesondere Owens' Engagement in der Sanya-Initiative und seine geschäftlichen Interessen in China untersucht.[81] Als man ihm den Bericht vorlegte, wollte sich Owens nicht zu der

Frage äußern, ob er mit seinen geschäftlichen Aktivitäten in China bis zu 100 Millionen Dollar verdient habe.[82] In einer Versammlung des Nationalkomitees der Republikanischen Partei im Jahr 2012 wurden Rufe nach Kongressanhörungen zu dieser Affäre laut, aber aus Angst, eine Untersuchung könne der Partei schaden, wurde die Angelegenheit nicht weiter verfolgt.[83]

Die Sanya-Initiative gedeiht weiterhin. Im Oktober veranstaltete das EastWest Institute ein Treffen, das von der mit der KPCh verbundenen China-United States Exchange Foundation (siehe Kapitel 6 und 11) und »privaten Spendern« finanziert wurde. Die CAIFC beteiligte sich ebenfalls.[84]

Unter den einflussreichen Personen, die an von der China Arts Foundation International organisierten Veranstaltungen teilgenommen haben, nimmt Stephen Schwarzman, der Geschäftsführer der Blackstone Group, einen besonderen Platz ein. Die *Washington Post* bezeichnet Schwarzman, der in Palm Beach Donald Trumps Nachbar ist, als Trumps »China-Einflüsterer«, weil er »so enge Beziehungen zu Beijing hat wie kaum ein anderer amerikanischer Manager«.[85] In den Jahren 2017 und 2018 schwankte Trump zwischen einem harten Kurs und Entgegenkommen gegenüber China, aber Anfang 2019 schien sich seine Position dauerhaft zu verhärten. Bei einigen Gelegenheiten wurde Schwarzmans Rat an Trump, er solle nachgiebiger sein, von den Falken überstimmt. Aber in Schwarzman hat Beijing einen Sympathisanten mit direktem Draht zum Präsidenten. Trump ernannte ihn zum Leiter eines Wirtschaftsberatungsgremiums des Weißen Hauses, des sechzehnköpfigen President's Strategic and Policy Forum, dem die Spitzenmanager von J. P. Morgan Chase, BlackRock, Boeing, Intel, Ernst & Young und IBM angehören. In der ersten Sitzung sagten sie Trump, er verstehe China falsch und solle sich versöhnlicher zeigen.[86]

Als Blackstone im Jahr 2007 an die Börse ging, kaufte die China Investment Corporation 9,9 Prozent der Aktien, das heißt genau so viele, dass eine Prüfung möglicher Risiken für die nationale Sicherheit ausblieb. Im Juni 2017 nahm Blackstone 13,8 Milliarden Dollar mit dem Verkauf von Logicor ein, das das größte Portfolio von Logistik- und Vertriebseinrichtungen in Europa besitzt. Auch hier war der Käufer die China Investment Corporation, ein Staatsfonds, der einen Teil der Devisenreserven des Landes verwaltet.[87] Im Jahr 2016 verkaufte Blackstone eine Reihe von amerikanischen Luxushotels für 5,5 Milliarden Dollar an die chinesische Versicherungs- und Bankgesellschaft Anbang und versuchte sie drei Jahre später zurückzukaufen, als die Firma in den Strudel eines Korruptionsskandals geraten war. Schwarzman war mittlerweile »der Mann, an den sich chinesische Käufer wenden«.[88]

Schwarzman selbst hat erklärt, er sei sowohl der »inoffizielle amerikanische Botschafter in China« als auch der »inoffizielle chinesische Botschafter in den Vereinigten Staaten«.[89] Das war natürlich ein Scherz, aber die Aussage klingt unangenehm treffend. Die Mitglieder der Führung in Beijing kennen Schwarzman gut. Beim Weltwirtschaftsforum in Davos im Jahr 2017 nahm Staatspräsident Xi den Amerikaner zu einem privaten Gespräch beiseite, was ein klarer Beleg für den guten Draht des Milliardärs zu der chinesischen Parteiführung war. Bevor sich Trump im Jahr 2018 in Mar-a-Lago mit Xi Jinping traf, sagte Schwarzman zu ihm: »Präsident Xi ist ein guter Mann.«[90] Schwarzman hat ein neues College an der Tsinghua-Universität in Beijing finanziert, die von vielen als die beste Chinas betrachtet wird: Dort haben viele Mitglieder der Parteiführung studiert, darunter Xi Jinping.[91] Das Schwarzman College bietet einen Master für globale Angelegenheiten an; die Zielgruppe sind »vielversprechende junge Führungskräfte«. Fast die Hälfte der Studenten, die keine Studiengebühren bezahlen müssen, kommt aus den Vereinigten Staaten.

Im Februar 2017 lud Schwarzman zu einer opulenten Geburtstagsfeier ein, deren Thema die Seidenstraße war. Zu den Gästen zählten weitere Freunde Chinas und angehende Mitglieder der Regierung Trump, darunter Steve Mnuchin, Wilbur Ross, Elaine Chao und natürlich Jared Kushner und Ivanka Trump.[92]

Blackstone hält (in Partnerschaft mit Reuters) den größten Anteil an dem Dienstleister Refinitiv, der Finanznachrichten und Datenanalysen bereitstellt. Im Juni 2019 zensierte Refinitiv auf Ersuchen der chinesischen Cyberspace Administration Nachrichten über den 30. Jahrestag des Massakers auf dem Tiananmenplatz.[93] Drei Monate später spielte Schwarzman den Vermittler im Handelsstreit: Er lobte das »verblüffende Wirtschaftswunder« Chinas, forderte das Land jedoch gleichzeitig auf, auf die Bedenken des Westens einzugehen und seine Handels- und Geschäftspraktiken zu ändern. Das groß angelegte chinesische Programm für Technologiediebstahl zählte er zu den »anderen Zugängen zum geistigen Eigentum«.[94]

Kanadas Beijing-Elite

Journalisten sind seit vielen Jahren fasziniert vom außergewöhnlichen politischen Einfluss der Power Corporation, des kanadischen Konglomerats der Familie Desmarais. Sehr viel weniger Aufmerksamkeit hat die Art und Weise gefunden, in der das chinesische Regime über die Power Corporation Aufnahme in das dichte Netzwerk der politischen und wirtschaftlichen Elite Kanadas gefunden hat. Gelegentlich hat man den Eindruck, als würde diese Elite das Land lenken. Dieser Hinweis auf Beijings Einfluss hilft zu verstehen, warum die Regierung Trudeau in Reaktion auf die Krise um die Huawei-Managerin Meng Wanzhou im Jahr 2018 in Schockstarre verfiel und sich nicht mehr daraus befreien konnte. Die Geschichte der Entwicklung dieses Netzwerks erzählt der langjährige Auslandskorrespondent Jonathan Manthorpe in seinem wichtigen Buch *Claws of the Panda*.[95]

Zu den ersten Episoden in dieser Geschichte gehört eine Konferenz im Jahr 1977, zu der sich »Kanadas Unternehmensaristokratie« versammelte, wie es Manthorpe ausdrückt. Zu einer Zeit, als die USA China noch nicht offiziell anerkannt hatten, verlangten Paul Desmarais, der Chef der Power Corporation, und Maurice Strong, der Geschäftsführer von Petro-Canada, die Einrichtung einer ständigen Handelsvertretung in China. (Strong, ein Mitglied der Liberal Party, wurde später Präsident der Power Corporation.) Ein Jahr später gründeten die beiden Männer das Canada-China Business Council, das sich in eine mächtige Lobbyorganisation verwandeln sollte. Bemerkenswert ist, dass sich unter den zehn offiziell auf der Website des Council als Gründungsmitglieder genannten Unternehmen auch die China International Trust & Investment Corporation (CITIC) findet.[96] Diese im Jahr 1979 auf Anweisung von Deng Xiaoping gegründete Firma wurde 1987 in Hongkong tätig und begann rasch, mehrere große Unternehmen zu schlucken und sich in ein riesiges Firmenkonglomerat zu verwandeln.[97] Unter den Führungskräften des Unternehmens waren Angehörige des roten Adels. In der eng mit der Volksbefreiungsarmee verbundenen Organisation »wimmelte es von Geheimagenten«.[98] Der Präsident von CITIC, Wang Jun, dessen Vater stellvertretender Präsident der Volksrepublik gewesen war und Deng Xiaoping zu seinen engen Freunden zählte, war ein Geheimagent, der später eine Rolle im »Chinagate«-Skandal spielen sollte, der die Präsidentschaft von Bill Clinton erschütterte, bevor die Lewinsky-Affäre alles andere in den Schatten stellte.[99]

Paul Desmarais als neuer Vorsitzender des Canada-China Business Council holte CITIC in die Lobbygruppe und damit ins Machtzentrum der kanadischen Unternehmenselite. Die Power Corporation schleuste den Großteil ihrer Investitionen in China durch das mit der Volksbefreiungsarmee verbundene Unternehmen.[100] Desmarais bot CITIC die Hälfte der Anteile an einer der Papiermühlen der Power Corporation an, was dem chinesischen Konglomerat die erste Möglichkeit zu einer Auslandsinvestition eröffnete und den Anstoß zu umfangreichen Investitionen chinesischer Staatsbetriebe in Kanada gab. Die Familie Desmarais, in der Paul von seinem Sohn André abgelöst wurde, pflegt seit damals enge Beziehungen zur politischen und Wirtschaftselite Chinas. (Paul Desmarais zählt Mao Zedong zu den vier historischen Figuren, die er am meisten bewundert.[101])

Bis 2012–2013 war der engste Freund der Familie Desmarais in der Hierarchie der KPCh der aufstrebende Bo Xilai, der Rivale von Xi Jinping. Bo verlor den Machtkampf und versank in einem Korruptions- und Mordprozess. Doch sein spektakulärer Sturz schadete der engen

Beziehung zwischen der Power Corporation und dem Canada-China Business Council nicht. Bo Xilais Sohn Bo Guagua, der an der Columbia University Recht studiert hat, begann im Jahr 2018 für die Power Corporation zu arbeiten.[102]

Die Liberal Party, die seit Jahrzehnten die kanadische Politik beherrscht, ist eng mit der Power Corporation verflochten. Partei und Konzern sind durch eine »Drehtür« verbunden: Dutzende politische Berater, Minister und Provinzgouverneure wurden durch das Unternehmen geschleust, aber in diesem Zusammenhang konzentrieren wir uns auf die Spitze. Paul Desmarais stand Pierre Trudeau sowohl vor dessen Wahl zum Ministerpräsidenten als auch während seiner Amtszeit (1980–84) als Berater zur Seite. Nach Trudeaus Ausscheiden aus dem Parlament machte Desmarais ihn zu einem bezahlten Berater der Power Corporation.[103] Der Konservative Brian Mulroney, der von 1984 bis 1993 Ministerpräsident war, hatte als Rechtsanwalt für das Unternehmen gearbeitet. »Ich liebte ihn wie einen Bruder«, sagte Mulroney nach Desmarais' Tod.[104] Nach der Verhaftung von Meng Wanzhou schaltete sich Mulroney in die Debatte über das aggressive Verhalten Beijings gegenüber Kanada ein und sprach sich für einen Plan aus, mit dem die Chinesen beschwichtigt werden sollten.[105]

Der liberale Ministerpräsident Jean Chrétien (der von 1993 bis 2003 im Amt war) hatte Ende der achtziger Jahre im Board einer Tochtergesellschaft der Power Corporation gesessen, und seine Tochter heiratete im Jahr 1981 André Desmarais. Dieser war nicht nur der zukünftige Präsident der Power Corporation, sondern auch Vorsitzender des Canada-China Business Council; heute pflegt er enge Kontakte zur herrschenden Elite in Beijing und sitzt unter anderem im Board von CITIC Pacific, einer Hongkonger Tochtergesellschaft von CITIC.[106] Zwei Monate nach dem Ende seiner Amtszeit brach Chrétien zu einem von CITIC organisierten Geheimbesuch in China auf, wo er persönliche Geschäfte abschließen wollte.[107] Begleitet wurde er von seinem Schwiegersohn André Desmarais. Chrétiens Nachfolger als Regierungschef, Paul Martin (im Amt von 2003 bis 2006), hatte 13 Jahre für die Power Corporation gearbeitet, bevor er der Familie Desmarais die von ihm geleitete Power-Tochtergesellschaft abkaufte.[108]

Während Chrétiens Regierungszeit wurde im Jahr 1999 der Zeitung *Globe and Mail* der sensationelle Sidewinder-Bericht zugespielt.[109] (Die beste Darstellung des Skandals stammt von Jonathan Manthorpe.[110]) In dem Geheimbericht beschrieben Ermittler der Royal Canadian Mounted Police und des Nachrichtendienstes Security Intelligence Service, wie sich in Kanada ein »neues Triumvirat« festgesetzt hatte, bestehend aus chinesischen Geheimdiensten, in Triaden organisierten Kriminellen und chinesischen Wirtschaftsmagnaten, die kanadische Unternehmen aufkauften.[111] Die drei Gruppen führten gemeinsame Operationen durch, um kanadische Technologie zu stehlen, wirtschaftliche Macht zu erringen und durch Bündnisse mit mächtigen Politikern politischen Einfluss auszuüben. Die Autoren des Berichts warnten auch vor einer zunehmenden Einmischung der KPCh in das Hochschulleben und vor mit dem chinesischen Regime verbundenen Magnaten, die in Immobilien investierten, um politischen Einfluss zu erlangen.

Darüber hinaus wurde im Sidewinder-Bericht darauf hingewiesen, dass CITIC an der Spitze der Bemühungen um den Erwerb kanadischer Firmen stehe, dass das chinesische Konglomerat eine enge Beziehung zur Power Corporation aufgebaut habe und ein wichtiger Geldgeber politischer Parteien in Kanada sei.

Die Regierung Chrétien, die sich aktiv um engere wirtschaftliche Verbindungen zu China bemühte, zeigte keinerlei Interesse daran, die im Sidewinder-Bericht erhobenen Vorwürfe genauer zu untersuchen. Der Bericht wurde zurückgewiesen und verschwand in einer Schublade.[112]

Manthorpe bezeichnet die Power Corporation als »wichtigsten Weichensteller« für die formalen Beziehungen zwischen Kanada und China. Die Führung der KPCh war derart überzeugt davon, in Kanada immer ihren Willen durchsetzen zu können, dass sie auf Meng Wanzhous Verhaftung wie auf einen Betrug reagierte. Und sie wollte Meng unbedingt wiederhaben.

Im Jahr 2016 wurde berichtet, dass Justin Trudeau, der im Jahr 2015 zum Ministerpräsidenten gewählt wurde, private Spendensammlungsveranstaltungen in den Häusern vermögender Kanadier chinesischer Herkunft besucht hatte. Einige der Gastgeber hatten enge Verbindungen zur KPCh und warben aktiv für die Annexion von Inseln im Südchinesischen Meer durch China.[113] Ein Spender setzte sich beim Ministerpräsidenten dafür ein, die Einwanderungsvorschriften für vermögende Chinesen zu lockern. Ein anderer, ein Mann namens Zhang Bin, den *Globe and Mail* als »chinesischen Milliardär und Funktionär der Kommunistischen Partei« beschrieb, spendete gemeinsam mit seinem Geschäftspartner 50 000 Kanadische Dollar für eine Statue von Trudeaus Vater Pierre, die in der Universität Montreal aufgestellt werden sollte. Einen unverhohleneren Kauf von Wohlwollen kann es kaum geben, aber die Spender legten zur Sicherheit noch 200 000 Kanadische Dollar für die Pierre Elliott Trudeau Foundation drauf, eine zu Ehren von Justin Trudeaus Vater eingerichtete Stiftung.[114] Die Spender wussten, dass Trudeau ein Freund war; schließlich hatte er bei einer anderen Spendenversammlung im Jahr 2013 im Vertrauen seine Bewunderung für die »grundlegende Diktatur« in China geäußert, die in der Lage war, etwas voranzubringen.[115] Michael Kovrig und Michael Spavor, die beiden Kanadier, die als Vergeltungsmaßnahme für die Verhaftung Meng Wanzhous von den chinesischen Behörden unter falschen Anschuldigen ins Gefängnis gesteckt wurden, hatten das große Pech, dass die Regierung ihres Landes von einem Mann geführt wurde, der nicht bereit war, der KPCh die Stirn zu bieten.

Dieses Netzwerk von Eliten in Ottawa und Beijing hat auch dafür gesorgt, dass verlässliche Kanadier chinesischer Herkunft in politische Ämter gewählt worden sind. Einige von ihnen sitzen im kanadischen Bundesparlament. Besonders oft wegen seines Naheverhältnisses zur chinesischen Führung erwähnt wird Michael Chan, der von 2007 bis 2018 Minister in der Regierung der Liberal Party war. Bereits im Jahr 2010 warnte der kanadische Geheimdienstchef Richard Fadden, in mindestens zwei Provinzregierungen säßen Minister, die »unter dem

Einfluss einer ausländischen Regierung« stünden und versuchten, den politischen Kurs der kanadischen Regierung zu beeinflussen.[116] Obwohl Fadden China nicht ausdrücklich erwähnte, brach ein Proteststurm über ihn herein, weil er implizit Kanadier chinesischer Herkunft als illoyal an den Pranger gestellt hatte. Ein Parlamentsausschuss verlangte, die Regierung müsse sich entschuldigen und Fadden zum Schweigen bringen.

Im Jahr 2015 berichtete *Globe and Mail*, Chan sei tatsächlich einer der Politiker, die Fadden im Sinn gehabt habe.[117] Chan wies diese Behauptung zurück und verklagte die Zeitung.[118] Der Ministerpräsident wies Bedenken in Bezug auf Chan als unbegründet zurück. Offenkundig war niemand in der kanadischen Regierung bereit, die Beweise ernst zu nehmen, was daran lag, dass sie entweder unter dem Einfluss Beijings stand oder sich nicht dem Vorwurf des Rassismus und der Sinophobie aussetzen wollte.

Nachdem Chinas Außenminister im Jahr 2016 einen kanadischen Journalisten, der es gewagt hatte, eine Frage zu den Menschenrechten zu stellen, scharf zurechtgewiesen hatte, verteidigte Minister Chan in einer chinesischsprachigen Publikation Chinas Umgang mit den Menschenrechten.[119] Nach seinem Ausscheiden aus dem Parlament trat Michael Chan während der Unruhen in Hongkong im Jahr 2019 bei einer Pro-China-Kundgebung als Redner auf und forderte die Polizei der ehemaligen Kronkolonie auf, hart gegen die Demonstranten vorzugehen. Später übernahm er die offizielle Position des chinesischen Regimes: Er behauptete, die Protestbewegung werde von ausländischen Kräften gesteuert, und appellierte an das chinesische Gefühl der historischen Demütigung durch den Westen.[120]

Während der Huawei-Krise entließ Justin Trudeau den kanadischen Botschafter in Beijing, John McCallum, weil sich dieser praktisch in den chinesischen Gesandten in Ottawa verwandelt hatte – ersetzte ihn jedoch durch einen Mann, der ein noch innigeres Verhältnis zu den Machthabern in Beijing hatte. Dominic Barton war von 2009 bis 2018 ein Managing Director bei der Beratungsfirma McKinsey gewesen und hatte in dieser Zeit fünf Jahre als Asien-Vorsitzender der

Firma in Shanghai verbracht. Nach Einschätzung der *New York Times* hat McKinsey »dabei geholfen, das Ansehen autoritärer und korrupter Regierungen in aller Welt zu heben«.[121] Die Firma ist eng mit der chinesischen Regierung verbunden; beispielsweise warb McKinsey ein Unternehmen als Klienten an, das am Bau künstlicher Inseln für chinesische Militärstützpunkte im Südchinesischen Meer beteiligt war.[122]

Barton hat auch im Beirat der staatlichen China Development Bank gesessen und ist außerordentlicher Professor an der Tsinghua-Universität. Es wird berichtet, er habe glühende Berichte über die chinesische »Erfolgsstory« verfasst.[123] Im Jahr 2018 schied er bei McKinsey aus, um den Vorsitz im Board von Teck Resources zu übernehmen, einem der größten Bergbauunternehmen Kanadas. Dieses Unternehmen, das teilweise im Besitz der von der KPCh kontrollierten China Investment Corporation steht und in China seinen größten Abnehmer hat, weckte im Jahr 2016 Kritik, als es den beispiellosen Vorstoß wagte, den Parteifunktionär Chong Quan, der auch ein ehemaliges Mitglied des Nationalen Volkskongresses ist, in sein Leitungsgremium aufzunehmen.[124]

Anfang 2019 tat Barton einen Schritt, der ihn zweifellos noch tiefer in Beijings Netz führen wird: Er heiratete Geraldine Buckingham, die Leiterin des Asien-Pazifik-Bereichs von BlackRock, dem riesigen amerikanischen Investmentfonds, der sich sehr bemüht, seine Position in China zu festigen (siehe Kapitel 6).

Die Ernennung Bartons zum kanadischen Botschafter in Beijing ist ein Beispiel für einen häufigen politischen Fehler, der in der Annahme besteht, es sei stets von Vorteil, wenn ein Botschafter langjährige Erfahrung mit China besitzt. Die ausländischen Regierungen verlassen sich darauf, dass ein Diplomat im Verlauf seiner Begegnungen mit China und einigen mächtigen Akteuren des Regimes den subtilen Beeinflussungstechniken Beijings widerstanden hat und nicht als Sprachrohr missbraucht werden wird, dessen einzige Funktion darin besteht, den Standpunkt des chinesischen Regimes an seine westliche Hauptstadt weiterzuleiten.

Nach seiner Wiederwahl im Oktober 2019 ernannte Regierungschef Trudeau einen neuen Außenminister. François-Philippe Champagne, Bartons neuer Vorgesetzter, scheint ebenso große Bewunderung für das chinesische Regime zu hegen wie Barton, Trudeau und sein Mentor Jean Chrétien.[125] In einem Interview mit dem chinesischen Staatsfernsehen CGTN im Jahr 2017 war Champagne voll des Lobes für Xi Jinping. China und Kanada, erklärte er begeistert, seien »Vorbilder für Stabilität, Vorhersehbarkeit, ein auf Regeln beruhendes System, eine sehr inklusive Gesellschaft«.[126]

All das erklärt den Mantel des Schweigens, den Kanadas Elite über die Litanei chinesischer Verstöße gebreitet hat, sei es in Xinjiang, Hongkong oder Kanada selbst, wo es zu Entführungen, Cyberattacken, Handelsverboten, unverfrorenen Einheitsfrontaktivitäten und zahlreichen diplomatischen Beleidigungen gekommen ist. Während seines Wahlkampfs im Jahr 2019 sagte Trudeau die traditionelle außenpolitische Debatte ab und verlor kein Wort über die schwerste diplomatische Krise, in die sein Land seit dem Zweiten Weltkrieg verwickelt gewesen ist.

4

POLITISCHE ELITEN IM ZENTRUM: EUROPA

Diplomatie zwischen Parteien

Die KPCh pflegt seit Langem freundschaftliche Beziehungen zu politischen Parteien im Ausland, beginnend mit der Mitgliedschaft in der von der Sowjetunion geführten Kommunistischen Internationale, die die Gründung der chinesischen KP 1921 unterstützt hatte. Bis in die achtziger Jahre waren die brüderlichen Kontakte im Wesentlichen auf Parteien beschränkt, die ebenfalls eine kommunistische Ideologie vertraten, aber mittlerweile sind alle Parteien zu Zielen der Einflussnahme geworden. Während die Abteilung für Einheitsfrontarbeit die Aufgabe hat, Auslandschinesen anzuleiten und abweichende Meinungen zu unterdrücken, ist die Internationale Verbindungsabteilung der KPCh für die diplomatischen Kontakte zwischen der KPCh und ausländischen Parteien sowie für die Beziehungen zu ausländischen NRO und anderen politischen Gruppen zuständig.[1] Der stellvertretende Leiter der Abteilung zitiert Xi Jinping, wenn er sagt: »Die Diplomatie auf Parteienebene ist eine wichtige Front für unsere Partei und ein wichtiger Bestandteil der Diplomatie unseres Landes.«[2]

Die Internationale Verbindungsabteilung der KPCh wächst seit etlichen Jahrzehnten und wurde unter Xi Jinping weiter gestärkt. Ihre umfassende Ausrichtung hat es ihr erlaubt, Beziehungen zu ausländischen Regierungen, Oppositionsparteien und potenziellen zukünftigen Regierungsparteien aufzubauen.[3] Nach dem Streit über die Annexion mehrerer Inseln im Südchinesischen Meer durch China im Jahr 2016 behauptete die Internationale Verbindungsabteilung, das Land genieße die Unterstützung von mehr als 240 Parteien in 120 Ländern sowie von 280 bekannten Think Tanks und NRO in aller Welt.[4] Diese spezielle Zahl mag zu hoch gegriffen oder die Bedeutung der Unterstützer übertrieben sein, aber alles in allem haben die diplomatischen Beziehungen zu anderen Parteien beeindruckende Resultate hervorgebracht.

Im November 2017 war die Verbindungsabteilung Gastgeber einer riesigen Konferenz in Beijing: »Hochrangiges Treffen – Die KPCh im Dialog mit politischen Parteien aus aller Welt«. 600 Vertreter von 300 Parteien aus der ganzen Welt waren gekommen.[5] Da waren Delegierte der britischen Konservativen, der kanadischen Liberal Party und der Republikaner aus den USA, die Tony Parker geschickt hatten, den Schatzmeister des Republican National Committee.[6] Zum Abschluss der Konferenz setzten die Delegierten ihre Namen unter die »Beijinger Initiative«, womit sie erklärten, dass sie »die großen Anstrengungen und wichtigen Beiträge der KPCh und ihres Generalsekretärs Xi Jinping sehr zu schätzen wissen«.[7] Mit ihrem Bekenntnis zur Initiative unterstützten sie Xis Vision einer Alternative zur liberalen, auf Regeln beruhenden Weltordnung, das heißt einer Option, die von der KPCh als Errichtung einer »Schicksalsgemeinschaft der Menschheit« *(renlei mingyun gongtongti)* bezeichnet wird. In der Erklärung wurde dazu aufgerufen, die Werte jedes Landes zu respektieren, womit die KPCh im Klartext die Ablehnung der universellen Menschenrechte meint.

Julia Bowie von der Party Watch Initiative, einem Forschungsprojekt in Washington, D.C., erklärt, das bedeute nicht, dass die amerikanischen Republikaner oder die britischen Konservativen insgeheim Xi Jinping verehrten.[8] Derartige Veranstaltungen sind nützlich, weil sie der KPCh die Möglichkeit geben, freundschaftliche Beziehungen zu einzelnen Personen herzustellen, die anschließend heimkehren, um den Vorstellungen Beijings in ihren Parteien Gehör zu verschaffen. Außerdem haben solche Veranstaltungen einen hohen symbolischen

Wert für die KPCh, zeigen sie doch, dass die Partei und ihre Politik internationale Unterstützung genießen.

Wie andere offizielle Organisationen der KPCh bedient sich auch die Internationale Verbindungsabteilung in ihrer Selbstdarstellung einer Sprache, die um Worte wie »Frieden«, »Entwicklung« und »Fortschritt« kreist.[9] Regelmäßig veröffentlicht sie Berichte über ihre Treffen mit verschiedenen ausländischen Einrichtungen.[10] Im Mai 2019 traf sich Song Tao, der Leiter der Verbindungsabteilung, mit Manfred Grund, der für die CDU im Deutschen Bundestag sitzt und dem Auswärtigen Ausschuss angehört. Nach Angabe des Verbindungsbüros sicherte Grund der chinesischen Seite zu, dass seine Partei »die Neue Seidenstraßen-Initiative aktiv unterstützt« und »bereit ist, den Gedankenaustausch mit der KPCh und den wechselseitigen Lernprozess auszuweiten«.[11] Als Grund um einen Kommentar zu dieser Darstellung gebeten wurde, erklärte er, er könne sich nicht erinnern, das gesagt zu haben, sehe jedoch gemeinsame Interessen Europas und Chinas in Zentralasien.[12]

Die Veröffentlichung von Stellungnahmen ausländischer Politiker gehört zum Ritual von *biaotai*, dem »Bekenntnis zur Gefolgschaft«, das dazu dient, Ausländer dazu zu bringen, die Wortwahl der KPCh zu wiederholen. Ein weiteres Beispiel für diese Praxis lieferte die norwegische Außenministerin Ine Eriksen Søreide im Dezember 2018 mit der Aussage, die norwegische Regierung respektiere »Chinas zentrale Interessen und grundlegende Sorgen« und werde »konkrete Maßnahmen ergreifen, um das politische Fundament der bilateralen Beziehungen zu erhalten«.[13] Der Vorsitzende der Sozialistischen Partei Ungarns, Tóth Bertalan, erklärte, seine Partei sei »bereit, von der erfolgreichen Erfahrung der KPCh beim Aufbau einer Partei und bei der Leitung des Staates zu lernen«.[14]

Manche Politiker haben nichts dagegen, mit solchen Worten zitiert zu werden, während anderen möglicherweise nicht bewusst ist, dass ihre Äußerungen auf eine Art und Weise zitiert oder paraphrasiert werden, die Unterstützung für die KPCh und ihre Politik ausdrückt. Da der Zweck darin besteht, den Eindruck zu erwecken, das chinesi-

sche Regime werde im Ausland überwiegend positiv beurteilt, wird
das Ziel in beiden Fällen erreicht, solange Personen, die das Gefühl
haben, falsch zitiert worden zu sein, keine Richtigstellung verlangen;
das kann auf beiden Seiten zu einem Gesichtsverlust führen und er-
hebliche Konsequenzen für den Beschwerdeführer nach sich ziehen.

Die Internationale Verbindungsabteilung unterhält Kontakte zu
fast allen Parteien in Europa, seien es traditionelle oder neu entstan-
dene. Nicht jede Partei ist bereit, sich enthusiastisch über das Regime
in Beijing zu äußern, aber fast alle Spitzenpolitiker sind gerne bereit,
sich mit KPCh-Funktionären zu treffen, was normalerweise zu Berichten führt, in denen ihnen Äußerungen zugeschrieben werden, die
als Unterstützung für China zu deuten sind.[15]

Die Verbindungsabteilung unternimmt große Anstrengungen, für
die »Neue Seidenstraße« zu werben und Parteien in aller Welt dazu zu
bewegen, sich für das Vorhaben auszusprechen. Zu den Ländern, um
die sich die Chinesen besonders intensiv bemühen, gehören Japan,
Griechenland und Großbritannien.[16] Einer der loyalen Freunde der
Internationalen Verbindungsabteilung ist Peter Mandelson, früheres
Kabinettsmitglied in der Regierung Blair und Ehrenvorsitzender des
Great Britain China Centre.[17] Im Mai 2019 erklärte Mandelson Berichten zufolge, die Beziehung zu China sei sehr wichtig für Großbritannien, das hoffe, »aktiv an der Errichtung der Neuen Seidenstraße teilnehmen zu können«. Und dann sagte er in Worten, die auch aus der
Feder der Propagandaabteilung der Kommunistischen Partei hätten
stammen können: »Großbritannien ist bereit, den Dialog zwischen
den politischen Parteien Großbritanniens und Chinas weiterzufüh-
ren, den Austausch zwischen den politischen Parteien der beiden Ländern zu fördern und eine ›goldene Ära‹ in den Beziehungen zwischen
Großbritannien und China einzuleiten.«[18]

Einen Monat später schrieb Mandelson in der *Sunday Times*, die
Vereinigten Staaten hätten einen Handelskrieg gegen China begonnen,
um einen Rivalen auszuschalten – und Großbritannien solle in diesem Konflikt nicht Partei ergreifen.[19] Die Behauptungen über die von
Huawei ausgehenden Sicherheitsrisiken seien »maßlos übertrieben«

und zielten darauf, das Unternehmen in die Knie zu zwingen. Großbritannien, das nicht im geopolitischen Wettbewerb mit China stehe, solle das Land stattdessen über die Handelsbeziehungen beeinflussen. Mandelson gehört zu denen, die immer noch glauben, mit ein wenig Überzeugungsarbeit könne die KPCh in einen guten Weltbürger verwandelt werden. Der Tenor seines Artikels lautet, dass die KPCh keine Schattenseite hat und dass Großbritannien den Aufstieg Chinas begrüßen und begeistert mit ihm kooperieren sollte. Mandelson ist Mitglied des 48 Group Club (siehe unten).[20]

Die Bearbeitung Europas

Dieselbe Art von Betreuung, die bei dem kanadischen Botschafter John McCallum so gut funktionierte, prägte möglicherweise auch das Denken seiner schwedischen Amtskollegin Anna Lindstedt,[21] die sich im Januar 2019 an dem Versuch der chinesischen Behörden beteiligte, Angela Gui zum Schweigen zu bringen. Guis Vater Gui Minhai, ein schwedischer Staatsbürger, arbeitete als Buchhändler in Hongkong, als er im Jahr 2015 im Rahmen der Repressionen gegen diese Berufsgruppe von den chinesischen Behörden in Thailand entführt und ohne Gerichtsverfahren in Haft gehalten wurde. Wie viele andere wurde er im chinesischen Staatsfernsehen vorgeführt, wo er ein erzwungenes Geständnis ablegte. Seine Tochter organisierte eine lautstarke Kampagne, um seine Freilassung durchzusetzen.

Botschafterin Lindstedt forderte Angela Gui auf, sich mit ihr und mehreren chinesischen Geschäftsleuten zu treffen, die behaupteten, gute Beziehungen in Beijing zu haben, und ihr versprachen, sie im Kampf um die Freilassung ihres Vaters zu unterstützen.[22] Bei dem Treffen in einem Hotel in Stockholm versuchten die Geschäftsleute in Lindstedts Gegenwart, Gui mit Schmeicheleien, Bestechungsangeboten und Drohungen dazu zu bewegen, nicht mehr über die Verhaftung ihres Vaters zu sprechen. Gui behauptet, die Botschafterin habe zu ihr gesagt, wenn sie tue, was von ihr verlangt werde, werde ihr Vater freigelassen. Anschließend werde Lindstedt »im schwedischen Fernsehen über die strahlende Zukunft der schwedisch-chinesischen Beziehungen sprechen«.[23]

Gui ging mit dem Bericht über ihre Erfahrung an die Öffentlichkeit, und Botschafterin Lindstedt wurde zum Rücktritt gezwungen.[24] Das schwedische Außenministerium erklärte, nicht von dem Treffen gewusst zu haben. Es wäre ein schwerer Verstoß gegen das Protokoll gewesen, wäre Lindstedt für Verhandlungen mit Abgesandten Beijings nach Schweden gereist, ohne ihren Arbeitgeber darüber zu informieren. Die schwedischen Strafverfolgungsbehörden leiteten eine Untersuchung ein, und im Dezember 2019 wurde Lindstedt wegen der undurchsichtigen Straftat von »Willkür in Verhandlungen mit einer ausländischen Macht« angeklagt.[25] Als der schwedische PEN Club Gui Minhai einen Preis verlieh, der ihm von Kultusministerin Amanda Lind überreicht wurde, erklärte der chinesische Botschafter in Stockholm, Gui Congyou, China werde zur Strafe Handelssanktionen über Schweden verhängen. Gui Minhai wurde im Februar 2020 von einem chinesischen Gericht für das obskure Vergehen, »Informationen ans Ausland« weitergegeben zu haben, zu zehn Jahren Haft verurteilt. Das chinesische Gericht behauptete, Gui habe 2018 einen Antrag gestellt, um seine chinesische Staatsbürgerschaft zurückzuerlangen, womit er seine schwedische Staatsbürgerschaft automatisch aufgegeben hätte.[26]

Anna Lindstedt ist nicht die erste europäische Diplomatin, die aufgrund eines zu innigen Naheverhältnisses zum chinesischen Regime ins Kreuzfeuer der Kritik geraten ist. Im Jahr 2013 wurde Mikael Lindström Berater von Huawei, nachdem er seinen Posten als schwedischer Botschafter in China aufgegeben hatte.[27] Serge Abou, der von 2005 bis 2011 die EU-Mission in Beijing leitete, wurde als Berater von Huawei in Brüssel engagiert. Das bewegte die Europäische Kommission zu der seltenen Maßnahme, Abou eine Widerrufsfrist bis Jahresende 2012 aufzuerlegen und seine Aktivitäten in Brüssel zusätzlichen Einschränkungen zu unterwerfen, darunter ein Verbot »jeglicher Lobby-Aktivitäten bezüglich der Kommission«.[28] Anfang des Jahres 2014 gab Abou seine Tätigkeit für Huawei auf.[29]

Auch andere ehemalige Botschafter haben Unterstützung für Xi Jinpings »Neue Seidenstraße« signalisiert. Michael Schaefer, der von 2007 bis 2013 deutscher Botschafter in China war, wurde von der Nachrichtenagentur Xinhua als »einer der ersten deutschen Politiker« gepriesen, die sich »für Chinas Seidenstraßen-Initiative ausgesprochen haben«.[30] Schaefer, der gut in deutschen Elitezirkeln vernetzt ist, hat die »Neue Seidenstraße« als »ein faszinierendes Projekt für das 21. Jahrhundert« bezeichnet. Er sitzt im Beirat der Deutsch-Chinesischen Wirtschaftsvereinigung und ist Vorsitzender des Vorstands der BMW Foundation Herbert Quandt.[31] Er gehört auch dem Kuratorium der führenden europäischen Denkfabrik mit Schwerpunkt China an, dem Mercator Institute for China Studies (MERICS).[32] Im Jahr 2016 forderte Schaefer die Europäische Union auf, die »neuartige Diplomatie« Beijings anzunehmen, die »auf Inklusivität, Chancengleichheit und dem Respekt für die Vielfalt der Kulturen und politischen Systeme beruht«.[33] Das ist die Begrifflichkeit der KPCh, mit der die Partei die universellen Menschenrechte ebenso ablehnt wie die Vorstellung, eine demokratische Regierungsform sei einer autoritären vorzuziehen.

Schaefer, Honorarprofessor der Chinesischen Universität für Politik- und Rechtswissenschaft in Beijing, hat China für seine »gewaltigen Fortschritte« im Bereich der sozialen und wirtschaftlichen Rechte gelobt und erklärt, dass Meinungs- und Pressefreiheit in Ländern wie China praktisch keine Rolle spielen.[34] Er macht auch keinen Hehl aus seiner persönlichen Bewunderung für Xi Jinping, den er als »den eindrucksvollsten chinesischen Politiker« bezeichnet hat, dem er je begegnet sei.[35] Es versteht sich von selbst, dass seine Worte von den chinesischen Medien dankbar aufgegriffen wurden, insbesondere in einem Artikel, in dem Lobreden einflussreicher Ausländer auf Xi aufgelistet wurden und den der Journalist David Bandurski als Beispiel für die neue chinesische »Wissenschaft von der Speichelleckerei« bezeichnet hat.[36]

Die EU-China-Freundschaftsgruppe

Peter Martin und Alan Crawford haben in einem Bericht für den Nachrichtendienstleister Bloomberg das weitläufige chinesische Netzwerk von europäischen Freunden in Politik, Behörden und Unternehmen beschrieben.[37] Für die Steuerung der Beeinflussungsoperationen ist neben der Internationalen Verbindungsabteilung die Gesellschaft des Chinesischen Volkes für Freundschaft mit dem Ausland (CPAFFC) verantwortlich, die sich auf den Aufbau lokaler Beeinflussungsnetzwerke konzentriert. Diese Parteiorganisationen verbreiten den Standpunkt des chinesischen Regimes und versuchen, Skeptiker zu marginalisieren. Eine Gruppe, die mit ihrer Position sympathisiert, ist der deutsche Bundesverband Großhandel, Außenhandel, Dienstleistungen (BGA), der im Jahr 2019 erklärte, es gebe »keinen Grund für die aktuelle China-Phobie«.[38] Beijing lässt sich bereitwillig mit gegensätzlichen politischen Lagern ein und hat seit 2017 sowohl rechtspopulistischen Parteien wie der deutschen AfD als auch systemkritischen linken Gruppen wie der italienischen Fünf-Sterne-Bewegung erfolgreiche Avancen gemacht. Der stellvertretende Vorsitzende der deutsch-chinesischen Parlamentariergruppe im Bundestag ist der AfD-Abgeordnete Robby Schlund. Nach einem Treffen mit dem Vizepräsidenten der CPAFFC versprach er, die Kooperation zu vertiefen und Städtepartnerschaften zwischen den beiden Ländern zu fördern.[39]

Berichten zufolge interessierte sich Beijing sehr für die Wahlen zum Europaparlament im Jahr 2019 und für die Auswirkungen der Ergebnisse auf die europäische Haltung gegenüber China.[40] Die Chinesische Mission bei der EU ist sehr aktiv und musste bisher kaum Widerstände überwinden. Wie wir in Kapitel 11 sehen werden, fördert sie fast alle Think Tanks in Brüssel, die sich mit China und Asien beschäftigen, und einige davon werden von ehemaligen EU-Beamten geleitet. Viele Aktivitäten der Mission werden gemeinsam mit Einrichtungen der Europäischen Union organisiert.[41]

In Brüssel hat neben zahlreichen EU-Institutionen auch die NATO ihren Sitz. Die Stadt ist ein Treffpunkt für Diplomaten, Militärs, Journalisten und Spitzenpolitiker, weshalb sie für die Beeinflussungs- und Spionagedienste Beijings interessant ist. Tatsächlich beschreibt der belgische Nachrichtendienst Brüssel als »Schachbrett« für Spione, vor allem aus China.[42] Die Zeitung *Die Welt* berichtete Anfang 2019, dass der Europäische Auswärtige Dienst die Zahl der chinesischen Spione in Brüssel auf etwa 250 schätzt und Diplomaten und Angehörigen der Streitkräfte rät, einen Bogen um bestimmte Restaurants in der belgischen Hauptstadt zu machen.[43] (Die chinesische EU-Mission zeigte sich »zutiefst schockiert« von der Anschuldigung und behauptete, sich nie in die inneren Angelegenheiten anderer Länder einzumischen.[44]) Im Januar 2020 hat die Bundesanwaltschaft Ermittlungen gegen einen ehemaligen EU-Diplomaten aus Deutschland eingeleitet, der für China spioniert haben soll.[45] Belgien ist aufgrund seines gespaltenen politischen Systems und einer nachlässigen Haltung ein leichtes Ziel für die chinesischen Spionage- und Beeinflussungsoperationen.[46] Und die belgische Regierung ist um das Wohlwollen Beijings bemüht, weil sie auf höhere Investitionen hofft. So wie die südliche Route von China nach Europa über Italien führt, ist Belgien das nördliche Eingangstor.

Einige der unmissverständlichsten Fürsprecher der KPCh findet man in der EU-China-Freundschaftsgruppe des Europäischen Parlaments. Im Jahr 2019 gab die Gruppe die Zahl ihrer Angehörigen mit 46 Parlamentsmitgliedern aus 20 Ländern an, womit sie die größte Freundschaftsgruppe des Europaparlaments ist.[47] (Jichang Lulu, der eine wichtige Studie über diese Gruppe veröffentlicht hat, ist der Ansicht, dass die Zahl der aktiven Mitglieder geringer ist.[48]) Die Gruppe setzt sich nachdrücklich für engere Beziehungen zwischen Europa und China ein und bemüht sich, Kritik des Parlaments an den Menschenrechtsverstößen in China zu verhindern; unter anderem durchkreuzte sie eine »Verschwörung« von Europaparlamentariern, die einen EU-Boykott der Olympischen Spiele 2008 in Beijing planten.[49] Delegationen der Gruppe besuchen regelmäßig China und sogar

Tibet, wo ihnen die Bemühungen der KPCh vorgeführt werden, die tibetische Kultur zu »schützen«.[50] Nach einem solchen Besuch verkündete die *China Daily*: »Freundschaftsgruppe äußert sich nach dreitägigem Besuch vor Ort begeistert über Tibet.«[51]

Die Freundschaftsgruppe wurde im Jahr 2006 vom Abgeordneten Nirj Deva, einem Konservativen aus Südostengland, gegründet, der sie bis zur Europawahl 2019 leitete. In Europa macht sie sich kaum in der Öffentlichkeit bemerkbar, aber die chinesischen Medien messen ihr große Bedeutung bei. Die *Global Times* bezeichnet Deva als einen »berühmten Freund Chinas«, was wahrlich ein hohes Lob ist.[52] Hinter ihm steht Gai Lin, Generalsekretär der Freundschaftsgruppe und akkreditierter Assistent von Deva im Europäischen Parlament. Nach Angabe des tschechischen Recherchekollektivs *Sinopsis* ist Gai Lin Angehöriger der Provinzorganisation der CPAFFC in seiner Heimatprovinz Liaoning.[53] Nach Angabe chinesischer Medien wurde er im Jahr 2009 als erster und bisher einziger chinesischer Staatsbürger offiziell vom Europäischen Parlament angestellt.[54]

Aus einem Bericht von China Radio International geht hervor, dass Gai Lin und Deva sich im Sommer 2004 in einer Bar in Brüssel kennenlernten. Gai studierte zu jener Zeit Hotelmanagement. Die beiden begannen ein Gespräch, und Deva schlug Gai Lin vor, ein Praktikum beim Europaparlament zu machen. Im Sommer 2005 bat Deva den Parlamentspräsidenten um eine Ausnahmegenehmigung für die Beschäftigung Gai Lins. Der Abgeordnete wollte einen chinesischen Bürger einstellen, weil seiner Meinung nach im Europäischen Parlament niemand China richtig »verstand«. Kurz darauf wurde Gai als Berater verpflichtet.[55]

Im Jahr 2014 behauptete Gai Lin in einem Artikel für *People's Daily*, die Gründung der EU-China-Freundschaftsgruppe im Jahr 2006 sei seine Idee gewesen.[56] Eine solche Gruppe, habe er Nirj Deva erklärt, werde es dem Europäischen Parlament ermöglichen, China besser zu »verstehen«, indem sie die Abgeordneten mit »positiver Propaganda« versorgte, und Deva habe zugestimmt. Gai brüstete sich damit, Gesetzesvorlagen zu entwerfen und zu ändern, alles zu tun, um zu verhindern, dass das Parlament den Dalai Lama einlade, und die Abgeordneten davon zu überzeugen, dass China immer noch ein Entwicklungsland sei, was dazu geführt habe, dass die EU 128 Millionen Euro an Entwicklungshilfe bereitgestellt habe.[57]

Anscheinend ist es der Freundschaftsgruppe zumindest in Teilen gelungen, das China-Bild des Europäischen Parlaments und sogar den Menschenrechtsdiskurs zu beeinflussen. Deva selbst gibt oft den Standpunkt Beijings wie ein Echo wieder.[58] Die Sicherheitsbedenken in Bezug auf Huawei hat er als »Unsinn« bezeichnet.[59] Er rechtfertigt den Umgang des chinesischen Regimes mit den Menschenrechten, sprach sich nachdrücklich (und erfolgreich) gegen einen Boykott der Olympischen Spiele 2008 in Beijing aus und unterstützte die Niederschlagung der Unruhen in Xinjiang im Jahr 2009.[60] Als die uigurische Geschäftsfrau und Menschenrechtsaktivistin Rebiya Kadeer im September 2009 vor dem Europäischen Parlament sprach, fragte Deva, wie es möglich sei, dass sie so reich sei, elf Kinder habe und fließend Uigurisch spreche, wenn China ihr Volk doch unterdrücke.[61] Im Jahr 2018 berichtete die Nachrichtenagentur Xinhua über den Besuch einer tibetischen Delegation aus dem Nationalen Volkskongress im EU-Parlament; die Delegierten erzählten vom rasanten Wachstum und der sozialen Kohäsion in Tibet und kritisierten das »Spaltertum« des Dalai Lama. Im selben Bericht wurde Deva mit der Aussage zitiert, die EU-China-Freundschaftsgruppe werde »im Europäischen Parlament weiterhin die Bemühungen Chinas um die Entwicklung Tibets objektiv darstellen«.[62]

Deva und die Mitglieder seiner Freundschaftsgruppe haben besseren Zugang zur chinesischen Führung als offizielle EU-Delegationen, obwohl die Gruppe keine formale Funktion erfüllt.[63] Deva hat sich im Europaparlament wiederholt für China eingesetzt und die EU dafür gerügt, dass sie »China wie ein kleines Kind behandelt«.[64] Im chinesischen Staatsfernsehen wurde er als »britischer Experte« vorgestellt. Im Juli 2006 äußerte er Zweifel an der Legitimität der Entscheidung des Internationalen Gerichtshofs in Den Haag über das Südchinesische Meer und gab die Einschätzung des Regimes in Beijing wieder, die Philippinen hätten versuchen sollen, den Konflikt in bilateralen Gesprächen beizulegen.[65] Deva erklärte, er könne sich nicht erinnern, in den mehr als 15 Jahren, während der er China beobachte, einen schweren Fehler der chinesischen Regierung gesehen zu haben.[66]

Deva und Gai Lin haben zudem eine Reihe weiterer Initiativen gestartet. Auf Gai Lins Anregung gründeten einige Mitglieder der Freundschaftsgruppe eine NRO mit der Bezeichnung EU-China Friendship Association, die gesellschaftliche Gruppen außerhalb des Parlaments ansprechen sollte.[67] Diese Vereinigung ist unter anderem eine Partnerschaft mit der chinesischen Provinz Liaoning eingegangen, um die Kooperation der Provinzregierung mit verschiedenen europäischen Institutionen und Unternehmen zu fördern.[68]

Bei der Europawahl 2019 wurde Deva nicht wiedergewählt, und dasselbe widerfuhr dem stellvertretenden Vorsitzenden der Gruppe, dem britischen Labour-Abgeordneten Derek Vaughan.[69] Die Gruppe hat diese Rückschläge jedoch unbeschadet überstanden und wird laut chinesischen Berichten mittlerweile von dem tschechischen Abgeordneten Jan Zahradil geleitet.[70] Zahradil ist ein wichtiger Akteur auf europäischer Ebene und musste im Jahr 2019 im Rennen um den Vorsitz des Europäischen Parlaments nur einem Kandidaten den Vortritt lassen.[71] Wie der KPCh-Analyst Jichang Lulu erklärt, ist Zahradil ein vorbehaltloser Anhänger der »Neuen Seidenstraße«, und er scheint genauso entschlossen zu sein wie sein Vorgänger, Chinas Vormarsch in Europa voranzutreiben. Gai Lin ist weiterhin der Organisator der Gruppe.[72]

Im März 2019 rief die Freundschaftsgruppe ein »Politisches Koordinierungskomitee für die Neue Seidenstraße in Europa« ins Leben.[73] Im Oktober 2019 luden mehrere Europaparlamentarier zu einer Veranstaltung unter dem Titel »Erhaltung eines offenen globalen digitalen Ökosystems mit Huawei: eine europäische Perspektive« ein. Die von Huawei organisierte Veranstaltung fand wenige Tage nach der Veröffentlichung eines Berichts der EU-Kommission über eine Beurteilung der Sicherheitsrisiken in 5G-Netzen statt, in dem vor den

Gefahren gewarnt wurden, die von »Staaten oder von staatlich unterstützten Organisationen« ausgingen.[74] Einer der Gastgeber war Jan Zahradil, der neue Leiter der EU-China-Freundschaftsgruppe, dessen Beziehung zur Gruppe in der Ankündigung jedoch nicht offengelegt wurde.[75]

Das Problem ist nicht auf die EU-Ebene begrenzt. Auch in einigen nationalen Parlamenten innerhalb der Union sind Freundschaftsgruppen entstanden.[76] In Frankreich gibt es in beiden Kammern der Nationalversammlung französisch-chinesische Freundschaftsgruppen, die von Republikanern und Mitgliedern von Präsident Macrons Partei beherrscht werden. Eine dem Regime in China nahestehende Partei ist die von Jean-Luc Mélenchon geführte linkssozialistische La France Insoumise.[77]

In Großbritannien wurde im Jahr 1997 die Überparteiliche Parlamentarische China-Gruppe gegründet. Im Jahr 2006 unterzeichnete sie eine Vereinbarung zur Vertiefung der Beziehung zur China-Großbritannien-Freundschaftsgruppe des Nationalen Volkskongresses. Die Gruppe gewährt nicht allem, was die KPCh tut, unkritische Unterstützung, aber sie arbeitet eng mit dem Great Britain China Centre und dem China-Britain Business Council zusammen, die beide unter dem Einfluss Beijings stehen.[78]

In den folgenden vier Unterkapiteln untersuchen wir einige der Methoden, deren sich die KPCh bedient, um sich hochrangigen Entscheidungsträgern in Europa anzunähern. Es ist unmöglich, diese Bemühungen umfassend darzustellen, aber indem wir uns einige Vorstöße in Großbritannien, Frankreich, Italien und Deutschland ansehen, können wir uns ein Bild von der Tragweite der Beeinflussungsoperationen der KPCh machen und den Modus operandi besser verstehen.

Der britische 48 Group Club

Im Jahr 1954 reiste eine Gruppe von 48 britischen Geschäftsleuten nach Beijing, um Handelsbeziehungen zur Volksrepublik China zu knüpfen. Nach ihrer Rückkehr gründeten sie die 48 Group of British Traders with China, Vorsitzender wurde Jack Perry. Die gegenwärtige Liste der chinesischen und britischen Mitglieder des 48 Group Club, der aus der ursprünglichen 48 Group hervorging, ist ein Who's who der Machteliten.[79]

Zu den bekanntesten Namen auf britischer Seite zählen der ehemalige Premierminister Tony Blair, der frühere stellvertretende Premierminister Michael Heseltine, der ehemalige stellvertretende Premierminister John Prescott, der Milliardär Hugh Grosvenor, Duke of Westminster, der Außenminister in der Regierung Blair Jack Straw, der ehemalige First Minister von Schottland Alex Salmond, der frühere starke Mann der Labour Party und europäische Handelskommissar Peter Mandelson sowie Nirj Deva. Unter den Mitgliedern finden sich auch fünf ehemalige britische Botschafter in China, Leiter mehrerer Colleges in Oxford und Cambridge, ein General a. D., der Vorsitzende und Direktor des British Museum, der Geschäftsführer der Royal Opera, der Vorsitzende von British Airways, ein Direktor von Huawei sowie mehrere Personen mit engen Verbindungen zur Bank of England und den amerikanischen Investmentbanken Goldman Sachs und J. P. Morgan.

Zu den weniger bekannten Mitgliedern, die an anderen Stellen in diesem Buch noch Erwähnung finden, zählen Lady Tse Blair, Tony Blairs gut vernetzte Schwägerin, Tom Glocer, ehemaliger Geschäftsführer von Thomson Reuters, Professor Peter Nolan von der Universität Cambridge sowie Professor Hugo de Burgh von der Universität Westminster.

Auf chinesischer Seite findet man Li Yuanchao, den ehemaligen Leiter der mächtigen Organisationsabteilung der KPCh und stellvertretenden Ministerpräsidenten der Volksrepublik, Fu Ying, die stellvertretende Außenministerin und ehemalige Botschafterin in London, Ji Chaozhu, ebenfalls ehemaliger Botschafter in Großbritannien (und ehedem Dolmetscher Mao Zedongs)[80], Jiang Enzhu, ehemaliger Vorsitzender des Außenpolitischen Ausschusses des Nationalen Volkskongresses, Liu Mingkang, Vorsitzender der chinesischen Bankenaufsicht, und Zha Peixin, ehemaliger Botschafter in London und Vorsitzender der für die Beziehungen zwischen dem Volkskongress und dem Europäischen Parlament zuständigen Gruppe. Offensichtlich misst Beijing dem 48 Group Club bei der Einflussnahme im Ausland große Bedeutung bei. Der Huawei-Direktor Victor Zhang ist ebenfalls Clubmitglied.

Die ursprüngliche Gruppe britischer Händler schloss sich 1991 mit dem Sino-British Trade Council zur China-Britain Trade Group zusammen, aus der später der China-Britain Business Council (CBBC) wurde, eine einflussreiche Lobbygruppe, der einige der größten Unternehmen Großbritanniens angehören.[81] Der Vorstand der CBBC besteht aus mächtigen Geschäftsleuten, hauptsächlich Banker und Wirtschaftsprüfer. Im Jahr 2019 erklärte das Board-Mitglied John McLean, der Council spiele »seit mehr als 65 Jahren eine zentrale Rolle in den Handelsbeziehungen zwischen Großbritannien und China«.[82] Neben zahlreichen anderen Aktivitäten wirbt der Council für die »Neue Seidenstraße« und arbeitet eng mit der Überparteilichen Parlamentarischen China-Gruppe zusammen.[83]

Infolge des Zusammenschlusses mit dem Sino-British Trade Council wurde der 48 Group Club zusätzlich mit dem Ziel gegründet, Mitglieder auch jenseits der Wirtschaftseliten zu finden. Heute steht Jack Perrys Sohn Stephen dem Club vor. Wie wichtig der 48 Group Club für die chinesische Führung ist, zeigt sich, wenn sein Präsident Stephen Perry China besucht und dort einen unvergleichlichen Zugang zur Parteispitze von Xi Jinping abwärts erhält.[84] Perry hat Xis Konzept der »Schicksalsgemeinschaft der Menschheit« als »neuen Zugang zu einer Philosophie zur Sicherung internationaler Normen« gepriesen. Er fungiert auch mit Äußerungen wie der folgenden als Echo der chinesischen Propaganda: »China will kein Imperium errichten. Es will einen sozialistischen Staat errichten, in dem die Erträge der wirtschaftlichen Aktivität vernünftig verteilt werden, in dem für das Leben der Menschen gesorgt wird und Kultur und soziale Entwicklung die moralischen Grundlagen der Nation darstellen.«[85]

Im Jahr 2018 wurde Perry mit einer hohen Auszeichnung geehrt, der China Reform Friendship Medal, die ihm persönlich von Präsident Xi Jinping und Ministerpräsident Li Keqiang überreicht wurde.[86] (Ein weiterer Empfänger der Medaille, der amerikanische Intellektuelle Robert Kuhn, der eine Hagiographie Jiang Zemins verfasst hat, wurde in einem Xinhua-Magazin als »einer der zehn einflussreichsten Unterstützer aller Zeiten der herrschenden Partei Chinas« bezeichnet.[87])

Während der 48 Group Club in Beijing mit Festbanketten gefeiert wird, verhält er sich in Großbritannien sehr unauffällig. Mit mehr als 500 Mitgliedern ist er ein Ort der Begegnung und Mittelpunkt des Netzwerks der Freunde Chinas und wird von Beijing genutzt, um die britischen Eliten zu bearbeiten. (Seine Mitglieder tauchen in diesem Buch immer wieder auf.) Die Äußerungen des Clubpräsidenten Stephen Perry auf der Website der Gruppe wirken wie eine roboterhafte Wiederholung der Propaganda der KPCh.[88] Er verteidigte die Aufhebung der Begrenzung der Amtszeiten des chinesischen Staatspräsidenten und hält die Ausweitung der Kontrolle der Partei über die Gesellschaft für notwendig, um die Regierung in die Lage zu versetzen, Veränderungen herbeizuführen. Er erklärt, Xi Jinping befreie unseren Geist. In einem Interview mit Xinhua bekundete er, es sei an der Zeit, dass sich die Welt zur »Neuen Seidenstraße« bekenne, deren zentrale Funktion darin bestehe, »das Wesen des Sozialismus chinesischer Prägung« zu verbreiten.[89] Im November 2019 sagte er New China TV, das chinesische System der demokratischen Regierung, das darin bestehe, »auf das Volk zu hören, dem Volk zuzuhören und [...] dem Volk zu dienen«, werde die Welt im 21. Jahrhundert führen.[90]

Keine andere britische Organisation unterhält eine so enge Vertrauensbeziehung zur Führung der KPCh wie der 48 Group Club. Auf den ersten Blick ist das verwirrend, aber wenn wir uns die retuschierte

Gründungsgeschichte der Einrichtung genauer ansehen, verstehen wir, warum die chinesische Parteiführung so großes Vertrauen in den Club setzt.[91]

Anfang der fünfziger Jahre hatten die Vereinigten Staaten und Großbritannien wegen der chinesischen Verwicklung in den Koreakrieg ein Embargo für strategische Güter über die Volksrepublik verhängt. Der von der Sowjetunion geführte Ostblock unterlag ebenfalls einem Handelsembargo. Um es zu umgehen, rief Moskau im Jahr 1952 eine Frontorganisation mit Namen »Internationales Komitee für die Förderung des Handels« ins Leben. Diese Organisation lud noch im selben Jahr zu einer internationalen Wirtschaftskonferenz in Moskau ein. Jack Perry reiste als Delegierter an. Zurück in Großbritannien, gründete er gemeinsam mit anderen Personen den British Council for the Promotion of International Trade, dessen Ziel es war, der Sowjetunion und China bei der Umgehung des Handelsembargos zu helfen. Ebenfalls im Jahr 1952 gründete die KPCh auf Anweisung von Ministerpräsident Zhou Enlai den Chinesischen Rat für die Förderung des internationalen Handels (CCPIT), der »unter persönlicher Aufsicht Zhou Enlais externe Arbeit leistete«.[92] Seine erste Aufgabe bestand darin, ausländische Geschäftsleute dazu zu bewegen, Handel mit China zu treiben und ihre Regierungen zu überreden, das Embargo aufzuheben. Aus einem 1999 freigegebenen CIA-Dossier aus dem Jahr 1957 geht hervor, dass der CCPIT eng mit seinem Moskauer Namensvetter verbunden war.[93]

Die zwei hochrangigsten Funktionäre des CCPIT saßen auch im sowjetischen Internationalen Komitee für die Förderung des Handels.[94] Der Vorsitzende des CCPIT war Nan Hanchen, der Gouverneur der chinesischen Zentralbank.[95] Nan war seit den späten dreißiger Jahren stellvertretender Leiter der Abteilung für Einheitsfrontarbeit und hatte auch in der Folge verschiedene hochrangige Positionen in Einheitsfrontorganisationen inne.[96] Der stellvertretende Vorsitzende und Generalsekretär der CCPIT war Ji Chaoding, der sich den Ruf erwarb, der »wichtigste Architekt [...] enger Beziehungen zwischen China und Großbritannien« zu sein.[97] Ji, der in den Vereinigten Staaten fließend Englisch sprechen gelernt hatte, war in den dreißiger und vierziger Jahren ein Geheimmitglied der KPCh. Er war auch ein brillanter Spion und arbeitete direkt unter Zhou Enlai; einigen Darstellungen zufolge spielte er als Doppelagent eine zentrale Rolle in der Zerschlagung der nationalistischen Regierung, der er als hochrangiger Beamter angehörte.[98] (Zhou Enlai wurde in der Partei als umsichtiger Führer der Geheimdienstarbeit der KPCh in ihren frühen Jahren verehrt.[99])

Im Jahr 1953 beteiligte sich Jack Perry an der Organisation einer großen Konferenz in Moskau, die vom Internationalen Komitee für die Förderung des Handels ausgerichtet wurde. Perry nahm als Leiter seines neuen Unternehmens, der London Export Corporation, an der Konferenz teil; Ji Chaoding, den er im Jahr 1951 in Europa kennengelernt hatte, hatte ihn ermutigt, seine Stelle aufzugeben und das Unternehmen zu gründen. An der Spitze der chinesischen Delegation standen Nan Hanchen und Ji Chaoding.[100] Bei der Konferenz lud Nan Hanchen Perry ein, 16 britische Geschäftsleute auszuwählen und mit dieser Delegation nach China zu kommen, um Handelsbeziehungen aufzunehmen, was Perry etwa einen Monat später tat. Obwohl das heute vom 48 Group Club kaum noch erwähnt wird, waren zwei weitere Personen an der London Export Corporation beteiligt: Roland Berger und Bernard Buckman standen an der Spitze der Delegation, die China besuchte, wo sie vom CCPIT und dessen Generalsekretär Ji betreut wurde.

Der ehemalige Bürgerrechtsaktivist Roland Berger war im Jahr 1953 Sekretär des British Council for the Promotion of International Trade. Außerdem war er ein Geheimmitglied der Kommunistischen Partei Großbritanniens (CPGB).[101] Bernard Buckman war Textilhändler und ebenfalls insgeheim Mitglied der Kommunistischen Partei, der sich in die Labour Party eingeschlichen hatte.[102] Buckman besuchte China regelmäßig, und nach seinem Tod im Jahr 2016 berichtete die *China Daily*, keine andere Person aus dem Westen habe einen vergleichbar guten Zugang zur Führung in Beijing gehabt wie er.[103]

Auf Ji Chaodings Einladung kehrte Jack Perry im Jahr 1954 mit einer größeren Delegation von 48 britischen Geschäftsleuten nach China zurück. Nach Darstellung des 48 Group Club kam Perry nach einem Gespräch mit Ministerpräsident Zhou Enlai auf die Idee, die 48 Group zu gründen, die sich auch als »Die Eisbrecher« bezeichnete. Zurück in London, machten sich die Geschäftsleute unter Perrys Führung daran, den Handel zwischen den beiden Ländern in Gang zu bringen.

Die britische Regierung hatte von Anfang an den Verdacht, dass der British Council for the Promotion of International Trade eine sowjetische Frontorganisation mit engen Verbindungen zur britischen KP war.[104] Seit den zwanziger Jahren und insbesondere nach dem Zweiten Weltkrieg hatten sich sowjetische Tarnorganisationen im Westen ausgebreitet. Als einige der 48 Geschäftsleute, die im Jahr 1954 China besuchten, nach ihrer Rückkehr von Beamten des Handelsministeriums befragt wurden, sagte einer von ihnen über Perry, Berger und Buckman: »Wenn sie Kommunisten sind, gelingt es ihnen gut, es zu verbergen.« Es scheint durchaus passend, dass man mittlerweile herausgefunden hat, dass Jack Perry ebenfalls ein Mitglied der Kommunistischen Partei Großbritanniens war.[105] Ab dem Jahr 1963 war er an der Abspaltung der Maoisten von der britischen KP beteiligt, der »Revisionismus« vorgeworfen wurde. Berichten zufolge gründete Perry gemeinsam mit der 48 Group die neue maoistische Zeitung *The Marxist*, die 1966 erstmals erschien.[106]

Zusammengefasst: Die 48 Group wurde auf Anregung eines Mitglieds des Ständigen Ausschusses des Politbüros, Zhou Enlai, von drei verdeckten Mitgliedern der britischen KP aufgebaut. Dies war die Grundlage für die unvergleichliche Vertrauensbeziehung, die sich zwischen der Gruppe und später ihrer Nachfolgeorganisation, dem Club, und der Führung der KPCh entwickelte und die ihn für die Partei zum wertvollsten Instrument für Einflussnahme und Informationsbeschaffung in Großbritannien machte. Der Club, der in die höchsten Kreise der politischen, geschäftlichen, medialen und akademischen Eliten hineinreicht, erfüllt eine wichtige Funktion in den Versuchen, die Einstellung Großbritanniens zu China im Sinne Beijings zu formen.

Vier Jahre nach der ersten Chinareise im Jahr 1954 kehrten mehrere Mitglieder der 48 Group von einem Besuch in Beijing zurück und berichteten in der Heimat über das »außergewöhnliche Prestige«, das der Club in China genieße. Ein wenig verwirrt, gleichzeitig jedoch erfreut über die zuvorkommende Behandlung in Beijing, sprachen sie über die »Mystik« der Gruppe.[107] Heute spielt der 48 Group Club eine noch wichtigere Rolle. Er setzt sich begeistert für die Interessen der KPCh in Großbritannien ein – oder »fördert positive Beziehungen zwischen Großbritannien und China«, wie es die Nachrichtenagentur Xinhua ausdrückt.[108] Im Oktober 2018 lud der Chinesische Rat für die Förderung des internationalen Handels zu einem festlichen Bankett in Beijing ein, um den 65. Jahrestag des ersten Besuchs des Clubs zu feiern.[109] Stephen Perry wurde eine Audienz bei Xi Jinping gewährt, etwas, was britischen Diplomaten verwehrt bleibt. Damit wurde ein deutliches Zeichen gesetzt, dass die chinesische Parteiführung den 48 Group Club als ein zentrales Instrument der Einflussnahme in Großbritannien ansieht. Xi lobte den 48 Group Club für seine Arbeit, und Perry pries Chinas »großartige Erfolge« und Xis Idee einer »Schicksalsgemeinschaft der Menschheit«.[110]

Stephen Perrys Sohn, ein weiterer Jack, leitet die Young Icebreakers, ein vom 48 Group Club gegründetes Sammelbecken für vielversprechende junge Geschäftsleute mit einem Interesse an China. Die Gründung der Young Icebreakers geht offenbar auf eine Anregung des chinesischen Ministerpräsidenten Wen Jiabao bei einem Großbritannienbesuch im Jahr 2006 zurück.[111] Jack der Jüngere, der am University College London Jura studiert hat, sagte im Gespräch mit dem *China Daily*: »Ich lese mehr über Marxismus, Leninismus und die Mao-Zedong-Gedanken, als dass ich Rechtstexte lese.«[112]

Ein Ereignis verrät besonders viel über die Rolle des 48 Group Club. Nachdem der 19. Parteitag im Jahr 2017 einstimmig beschlossen hatte, die »Xi Jinping-Gedanken« in sein Statut aufzunehmen – und der Volkskongress sie wenige Monate später in die chinesische Verfassung aufgenommen hatte –, machten sich die Parteimitglieder landauf, landab in Studiensitzungen daran, die Ideen des großen Führers zu verinnerlichen. Im April 2019 veranstaltete auch die chinesische Botschaft in London eine Studiensitzung über »Xi Jinpings Gedanken zur Diplomatie«.[113] Unter den gut 70 Teilnehmern waren viele Mitglieder des 48 Group Club und seiner Schwesterorganisation, des China-Britain Business Council. Botschafter Liu Xiaoming hielt die Begrüßungsansprache. Nachdem er den »Vorsitzenden Stephen Perry« gewürdigt hatte, forderte er die Teilnehmer zum »ernsthaften Studium« und zur »richtigen Interpretation« der Xi Jinping-Gedanken auf, um »die Bande zwischen den Völkern der beiden Länder zu stärken«.[114] Abschließend schärfte er seinen Zuhörern das zentrale Konzept des Xiismus ein: »Ich vertraue darauf, dass Sie Ihre Beiträge zur Errichtung einer Schicksalsgemeinschaft der Menschheit leisten werden!«

Über die Vorträge weiterer wichtiger Persönlichkeiten in der Studiensitzung gibt es keine Aufzeichnungen, aber die Botschaft meldete, dass auf Stephen Perrys Beitrag die Rede von Professor Martin Albrow folgte, einem stellvertretenden Ehrenpräsidenten der British Sociological Association, der das Buch *China's Role in a Shared Human Future* veröffentlicht hat, in dem er erklärt, die Xi Jinping-Gedanken könnten die Spaltung der Welt überwinden und den Weltfrieden fördern. Das im Jahr 2018 von einem mit der KPCh verbundenen Unternehmen publizierte Buch wurde von den chinesischen Staatsmedien begeistert aufgenommen.[115] Der bekannte Soziologe Anthony Giddens, der seinerzeit theoretische Grundlagenarbeit für die Regierung Blair leistete, pries Albrows »bemerkenswertes« Buch dafür, dass es erkläre, dass China »eine tragende Rolle in der Gestaltung einer besseren Weltgesellschaft nicht nur spielen kann, sondern spielen muss«.[116] (Im Jahr 2019 äußerten sich Albrow und Giddens überschwänglich über den Start der internationalen Ausgabe von *China Daily*, der wichtigsten englischsprachigen Zeitung der KPCh (deren Berichterstattung wie die aller zentralen Parteimedien »vom Geist der Partei erfüllt« sein muss).[117] Peter Frankopan, Professor für Weltgeschichte an der Universität Oxford, zeigte sich ähnlich begeistert.

Ein weiterer Gast, der bei der Studiensitzung zu den Xi Jinping-Gedanken in der Botschaft einen Vortrag hielt, war Martin Jacques,

Autor des Bestsellers *When China Rules the World: The End of the Western World and the Birth of a New Global Order* (2009). Beim G20-Gipfel in Osaka im Juni 2019 gab Jacques bei einem von *China Daily* organisierten Forum ein Interview, in dem er Washington die Alleinschuld am Zusammenbruch der sino-amerikanischen Beziehungen gab. Die Wurzel des Problems sah Jacques im Erstarken des amerikanischen Nationalismus. China, schrieb er, werde einen Sonderplatz in der Geschichte einnehmen, weil es eine Großmacht sei, die nichts anderes als Frieden wolle.[118] Im folgenden Monat attackierte er in einem Interview mit dem chinesischen Staatsfernsehen CGTN die Demonstranten in Hongkong als Militante, deren Verhalten die Behörden nicht tolerieren dürften.[119] Beijing versuche nicht, Hongkong unter Kontrolle zu bringen, und jene, die diese Befürchtung hegten, machten sich eines »Mangels an Vertrauen« schuldig; außerdem sei die Bevölkerung der ehemaligen Kronkolonie in ihrem Denken zu verwestlicht und zeige eine »außergewöhnliche Unkenntnis« Chinas.

Zu den weiteren Teilnehmern an der Studiensitzung zählten Lord Howell, der Vorsitzende des Ausschusses für internationale Beziehungen des britischen Oberhauses, Lord Sassoon, der Vorsitzende von CBBC, Nathan Hill, der Leiter des Konfuzius-Instituts an der School of African and Asian Studies, Lord Green, der Vorsitzende von Asia House, und Ian MacGregor, ein ehemaliger Herausgeber bei der Telegraph Media Group.[120]

In unseren Augen sind die Beeinflussungsnetzwerke der KPCh so fest in den britischen Eliten verankert, dass Großbritannien den »Point of no return« überschritten hat, weshalb der Versuch, sich dem Einfluss Beijings zu entziehen, vermutlich zum Scheitern verurteilt ist.

Die Bekehrung Italiens[121]

Im März 2018 rief Italien gemeinsam mit Deutschland und Frankreich zur Einführung eines Investitions-Screening-Mechanismus auf EU-Ebene auf, um chinesische Unternehmen von strategischen Sektoren fernzuhalten und so den geopolitischen Vormarsch Chinas in Europa zu bremsen.[122] Dreizehn Monate später nahm Ministerpräsident Giuseppe Conte gemeinsam mit Präsident Xi an der Unterzeichnung der Vereinbarung über den italienischen Beitritt zur Seidenstraßen-Initiative teil.[123] Die drittgrößte europäische Volkswirtschaft hatte sich entschlossen, alle Sicherheitsbedenken beiseite zu lassen und sich China zuzuwenden. Was war geschehen?

Die *volte-face* war die Folge der politischen Umwälzungen in Italien. Im Juni 2018 war eine neue Regierung von Euroskeptikern und Rechtspopulisten gebildet worden. Dazu kam, dass ein zuvor unbekannter Finanzprofessor namens Michele Geraci, der vor Kurzem nach einem Jahrzehnt aus China in seine Heimat zurückgekehrt war, gewaltigen Einfluss erlangt hatte. Bei einem Abendessen im Jahr 2017 hatte Geraci mit seinen Ansichten über China den Parteivorsitzenden der rechtspopulistischen Lega, Matteo Salvini, beeindruckt.[124] Als Salvini stellvertretender Ministerpräsident wurde, ernannte er Geraci zum Unterstaatssekretär für wirtschaftliche Entwicklung. Geraci richtete umgehend eine Taskforce China ein, die er gemeinsam mit Luigi Di Maio, dem Minister für wirtschaftliche Entwicklung, leitete, um chinesische Investitionen in Italien zu ermöglichen. Er wollte Italien zum wichtigsten europäischen Partner der »Neuen Seidenstraße« machen und erhielt die Befugnis, die BRI-Vereinbarung mit Beijing auszuhandeln.[125]

Italiens Beitritt zur Seidenstraßen-Initiative war ein Coup für China, denn Italien war das erste wichtige Industrieland, das der »Neuen Seidenstraße« Legitimität verlieh. Nach Aussage von Ding Chun, dem Leiter des Zentrums für Europäische Studien an der Fudan-Universität in Shanghai, sah die chinesische Führung in der italienischen Staatsschuldenkrise eine Chance, mit der Seidenstraßen-Initiative ins »Herz« des westlichen Machtgefüges vorzudringen, und der Erfolg des Vorstoßes war angesichts des stärkeren Gegenwinds aus den USA von »größter Bedeutung« für Beijing.[126] Die politischen Strategen in China hatten die Zerrissenheit der EU in der Schuldenkrise, die von Deutschland durchgesetzte Sparpolitik, die Auseinandersetzungen über die Einwanderung und Großbritanniens Austritt aus der EU aufmerksam verfolgt. Ein gespaltenes Europa konnte sehr viel leichter in Versuchung geführt und unterwandert werden. Wang Yiwei, ein Professor an der Renmin-Universität und ehemaliger Diplomat, erklärte, der Euroskeptizismus der neuen italienischen Regierung erhöhe ihre Bereitschaft, Washington die Stirn zu bieten und sich China anzunähern.[127]

Die China-Expertin Lucrezia Poggetti hat die Praxis Beijings studiert, sich wirtschaftlich angeschlagenen europäischen Ländern, in denen die Skepsis gegenüber der EU wächst, als alternativen Wirtschaftspartner anzubieten.[128] Bevor es sich Italien zuwandte, hatte das chinesische Regime mehrere mittel- und osteuropäische Länder – Polen, die Tschechische Republik, Bulgarien und Ungarn – dazu bewegt, sich der Seidenstraßen-Initiative anzuschließen; auch Portugal, Griechenland und Malta waren für die »Neue Seidenstraße« gewonnen worden. Italiens Beitritt zur chinesischen Initiative verstärkt den Eindruck, dass Beijing in Europa die Strategie »Das Land nutzen, um die Stadt zu umzingeln« verfolgt.[129]

China war bereits ein wichtiger Investor in Italien. Ein chinesisches Chemieunternehmen hatte Pirelli gekauft, und Huawei hatte den Mobilfunkbetreiber Wind übernommen.[130] Wie der China-Experte François Godement erklärt, waren frühere italienische Regierungen gerne bereit, eine Reihe von Vereinbarungen über wissenschaftliche und technologische Kooperation zu unterzeichnen, die »im Wesentlichen eine Kopie« der Prioritäten des strategischen Plans Made in China 2025 waren, der Chinas Strategie für den Aufstieg zur dominanten globalen Technologiemacht enthält.[131] Das war kein Zufall: Die Regierung hatte trotz der Befürchtungen, der Plan sei ein Programm für den systematischen Diebstahl von Industriegeheimnissen, ihren Willen bekundet, Italien zum wichtigsten europäischen Partner von Made in China 2025 zu machen.[132] Im März 2019 enthielt sich Italien als einziges EU-Land neben Großbritannien in der zweiten Abstimmung über die Einführung eines Mechanismus zur Überprüfung ausländischer Investitionen, den Italien zwei Jahre zuvor noch gemeinsam mit Frankreich und Deutschland vorgeschlagen hatte, der Stimme.[133]

Vor der Machtübernahme im Jahr 2018 hatten sich die Lega und die Fünf-Sterne-Bewegung der chinesischen Expansion in Europa widersetzt, aber sobald sie in der Regierung saßen, machten sich der neue Ministerpräsident und verschiedene Ressortchefs auf den Weg nach Beijing, um Gespräche über Kooperationsmöglichkeiten zu führen.[134] Michele Geracis Verbindungen und Ansichten waren offenbar einflussreich und vielleicht entscheidend. In Italien sind manche der Meinung, er sei von China »besessen«.[135] Seine öffentlichen Aussagen deuten darauf hin, dass er in der »Neuen Seidenstraße« kein politisches Risiko sieht.[136] Er betrachtet die sino-europäische Wirtschaftsintegration als natürlichen und wünschenswerten Prozess. Huawei ist für ihn nur ein weiterer Anbieter von Telekommunikationsausrüstung. Auf die Frage nach der Möglichkeit, das Unternehmen könne mit dem chinesischen Geheimdienst zusammenarbeiten, erklärte Geraci, China werde falsch verstanden, es sei »ein sehr friedliches Land« und wolle einfach nur »sein Volk ernähren«.[137] Er ermutigt seine Mitarbeiter, die chinesische Social-Media-App WeChat zu verwenden, die in Beijing kontrolliert wird.[138] Die Kritik italienischer Politiker und Journalisten, er unterwerfe sich der chinesischen Führung, prallt an ihm ab.

Im Juni 2018 schrieb Geraci einen Meinungsartikel, der ein Lobgesang auf die Wunder des modernen Chinas war. Er behauptete, China sei die Antwort auf alle grundlegenden Probleme Italiens, seien es Staatsschulden, Einwanderung, Überalterung der Bevölkerung und sogar die öffentliche Sicherheit, denn Chinas Justizsystem funktioniere besser als das italienische. Er kündigte an, China werde die Mittel für eine Flat Tax, eine Renaissance des verarbeitenden Gewerbes und die ökologische Umstellung der Wirtschaft bereitstellen.[139] Für den Artikel erntete Geraci beißende Kritik von einer Gruppe italienischer China-Experten, die seine Äußerungen und seine Lobgesänge auf die chinesische Regierung als naiv und unethisch bezeichneten.[140]

Vor seinem Umzug nach China war Geraci Investmentbanker gewesen. Er hatte rasch fließend Chinesisch sprechen gelernt und zehn Jahre als Teilzeitprofessor an verschiedenen Universitäten in Zhejiang gearbeitet, darunter am Ningbo-Campus der Nottingham University, die eine Reihe von regimefreundlichen westlichen Akademikern mit globalem Einfluss hervorgebracht hat.[141] Als der Ningbo-Campus im Jahr 2016 gemeinsam mit dem Zentrum für China und Globalisierung – einer Denkfabrik, die von einem Spitzenvertreter der Einheitsfront geleitet wird – ein Forum veranstaltete, erhielt Geraci eine Einladung, einen Vortrag zu halten.[142] Er hatte »ehrerbietige« Meinungsartikel für das Beijinger Wirtschaftsnachrichtenblatt *Caixin* geschrieben, in denen er Präsident Xi und die »Win-win-Situation« der Länder gepriesen hatte, die sich der Seidenstraßen-Initiative anschlossen.[143] Außerdem meldete er sich regelmäßig in Parteiorganen wie dem Sender CCTV und der Zeitung *China Daily* zu Wort.

Als Geraci nach Italien zurückkehrte, stellte er fest, dass der Boden für seine Beijing-freundlichen Vorhaben bereitet war. Beispielsweise hatte im Jahr 2017 in Rom eine »Italienisch-Chinesische Kooperationswoche« stattgefunden, die der Werbung für die »Neue Seidenstraße« diente. Organisiert worden war die Veranstaltung von der Gesellschaft des Chinesischen Volkes für Freundschaft mit dem Ausland (CPAFFC), dem 2013 unter den Auspizien dieser Parteiorganisation gegründeten Italienisch-Chinesischen Freundschaftsverband und Beijing-freundlichen Gruppen wie dem Verband für Italienisch-Chinesische Verbindungen.[144] Zu den Teilnehmern zählte Carlo Capria, ein hochrangiger Beamter – er war ein früherer Unterstaatssekretär für wirtschaftliche Entwicklung und entschiedener Befürworter der Seidenstraßen-Initiative. Im Jahr 2019 bezeichnete Capria die »Neue Seidenstraße« in *China Daily* als »letzte Chance für Italien«.[145]

Italienische Einheitsfrontgruppen hatten unter Auslandschinesen aktiv für die Seidenstraßen-Initiative geworben und Verbindungen zu einflussreichen Personen in Wirtschaft und Politik hergestellt. Im Dezember 2017 reiste Zhao Hongying, der stellvertretende Generalsekretär des Allchinesischen Bundes repatriierter Auslandschinesen (eine Einheitsfrontbehörde), an der Spitze einer Delegation nach Rom, wo er ein Forum unter dem Titel »Die Rolle der Auslandschinesen nutzen, für die Seidenstraßen-Initiative werben« abhielt. Schlüsselmitglieder der Chinesisch-Italienischen Handelskammer, die überwiegend Verbindungen zu Einheitsfrontorganisationen unterhielten, verpflichteten sich, sich in den Dienst der großen Sache zu stellen.[146] Und um Beijings Entschlossenheit zu betonen, reiste der Leiter des Büros für auslandschinesische Angelegenheiten (OCAO), Qiu Yuanping, nach Italien, um die chinesischstämmigen Italiener dazu anzuhalten, sich aktiver für die »Neue Seidenstraße« einzusetzen.[147]

Die Gesellschaft des Chinesischen Volkes für Freundschaft mit dem Ausland (CPAFFC), der Allchinesische Bund repatriierter Auslandschinesen (ACFROC), das Büro für auslandschinesische Angelegenheiten: Ein Dreigestirn führender Einheitsfrontorganisationen (siehe Vor- und Nachsatz) bereitete das Terrain für die Einbindung Italiens in die Seidenstraßen-Initiative vor.[148]

Im Jahr 2017 entstand auch das Istituto Italiano OBOR (Italienisches BRI-Institut), das über ausreichende finanzielle Mittel verfügte, um in seinen Büros in Beijing und Rom 30 Mitarbeiter zu beschäftigen.[149] Der Leiter des Instituts, Michele de Gasperis, hat erklärt, die »Neue Seidenstraße« diene ausschließlich der Kooperation, nicht der politischen Einmischung, und stehe für ein neues, »politisch stabilisierendes« Paradigma in den internationalen Beziehungen.[150] Indem sich Italien der Seidenstraßen-Initiative anschließe, heißt es auf der Website des Instituts, werde es »die Beziehungen zwischen China und Europa erneuern«.[151]

Im April 2019, einen Monat bevor Präsident Xi und Ministerpräsident Conte der Unterzeichnung der BRI-Vereinbarung beiwohnten, hatte die EU-Kommission einen Bericht herausgegeben, in dem sie

China unter anderem als »Systemrivalen« Europas bezeichnete.[152] Bei der feierlichen Unterzeichnung der Vereinbarung dankte Xi Italien für seine »tiefe Freundschaft«. Conte erklärte, er hoffe auf engere Verbindungen und darauf, »die alte Seidenstraße zu neuem Leben zu erwecken«. Italienische Minister und Wirtschaftsführer unterzeichneten 29 verschiedene Vereinbarungen.[153] Unter anderem einigten sich das staatliche italienische Geldinstitut Cassa Depositi e Prestiti und die Bank of China darauf, dass die Italiener »Panda-Anleihen« verkaufen würden, das heißt Renminbi-Kredite für chinesische Investoren, was ein weiterer Schritt zu der von Beijing angestrebten Internationalisierung der chinesischen Währung war.

Die Regierung Conte hat einem chinesischen Unternehmen erlaubt, sich in das nationale Stromnetz einzukaufen, und die italienischen Häfen sollen eine wichtige Rolle bei BRI-Investitionen spielen, insbesondere Triest, das »für chinesische Investitionen offen sein muss«, wenn es nach Geraci geht.[154] Der Hafen von Triest soll Chinas Eingangstor nach Europa sein. (Die Stadt beherbergt auch viele der führenden Forschungseinrichtungen Italiens.)

Wenn die »Neue Seidenstraße«, wie manche glauben, ein trojanisches Pferd ist, mit dem sich die KPCh in das politische System eines Landes einschleichen will, so finden sich in einigen scheinbar harmlosen Bestimmungen im italienisch-chinesischen Übereinkommen Hinweise darauf, was sich im Bauch dieses Pferds verbirgt. Neben der Förderung von Städtepartnerschaften – insbesondere jener zwischen Verona und Hangzhou – vereinbarten die beiden Seiten, dass sie »den Austausch und die Zusammenarbeit zwischen ihren lokalen Behörden, Medien, Denkfabriken, Universitäten und der Jugend fördern werden«. Das Übereinkommen enthält eine Kooperationsvereinbarung zwischen der RAI, der öffentlichen Rundfunkanstalt Italiens, und der China Media Group, die von der Zentralen Propagandaabteilung der KPCh beaufsichtigt wird.[155] Diese hier festgelegten Maßnahmen werden der KPCh Zugang zu einem größeren Einflussgebiet geben.

Matteo Salvini, Parteichef der Lega und politischer Förderer von Michele Geraci, nahm nicht an der feierlichen Unterzeichnung der

BRI-Vereinbarung teil. Möglicherweise unter dem Einfluss von Steve Bannon, dem ehemaligen Chefstrategen in Trumps Weißem Haus, hatte Salvini zuletzt seine Meinung geändert und warnte mittlerweile vor der »Kolonisierung« Italiens durch China.[156]

Im Juli 2019 bot Huawei an, 3,1 Milliarden Dollar in Italien zu investieren, verlangte gleichzeitig jedoch, die Regierung in Rom müsse gewährleisten, dass das Unternehmen am Aufbau des italienischen 5G-Netzes beteiligt werde.[157] Das klang sehr nach Erpressung. Der Leiter der italienischen Huawei-Tochter erklärte, das Unternehmen plane, 1000 Arbeitsplätze in den Vereinigten Staaten abzubauen und nach Italien zu verlegen. Eine Woche vor diesem Angebot hatte die italienische Regierung ein Dekret erlassen, mit dem sie sich zusätzliche Befugnisse zum Schutz der Sicherheit des 5G-Netzes sicherte. Das Dekret musste innerhalb von 60 Tagen vom Parlament ratifiziert werden, aber nach nur einer Woche gab die Regierung hinter vorgehaltener Hand bekannt, dass sie das Gesetz nicht durchdrücken werde.[158]

Die Verwicklung der französischen Elite

Die Vermischung der wirtschaftlichen und politischen Eliten Frankreichs und Chinas ist weit fortgeschritten. Eine Investmentfirma namens Cathay Capital hat ein bemerkenswertes Netz politischer Kontakte in beiden Ländern geknüpft. Mit sorgfältiger Detektivarbeit haben Journalisten einen Teil dieses Beziehungsnetzes aufgedeckt. Dieser Abschnitt beruht teilweise auf den Rechercheergebnissen, die auf der in Paris ansässigen Enthüllungsplattform *Intelligence Online* veröffentlicht worden sind.[159]

Cathay Capital wurde im Jahr 2006 von dem chinesischen Staatsbürger Cai Mingpo und dem in Lyon ansässigen Financier Edouard Moinet mit Unterstützung der staatlichen China Development Bank und der staatlichen französischen Investmentbank Bpifrance gegründet. Das Unternehmen, das ein Vehikel für französische Investoren in China ist, ist in den Wirtschaftskreisen von Lyon besonders gut vernetzt und hat Büros in New York, San Francisco und Shanghai. Cai Mingpo hat mehrere ehemalige Spitzenbeamte in die Firma geholt. Bruno Bézard, ehemaliger Generaldirektor des französischen Schatzamts, ist ein geschäftsführender Partner von Cathay Capital.[160] Bézard hat auch zwei Jahre als stellvertretender Leiter der französischen Gesandtschaft in Beijing verbracht und arbeitete eng mit Jean-Pierre Jouyet zusammen, der heute französischer Botschafter in London und ein Vertrauter von Präsident Macron ist.[161]

Cai Mingpo hat auch ein Naheverhältnis zu dem Geschäftsmann Thierry Delaunoy de La Tour d'Artaise, der gemeinsam mit hochrangigen Mitgliedern der KPCh im Vorstand eines chinesischen Unternehmens sitzt.[162] Ein weiterer Partner ist Frédéric Beraha, ein ehemaliger Manager beim Hubschrauberbauer Eurocopter, dem Vorgängerunternehmen von Airbus Helicopters.

Zu Cais weitläufigem Netzwerk in Lyon und Paris gehören Verbindungen zum Büro von Präsident Macron, zu dessen Partei, zu ehemaligen und gegenwärtigen chinesischen Diplomaten. Er hat auch Kontakt zu hochrangigen Parteifunktionen in China, darunter Li Yuanchu von der Hubei Provincial High Technology Investment Company, die mit Organisationen verbunden ist, die Wirtschaftsspionage betreiben.[163]

Cai ist Vizepräsident der Yangtze River International Chamber of Commerce, einer Einheitsfrontorganisation, die 2014 in Hubei gegründet wurde und später zu einem Netzwerk von Kammern desselben Namens in China, Nordamerika, Europa und Australien ausgeweitet wurde.[164] Er ist Absolvent der China Europe International Business School (CEIBS) in Shanghai, die im Jahr 1994 von der chinesischen Regierung und der Europäischen Kommission gegründet wurde. Diese Hochschule gilt als »Sammelbecken für prominente französische Staatsbürger, die ein Interesse an China haben«.[165] Cai hat einen Lehrstuhl für Buchhaltung an der Hochschule finanziert und ist Mitglied des Beirats. An den Sitzungen des Gremiums nehmen auch französische Spitzenmanager und der Leiter einer Tochtergesellschaft der Aviation Industry Corporation of China teil; dieser riesige Staatskonzern ist der wichtigste Produzent von Militärflugzeugen, darunter Tarnkappenbomber und Angriffsdrohnen, für die chinesische Luftwaffe.[166]

Als der langjährige (europäische) Präsident der Hochschule, Pedro Nueno, im Jahr 2018 ausschied, zeichnete ihn die chinesische Regierung mit einem Freundschaftspreis aus, und Xi Jinping persönlich würdigte seine Verdienste.[167] Unter den Professoren an der Hochschule waren der ehemalige Leiter der Welthandelsorganisation, Pascal Lamy, und die ehemaligen französischen Ministerpräsidenten Dominique de Villepin und Jean-Pierre Raffarin.[168]

Raffarin verdient besondere Aufmerksamkeit. Wie wertvoll er für die KPCh ist, wurde am 29. September 2019 klar, kurz vor dem 70. Jahrestag der Gründung der Volksrepublik, als er gemeinsam mit nur fünf weiteren Ausländern von Xi Jinping höchstpersönlich mit einer Freundschaftsmedaille ausgezeichnet wurde, dem wichtigsten Symbol der Dankbarkeit der Partei. (Die einzige andere Person aus dem Westen war Isabel Crook, eine kanadische Anthropologin, KGB-Spionin und langjährige Freundin Chinas.[169]) Nach Angabe von Xinhua betonte Xi, die Medaillen seien ein Zeichen der Anerkennung für »Loyalität gegenüber der Sache der Partei und des Volkes«.[170]

Raffarin war von 2002 bis 2005 Ministerpräsident. Bei einem Staatsbesuch in China im Jahr 2005 hieß er ein Gesetz gut, das China zur Invasion Taiwans autorisierte.[171] Im Jahr 2008 ebnete er den Weg für das Olympische Feuer durch Paris. Im Jahr 2010 veröffentlichte ein Verlag der KPCh ein von ihm verfasstes Buch, in dem er Chinas Errungenschaften pries; das Buch erschien nur in chinesischer Sprache.[172] Raffarin ist ein begeisterter Befürworter der »Neuen Seidenstraße«, gehört dem Management mehrerer chinesischer Unternehmen an und sitzt im Vorstand des Boao Forums, der chinesischen Version des Weltwirtschaftsforums.[173]

Raffarin hat unvergleichlich gute Verbindungen im französischen Establishment. Zusätzlich zu seiner Amtszeit als Ministerpräsident war er stellvertretender Staatspräsident (2011–2014) und Vorsitzender des Ausschusses für Verteidigung und äußere Angelegenheiten (2014–

2017). Im Jahr 2018 wurde er zum Sonderbeauftragten der Regierung Macron für China ernannt.[174] Dieser *lao pengyou* oder »alte Freund« Chinas behauptet, China habe im Handelskrieg mit den Vereinigten Staaten nichts anderes als Verständigung und Zusammenarbeit im Sinn.[175] Gemeinsam mit dem chinesischen Ex-Diplomaten Xu Bo hat Raffarin den Club Paris-Shanghai ins Leben gerufen, an dessen Spitze er den ehemaligen Leiter von Huawei Healthcare, Patrice Cristofini, setzte.[176] Im Juni 2018 veranstaltete der Club ein Treffen für die »Europäisch-chinesische Gemeinschaft«, um das »gegenseitige Verständnis zum Wohl aller« zu fördern. Ort der Veranstaltung war der Sitz der französischen Nationalversammlung.[177]

Raffarin gilt als geistiger Vater der renommierten France China Foundation, die im Jahr 2012 gegründet wurde und offizieller Partner des Chinesischen Volksinstituts für äußere Angelegenheiten (CPIFA) ist, einer Einheitsfrontorganisation, die seit vielen Jahren regelmäßig Politiker, politische Entscheidungsträger und Journalisten nach China einlädt und Schritt für Schritt auf Beijings Linie einschwört; einige plappern nach ihrer Heimkehr die chinesische Propaganda nach.[178] (Larry Diamond und Orville Schell schreiben: »Das CPIFA ist eine sogenannte Einheitsfrontorganisation, die Ähnlichkeit mit derartigen Organisationen in der früheren Sowjetunion und anderen leninistischen Staaten hat, deren Aufgabe darin besteht, opportunistisch Bündnisse zu schmieden, wo immer sich eine Möglichkeit bietet.«[179]) Cathay Capital wurde bis vor Kurzem als Partner der France China Foundation auf ihrer Webseite genannt.[180] Das »strategische Komitee« der Stiftung ist ein Who's Who der Reichen und Mächtigen beider Länder.[181] Auf französischer Seite finden wir den Geschäftsführer von L'Oréal, Jean-Paul Agon, den Leiter des Versicherungskonzerns AXA, Denis Duverne, den Autor und Intellektuellen Jacques Attali, die ehemaligen Ministerpräsidenten Laurent Fabius und Edouard Philippe, die Vorsitzende des Investmentkomitees des französischen Staatsfonds, Patricia Barbizet, und den Filmregisseur Jean-Jacques Annaud. Im Jahr 1997 zog Annaud den Zorn des chinesischen Regimes auf sich, als er in dem Film *Sieben Jahre in Tibet* die brutale chinesische

Invasion Tibets schilderte und Sympathie für den Dalai Lama zeigte. Annaud erhielt (so wie Brad Pitt, der eine der Hauptrollen in dem Film gespielt hatte) ein Einreiseverbot in die Volksrepublik, aber nachdem er sich in Selbstkritik geübt hatte, wurde das Verbot aufgehoben, und im Jahr 2015 durfte er einen von der KPCh gutgeheißenen Film mit dem Titel *Der letzte Wolf* drehen.[182]

Zu den chinesischen Mitgliedern zählen zahlreiche Internetmilliardäre – Jack Ma von Alibaba, Pony Ma von Tencent, Wang Yan von Sina.com und Ya-Qin Zhang von Baidu –, die allesamt Parteimitglieder sind. Dazu kommen der Geschäftsführer des mit der Volksbefreiungsarmee verbundenen Unternehmens China Everbright Ltd., Chen Shuang, der Vorsitzende des ebenfalls mit der Volksbefreiungsarmee verbundenen Unternehmens CITIC Resources Holdings, Peter Viem Kwok, sowie der ehemalige Außenminister Li Zhaoxing.[183] Die KPCh betrachtet die France China Foundation offenkundig als wichtigstes Instrument zur Beeinflussung der französischen Eliten. In dieser Hinsicht hat die Stiftung einen ähnlichen Stellenwert für die Partei wie der britische 48 Group Club.

Die France China Foundation fördert das Young Leaders Forum, einen Klub, in dem je 20 französische und chinesische Führungskräfte mit »großem Potenzial« zusammenkommen.[184] Die jungen Führungskräfte treffen sich seit 2013 jährlich. Emmanuel Macron hat der Gruppe ebenso angehört wie die Präsidentin von Radio-France, Sibyle Veil, und Ministerpräsident Edouard Philippe.[185]

Es gibt eine weitere Französisch-Chinesische Stiftung, die Fondation France Chine (die im Chinesischen denselben Namen hat), die im Jahr 2014 von einer »Gruppe chinesischer und französischer Unternehmer« gegründet wurde, um sich für gegenseitiges Verständnis und Kooperation einzusetzen.[186] Sie arbeitet unter den Auspizien der Chinesischen Vereinigung für internationale Freundschaftskontakte (CAIFC), eine zur Volksbefreiungsarmee gehörende Frontgruppe.[187] CAIFC wird gemeinsam mit der HNA Group, einem riesigen Konglomerat, das die Interessen der KPCh vertritt, als »Schlüsselmitglied« der Stiftung genannt.[188] Der »Ehrenpräsident für China« der

Stiftung ist Sun Xiaoyu, der Leiter des F&E-Zentrums des Staatsrats, der zentralen Verwaltungsbehörde Chinas. Der Ehrenpräsident für Frankreich ist der in Ungnade gefallene ehemalige Leiter des Internationalen Währungsfonds, Dominique Strauss-Kahn.[189] Die Website der Stiftung ist mit Propaganda für Xi und die Seidenstraßen-Initiative gefüllt.[190,]

Chinas Freunde in Deutschland

Als Altkanzler Helmut Schmidt im Jahr 2015 starb, verkündete das chinesische Staatsfernsehen, dass ein »alter Freund des chinesischen Volkes« verschieden sei. Der erste Bericht in den Abendnachrichten war den Beileidsbotschaften von Xi Jinping und Ministerpräsident Li Keqiang gewidmet.[191] Schmidt wurde im Leben wie im Tod wie ein *lao pengyou* behandelt.

Er hatte sich den Ehrentitel verdient. Er reiste nach China, bevor die Bundesrepublik im Jahr 1972 diplomatische Beziehungen zur Volksrepublik aufnahm. Er nahm sogar für sich in Anspruch, nach diesem Besuch dem damaligen Bundeskanzler Willy Brandt im persönlichen Gespräch geraten zu haben, Beziehungen zu China aufzunehmen, und zwar, wie Schmidt in einem Interview verlauten ließ, sieben Jahre vor den Amerikanern.[192] Unabhängig davon, ob Schmidt tatsächlich dafür verantwortlich war, dass die Bundesrepublik mit Taiwan brach und die Volksrepublik anerkannte, hatte die Führung in Beijing Grund, ihm dankbar zu sein.

Im Jahr 1975 besuchte Helmut Schmidt als erster deutscher Regierungschef die Volksrepublik. Er war auch der erste deutsche Politiker, der nach China reiste, nachdem in den Beziehungen zwischen den beiden Ländern infolge des Tiananmen-Massakers eine Eiszeit angebrochen war.[193] Schmidt ging sogar so weit, die blutige Niederschlagung der Demokratiebewegung mit der Behauptung zu rechtfertigen, das chinesische Militär sei provoziert worden, und bei der Beurteilung anderer Länder dürften keine europäischen Maßstäbe angelegt werden.[194] Als die KPCh jemanden brauchte, der sich lobend über Xi Jinpings Buch *China regieren* äußerte, war Schmidt gerne dazu bereit und beschrieb das Buch als »inspirierende Arbeit«.[195] Er fungierte auch als Schirmherr des Hamburg Summit, eines alle zwei Jahre stattfindenden Treffen hochrangiger chinesischer und deutscher Wirtschaftsvertreter, das seit 2004 von der Hamburger Handelskammer und der China Federation of Industrial Economics organisiert wird.

Die KPCh pflegt Kontakte zu allen wichtigen Parteien Deutschlands und hat in sämtlichen Gruppierungen Verbündete gewonnen, aber seit sich die chinesische Führung entschloss, engere Bande zu den sozialdemokratischen und sozialistischen Parteien in Europa zu knüpfen, hat die SPD wichtige Beiträge zu den deutsch-chinesischen Beziehungen geleistet. Im Jahr 1984, zu jener Zeit war die CDU an der Regierung, war die SPD eine der ersten nichtkommunistischen Parteien, zu der die KPCh Kontakt suchte. Die SPD-nahe Friedrich Ebert Stiftung war die erste politische Stiftung aus Deutschland, die ein Büro in China eröffnete.[196]

In einem provokanten Essay mit dem Titel »Die China-Versteher und ihre demokratischen Freunde« wies die Journalistin Sabine Pamperrien im Jahr 2013 darauf hin, dass die Unterstützung für das chinesische Regime in Deutschland aus zwei sehr unterschiedlichen Lagern kam, nämlich von »linken Politikern und Publizisten«, die oft einem antiamerikanischen Impuls gehorchten, und von einflussreichen Wirtschaftsvertretern, die vermeiden wollten, dass Sorgen über die Menschenrechtslage in China den »blühenden Handel« mit diesem Land behinderten.[197] Diese beiden Motive stehen jedoch nicht zwangsläufig im Widerspruch. In einigen Fällen geht die Sympathie für nominal sozialistische Regime Hand in Hand mit der Möglichkeit, daraus Profit zu schlagen.

Kaum jemand verkörpert diese Mischung besser als der frühere Bundeskanzler Gerhard Schröder. In Deutschland wird Schröder vor allem dafür kritisiert, dass er sich nach seinem Ausscheiden aus dem Kanzleramt im Jahr 2005 auf Putins Seite schlug und 2017 sogar einen leitenden Posten im Aufsichtsrat des staatlichen russischen Erdölkonzerns Rosneft annahm.[198] Aber der Altkanzler hat sich auch China angedient – im Jahr 2009 veröffentlichte *Der Spiegel* ein Foto, auf dem Schröder im wahrsten Sinne des Wortes einen Panda umarmt.[199] Schon lange bevor er seine Nachfolgerin Angela Merkel öffentlich für ein Treffen mit dem Dalai Lama im Jahr 2007 kritisierte, genoss er in Beijing hohe Wertschätzung.[200] Im Jahr 1999 reiste er als erster Politiker nach China, um sich für den versehentlichen Bombenangriff der NATO auf die chinesische Botschaft in Belgrad zu entschuldigen.[201] Im Herbst 2001 erklärte er vor einem Chinabesuch gegenüber deutschen Medien, er habe es satt, die chinesische Seite mit Listen politischer Gefangener zu belästigen.[202] In seiner Amtszeit (1998–2005) setzte er sich nachdrücklich für die Aufhebung des Waffenembargos ein, das die EU nach dem Massaker in der Umgebung des Platzes des Himmlischen Friedens über China verhängt hatte.[203]

Nach dem Ende seiner Amtszeit wurde Schröder zum Berater des chinesischen Außenministeriums ernannt und leistete bescheidene Beiträge zur Umwandlung eines alten chinesischen Botschaftsgebäudes in Bonn in ein Zentrum für traditionelle chinesische Medizin.[204] Heute verbringt er viel Zeit in China und hilft der KPCh, Beziehungen zu europäischen Unternehmen zu knüpfen. Beispielsweise brachte er die schweizerische Mediengruppe Ringier in Kontakt mit Li Changchun, dem für Medien und Propagandaarbeit verantwortlichen Mitglied des Politbüros.[205] Nach den chinesischen Konzentrationslagern in Xinjiang gefragt, äußerte er sich unwissend: »Ich bin nicht sicher. Ich bin sehr vorsichtig, weil ich keine Informationen habe.«[206]

Nach Helmut Schmidts Tod wurde Schröder der offizielle Schirmherr des Hamburg Summit,[207] das ihm den China-Europe Friendship Award verlieh.[208] Wie nicht anders zu erwarten, nutzte Schröder die Konferenz, um sich nachdrücklich für die Seidenstraßen-Initiative auszusprechen.[209]

Rudolf Scharping, der von 1993 bis 1995 Parteivorsitzender der SPD und von 1998 bis 2002 Verteidigungsminister war, rückte China nach seinem Ausscheiden aus der Politik ebenfalls in den Mittelpunkt seiner Karriere. Er trat in die Fußstapfen anderer altgedienter Politiker und gründete eine Beratungsfirma, die deutschen Unternehmen dabei hilft, in China Fuß zu fassen, und chinesischen Unternehmen den Zugang zum deutschen Markt erleichtert. Diese Firma ist auch in Beijing registriert. Deutschen Medienberichten zufolge verbringt Scharping jedes Jahr mehr als ein Drittel seiner Zeit in China und hat deutschen Unternehmen eingeschärft, dass sie in China »viel Freiheit« genießen, solange sie die Herrschaft der Kommunistischen Partei und Chinas territoriale Integrität nicht infrage stellen.[210] Es überrascht nicht, dass er vom chinesischen Regime nicht als Unternehmensberater, sondern als »alter Freund« betrachtet wird.[211] Im Jahr 2013 wurde Scharping zum Wirtschaftsberater des Gouverneurs von Guangdong ernannt, und im Jahr 2018 verlieh ihm die Provinzregierung von Henan den Yellow River Friendship Award.[212]

Scharping hat der KPCh sehr geholfen, in Deutschland für die Seidenstraßen-Initiative zu werben, und tritt regelmäßig an der Seite chinesischer Diplomaten auf, um Vorträge über die Initiative zu halten.[213] Eine Bezirksorganisation der SPD berichtete nach einem Besuch von Scharping: »Die Lieb[e] und Begeisterung für China war Rudolf Scharping anzusehen und -zuhören. Ein paar kritischere Fragen umging er geschickt.«[214] Noch wichtiger ist, dass seine Beratungsfirma gemeinsam mit dem chinesischen Zentrum für wirtschaftliche Zusammenarbeit (China Economic Cooperation Center, CECC) eine jährliche Konferenz über die »Neue Seidenstraße« organisiert. Das 1993 gegründete CECC untersteht der Internationalen Verbindungsabteilung der KPCh und kann als wirtschaftlicher Arm des weitläufigen Apparats für diplomatische Arbeit mit ausländischen Parteien betrachtet werden (jenes Apparats, der für die Einheitsfrontarbeit mit dem Teil der Weltbevölkerung zuständig ist, der nicht chinesischer Abstammung ist).[215] Bei dieser Konferenz kommen Manager von Siemens, Daimler, Volkswagen und aus zahlreichen anderen wichtigen Unternehmen zusammen. Obwohl die deutsch-chinesische Wirtschaftskonferenz von einer privaten Beratungsfirma organisiert wird, hat sie hochrangige Vertreter deutscher Ministerien und Bundestagsabgeordnete angelockt.[216]

Die SPD nimmt in der deutschen Parteienlandschaft eine Sonderstellung ein, weil sich so viele ihrer prominenten Ex-Politiker in
China-Liebhaber verwandelt haben. Es wäre jedoch unfair, die Sozialdemokraten als einzige Unterstützer Chinas in Deutschland zu
betrachten. Die CDU, die stets um die Interessen der deutschen
Industrie besorgt ist (mehr zu Wirtschaftslobbys in Kapitel 6),
möchte China keineswegs vor den Kopf stoßen. Ein ausgezeichnetes
Beispiel dafür ist die Entschlossenheit von Kanzlerin Angela Merkel,
den Rat von Sicherheitsexperten auszuschlagen und die Kritiker in
ihrer eigenen Partei zu ignorieren, um dem chinesischen Ausrüster
Huawei eine umfassendere Beteiligung am deutschen 5G-Netz zu erlauben.[217]

Auch Politiker der übrigen Parteien werden von Beijing umhegt.
Der ehemalige FDP-Chef und Vizekanzler Philipp Rösler wurde nach
seinem Rückzug aus der Politik Geschäftsführer der Hainan Cihang
Charity Foundation in New York, die von dem riesigen, geheimnisvollen chinesischen Konglomerat HNA betrieben wird.[218] (Zuvor war
Rösler für das chinafreundliche Weltwirtschaftsforum tätig. Im Jahr
2019 zog er sich aus der Stiftung zurück.)

Ihre Skepsis gegenüber den Vereinigten Staaten hat viele Politiker
der Linken dazu bewegt, sich instinktiv der KPCh zuzuwenden. In
einem Artikel auf der offiziellen Website der Partei wird die Bundesregierung aufgefordert, im UN-Sicherheitsrat gegen Waffenlieferungen an Taiwan zu protestieren.[219] In einem anderen Artikel wird die
Verhaftung der Huawei-Managerin Meng Wanzhou als »politisch motiviertes Kidnapping« bezeichnet.[220] In einem Interview preist ein
Mann, der nur als »Norbert« identifiziert wird und das erste Linke-
Mitglied war, das von China aus in die Partei eintrat, das chinesische
System. »Aus China heraus betrachtet«, so Norbert, »braucht Deutschland dringend geänderte Machtverhältnisse, die eine radikale Reform der Sozialpolitik ermöglichen.« In China sei ein Ortsverband
der Linken nicht notwendig, da die Sozialreformen Xi Jinpings auch

so bereits »das Leben der Menschen auf dem Land im Westen Chinas verbessern«.[221] (Xinjiang mit seinen Umerziehungslagern, das im Westen Chinas liegt, wird auf der Website nicht erwähnt.) Und in einer öffentlichen Anhörung des Menschenrechtsausschusses des Bundestags über die Lage der religiösen Minderheiten in China erklärte der von der Linken eingeladene Sachverständige, das Problem müsse in den historischen Kontext eingeordnet und mit Blick auf die äußeren Bedrohungen betrachtet werden, mit denen sich China konfrontiert sehe.[222]

Sehr aufschlussreich ist, was im Januar 2020 bekannt wurde: Es wurde eine neue Gruppe namens China-Brücke ins Leben gerufen, die als Netzwerk deutscher Eliten dient, um engere Beziehungen zu China zu knüpfen. Ihren Initiatoren zufolge ist die China-Brücke nach dem Vorbild der Atlantik-Brücke gebaut, ein Netzwerk, das die transatlantischen Beziehungen stärkt. Ihr steht der CSU-Politiker Hans-Peter Friedrich vor, Vizepräsident des Deutschen Bundestags und ehemaliger Innenminister. Hinter der Initiative stecke die Idee, dass es sich gerade die Exportnation Deutschland als größter EU-Staat nicht leisten könne, zur kommenden Supermacht nicht ein enges persönliches Netzwerk aufzubauen (mit dieser paraphrasierten Äußerung zitiert ihn Reuters).[223]

Hans-Peter Friedrich pflegte bereits vor seinem Vorsitz in der China-Brücke gute Beziehungen zur KPCh. Im April 2019 traf er sich mit dem Vizeleiter der Internationalen Verbindungsabteilung, Qian Hongshan. Im November desselben Jahres eröffnete er gemeinsam mit Qi Jing, dem Leiter der Einheitsfrontsabteilung des Beijinger Parteikomitees, das zweite Deutsch-Chinesische Wissenschafts- und Technologieforum in Beijing.[224]

Neben Politikern sollen laut Medienberichten auch wichtige Vertreter der Wirtschaft, wie SAP-Manager Andreas Hube, und der Wissenschaft, wie Eberhard Sandschneider, Professor an der Freien Universität Berlin und ehemaliger DGAP-Direktor, in der China-Brücke vertreten sein.[225] Ein weiteres Mitglied ist der Journalist Wolfgang Hirn, der den chinesischen Botschafter in Berlin um Hilfe bat, um ein

China-Informationsportal auf die Beine zu stellen und das China-Bild in Deutschland zu verbessern (siehe Kapitel 9).[226]

Es bleibt abzuwarten, ob dieses Netzwerk in Deutschland die Rolle übernimmt, die der 48 Group Club in Großbritannien und die France China Foundation in Frankreich spielen, um die KPCh-freundlichen Eliten des Landes aus unterschiedlichen Bereichen enger und effektiver zu vernetzen.

Während die Politik der KPCh dank der Unterstützung politischer Parteien und hochrangiger Politiker wachsende öffentliche Legitimität erhält, findet sie an den politischen Rändern glühende Zustimmung. Besonders hervorgetan im Bemühen, den Einfluss Beijings in Europa zu erhöhen, hat sich das Schiller-Institut. Es wurde im Jahr 1984 in Wiesbaden von Helga Zepp-LaRouche gegründet, der Frau des umstrittenen amerikanischen Verschwörungstheoretikers Lyndon LaRouche, und ist mit der rundum bizarren LaRouche-Bewegung verbunden.[227] In den chinesischen Medien wird Zepp-LaRouche regelmäßig mit Bekenntnissen zu Politik und Weltbild der KPCh zitiert.[228] Das Schiller-Institut widmet sich insbesondere der Werbung für die Seidenstraßen-Initiative. Es befürwortet das »chinesische Modell« und Xis Vorhaben als Alternativen zur gegenwärtigen Weltordnung. 2017 bewarb Zepp-LaRouches Partei BüSo (Bürgerrechtsbewegung Solidarität) im Bundestagswahlkampf die »Neue Seidenstraße« als »Deutschlands Zukunft«.[229]

Das Schiller-Institut setzt sich auch anderswo in Europa für die Seidenstraßen-Initiative ein. Movisol, seine sehr aktive Organisation in Italien, hat gemeinsam mit der Regierung der Region Lombardei eine Seidenstraßenkonferenz in Mailand organisiert. Einer der Redner war der Architekt von Italiens Anschluss an die Seidenstraßen-Initiative, Michele Geraci, der die Bedeutung der Vereinbarung für Italiens Zukunft hervorhob.[230] Während eines Besuchs in der chinesischen Botschaft in Stockholm erklärte der Leiter des schwedischen Schiller-Instituts dem Botschafter Gui Congyou, er werde mit »Seminaren, Medienkampagnen, Kursen für schwedische Unternehmen und China-Besuchen schwedischer Wirtschaftsdelegationen« für die Seidenstraßen-Kooperation werben.[231] Im Mai 2018 rief das Institut gemeinsam mit dem China-Sweden Business Council in Stockholm die Belt & Road Initiative Executive Group ins Leben.[232]

Während die LaRouche-Bewegung in Deutschland am Rand des politischen Spektrums agiert, ist es ihr in Italien und möglicherweise auch in Schweden gelungen, sehr viel weiter ins Herz der Politik vorzustoßen.

5

POLITISCHE ELITEN IN DER PERIPHERIE

Beeinflussungsarbeit auf subnationaler Ebene

Was die Beeinflussungsaktivitäten der KPCh anbelangt, so klafft normalerweise eine große Wissenslücke zwischen den Zentralregierungen und den Provinz- und Lokalregierungen. Aber selbst Zentralregierungen können Schwierigkeiten haben, die Aktivitäten einer riesigen Organisation wie der KPCh zu verfolgen, da sie eine verwirrende Vielfalt von Partei- und Frontorganisationen mit versteckten Zielen einsetzt, wie wir im zweiten Kapitel gesehen haben. Unter Umständen werden westliche Führungskräfte in dem Glauben gelassen, sie hätten es mit einer Einrichtung der chinesischen Zivilgesellschaft zu tun, während sie in Wahrheit mit Parteifunktionären oder Personen zusammenarbeiten, die Anweisungen von chinesischen Behörden erhalten.

Lokalpolitiker in westlichen Ländern wissen normalerweise wenig über China und sind nicht für die nationale Sicherheit verantwortlich. Da ihre chinesischen Gesprächspartner vorgeben, als Akteure der Zivilgesellschaft oder Wirtschaftstreibende Kontakt zum Ausland zu suchen und »Chancen für die lokale Wirtschaft« anzubieten, ist für die westlichen Politiker die Versuchung groß, unwissend zu bleiben. Normalerweise wird vor allem über wirtschaftliche und kulturelle Beziehungen gesprochen, und es ist leicht, sich einzureden, es gäbe keinerlei politische Interessen. Doch wie wir sehen werden, haben diese lokalen Beziehungen in Wahrheit einen ausgeprägt politischen Charakter und können bei Bedarf eingesetzt werden, um die nationale

Regierung unter Druck zu setzen. Dies ist die Taktik »Das Land einsetzen, um die Stadt zu umzingeln«.

Der KPCh-Experte Jichang Lulu hat die Lokalisierung von Einheitsfrontaktivitäten in den nordeuropäischen Ländern untersucht, wo lokale Beamte mit beträchtlichen Entscheidungsbefugnissen als Ziele für »freundschaftliche Kontakte« ins Visier genommen werden, weil sie von den strategischen Debatten in den Hauptstädten isoliert sind und nicht über ausreichende Sachkenntnis verfügen, um die Absichten und Taktiken Beijings zu durchschauen.[1] Er stellt fest, dass sich die Partei aktiv um politischen Einfluss in Grönland bemüht, das aufgrund seines Ressourcenreichtums und seiner Nähe zur Arktis in ihren Augen ein wichtiges Ziel ist. Die Strategie beinhaltet Investitionen, den Versuch, einen verlassenen Marinestützpunkt zu kaufen, und politische Beeinflussungsarbeit mit den grönländischen Eliten. Diese Aktivitäten haben Dänemark alarmiert. Aufgrund der dezentralisierten Natur eines Großteils der in kleinem Maßstab betriebenen Beeinflussungsarbeit auf lokaler Ebene ist eine besorgte Reaktion der Zentralregierung allerdings eher die Ausnahme als die Regel.

Willentliche Unkenntnis und der Einfluss von Einheitsfrontagenten auf höchsten staatlichen Ebenen erklären vielleicht, warum sich der australische Bundesstaat Victoria der Seidenstraßen-Initiative anschloss, obwohl die Bundesregierung eine Beteiligung ausdrücklich abgelehnt hatte und die Frage in den Medien erschöpfend behandelt worden war.[2] Der Ministerpräsident von Victoria, Daniel Andrews, der sich wiederholt gemeinsam mit Vertretern von Einheitsfrontorganisationen in Melbourne hatte fotografieren lassen, erklärte, er wolle seinen Bundesstaat zum »Eingangstor Australiens für die Chinesen« machen.[3]

In San Francisco benannte die Leitung der städtischen Verkehrsbehörde eine neue U-Bahn-Station in Chinatown nach der bekannten chinesisch-amerikanischen Aktivistin Rose Pak, obwohl Pak nachweislich seit Jahrzehnten enge Kontakte zur KPCh unterhält, die in den Medien thematisiert wurden.[4] Die Leiterin der Human Rights Law Foundation, Terri Marsh, listete detailliert auf, wie Beijing Pak mit Auszeichnungen überhäuft hatte, und forderte die Behörde auf, auf die Ehrung einer Person zu verzichten, »die eng mit der chinesischen Diktatur verbunden ist«.[5] Obwohl einige ortsansässige Amerikaner chinesischer Herkunft erbitterten Widerstand gegen die Wahl des Namens leisteten, hatte sich Pak dank ihrer Einheitsfrontarbeit in San Franciscos Gesellschaft einen Namen als lokale Größe und Anführerin gemacht. Das Board der Behörde entschied sich mit vier gegen drei Stimmen für die Ehrung Paks, und ein Mitglied erklärte, dass sie »als nicht weiße Frau eine andere nicht weiße Person« ehren wolle, »die wirklich hart gekämpft hat, um etwas zu bewirken«.[6] Die Mehrheit des Gremiums entschloss sich, Paks Naheverhältnis zum chinesischen Regime zu ignorieren.

Eine kleine Gemeinde in Schweden war vorsichtiger. Die Ortschaft Lysekil wurde von einem chinesischen Konsortium kontaktiert, das anbot, einen neuen Hafen, neue Infrastrukturen und ein Erholungszentrum zu errichten.[7] Der Vorsitzende des Konsortiums hatte ein Naheverhältnis zur Einheitsfront und zur Volksbefreiungsarmee, was ein Hinweis darauf war, dass das Angebot Teil der maritimen Strategie Beijings war, rund um den Erdball Häfen zu erwerben (in Australien wurde einem mit dem chinesischen Staat verbundenen Unternehmen ein 99-jähriger Pachtvertrag für den strategisch wichtigen Hafen von Darwin zugestanden). Die Chinesen drängten auf eine rasche Antwort der Gemeinde Lysekil, aber Berichte über die Verbindung des Konsortiums zur KPCh brachten das Angebot zu Fall.

Beijing weiß, wie nützlich die Einflussnahme auf subnationaler Ebene ist. Erstens können freundschaftliche Beziehungen auf dieser Ebene den Weg für Investitionen in strategische Aktiva ebnen: Häfen, Regionalflughäfen (Pilotenschulen eingeschlossen), Satellitenantennen (wie in Neuseeland), Anlagen in der Nachbarschaft von Militärstützpunkten, bestimmte landwirtschaftliche Betriebe und Ähnliches. Zweitens weiß die Führung in Beijing, dass einige Politiker den Aufstieg von der subnationalen Ebene in die nationalen Parlamente schaffen werden, wo die Freundschaft noch höhere Dividenden abwerfen kann. Und drittens weiß die Parteiführung, dass lokale Führungskräfte im Westen politischen Druck auf das Zentrum ausüben können.

Ein Lehrbeispiel für den letzten Punkt war im August 2019 auf dem Höhepunkt des Handelskriegs zwischen den USA und China zu beobachten. Die Nachrichtenagentur Xinhua brachte einen Bericht mit der Überschrift »US-Beamte auf einzelstaatlicher und lokaler Ebene wollen trotz der schwelenden Handelsspannungen zwischen den beiden größten Volkswirtschaften der Welt die Kooperation mit China verbessern«.[8] Der Bericht kreiste um ein Video von einem Forum in der Brookings Institution in der Hauptstadt am 29. Juli, bei der sich die Gouverneurin von Oregon, Kate Brown, über die lähmende Wirkung des Handelskriegs auf die Exporte Oregons nach China beklagt hatte. Brown gab Washington die Schuld an dem Konflikt und sagte, der Handelskrieg habe »insbesondere im Agrarsektor, der für die Wirtschaft Oregons sehr wichtig ist, extrem schädliche Auswirkungen.«[9] Die stellvertretende Bürgermeisterin von Los Angeles, Nina Hachigian, zeichnete ein ähnliches Bild und beschrieb detailliert, wie sich der Handelskrieg auf die Exporte auswirkte, die durch die Häfen ihrer Stadt geschleust wurden. (Im August erklärte Bürgermeister Eric Garcetti gegenüber der *South China Morning Post*, wenn der Handelskrieg andaure, würden in Los Angeles Kinder verhungern.[10])

Besonders alarmierende Äußerungen, die von Xinhua wiedergegeben wurden, stammten von Bob Holden, dem ehemaligen demokratischen Gouverneur von Missouri (2001–2005). Er erklärte, die landwirtschaftlichen Produzenten hätten »große Angst« vor einem Zusammenbruch der Beziehung zu China.[11] Holden zählt zu Beijings Favoriten, und das mit gutem Grund. *China Daily* berichtet, er habe bei einem Besuch in China im Jahr 2004 eine Offenbarung gehabt: »Das chinesische Volk hat dieselben Werte wie das amerikanische.«[12] Nachdem er 2005 an der Wiederwahl zum Gouverneur gescheitert war, leistete Holden als Professor der Webster University wichtige Beiträge zur Einrichtung des ersten Konfuzius-Instituts in Missouri.[13]

Bob Holden ist auch Vorsitzender der United States Heartland China Association, die Brücken für Freundschaft und Zusammenarbeit mit China bauen will und Vertreter aus 20 Bundesstaaten im Mittleren Westen der Vereinigten Staaten zusammenbringt. Im Jahr 2018 wurde die Vereinigung mit Unterstützung der China-United States Exchange Foundation (CUSEF) neu aufgestellt, was beim gut informierten Beobachter sofort die Alarmglocken läuten lässt.[14] Wie wir in Kapitel 11 sehen werden, wurde CUSEF von Tung Chee-hwa gegründet, einem Hongkonger Reedereimagnaten und wichtigen Akteur in der KPCh.[15] Während der Protestkundgebungen in Hongkong im Jahr 2019 beschuldigte Tung die Vereinigten Staaten, die Demonstrationen zu »orchestrieren«, verteidigte die Polizei gegen den Vorwurf der Brutalität und erklärte, China müsse kompromisslos vorgehen. Im Dezember 2019 bezeichneten Fürsprecher der Demokratie in Hongkong Tung Chee-hwa als einen der elf höchstrangigen Verbrecher, der Menschenrechte und Demokratie mit Füßen trete.[16] Diese Fürsprecher identifizierten CUSEF als einen Versuch der chinesischen Regierung, sich in die Politik der Vereinigten Staaten einzumischen, und verlangten nach einer Maßregelung. CUSEF ist in den Vereinigten Staaten als ausländischer Auftraggeber für China registriert, und einige Einrichtungen, darunter die University of Texas in Austin, haben von der Stiftung angebotenes Geld ausgeschlagen, weil CUSEF mit der KPCh verbunden ist.[17]

Nichts von alledem schien Bob Holden Sorgen zu machen, als er im Mai 2019 auf dem Höhepunkt des Handelskriegs beim 5. jährlichen U.S.-China National Governors Collaboration Summit in Kentucky eintraf. Die Veranstaltung hatte in Washington Besorgnis geweckt, weil die Gouverneursvereinigung die Konferenz gemeinsam mit der Gesellschaft des Chinesischen Volkes für Freundschaft mit dem Ausland (CPAFFC) organisiert hatte, einer Einheitsfrontbehörde, deren Spitzenfunktionäre vielfach aus dem roten Adel Chinas stammen.[18] Die »Volksdiplomatie« dieser Organisation ist ein verdeckter Bestandteil der offiziellen Diplomatie und der ausländischen Beeinflussungsarbeit Beijings.[19] Die Präsidentin der Organisation, Li Xiaolin, die Tochter eines früheren chinesischen Staatspräsidenten, sprach bei der Konferenz. Die CPAFFC spielt eine wichtige Rolle bei der Pflege von

Beziehungen auf subnationaler Ebene, organisiert Städtepartnerschaften und wirbt für die Seidenstraßen-Initiative.[20] Sie ist auch dafür verantwortlich, Freundschaftsvereine in westlichen Ländern aufzubauen, wozu sie wie in Neuseeland hohe Summen für die Wiederbelebung eingeschlafener Gesellschaften spendet.[21] Die U.S.-China Peoples Friendship Association (USCPFA) wurde im Jahr 1974 gegründet und hat 35 Ortsgruppen, die über das ganze Land verteilt sind. Die Vereinigung hat zahlreiche Amerikaner mit hehren Beweggründen angelockt, aber in den letzten Jahren ist sie von der CPAFFC vereinnahmt worden und damit unter einen direkteren Einfluss der Partei geraten.[22] Barbara Harrison, die seit den siebziger Jahren in der USCPFA aktiv ist und bis 2005 fünf Jahre Präsidentin der Organisation war, wurde 2004 von der CPAFFC zur Freundschaftsbotschafterin ernannt, was die höchste Auszeichnung ist, die diese Organisation vergibt.[23]

Der Gouverneursgipfel in Kentucky diente vordergründig dazu, geschäftliche Kontakte zu vermitteln, und lockte »angesehene Investmentfirmen« an,[24] aber es war auch eine ideale Gelegenheit für die KPCh, Washington zu umgehen und persönliche Kontakte zu wichtigen Akteuren in den Vereinigten Staaten zu knüpfen. Der chinesische Botschafter in Washington, Cui Tiankai, unterbrach seine Vermittlungsbemühungen im Handelskrieg, um gegenüber den 400 Konferenzteilnehmern seiner Hoffnung Ausdruck zu geben, der Gipfel werde »für beide Seiten vorteilhafte Gelegenheiten aufzeigen«.[25] Er sagte: »Ich finde immer wahre Freundschaft, kein grundloses Misstrauen.« Und ein Sprecher des chinesischen Außenministeriums äußerte seine Begeisterung, weil die Konferenz in den Augen Beijings bewies, dass beide Länder von einer »Vertiefung des Austauschs und der Kooperation auf subnationaler Ebene« profitieren konnten.[26]

Während das Weiße Haus »nicht glücklich« über die Konferenz war, wie aus einer geleakten E-Mail hervorging, gab Matt Bevan, der Gouverneur von Kentucky, seiner Überzeugung Ausdruck, dass Misstrauen und Unverständnis, die den Handelskrieg ausgelöst hätten, verschwinden würden, »wenn die Menschen miteinander sprechen«.[27] Das war genau die Botschaft, die Beijing verbreiten wollte, und wie

immer widmeten die chinesischen Staatsmedien derartigen Unter-
stützungsbekundungen viel Raum.[28] (Gouverneur Bevan freute sich
sehr, als zwei Monate später ein chinesisches Unternehmen bekannt
gab, im ländlichen Kentucky für 200 Millionen Dollar eine neue
Papierrecyclinganlage bauen zu wollen, die 500 Arbeitsplätze in den
Bundesstaat bringen sollte.[29]) Die Rolle, die die CPAFFC bei der Konferenz spielte, beschrieb John Dotson von *China Brief* so: Die beteiligten Amerikaner hätten »möglicherweise gedacht, sie hätten es mit
einem Repräsentanten einer Organisation der Zivilgesellschaft zu tun,
aber das ist falsch. Tatsächlich haben sie es mit […] Funktionären der
Kommunistischen Partei Chinas zu tun.«[30] Genau in solchen Beziehungen setzt Beijing den Hebel an: Chinesische Diplomaten brachten
die Gouverneure dazu, Druck auf Washington auszuüben, damit die
Regierung im Handelskrieg zurückruderte.[31]

Bei der Konferenz wurde die Strategie umgesetzt, die der einflussreiche Wissenschaftler Huang Renwei von der Fudan-Universität im
März 2019 vorgeschlagen hatte. Gestützt auf Maos Essay über den
»langgezogenen Krieg«, erklärte er, um Washington »resolut zu bekämpfen«, müsse Beijing »engere wirtschaftliche und Handelsbeziehungen zu den 50 amerikanischen Bundesstaaten« knüpfen.[32] (Das
Interesse wird auch in einem im Juni 2019 von einem Think Tank mit
Sitz in Beijing erstellten Bericht bestätigt, der alle 50 Gouverneure der
USA gemäß ihrer Einstellung zu China einordnete. 17 wurden als
»freundlich« eingestuft, 6 als »Hardliner«. Der Rest schwankt laut Be-
richt oder hat noch keine klare Position zu China bezogen.[33]) Die
CPAFFC hatte weitere Erfolge vorzuweisen. Im Juli 2019, zwei Monate
nach der Konferenz des Gouverneurs von Kentucky, veranstaltete die
Freundschaftsgesellschaft in Houston gemeinsam mit Sister Cities
International, dem amerikanischen Dachverband für Städtepartner-
schaften, in Houston den 4. U.S.-China Sister Cities Mayors' Summit.
Botschafter Cui Tiankai schickte eine Botschaft: »Die subnationale
Kooperation und der Austausch zwischen den Völkern sind Höhe-
punkte in der Geschichte der Beziehung zwischen China und den
Vereinigten Staaten und die treibende Kraft der Entwicklung unserer

Beziehungen.«[34] Die 277 amerikanisch-chinesischen Städtepartnerschaften – und die 50 Partnerschaften zwischen Staaten und Provinzen – hätten zu für beide Seiten vorteilhaften Kooperationen geführt,
erklärte der Botschafter. Als läse sie aus einem in Beijing verfassten
Redemanuskript vor, erklärte die stellvertretende Vorsitzende von Sister Cities International, Carol Lopez, den Delegierten: »Unsere Völker
sind so eng miteinander verflochten. Wir glauben, dass wir gemeinsam stärker werden, wenn sich die Völker zusammentun – Menschen
mit Menschen, Gemeinden mit Gemeinden.«[35] Die Delegierten jubel-
ten über die maritime Seidenstraße und intelligente Städte. In China
ist die Technologie für die »intelligente Stadt« nicht vom Streben nach
dem totalen Überwachungsstaat zu trennen, aber die KPCh nutzt die
Naivität wohlmeinender Personen und profitiert von der verdeckten
Unterstützung anderer.

Der kuriose Fall von Muscatine

Im Jahr 2018 brach das Symphonieorchester von Zhejiang zu einer
kurzen USA-Tournee auf. Auf dem Programm standen nur vier Konzerte: in Detroit, Chicago, San Diego und … Muscatine. Diese wirtschaftlich Not leidende Kleinstadt am Ufer des Mississippi in Iowa
hat 24 000 Einwohner und lebt vom Sojabohnenanbau. Welches Interesse konnte das renommierte chinesische Orchester an einem
Gastspiel in diesem Provinznest haben? Der Ort hatte eine besondere
Beziehung zu China, die ihren Ursprung im Jahr 1985 hatte. In jenem
Jahr hatte ein Parteifunktionär aus der Provinz Hebei mit einer Han-
delsdelegation Farmen und Ortschaften in Iowa besucht, darunter
Muscatine. Derselbe Funktionär kehrte im Jahr 2012 nach Muscatine
zurück, diesmal jedoch als Vizepräsident und angehender Staats-
und Parteichef. Bei diesem Besuch pries Xi Jinping seine »alten
Freunde« in Iowa, das der Schwesterstaat von Hebei ist, für ihre
»landwirtschaftliche Vernunft, ihre familiären Werte und ihre Gastfreundschaft«.[36]

Ein auf diesen langjährigen Beziehungen errichtetes Netzwerk bekannter Geschäftsleute aus dem Staat bezeichnet sich selbst in Beijing als »die Iowa-Mafia«. Diese Unternehmer unterstützen Xis Seidenstraßen-Initiative, da sie sich davon weitere chinesische Investitionen in Iowa erhoffen.[37] Im Jahr 2018 durften sie sich über die Ernennung eines früheren Gouverneurs ihres Staates zum neuen US-Botschafter in China freuen: Terry Branstad war bei beiden Besuchen Xi Jinpings Gouverneur von Iowa und bezeichnet sich als Freund des chinesischen Staats- und Parteichefs.[38]

Eine weitere alte Freundin von Xi ist Sarah Lande, die ihn im Jahr 1985 kennenlernte und im Jahr 2012 in ihrem Wohnzimmer bewirtete. Sie lernte Xi in ihrer Funktion als Mitarbeiterin von Iowa Sister States kennen und wurde später geschäftsführende Direktorin der Organisation. Im Jahr 2013 traf eine weitere CPAFFC-Delegation in Muscatine ein.[39] Etwa 80 Personen, darunter Journalisten von chinesischen Staatsmedien, waren gekommen, um der Verleihung einer Goldmedaille an Sarah Lande beizuwohnen, die zur Freundschaftsbotschafterin ernannt wurde, womit sie eine von nur acht Amerikanern wurde, der diese Ehre zuteilgeworden ist.[40] Sie und ihr Ehemann Roger, der das Ministerium für Bodenschätze des Bundesstaats leitete, gehörten zu den »alten Freunden«, die Ende 2012 nach China reisten, um sich mit dem gerade an die Macht gekommenen Xi zu treffen.[41]

In China ist Xi Jinpings Verbindung zu Muscatine wohlbekannt. Chinesische Schulklassen besuchen die Ortschaft, und eine Reihe chinesischer Geschäftsleute haben in der Hoffnung, finanziell von der Verbindung zu Xi zu profitieren, Grundstücke in Muscatine gekauft.[42] Der Besuch des Symphonieorchesters wurde von dem Geschäftsmann Lijun »Glad« Cheng finanziert, der Muscatine zu seiner zweiten Heimat gemacht, mehrere Grundstücke erworben und ein altes Hotel renoviert hat.[43]

Als Beijing im Jahr 2018 Vergeltungsmaßnahmen gegen die von US-Präsident Trump verhängten Zölle ergriff, war der chinesischen Führung bewusst, dass Iowa unter einer Beschränkung der Sojabohnenimporte aus den Vereinigten Staaten leiden würde. Iowa ist einer der landwirtschaftlich geprägten Staaten im Mittleren Westen, die bei der Wahl im Jahr 2016 von den Demokraten zu den Republikanern überliefen, was einer der Gründe dafür war, dass Beijing in den ersten Wochen des Handelskonflikts die Zeitung *Des Moines Register* für die Veröffentlichung von *China Daily* als Beilage bezahlte. Aber der Schuss ging nach hinten los: Anstatt die Bürger Iowas dazu zu bewegen, die Regierung in Washington unter Druck zu setzten, löste die Maßnahme Empörung im Weißen Haus aus, und Trump bezeichnete die Beilage als ausländische Einmischung.

Formbare Bürgermeister

Die KPCh bedient sich auf allen Regierungsebenen »nützlicher Idioten« (ein häufig Lenin zugeschriebener Begriff) und solcher Personen, die de facto als Anhänger des Regimes zu betrachten sind. Wenn sich im Zentrum Widerstand gegen das Vorgehen Beijings rührt, werden die örtlichen Beeinflussungsaktivitäten möglicherweise intensiviert. Die Beziehungen zur Peripherie, die oft über viele Jahre gepflegt werden, verringern die Bereitschaft der politischen Eliten, auf Hinweise zu reagieren, dass die Infiltrationsbemühungen, die wirtschaftliche Ausbeutung und die Nötigungsversuche der KPCh zunehmen. Anne-Marie Brady hat darauf hingewiesen, dass die CPAFFC ein jährliches chinesisch-neuseeländisches Forum für Bürgermeister organisiert, bei dem über Tourismus, Bildung und Landwirtschaft diskutiert wird.[44] Am Forum 2018 in Wellington nahm eine 90-köpfige Delegation teil, der auch sieben Funktionäre des Freundschaftsverbands angehörten.[45] Die Gemeinde Wellington gab 100 000 neuseeländische Dollar für ein Festbankett aus, und der Bürgermeister der Stadt erklärte das Forum zu einem »überwältigenden Erfolg«.

Der chinesische Generalkonsul in Vancouver in der kanadischen Provinz British Columbia gibt seit einigen Jahren Cocktailempfänge beim Jahrestreffen lokaler Regierungsvertreter, der Union of British Columbia Municipalities.[46] Anscheinend hat keine ausländische

Regierung außer der chinesischen versucht, Einfluss auf diese Politiker zu nehmen; weshalb macht sich Beijing also die Mühe? Ein Beobachter erklärte, die chinesischen Diplomaten hätten diese Begegnungen genutzt, um »die Hohlköpfe zu taxieren«.[47] Nachdem einige Empfänge ohne Kontroversen über die Bühne gegangen waren, gaben im Jahr 2019 mehrere Lokalpolitiker einschließlich des Bürgermeisters von Vancouver bekannt, das nächste Treffen boykottieren zu wollen. Sie reagierten auf Medienberichte und den Druck einer Öffentlichkeit, die empört über die chinesischen Versuche war, Kanada nach der Verhaftung der Huawei-Managerin Meng Wanzhou unter Druck zu setzen. Der Bürgermeister von Port Coquitlam, Brad West, bezeichnete Chinas Beteiligung an den Empfängen als unethisch und sprach von »Geld für Zugang«.[48]

Als Bürgermeister von Vancouver erwarb sich Gregor Robertson zwischen 2008 und 2018 einen ausgezeichneten Ruf als Politiker, der sich für eine nachhaltige, grüne Stadt einsetzte. Im Jahr 2010 besuchte er, wenige Monate nachdem China die globalen Klimaverhandlungen in Kopenhagen torpediert hatte, Shanghai, wo er behauptete, China betreibe eine bessere Umweltpolitik als die westlichen Länder. Doch daheim in Kanada fiel vor allem seine Erklärung auf, China verdanke seine bessere Umweltpolitik einem überlegenen Regierungssystem. Die Zeitung *Globe and Mail* bemerkte, Robertson höre sich an wie jene, die seinerzeit Mussolini gepriesen hatten, weil er dafür gesorgt hatte, dass die Züge pünktlich waren.[49]

Gregor Robertson ist stolz darauf, ein Nachfahre Norman Bethunes zu sein, eines der wertvollsten »alten Freunde« Chinas.[50] Im Jahr 2018 entschuldigte sich Robertson nach intensiver Agitation von Einheitsfrontgruppen im Namen der Stadt für das Unrecht, das Einwohnern chinesischer Herkunft in der Vergangenheit angetan worden sei.[51] Wie viele westliche Länder hatte Kanada guten Grund, um Verzeihung zu bitten, aber die Entschuldigung des Bürgermeisters gab den Propagandisten in China eine ausgezeichnete Gelegenheit, bei den Chinesen einschließlich derer im Ausland das Gefühl der Kränkung zu verstärken. Das Regime in Beijing schürt den nationalen Groll wegen des in der Vergangenheit erlittenen Unrechts und präsentiert die Partei als Antwort auf die historische Demütigung. Robertsons Bitte um Verzeihung wurde vom Chinesischen Zentralfernsehen CCTV ausgestrahlt.

Es war ein Beispiel dafür, wie die KPCh einen legitimen Diskurs über gesellschaftliche Gerechtigkeit zynisch missbraucht.[52] Es ist kein Zufall, dass die Einheitsfrontgruppen Monumente zur Erinnerung an das Massaker von Nanking im Jahr 1937 errichteten: Diese Gedenkstätten dienen nicht dem stillen Gedenken an die Opfer eines grauenhaften Verbrechens, sondern sollen das chauvinistische Ressentiment gegenüber dem Ausland schüren. Gleichzeitig behandelt das Regime die Minderheiten in China ähnlich rassistisch wie die westlichen Länder im 19. und frühen 20. Jahrhundert die Chinesen behandelten; eines Tages werden Monumente errichtet, um an die Verfolgung dieser Minderheiten zu erinnern.

Im Jahr 2019 wurde Gregor Robertson zum Botschafter des Globalen Konvents der Bürgermeister für Klima und Energie ernannt. Dem Konvent, der im Jahr 2015 in Reaktion auf das Scheitern der nationalen Regierungen im Bemühen um einen Klimapakt ins Leben gerufen wurde, gehören 9200 Städte in aller Welt an, die sich zu entschlossenen Maßnahmen zur Verringerung der Treibhausgasemissionen verpflichtet haben.[53] Robertson wird in alle Welt reisen und sich mit internationalen und lokalen Umweltschutzgruppen treffen. Und sofern sich seine rosige Vorstellung von der Lage Chinas unter der KPCh nicht geändert hat, ist zu erwarten, dass er die Errungenschaften des chinesischen Regimes in aller Welt als positiv, aufrichtig und freundlich beschreiben wird.

Für die KPCh ist kein lokales Ereignis zu unbedeutend, um ihre Macht geltend zu machen. Im Jahr 2018 schlug der Stadtrat der abgelegenen australischen Ortschaft Rockhampton (80 000 Einwohner) gemeinsam mit der örtlichen Fleischindustrie vor, einen großen Stier aus Pappmaché aufzustellen, der mit selbst gemalten, fischförmigen Flaggen der zahlreichen Herkunftsländer der Schulkinder der Stadt geschmückt werden sollte. Der Stier sollte ein Monument für die kulturelle Diversität von Rockhampton sein. Zwei Schüler malten kleine taiwanesische Flaggen, weil ihre Mutter aus diesem Land stammte. Als der Bulle ausgestellt wurde, mussten diese beiden Schüler zu ihrer großen Enttäuschung feststellen, dass ihre Flaggen von Mitarbeitern der Stadtverwaltung übermalt worden waren. Wie sich herausstellte, war beim Stadtrat eine Beschwerde des chinesischen Vizekonsuls in Brisbane eingegangen, der Hauptstadt des Bundesstaats Queensland. Die Mutter der beiden Schüler, Amy Chen, erklärte, ihre Kinder seien »sehr betrübt und enttäuscht« über die Entscheidung des Stadtrats.[54]

Die Bürgermeisterin von Rockhampton versuchte, die Stadt mit der Erklärung zu verteidigen, das Vorgehen entspreche der »Ein-China-Politik« Australiens, so als hätte das irgendetwas mit einem Kunstprojekt von Schulkindern in einer Kleinstadt zu tun. Außerdem nimmt das Land lediglich »zur Kenntnis«, dass China Anspruch auf Taiwan erhebt, aber entgegen wiederholter Behauptungen der KPCh und ihrer Sympathisanten befürwortet Australien die chinesische Position nicht.

Unterstützung für die »Neue Seidenstraße« in der deutschen »Peripherie«

Im Jahr 2019 untersuchte die unter anderem auf Einheitsfrontpolitik spezialisierte Journalistin Didi Kirsten Tatlow die Aktivitäten der entsprechenden Organisationen in Deutschland. Es war die erste derartige Recherche. Tatlow fand heraus, dass es in ihrem Land mehr als 190 chinesische Gruppen gab, die »direkte Verbindungen zur Einheitsfrontbürokratie« in Beijing hatten,[55] darunter Berufsverbände, Wirtschaftsvereine, Medien und chinesische Unterstützungszentren (siehe dazu auch Kapitel 7).[56]

Wie in anderen Ländern gehen auch in Deutschland zahlreiche Einrichtungen Partnerschaften mit chinesischen Organisationen ein, vermutlich ohne sich der Tatsache bewusst zu sein, dass sie sich mit der KPCh zusammentun. Beispielsweise arbeitet die Deutsch-Chinesische Wirtschaftsvereinigung mit dem von der KPCh betriebenen Chinesischen Rat für die Förderung des internationalen Handels zusammen.[57] Zu den wichtigsten Dachorganisationen, die Tatlow identifiziert hat, zählt die Arbeitsgemeinschaft Deutscher China-Gesellschaften. Das Fundament für diese Organisation wurde im Jahr 1993 gelegt, als ein Musikzentrum in Mainz das Angebot der Gesellschaft des Chinesischen Volkes für Freundschaft mit dem Ausland (CPAFFC) erhielt, einen Auftritt eines chinesischen Lautenensembles zu organisieren. Kurt Karst, der Gründer des Musikzentrums, wusste zu jener Zeit möglicherweise nicht, was die CPAFFC war, und nahm das Angebot an.[58] Heute ist Karst nicht nur Vorsitzender der Gesellschaft für Deutsch-Chinesische Freundschaft Mainz-Wiesbaden, sondern auch Präsident der Arbeitsgemeinschaft Deutscher China-Gesellschaften, welche die Freundschaftsvereine in ganz Deutschland koordiniert. An der Gründung der Arbeitsgemeinschaft im Jahr 2016 nahmen chinesische Diplomaten, Vertreter der CPAFFC und deutsche Amtspersonen teil.[59] Zwei Jahre später schloss die Arbeitsgemeinschaft in Beijing eine Kooperationsvereinbarung mit der Freundschaftsgesellschaft.[60] Hier haben wir ein klassisches Beispiel für eine Zusammenarbeit zwischen einer Einrichtung der Zivilgesellschaft mit einer der KPCh unterstehenden Organisation, die von einem Parteikader mit Ministerial- oder Vizeministerialrang geleitet wird. Die deutsche Arbeitsgemeinschaft hat chinesische Propaganda für die Seidenstraßen-Initiative wortwörtlich abgedruckt, darunter Reden von Xi Jinping und seine Behauptung, Ziel der Initiative seien »Frieden und Wohlstand«.[61]

Der Vizepräsident der Arbeitsgemeinschaft Deutscher China-Gesellschaften ist Johannes Pflug, ein ehemaliger SPD-Abgeordneter im deutschen Bundestag (1998–2013), der ehemalige Vorsitzende der Deutsch-Chinesischen Parlamentariergruppe im Bundestag und jetzt im Vorstand des neu gegründeten Netzwerks China-Brücke.[62] Im Jahr 2016 wurde Pflug im Beisein des chinesischen Generalkonsuls zum China-Beauftragten der Stadt Duisburg ernannt. In der Pressemitteilung zu dieser Ernennung bezeichnete Duisburg sich als »integrale[n] Bestandteil« der Seidenstraßen-Initiative.[63] Pflug ist in von deutschen Lokalmedien ausgestrahlten Videos aufgetreten, in denen für die

»Neue Seidenstraße« geworben wird,[64] und wird auch von Medien interviewt, mit denen die KPCh die europäische Öffentlichkeit beeinflussen möchte, darunter *Nouvelles d'europe* und die deutsche Online-Ausgabe des offiziellen Parteiorgans *People's Daily*.[65] Pflug ist auch Vorsitzender des China Business Network in Duisburg, das Unternehmen mit Interessen in China zusammenbringt, aber auch mit dem lokalen Konfuzius-Institut zusammenarbeitet.[66]

Die meisten deutschen Lokalregierungen haben Verbindungen nach China, aber einige pflegen besonders enge politische und wirtschaftliche Kontakte. In Nordrhein-Westfalen gibt es eine Reihe von Städten, die regen Kontakt zu China pflegen und sich für eine engere Bindung an dieses Land starkmachen. Eine dieser Städte ist die Landeshauptstadt Düsseldorf, die Sitz eines chinesischen Konsulats ist und von ihrem Bürgermeister als »der bedeutendste China-Standort in Deutschland« bezeichnet wird.[67] Duisburg will sich von Huawei in eine »Smart City« verwandeln lassen, wobei die Digitalisierung Cloud-Computing-Lösungen und E-Government-Infrastrukturen beinhaltet.[68] Die Entscheidung für Huawei fiel, nachdem Bürgermeister Sören Link an der Spitze einer 19-köpfigen Delegation die Konzernzentrale in Shenzhen besucht hatte.[69] Duisburg weigert sich laut netzpolitik.org, seine Vereinbarung mit Huawei offenzulegen, und beantwortet entsprechende Anfragen mit der Erklärung, das chinesische Unternehmen habe für den Fall einer Veröffentlichung des Dokuments mit rechtlichen Schritten gedroht.[70]

Eine weitere wichtige Drehscheibe ist Hamburg, wo mehr als 550 chinesische Unternehmen Niederlassungen haben. Die Hansestadt, die den in Kapitel 4 behandelten Hamburg Summit ausrichtet, hat eine Städtepartnerschaft mit Shanghai und ist stolz darauf, eine Repräsentanz der Chinesischen Handelskammer Deutschlands zu beherbergen. (Die Handelskammer selbst wurde 2014 in Berlin gegründet.)[71] Die Hamburger Bürgerschaft ist in regelmäßigem Austausch mit dem Ständigen Politbüroausschuss und der Politischen Konsultativkonferenz von Shanghai.[72] Bürgermeister Peter Tschentscher ist voll des Lobes für die Seidenstraßen-Initiative und erklärt, Hamburg sei als internationales Handelszentrum »ein natürlicher Knoten- und Endpunkt der Neuen Seidenstraße«.[73] Das benachbarte Niedersachsen ist die Heimat von VW, das im Jahr 2018 mehr als 4 Millionen Autos in China verkaufte. Bei einem Treffen mit dem chinesischen Generalkonsul in Hamburg erklärte laut eines Berichts des Generalkonsulats der niedersächsische Wirtschaftsminister Bernd Althusmann, China sei nicht nur ein wichtiger Kooperationspartner für das Bundesland, sondern auch »eine bedeutende Kraft für den Weltfrieden«.[74]

Während die Bundesregierung die Seidenstraßen-Initiative mit Sorge betrachtet und sich davor gehütet hat, das chinesische Vorhaben gutzuheißen, hat die KPCh mehr als genug deutsche Lokalpolitiker gefunden, die das Projekt unterstützen und wissen, wie man die Regierung in Berlin unter Druck setzen kann, damit sie ihre Haltung ändert. Dieselbe Taktik wird rund um den Erdball systematisch angewandt.

Städtepartnerschaften

Partnerschaften zwischen Städten und Bundesstaaten/Provinzen haben sich für die KPCh als wirksames Mittel zur Einflussnahme auf lokale Gemeinschaften erwiesen. In der Hoffnung auf gute wirtschaftliche Beziehungen werden kontinuierlich neue Partnerschaften geschlossen. Aber auch hier mangelt es den meisten Lokalregierungen an einem grundlegenden Verständnis der politischen Ziele, die das chinesische Regime mit solchen Kooperationen verfolgt.

Im Westen wird die Entscheidung, eine Städtepartnerschaft einzugehen, vom Stadt- oder Gemeinderat gefällt. In China hingegen werden derartige Kooperationen von der Freundschaftsgesellschaft CPAFFC koordiniert, den Jichang Lulu als »wichtigstes Instrument der ›Volksdiplomatie‹ im außenpolitischen System der KPCh« bezeichnet.[75] Unter der Flagge der Städtepartnerschaften verfolgt die CPAFFC systematisch die politischen und strategischen Ziele der Partei. Funktionäre knüpfen Beziehungen, die genutzt werden können, um Druck auszuüben, sobald eine Partnerstadt ein Vorhaben verfolgt, das dem Regime in Beijing missfällt, zum Beispiel wenn sie Beziehungen zu Taiwan (einschließlich kultureller Aktivitäten) oder zum Dalai Lama unterhält.[76]

Nach einigen Jahren im Schatten wurde die CPAFFC vor etwa einem Jahrzehnt aufgepäppelt, um »Ausländer dazu zu bewegen, die außenpolitischen Ziele Chinas zu unterstützen und zu fördern«, wie es Brady ausdrückt.[77] Das Wort »Volk«, das im Namen der CPAFFC und anderer Organisationen verwendet wird, ist ein von der Partei besetzter Begriff, der nicht im Sinn einer vom Staat unabhängigen Zivilgesellschaft verstanden werden sollte, weshalb Städtepartnerschaften in Wahrheit dazu dienen, Beziehungen zwischen der Partei und anderen Völkern aufzubauen. Bürger westlicher und anderer Länder, die sich um echtes Verständnis und eine harmonische Beziehung zum chinesischen Volk bemühen, werden von der KPCh für deren Zwecke ausgenutzt.

In den Beziehungen zwischen Städten oder Bundesstaaten/Provinzen bietet sich eine weitere Gelegenheit für die Anwendung der Taktik »Das Land einsetzen, um die Stadt zu umzingeln«. Die KPCh bedient sich einer Sprache, in der von internationaler Zusammenarbeit und Weltfrieden die Rede ist, aber tatsächlich ist für die Partei »jeglicher Austausch politischer Natur und wird hoffentlich einen politischen Nutzen haben«.[78] Ein Lehrbeispiel dazu ist die Beziehung des amerikanischen Bundesstaats Maryland zu China. Maryland, das an den Hauptstadtdistrikt Columbia angrenzt, beherbergt zahlreiche Forschungsstätten, Sicherheitsorganisationen und Nachrichtendiensteinrichtungen der Bundesregierung, vom Goddard-Raumfahrtzentrum der NASA bis zur National Security Agency (NSA) und der Bundessteuerbehörde Internal Revenue Service (IRS).[79] Außerdem sind dort 14 militärische Einrichtungen angesiedelt, darunter das U.S. Cyber Command in Fort Meade und das Naval Surface Warfare Center. Zehntausende Beschäftigte dieser Einrichtungen, die teilweise Zugang zu streng vertraulichem Material haben, leben in Maryland.

Die Beziehungen Marylands zu China reichen weit zurück. In einer Zeit, in der die Beziehungen harmloser waren, nahm dieser Staat zahlreiche chinesische Einwanderer auf. Maryland unterzeichnete bereits 1980 als erster amerikanischer Bundesstaat eine Partnerschaftsvereinbarung mit einer chinesischen Provinz (Anhui).[80] In Rockville im County Montgomery, das als »das neue Chinatown für die Region« bezeichnet wird,[81] leben rund 50 000 Amerikaner chinesischer Herkunft. (Die Regierung von Montgomery dachte eine Weile sogar darüber nach, das chinesische Neujahrsfest zu einem schulfreien Tag zu machen.[82]) Maryland ist der Sitz der USA-China Sister Schools Association, die Bildungs- und Kulturaustauschprogramme in Sekundarschulen im Distrikt Columbia organisiert.[83]

Die University of Maryland war eine der ersten Hochschulen, die Beziehungen zu chinesischen Einrichtungen knüpfte, und nahm im Jahr 2004 als erste Universität in den Vereinigten Staaten (und als erst zweite weltweit) ein Konfuzius-Institut auf.[84] Mittlerweile hat sie zahlreiche Studenten aus China, bietet etliche Kurse für chinesische Kader an und betreibt mehrere gemeinsame Forschungsprojekte mit chinesischen Einrichtungen. Als im Jahr 2017 eine chinesische Studentin namens Yang Shuping in ihrer Rede bei der Abschlussfeier ihres Jahrgangs ihrer Freude über die »frische Luft der Redefreiheit« in den Vereinigten Staaten Ausdruck verlieh, startete die Chinese Students and Scholars Association (CSSA) eine Kampagne gegen Yang und bezichtigte sie des Vaterlandsverrats.[85] Das Parteiorgan *People's Daily* beschuldigte sie, »negative China-Stereotypen zu verbreiten«.[86] Vertreter der chinesischen Botschaft in Washington lobten die CSSA für ihre Loyalität und ermutigten andere Auslandschinesen zu ähnlichen Stellungnahmen. Yangs Familie in China wurde schikaniert, und die junge Frau wurde mit Drohungen überhäuft. Sie sah sich zu einer unterwürfigen Entschuldigung gezwungen. Der Universität muss zugutegehalten werden, dass sie die Meinungsfreiheit ihrer Studenten verteidigte (obwohl sie kaum etwas anderes hätte tun können).[87] Möglicherweise zur Vergeltung fiel die Zahl der Teilnehmer in den für die Universität lukrativen Ausbildungsprogrammen für chinesische Beamte. Auch die Zahl chinesischer Studenten sank.[88]

Im ebenfalls zu Maryland gehörenden Howard County liegt Columbia, das 100 000 Einwohner hat, von denen viele in wichtigen, sicherheitskritischen Regierungsbehörden arbeiten. Als Columbia beschloss, eine Partnerschaft mit einer chinesischen Stadt einzugehen, entschloss es sich, ein Komitee mit der Suche nach einem geeigneten Partner zu beauftragen.[89] Die Wahl fiel auf Liyang. Anscheinend waren noch sieben andere chinesische Städte infrage gekommen, aber Delegationen aus Liyang hatten seit einigen Jahren Werbung für ihre Stadt gemacht.[90] Die Anregung zur Städtepartnerschaft zwischen Columbia und Liyang gab Wu Chau aus Clarksville, der stellvertretende Vorsitzende des China Sister City Planning Committee von Columbia.[91] Während seines Promotionsstudiums an der University of Maryland zu Beginn des Jahrtausends war Wu Präsident der Chinese Students and Scholars Association und organisierte im Jahr 2018 gemeinsam mit seinen Kameraden Studentenproteste gegen die Pro-Tibet-Bewegung; außerdem leitete er eine Kampagne gegen Personen, die sich negativ über die Vergabe der Olympischen Spiele an Beijing äußerten.[92]

Die Vereinbarung wurde von einer Frau namens Han Jun vermittelt, die in Rockville eine Organisation namens Success International Mutual Liaison Services betreibt.[93] Berichten zufolge wurde sie »von China beauftragt, eine Partnerstadt an der Ostküste zu finden«,[94] was darauf hindeutet, dass sie Verbindungen zur CPAFFC hat. Außerdem hat sie enge Kontakte zu hochrangigen Regierungsbeamten in Liyang, darunter der Bürgermeister und der Leiter des Provinzbüros des chinesischen Außenministeriums, das für die CPAFFC verantwortlich ist.[95]

Im Jahr 2016 wurden Wu Chao und Han Jun von Alliance Cultural Media Inc., einem chinafreundlichen Medienunternehmen, mit Verbindungen zu chinesischen Parteiorganen, als »herausragende Chinesen in der Greater DC Area« nominiert.[96] Wu Chao wurde auch vom Büro für auslandschinesische Angelegenheiten als Rollenmodell für *huaren canzheng* präsentiert, das Programm, mit dem die Partei jene Amerikaner chinesischer Herkunft zu politischer Aktivität ermutigt, die aus ihrer Sicht verlässlich, also KPCh-freundlich sind.[97] Im Jahr 2018 wurde er in den Bildungsausschuss des Howard County gewählt.[98]

Maryland hat sich als geeignetes Terrain für Einheitsfrontaktivitäten erwiesen. Eine Reihe prominenter Bürger – darunter der Leiter eines medizinischen Zentrums, ein Ingenieur an der Georgetown University und ein Wissenschaftler am National Institute of Health – haben Verbindungen zur KPCh oder zu von der Partei gelenkten Organisationen.[99] Die politische Aktivistin Helen He (He Xiaohui) aus Maryland wurde im Jahr 2018 zur Präsidentin der National Association for China's Peaceful Unification in Washington ernannt; dies ist der amerikanische Ableger des Chinesischen Rats für die Förderung der friedlichen nationalen Wiedervereinigung, einer Behörde der KPCh (siehe Schaubild im Vor- und Nachsatz).[100] Bei ihrem Amtsantritt versprach sie, sie werde »unermüdlich für die große Wiederauferstehung der chinesischen Nation arbeiten«.[101] Helen He beteiligt sich aktiv an chinesischen Beeinflussungsaktivitäten in Maryland und wird oft als Sprecherin der dortigen chinesischen Gemeinde vorgestellt, wenn sie »antichinesisches« Verhalten der amerikanischen Regierung anprangert.[102]

Angesichts der Tatsache, dass die feierliche Ernennung von einem hochrangigen Vertreter der chinesischen Botschaft geleitet wurde, schrieb Bethany Allen-Ebrahimian, dass Helen He mittlerweile »das wichtigste Bindeglied zwischen der Kommunistischen Partei Chinas und der chinesisch-amerikanischen Gemeinde im Großraum Washington« sei. Ein Beleg für ihre Bedeutung ist, dass sie im Jahr 2009 als Auslandsdelegierte an der Politischen Konsultativkonferenz des Chinesischen Volkes (PKKCV) teilnahm, eine Ehre, die Personen vorbehalten ist, die ihren Wert für die Partei unter Beweis gestellt haben.[103]

Dass die KPCh Städtepartnerschaften als Instrument der politischen Einflussnahme betrachtet, zeigt auch der Fall Prags. Im Jahr

2019 beschloss das Rathaus der tschechischen Hauptstadt, die Partnerschaft mit Beijing zu beenden, nachdem sich die chinesische Seite geweigert hatte, eine Bestimmung über die »Ein-China-Politik« aus der Vereinbarung zu streichen.[104] Prags neuer Bürgermeister Zdenek Hrib von der progressiven Piratenpartei erklärte, es solle sich um eine kulturelle Partnerschaft handeln, während die »Ein-China«-Klausel eine Frage der internationalen Politik sei. Das chinesische Regime war daran gewöhnt, in der Tschechischen Republik mit ihrem unterwürfigen, Beijing-freundlichen Präsidenten Milos Zeman stets seinen Willen durchzusetzen, und reagierte wütend. Die chinesische Botschaft verlangte von Prag, seine Entscheidung rückgängig zu machen, wenn es nicht riskieren wolle, dass »seine eigenen Interessen leiden werden«. In China wurden Konzerte von Orchestern abgesagt, die die Bezeichnung »Prag« im Namen führen. Zwei Monate nach der Kündigung der Städtepartnerschaft mit Beijing gab die Prager Stadtregierung ihren Entschluss bekannt, stattdessen Taipeh zur Partnerstadt zu machen.[105]

Die Reaktion auf die Entscheidung Prags verriet, worum es dem Regime in Beijing bei solchen Kooperationsvereinbarungen wirklich geht.

6

DAS WIRTSCHAFTSKONGLOMERAT DER PARTEI

Die Partei und die Unternehmen

Als US-Präsident Trump 2018 den Handelskrieg mit China begann, las er aus einer langen Liste chinesischer Verstöße gegen die Spielregeln der freien Märkte vor, darunter Währungsmanipulationen, die Überschwemmung des amerikanischen Markts mit subventionierten Gütern, die zu Dumpingpreisen angeboten wurden, und die Nötigung amerikanischer Unternehmen, in China Jointventures zu gründen, was sie wehrlos gegenüber dem Technologiediebstahl machte. Im Jahr 2016 hatte dies andere Industrieländer dazu bewegt, China den von Beijing herbeigesehnten Status einer Marktwirtschaft zu verweigern.

Jede chinesische Botschaft misst den Wirtschaftseliten bei der Analyse der Machtzentren eines Landes große Bedeutung bei. Sowohl chinesische Unternehmen, die im Ausland operieren, als auch westliche Unternehmen mit Interessen in China sind wichtige Vermittler der Einflussnahme der KPCh. Die meisten chinesischen Unternehmen, die im Ausland tätig sind, tun dies aus eigenen geschäftlichen Gründen, aber der Einparteienstaat verlangt gleichzeitig von ihnen, seinen Interessen zu dienen. Die Unternehmen profitieren von guten Beziehungen zu hochrangigen Parteikadern und werden bestraft, wenn sie der Partei nicht gehorchen. Im Jahr 2017 wurde die Verpflichtung chinesischer Unternehmen, sich weltweit in den Dienst der Geheimdienste zu stellen, gesetzlich festgeschrieben.[1]

Als die KPCh die chinesische Wirtschaft für die Marktkräfte öffnete, hatte sie nicht vor, sich aus der Wirtschaft zurückzuziehen. Sie wollte den leninistischen Staatsapparat eher um Aspekte des modernen Kapitalismus erweitern und ein neues Modell des leninistischen Kapitalismus entwickeln. Die Stärkung der Marktkräfte führte nicht zu einer Schwächung des Parteistaats – tatsächlich ist dieser heute mächtiger als je zuvor, weil es ihm gelungen ist, die Marktkräfte in seinen Dienst zu stellen.

In der westlichen Welt ging die Stabilisierung des Privateigentums und der Märkte historisch mit der Entwicklung eines unabhängigen Justizsystems einher, das Streitigkeiten nach Maßgabe gesetzlich festgeschriebener Prinzipien beilegen konnte. Neben dem Strafrecht setzte sich das Konzept der Rechtsstaatlichkeit durch. Es kann nicht oft genug betont werden, dass es in China keine Rechtsstaatlichkeit gibt. In diesem Land gibt es keine Herrschaft *des* Gesetzes, sondern eine Herrschaft *durch* das Gesetz, das heißt, das Recht wird als Herrschaftsinstrument eingesetzt.[2] Die Kommunistische Partei sagt es ganz deutlich: Sie entscheidet über die Gesetze, und ihre Interessen haben Vorrang vor allen widersprüchlichen Interessen. Die Gerichte müssen den Interessen der Partei dienen. Rechtsanwälte, die sich so verhalten, als gäbe es einen Rechtsstaat, finden sich im Gefängnis wieder.[3]

Die Staatsbetriebe, die für rund ein Drittel der chinesischen Industrieproduktion verantwortlich sind, werden gestärkt. Ihre Spitzenmanager werden von der mächtigen Organisationsabteilung der KPCh ernannt. Präsident Xi erklärte im Jahr 2016, die Staatsbetriebe müssten zu »wichtigen Kräften bei der Umsetzung« der Entscheidungen der Partei werden, und ihre Leitungsgremien sollen bei wichtigen Entscheidungen das interne Parteikomitee zurate ziehen.[4] Aber die Kontrolle durch die Partei ist nicht auf Staatsbetriebe beschränkt. In praktisch allen großen und mittelständischen Privatunternehmen einschließlich solcher, die im Ausland tätig sind, gibt es Parteikomitees, wobei der Anteil in wichtigen Sektoren wie dem Internet höher ist.[5] Der Parteisekretär ist in vielen Fällen befugt, Führungskräfte zu ernennen und zu entlassen und Mitglieder des Leitungsgremiums zu nominieren; er kann dem Vorstand oder der Geschäftsführung vorstehen oder eine leitende Position bekleiden.[6] Im Jahr 2016 wurde berichtet, dass der Sekretär des Parteikomitees und der Vorstandsvorsitzende von nun an dieselbe Person sein müssten.[7]

Als bekannt wurde, dass die Statuten der vier größten Banken Chinas die Leitungsgremien verpflichten, bei wichtigen Entscheidungen die Meinung des Parteikomitees zu berücksichtigen, erklärte David Webb, ein unabhängiger Investor und Aktionärsaktivist in Hongkong: »Das ruft den Investoren in Erinnerung, dass sie sich in einen Parteiapparat einkaufen.«[8] Dasselbe gilt für ausländische Firmen, die in China tätig werden. Sie brauchen für die Ernennung von Spitzenmanagern oft die Zustimmung der Partei.[9] Ein sachkundiger Beobachter, Yi-Zheng Lian, bezeichnet die moderne chinesische Wirtschaft als »Partei-Unternehmens-Konglomerat«.[10] Vor einigen Jahren war es noch plausibel zu argumentieren, dass die KPCh eine fortschreitende wirtschaftliche Liberalisierung zulassen würde, aber mittlerweile ist klar, dass sich die Partei entschlossen in die entgegengesetzte Richtung bewegt.

Die Verbindungen zwischen hochrangigen Parteifunktionären und Unternehmen sind sowohl persönlicher als auch politischer Natur. Die Parteikader sind zumeist finanziell an den Unternehmen beteiligt, normalerweise durch Familienmitglieder oder Strohfirmen. Sogar die Familie von Xi Jinping, der hart gegen die Korruption vorgeht, hat ein gewaltiges Vermögen im Ausland versteckt.[11] Bestimmte Unternehmen wie die geheimnisumwitterte HNA Group (deren Chef im Jahr 2018 in Frankreich einen tödlichen Sturz von einer Mauer erlitt) werden anscheinend eingesetzt, um den Reichtum hochrangiger Parteifunktionäre und ihrer Familien zu verstecken, zu schützen und zu mehren.[12]

Eine im Jahr 2018 veröffentlichte wissenschaftliche Studie hat anhand einer Stichprobe von rund 25 Politbüromitgliedern gezeigt, dass Firmen, die mit solchen hochrangigen Kadern verbunden waren, beim Kauf von Grundstücken von Lokalregierungen weniger als die

Hälfte des Preises zahlen mussten, den Käufer ohne politische Verbindungen zu berappen hatten.[13] Und Firmen mit Verbindungen zu Mitgliedern des Machtzentrums, des siebenköpfigen Ständigen Ausschusses des Politbüros, erhielten sogar einen Preisnachlass von 75 Prozent. Die lokalen Kader, die ihnen derart gute Geschäfte ermöglichten, erwarteten im Gegenzug Beförderungen. Wie Minxin Pei in einer umfangreichen, 2016 veröffentlichten Studie gezeigt hat, werden diese Beförderungen ihrerseits durch Bestechungsgelder monetarisiert, die man den Kadern der unteren Ebenen und Geschäftsleuten abnimmt.[14] Die zuvor genannte Studie von 2018 zeigte ebenfalls, dass Xi Jinpings Kampagne zur Korruptionsbekämpfung nur zu einem geringfügigen Rückgang der Preisnachlässe für hohe Parteifunktionäre führte.

Genosse Milliardär

Manche Manager und Wirtschaftsexperten im Westen und sogar einige Wissenschaftler halten immer noch an der Behauptung fest, die Partei spiele in Privatunternehmen lediglich eine formale Rolle, aber in der Ära Xi ist diese Einschätzung weit von der Realität entfernt. Jeder Geschäftsführer eines großen Unternehmens, der sich weigert, eine Anweisung der Partei zu befolgen, wird rasch in Schwierigkeiten geraten und sein Vermögen verlieren. Die Behauptung des Huawei-Gründers Ren Zhenfei, er würde sich jeder Anweisung der Partei widersetzen, Daten an chinesische Geheimdienste weiterzugeben, erscheint lächerlich.[15]

Mit dem chinesischen Nachrichtendienstgesetz von 2017 wurden alle Bürger und Organisationen verpflichtet, jeder Anweisung zur Kooperation mit der »nationalen Aufklärungsarbeit« zu gehorchen, aber mit diesem Gesetz wurde lediglich eine seit Langem bestehende Praxis formal festgeschrieben. (Indem die Parteiführung diese Verpflichtung explizit gesetzlich festgehalten hat, hat sie sich selbst in den Fuß geschossen, denn die Bestimmung wird im Westen regelmäßig als

Beleg dafür herangezogen, dass sich ein Unternehmen wie Huawei nicht weigern kann, mit den chinesischen Geheimdiensten zusammenzuarbeiten.[16])

Privatunternehmen wollen mit der Einrichtung eines Parteikomitees möglicherweise nicht die Sache des Regimes unterstützen, sondern sich einfach politischen Schutz sichern und nützliche Kontakte knüpfen. Aber das Resultat ist dasselbe. Man muss sehr leichtgläubig sein, um mächtigen chinesischen Industriemagnaten zu vertrauen, die der Partei unverbrüchliche Treue geloben, wie es Richard Liu von JD.com (»der chinesische Jeff Bezos«) tat, als er erklärte, der Kommunismus werde »in dieser Generation verwirklicht werden«.[17] Als Xu Jiayin, Leiter und Parteisekretär einer der größten chinesischen Immobilienfirmen, erklärte, dass »das Unternehmen alles, was es besitzt, der Partei verdankt«, und als der Schwerindustriemagnat Liang Wengen sagte, sein Leben gehöre der Partei, sagten beide die Wahrheit, wenn es auch nicht die beabsichtigte Wahrheit war.[18]

Anfang des neuen Jahrtausends begann die KPCh, Kapitalisten und Spitzenmanager in den Parteiapparat einzubinden und im Gegenzug für amtliche Gefälligkeiten in die Befehlskette zu integrieren. Milliardäre, Banker und Unternehmensleiter wurden in die Politische Konsultativkonferenz des Chinesischen Volkes (PKKCV) berufen. Sogar ein Starunternehmer wie Jack Ma, der Gründer des E-Commerce-Riesen Alibaba, der Ende 2019 ein Vermögen von 42 Milliarden Dollar besaß, unterwirft sich der Parteidisziplin; beispielsweise hat er öffentlich erklärt, es sei die »richtige Entscheidung« gewesen, die Panzer loszuschicken, um die Studentenbewegung auf dem Tiananmenplatz niederzuwalzen.[19]

Wie eng der Parteistaat mit der Privatwirtschaft verflochten ist, zeigt sich auch daran, dass die Geschäftsführer der größten Technologiefirmen des Landes, darunter Pony Ma von Tencent und Robin Li von Baidu, zu den Delegierten der PKKCV 2018 zählten.[20] Am Ende des Jahres gab das Parteiorgan *People's Daily* preis, dass Jack Ma seit den achtziger Jahren Parteimitglied ist.[21] Und dasselbe gilt für die Leiter der meisten großen Technologiefirmen.[22]

Unabhängig davon, ob sie aus Opportunismus, ideologischer Überzeugung oder Patriotismus an den wichtigen Parteiveranstaltun-
gen teilnehmen, zeigen diese Unternehmer damit ihre Ergebenheit
gegenüber der KPCh. Im Jahr 2018 erklärte Wang Xiaochuan, der Geschäftsführer des Technologieriesen Sogou, in einer Rede vor Wirtschaftsführern, sie stünden an der Schwelle zu einer Ära, in der ihre
Unternehmen mit der Partei »verschmolzen« würden; der Staat könne
sie auffordern, ein Parteikomitee einzurichten oder Staatsbetrieben
Anteile abzutreten. Sie sollten sich nicht widersetzen, denn wenn sie
glaubten, ihre Interessen seien nicht deckungsgleich mit denen des
Staates, würden sie »vermutlich feststellen, dass die Dinge schmerz-
haft sind, *schmerzhafter als in der Vergangenheit*«.[23]

Besonders deutlich wird die Einheit von Wirtschaft und Parteistaat
in China in der Politik der »zivil-militärischen Fusion«.[24] Die militärische Modernisierung Chinas beruht auf dieser Verschmelzung, die
sehr viel tiefer geht und umfassender ist als im amerikanischen mili-
tärisch-industriellen Komplex und darauf zielt, Verteidigung, Sicherheit und wirtschaftliche Interessen miteinander zu integrieren. Seit Xi
Jinpings Machtantritt im Jahr 2012 ist die zivil-militärische Fusion ein
Bestandteil von fast allen großen strategischen Initiativen, darunter
Made in China 2025, der Next Generation Artificial Intelligence Plan
und die Seidenstraßen-Initiative.[25]

Amerikas »globalistische Milliardäre«

Im November 2018 holte Peter Navarro, der handelspolitische Berater
des Weißen Hauses, der ein wichtiger Akteur in Präsident Trumps
Handelskrieg mit China war, zu einem Rundumschlag gegen die
»globalistischen Milliardäre« an der Wall Street aus.[26] Er beschuldigte
eine »selbsternannte Gruppe von Wall Street-Bankern und Hedge-
fonds-Managern«, eine eigene Pendeldiplomatie mit China zu betreiben und die Verhandlungsstrategie der amerikanischen Regierung
zu untergraben, indem sie gewaltigen Druck auf das Weiße Haus aus-

übten, damit es den Chinesen nachgebe. Er ging sogar so weit, die Finanzelite als »nicht registrierte ausländische Agenten« zu bezeichnen, die an Beijings Manipulationsoperationen in Washington teilnähmen.

Enthielten diese wilden Vorwürfe einen wahren Kern?

Mit dem Vorwurf der Pendeldiplomatie der Wall Street-Banker bezog sich Navarro vermutlich auf ein Treffen im September 2018, an dem Führungskräfte von Goldman Sachs, Morgan Stanley, der Blackstone Group und anderer Finanzgesellschaften teilgenommen hatten. Ihr Gesprächspartner: der stellvertretende chinesische Ministerpräsident Wang Qishan, Xi Jinpings mächtige rechte Hand. Und es dürfte Navarro nicht entgangen sein, dass sich Chinas Chefunterhändler Liu He jedes Mal, wenn er zu Verhandlungen in die Vereinigten Staaten kam, als Erstes mit den führenden Wall Street-Bankern traf.[27]

Beijing bemüht sich seit Langem um die Wall Street. Als Ministerpräsident Zhu Rongji im Jahr 1999 die USA besuchte, zog er sich für mehrere Tage ins Astoria Hotel in New York zurück, wo er sich mit amerikanischen Wirtschaftsführern traf. »Zhu wird anscheinend nie müde, die amerikanische Wirtschaft zu umgarnen«, schrieb die *New York Times*.[28] Die Giganten der amerikanischen Finanzwirtschaft geben seit Jahrzehnten die Richtung für die amerikanische Chinapolitik vor. Wann immer die Präsidenten Clinton, Bush und Obama China drohten, härter gegen Handelsprotektionismus, Währungsmanipulation oder Technologiediebstahl vorzugehen, machte die Wall Street ihren Einfluss geltend, um sie zu einer Kehrtwende zu bewegen.[29] Und der Druck der Wall Street trug maßgeblich zur Entscheidung der Regierung Clinton bei, Chinas Aufnahme in die Welthandelsorganisation zu unterstützen, obwohl das Land unentwegt gegen die Handelsregeln verstieß.[30] Zwanzig Jahre später schrieb die *New York Times*: »In Washington, an der Wall Street und in den Führungsetagen der Unternehmen hat Beijing die Größe und das wirtschaftliche Potenzial des Landes eingesetzt, um Widerstand im Keim zu ersticken und jene zu belohnen, die seinen Aufstieg unterstützen.« Die Finanzinstitute sind Beijings mächtigste Verbündete in Washington.[31]

Seit einiger Zeit »ermutigt« die chinesische Führung amerikanische Investoren, in börsennotierte chinesische Unternehmen zu investieren. Im Juni 2019 schrieb Josh Rogin in der *Washington Post*, dass amerikanische Investoren »ihre Anteile an chinesischen Unternehmen drastisch erhöhen, womit sie Beijing ein wichtiges Druckmittel in den Vereinigten Staaten in die Hand geben«.[32] Mittlerweile haben institutionelle US-Investoren wie Rentenfonds Milliarden Dollar in chinesische Unternehmen investiert. Und die Wall Street hilft Unternehmen aus China seit Jahren, sich Geld an den amerikanischen Börsen zu beschaffen, obwohl diese Unternehmen ihre Bücher nicht offenlegen und gegen eine Prüfung ihrer Geschäftspraktiken durch Ausländer abgeschirmt sind, was die amerikanische Wirtschaft erhöhten Risiken aussetzt.

Der Finanzsektor – Großbanken, Hedgefonds und Investmentgesellschaften – ist also ein Machtzentrum in den USA, das Beijing erkannt hat, und einen besonders wichtigen Platz in diesem Machtgefüge nimmt Goldman Sachs ein. Keine Organisation hat so bereitwillig der KPCh geholfen, Zugang zu den amerikanischen Eliten zu bekommen, und keine war dabei so wichtig. Für das chinesische Regime sind die Giganten des Finanzsektors leichte Ziele, da sich ihre Interessen mit denen Beijings decken. Mit Blick auf die gewaltigen Reichtümer, die winken, wenn Beijing eines Tages seine riesigen Finanzmärkte für Ausländer öffnet, beraten Wall Street-Manager chinesische Unternehmen beim Kauf amerikanischer Unternehmen, leihen ihnen das dafür benötigte Geld und sichern sich ihren Anteil am Verkaufserlös.[33] Ein hochrangiger Mitarbeiter des Weißen Hauses drückt es so aus: »Leute, die gerne Geschäfte machen, mögen die Kommunistische Partei Chinas sehr.«[34] Die KPCh drückt gegen eine Tür, die ohnehin offen steht. Aber die Interessengemeinschaft wird möglicherweise nicht von Dauer sein, wenn es Beijings Absicht ist, New York und die Londoner City zu ersetzen und Shanghai zur Finanzhauptstadt der Welt zu machen. Wie Lenin angeblich sagte: »Die Kapitalisten werden uns den Strick verkaufen, mit dem wir sie hängen werden.«

Es kommt Beijings globalen Ambitionen zugute, dass Wall Street-Manager mit Spitzenpositionen im Weißen Haus betraut werden, wobei Goldman Sachs eine Schlüsselrolle zukommt.[35] Bereits im Jahr 2003 war die Investmentbank »die führende Emissionsbank für große chinesische Staatsbetriebe«.[36] Im Jahr 2006 tauschte Henry Paulson seinen Posten als Geschäftsführer von Goldman Sachs gegen das Amt des Finanzministers in der Regierung von George W. Bush und nahm eines der besten Adressbücher mit Kontakten zur chinesischen Elite mit ins Weiße Haus. Paulson hatte China rund 70-mal besucht. Er bat den Präsidenten, ihm die Wirtschaftspolitik gegenüber China zu übertragen, und Bush war einverstanden.

Aber Henry Paulson setzte die Sache in den Sand. Das zumindest ist die Einschätzung von Paul Blustein, der erklärt, dass es möglicherweise nie zum Handelskrieg gekommen wäre, wenn Paulson entschlossener auf die chinesische Währungsmanipulation, die Kontrolle der Staatsbetriebe, die Behinderung amerikanischer Unternehmen in China und den systematischen Technologiediebstahl reagiert hätte.[37] Doch anstatt Vergeltungsmaßnahmen zu empfehlen, um amerikanische Unternehmen zu schützen, tat Paulson alles, um den Kongress von entsprechenden Beschlüssen abzuhalten, und schlug stattdessen einen »strategischen Wirtschaftsdialog« vor. Es erübrigt sich zu sagen, dass er damit die Position Beijings stärkte.

Paulson, der ein guter Freund des Beijinger Bürgermeisters Wang Qishan war und dazu neigte, der Partei zuzugestehen, dass sie sich aufrichtig um eine Öffnung der chinesischen Wirtschaft bemühte, wurde manipuliert. Die KPCh zog ihn tiefer in ihren engsten Kreis und vermittelte ihm den falschen Eindruck, großen Einfluss auf die chinesische Führung zu haben. So lud man ihn beispielsweise zu einem Vier-Augen-Gespräch mit Staatspräsident Hu Jintao ein.

Nach seinem Ausscheiden aus dem Finanzministerium im Jahr 2009 – vorher hatte er noch die globale Finanzkrise beaufsichtigt, in deren Verlauf er Wang Qishan angerufen und angefleht hatte, einer chinesischen Staatsbank Anweisung zu geben, Bear Stearns zu retten[38] – gründete Paulson das Paulson Institute, dessen Ziel es ist, »eine

amerikanisch-chinesische Beziehung zu fördern, die der Aufrecht-
erhaltung der globalen Ordnung dient«.

Ein weiterer einflussreicher Ex-Manager von Goldman Sachs ist
John Thornton. Er war für Goldmans Vorstoß nach China verantwortlich, und nachdem er im Jahr 2003 seinen Posten als Präsident der
Bank aufgegeben hatte, übernahm er die Leitung des Global Leadership Program an der Tsinghua-Universität in Beijing. Thornton fördert das Stephen-Schwarzman-Stipendienprogramm an dieser Universität und sitzt in den Aufsichtsräten mehrerer chinesischer und
amerikanischer Großunternehmen. Im Jahr 2006 steckte er sein Geld
in ein neues China-Zentrum der Brookings Institution, deren Kuratorium er vorstand. Die KPCh verlieh ihm 2008 ihre höchste Auszeichnung für Ausländer, den Freundschaftspreis der Volksrepublik
China.[39]

Dieser Teil der Geschichte vom Einfluss der Wall Street wäre nicht
vollständig ohne eine Erwähnung des amerikanischen Investmentfonds BlackRock, der mit einem verwalteten Vermögen von 6,5 Billio-
nen Dollar der größte Fonds der Welt ist. Im Jahr 2019 informierte
Geschäftsführer Larry Fink die Aktionäre der Gesellschaft über sein
Vorhaben, aus BlackRock einen der führenden Vermögensverwalter
Chinas zu machen, um das gewaltige Potenzial des Landes zu nutzen[40]
und bereitzustehen, sobald China seinen Kapitalmarkt für Ausländer
öffne. Die Fondsgesellschaft will ihr Chinageschäft ausweiten, um
einer der ersten ausländischen Vermögensverwalter zu werden, der
die Erlaubnis erhält, in China in Renminbi (RMB, auch als Yuan bezeichnet) denominierte Gelder aufzunehmen.[41] Fink beabsichtigt, das
Unternehmen zu sinisieren, und hat zu diesem Zweck Tang Xiaodong
(Tony Tang) mit der Leitung des Chinageschäfts betraut.[42] Tang ist
ein erfahrener Investor, der für J.P. Morgan, RBS Greenwich und die
CITIC Group gearbeitet hat und einen MBA der University of Chicago
besitzt. Im Rahmen des »Tausend Talente«-Programms angeworben,
verbrachte er fünf Jahre als Mitarbeiter der chinesischen Finanzauf-
sicht in Beijing.[43] Die Leiterin der in Hongkong ansässigen Abteilung Kapitalbeteiligungen bei BlackRock ist Helen Zhu, die 2014 von

Goldman Sachs abgeworben wurde. Zhu studierte Ingenieurwissenschaften am MIT.[44] Die Abteilung Strategie und Innovation in London leitet Amelia Tan, die vorher für die Citibank tätig war.

Der Einfluss der Wall Street auf die amerikanische China-Politik ist sehr real, aber im Jahr 2017 änderte sich etwas. Die amerikanische Industrie entschloss sich, dem Diebstahl ihres geistigen Eigentums einen Riegel vorzuschieben und nicht länger darauf zu warten, dass Beijing endlich seinem Versprechen nachkam, die chinesische Wirtschaft zu liberalisieren und amerikanischen Unternehmen gleichberechtigten Zugang zum chinesischen Markt zu gewähren. Die amerikanische Handelskammer gab einen entsprechenden Bericht heraus, womit sie einen Keil zwischen Finanzsektor und Industrie trieb. Die Regierung Trump stieß in die Lücke und bot Beijing mit Unterstützung der Demokraten die Stirn. Der Finanzsektor reagierte, indem er seine Lobbyisten losschickte und sich enger mit seinen Verbündeten in Beijing abstimmte.

Die Prinzlinge der Wall Street

Bei der Beeinflussung der amerikanischen Wirtschaftspolitik verlässt sich die KPCh nicht ausschließlich auf die Interessengemeinschaft mit der amerikanischen Hochfinanz. Ein wichtiges Instrument der Einflussnahme sind die Prinzlinge, das heißt die Söhne und Töchter früherer und gegenwärtiger Spitzenfunktionäre der Partei. Die riesige staatseigene Investmentgesellschaft CITIC ist seit Jahren ein Tummelplatz für Prinzlinge, und dasselbe gilt für die China Poly Group, ein Konglomerat, das seinen Ursprung im Rüstungssektor hat.[45] Chinas aufstrebender Kapitalbeteiligungssektor wird vom »roten Adel« und seinen Kindern beherrscht.

Westliche Hedgefonds, Versicherungsgesellschaften, Rentenfonds und Banken, die alle auf den sehr lukrativen chinesischen Kapitalmärkten Fuß fassen wollen, brauchen Zugang zum Netzwerk der Familien, die die größten chinesischen Unternehmen kontrollieren und die Parteihierarchie beherrschen. Indem man Söhne, Töchter, Neffen und Nichten einflussreicher Parteifunktionäre einstellt, sichert man sich augenblicklich gute Beziehungen. Die Nachkommen des »roten Adels« müssen nicht hoch qualifiziert oder auch nur besonders intelligent sein; wichtig sind ihre Verbindungen. Der ideale Karrierepfad eines Prinzlings beinhaltet einen ersten Abschluss an einer renommierten Hochschule, vorzugsweise an einer amerikanischen oder britischen Eliteuniversität, von wo aus er oder sie direkt für eine große Investmentbank oder einen Hedgefonds aufs Börsenparkett in New York oder London wechseln sollte; einige Jahre später folgen ein MBA und anschließend eine Tätigkeit in einer Wall Street-Firma.

Einen ungewöhnlichen Einblick in die Abläufe lieferte eine Untersuchung der amerikanischen Finanzaufsichtsbehörde SEC im Jahr 2016. Das Ergebnis war eine Geldbuße von 264 Millionen Dollar für J.P. Morgan Chase wegen Verstößen gegen den Foreign Corrupt Practices Act. Die Investmentbank war dabei erwischt worden, dass sie chinesische Prinzlinge eingestellt hatte, um sich Zugang zum chinesischen Markt zu verschaffen; die SEC bezeichnete dieses Vorgehen als »systematische Bestechung«.[46] J.P. Morgan hatte ein sogenanntes »Söhne-und-Töchter-Programm« betrieben, in dessen Rahmen in Hongkong, Shanghai und New York Dutzende Jobs an Kinder hochrangiger chinesischer KP-Funktionäre vergeben worden waren.[47]

Einer dieser Prinzlinge war Gao Jue, der Sohn des chinesischen Handelsministers Gao Hucheng. Gao Jue, der kurz zuvor sein Studium an der Purdue University abgeschlossen hatte, bekam einen Job, nachdem sich sein Vater mit William Daley getroffen hatte, einem Spitzenmanager von J.P. Morgan. (Daley war Handelsminister in der Regierung Clinton gewesen und hatte sich für die Aufnahme Chinas in die Welthandelsorganisation eingesetzt. Später war er Stabschef von Präsident Obama.) Obwohl Gao Jue in seinem Bewerbungsgespräch keinen guten Eindruck machte, bot ihm die Bank einen ihrer begehrten Analystenposten an. Der junge Mann schlief oft am Arbeitsplatz ein und wurde rasch als »unreifer, verantwortungsloser und unzuverlässiger« Mitarbeiter eingestuft. Als ihn die Bank im Rahmen eines allgemeinen Personalabbaus entlassen wollte, lud sein Vater den Leiter der Hongkonger Niederlassung von J.P. Morgan, Fang Fang, zum Abendessen ein und bat ihn, seinen Sohn in der Firma zu halten; im Gegenzug versprach er, »alles zu tun«, damit sich J.P. Morgans Geschäfte in China gut entwickelten.[48] Fang ließ sich überreden, und ein New Yorker Manager erklärte sich bereit, Gao Jue zu behalten, obwohl sein eigener Sohn entlassen worden war. Geschäft ist Geschäft. Als Gao Jue schließlich doch gehen musste, bekam er rasch einen anderen Job und landete schließlich bei Goldman Sachs.

Ein Equity-Manager verriet der *Financial Times*: »Du sagst nicht Nein zu einem Prinzling.« Das wirft die Frage auf, was die Banken sonst noch für die Parteielite tun.[49] Ein weiterer Mitarbeiter, den Fang Fang vermittelte, war Tang Xiaoning, der Sohn von Tang Shuangning, einem früheren hochrangigen Mitarbeiter der chinesischen Bankenaufsicht und Vorsitzenden der Everbright Group, einer staatseigenen Banken- und Finanzdienstleistungsgruppe, die zu den Fortune 500 gehört. Tang Xiaoning hatte früher für Goldman Sachs und die Citigroup gearbeitet. Bei J.P. Morgan fand sich auch ein Praktikumsplatz für die Tochter von Leung Chun-ying, dem ehemaligen Regierungschef von Hongkong (und Mitglied der PKKCV), die zu dieser Zeit noch zur Schule ging. Die Bank hatte ein »Sommerlager« für Kinder vermögender und gut vernetzter Eliten ins Leben gerufen.[50]

Selbstverständlich arbeiten im amerikanischen Finanzsektor zahlreiche Festland-Chinesen, die hoch qualifiziert sind und ihre oft hochrangigen Positionen verdienen. Fang Fang selbst ist ein Beispiel. Er machte in den achtziger Jahren seinen Abschluss an der angesehenen Tsinghua-Universität und erwarb einen MBA an der Vanderbilt University in Nashville. Ab 1993 arbeitete er in New York und Hongkong für Merrill Lynch, und im Jahr 2001 begann er eine 13-jährige Tätigkeit für J.P. Morgan, in deren Hongkonger Niederlassung er zum Leiter des chinesischen Investmentbankings aufstieg und sich eine ausgezeichnete Kenntnis der persönlichen Finanzen einiger Angehöriger der chinesischen Herrschaftselite aneignete. In dieser Zeit vermittelte er die Aufnahme zahlreicher Söhne und Töchter von

Parteifunktionären in die Bank.[51] Es heißt, Fang habe ein »dichtes Netz von Kontakten in chinesischen Regierungs- und Wirtschaftskreisen« geknüpft.[52]

Fang gehört nicht den höchsten Kreisen der KPCh an, unterhält jedoch sehr enge Beziehungen zum roten Adel. *Fortune* beschreibt ihn als »medienfreundlichen Manager mit engen Verbindungen zur Kommunistischen Partei«.[53] Im Jahr 2011 gründete er in Hongkong die Hua Jing Society, einen Klub für junge Angehörige der chinesischen Festlandelite, die im Ausland studiert haben und nach Hongkong zurückkehren.[54] Die Einrichtung wird auch als »Prinzlingsklub« und Hongkonger Ableger der Parteiprinzlinge bezeichnet.[55] Ein Beleg für das Vertrauen und Ansehen, das Fang bei der herrschenden Elite genießt, war seine Aufnahme in die Politische Konsultativkonferenz des Chinesischen Volkes (PKKCV) im Jahr 2008, was ihm direkten Zugang zu den höchsten Parteikreisen gab.[56] Er wurde auch zum stellvertretenden Vorsitzenden des Center for China and Globalization ernannt, eines wichtigen mit der Partei verbundenen Think Tanks.[57]

J.P. Morgans »Söhne-und-Töchter-Programm« war keineswegs ungewöhnlich: Alle großen amerikanischen Finanzinstitute bedienten sich ähnlicher Praktiken. Im Jahr 2013 wurde Goldman Sachs vorgeworfen, es habe 25 Söhnen und Töchtern Posten zugeschanzt, darunter dem Enkel von Jiang Zemin, der bis kurz nach der Jahrtausendwende der allmächtige Parteichef war.[58] Merrill Lynch (und davor Citigroup) beschäftigten die Schwiegertochter des ehemaligen Ministerpräsidenten Zhao Ziyang, Margaret Ren. Im Jahr 2012 wurde sie zur geschäftsführenden Direktorin, Landesmanagerin für China und Vorsitzenden der Bank of America Merrill Lynch befördert. Sie hat einen MBA von der MIT Sloan School of Management und gehört dem Beirat des Center for China and Globalization an.[59] Merrill Lynch stellte auch den Schwiegersohn von Wu Bangguo ein, der bis zu seinem Rückzug im Jahr 2013 ein Jahrzehnt lang offiziell den zweiten Rang in der Parteihierarchie einnahm. Janice Hu, die Enkelin des früheren Parteichefs Hu Yaobang, arbeitete ebenfalls für Merrill Lynch, bevor sie zur Crédit Suisse wechselte, wo sie zur Leiterin des Investment-banking in Hongkong aufstieg.

Morgan Stanley stellte den Sohn des früheren Ministerpräsidenten Zhu Rongji ein. Die Bank gab auch Chen Xiaodan (Sabrina Chen) einen Posten, der Tochter Chen Yuans, der Vorstand der riesigen China Development Bank war, bevor er zum stellvertretenden Vorsitzenden der PKKCV ernannt wurde.[60] Chen Yuans Vater war einer der »acht Unsterblichen«, die an der Seite Maos gekämpft hatten.[61] Sabrina Chen besuchte eine Privatschule in Massachusetts, studierte an der Duke University und erwarb einen MBA an der Universität Harvard. (Als die China Development Bank Sommerpraktika anbot, wurden nur Bewerber angenommen, die einen Abschluss in Harvard oder am MIT vorweisen konnten.[62] Andere Absolventen von Eliteuniversitäten konnten sich nicht für das Praktikum qualifizieren.) Sabrinas Bruder Chen Xiaoxin fand eine Stelle bei der Citigroup. Er hatte ebenfalls eine Privatschule in Massachusetts besucht, anschließend an der Cornell University studiert und in Stanford seinen MBA gemacht.[63] Die KPCh verfolgt mit der Vernetzung mit den *masters* der Wall Street durch die Platzierung ungezählter Prinzlinge ein wichtigeres Ziel als die Beschäftigung der Kinder von Parteigrößen.[64] Für die Partei bieten diese Beziehungen eine Möglichkeit, um Informationen zu sammeln und Einfluss auszuüben, denn auf diese Art platziert sie Informanten und Agenten im Zentrum der amerikanischen Macht. Eine genaue Beschreibung der Abläufe in einer amerikanischen Firma samt vertraulichen Informationen über die persönlichen und finanziellen Angelegenheiten der reichsten Personen in den Vereinigten Staaten kann an einen Vater oder Onkel in China geschickt werden.

Die KPCh in der Londoner City

Auch die europäischen Finanzinstitute verschwendeten keine Zeit, als es darum ging, Prinzlinge zu rekrutieren. Kurz nach der Jahrtausendwende versuchte die Deutsche Bank, sich mit Bestechung und anderen korrupten Praktiken Zugang zum chinesischen Markt zu verschaffen. Hochrangige Parteiführer und ihre Angehörigen, insbesondere die Familie des damaligen Ministerpräsidenten Wen Jiabao und des Beijinger Bürgermeisters Wang Qishan, der heute dem innersten Kreis der Führung, dem Ständigen Ausschuss des Politbüros, angehört, wurden mit teuren Geschenken überhäuft.[65] Im Jahr 2009 schnappte die Deutsche Bank J.P. Morgan ein Geschäft weg, weil sie die Tochter des Vorstandsvorsitzenden des Kundenunternehmens eingestellt hatte.[66] Die Bank betrieb auch ein Programm, in dessen Rahmen die Kinder mächtiger Parteifunktionäre beschäftigt wurden. Zu diesen Prinzlingen zählten der Sohn des damaligen Propagandaministers Liu Yunshan und eine der Töchter von Li Zhanshu, der heute dem siebenköpfigen Ständigen Ausschuss des Politbüros angehört; beide wurden eingestellt, obwohl sie als für die Jobs ungeeignet eingestuft worden waren.[67] Wang Xisha, deren Vater Wang Yang heute stellvertretender Ministerpräsident und Mitglied des Ständigen Ausschusses des Politbüros ist, wurde ebenfalls von der Deutschen Bank eingestellt. Sie ist mit Nicholas Zhang (Zhang Xinliang) verheiratet, dem Enkel von Zhang Aiping, einem General der Volksbefreiungsarmee. Nicholas Zhang arbeitete als Investmentbanker für UBS und Goldman Sachs, bevor er einen eigenen Hedgefonds namens Magnolia Capital Management gründete.[68]

Die Crédit Suisse beschäftigte in Zürich die Tochter von Wen Jiabao, der als Ministerpräsident bis 2013 die Wirtschaftspolitik maßgeblich bestimmte. Aus einer internen Tabellenkalkulation der Crédit Suisse ging hervor, wie viel Geld die Prinzlinge hereinbrachten. Die Bank stellte mehr als 100 Söhne, Töchter und Freunde hochrangiger Regierungsvertreter ein.[69] Bei einer der »Prinzessinnen« mussten

Crédit-Suisse-Manager erst den Lebenslauf frisieren. Die junge Frau erschien oft nicht zur Arbeit, und wenn sie es doch tat, fiel sie als »rüde und unprofessionell« auf und brachte oft ihre Mutter mit ins Büro. Das hinderte die Bank nicht daran, ihr ein Jahresgehalt von einer Million Dollar zu zahlen und sie mehrfach zu befördern, weil ihre Familie der Bank Geschäfte zuschanzte. (Im Jahr 2018 willigte die Crédit Suisse in ein Bußgeld von 77 Millionen Dollar an die amerikanischen Aufsichtsbehörden ein, um einer Bestechungsanklage zu entgehen.[70])

An der Wall Street sind die Platzierung von Prinzlingen und das Versprechen des Zugangs zum riesigen chinesischen Finanzmarkt die wichtigsten Methoden der Einflussnahme. In der Londoner City liegen die Dinge anders. Der Finanzbezirk der britischen Hauptstadt – das Gebiet, das sich östlich der St. Paul's Cathedral erstreckt und zumeist einfach als »the City« oder »the Square Mile« bezeichnet wird – ist auch das finanzielle Nervenzentrum Europas, was der Hochfinanz außergewöhnlich großen Einfluss auf die britische Politik sichert. Es ist unklar, ob es der City nach dem Brexit gelingen wird, ihre beherrschende Stellung zu verteidigen oder ob sie von ihrem Rivalen Frankfurt oder sogar von Paris verdrängt werden wird. Die Beamten der City bemühen sich sehr, ihre Vormachtstellung zu verteidigen, was Beijing eine goldene Gelegenheit eröffnet. Es wäre übertrieben zu sagen, dass Beijing Großbritannien lenken könnte, wenn es die Kontrolle über die City erlangte, aber diese These hat durchaus etwas für sich. Einen kleinen, aber besorgniserregenden Hinweis auf den Einfluss, den Beijing bereits heute in London ausübt, lieferte im Mai 2019 die Entscheidung der Stadt, der Vertretung Taiwans nicht zu erlauben, mit einem Umzugswagen an der jährlichen Parade des Lord Mayor teilzunehmen.[71]

Im Mittelpunkt der ehrgeizigen Strategie der KPCh zur Erlangung einer globalen wirtschaftlichen Vormachtstellung steht das Bemühen, den US-Dollar als Weltwährung durch den Renminbi abzulösen. Die Größe der chinesischen Wirtschaft und die Tatsache, dass der Renminbi die zweitwichtigste Währung im internationalen Handel ist, begünstigen dieses Vorhaben, aber den Finanzmärkten ist bewusst, dass das chinesische Finanzsystem nicht robust ist und dass es vom Regime manipuliert wird, was Misstrauen weckt. Anstatt seine Märkte zu liberalisieren, hat Beijing daher eine Kampagne gestartet, um wichtige ausländische Entscheidungsträger zugunsten des Renminbi zu beeinflussen. Schon im Jahr 2011 kritisierte der *Spiegel* China dafür, dass es »wirtschaftliche Hegemonie« anstrebe, indem es »andere Länder zwingt, Reserven in chinesischer Währung anzulegen«.[72] In jüngerer Zeit verfolgt Beijing sein Ziel subtiler, zugleich jedoch auch entschlossener.

Wichtige Beiträge zur Erklärung dieses Vorhabens hat Martin Thorley von der Universität Nottingham geleistet, der das Beeinflussungsnetz einer Organisation namens International Monetary Institute (IMI) aufgedeckt hat.[73] Thorley hat nachgewiesen, dass die Leitung dieses an der Renmin-Universität in Beijing angesiedelte Institut, das sich als unabhängig bezeichnet, enge Beziehungen zu Partei und Einheitsfront pflegt. Der Gründer und geschäftsführende Direktor Ben Shenglin ist ein wichtiger Akteur im Parteiapparat.

Ben Shenglin gehört verschiedenen Einheitsfrontorganisationen an, darunter dem Allchinesischen Industrie- und Handelsverband, und er ist Mitglied der Politischen Konsultativkonferenz der Provinz Zhejiang. Er gehört nicht dem roten Adel an, ist jedoch ein wichtiger Höfling. Er bemüht sich sehr, Verbindungen und Partnerschaften mit angesehenen Einrichtungen im Westen zu schließen. Im Jahr 2016 veranstaltete das Brookings-Tsinghua Center gemeinsam mit dem IMI ein Seminar zu der Frage, ob der Renminbi den Dollar ablösen werde.[74] Das Penn-Wharton China Center war ebenfalls beteiligt. Auf dem Podium saßen sowohl der Leiter des IMI als auch sein Stellvertreter, und die Moderation übernahm ein Journalist des Chinesischen Zentralfernsehens CCTV. Im Jahr 2018 verlieh der Verlag Palgrave Macmillan dem IMI und seinen Behauptungen Legitimität, indem er ein vom Institut produziertes Buch mit dem Titel *Currency Internationalization and Macro Financial Risk Control* herausgab, das geldpolitische Propaganda des chinesischen Regimes enthält.[75]

Das Cato Institute veröffentlicht auf seiner Website die Zeitschrift des IMI *International Monetary Review*, wo in vielen Artikeln für den unaufhaltsamen Aufstieg des Renminbi geworben wird. Steve Hanke, ein Senior Fellow des Cato Institute, gehört dem internationalen Komitee des IMI an.[76]

Eine wichtige Rolle im Beeinflussungsnetz des IMI spielt das Official Monetary and Financial Institutions Forum, ein in London ansässiger Think Tank, der sich mit der Rolle der Zentralbanken und der Finanzmarktregulierung beschäftigt. Das Forum hat Verbindungen zu staatlichen britischen Investment- und Rentenfonds. Martin Thorley hat gezeigt, wie eng die für diese beiden Organisationen tätigen Personen miteinander verflochten sind. Mindestens sieben Führungskräfte haben Positionen in beiden Organisationen inne oder sind für beide tätig, darunter der Mitgründer und Vorsitzende des Forums, David Marsh, der dem internationalen Beirat des IMI angehört und im Board seiner Zeitschrift *International Monetary Review* sitzt. Der Herausgeber der Zeitschrift, Herbert Poenisch, schreibt auch für das Forum. Im Jahr 2018 riet Poenisch Beijing zu einer aggressiveren Strategie, um den Einfluss des Renminbi zu vergrößern.[77] Ben Shenglin gehört dem Beirat des Forums an, womit dieser hochrangige Einheitsfrontagent direkten Zugang zu wichtigen Akteuren in der City hat.

Einer dieser Akteure ist der Labour-Abgeordnete Neil Davidson (Baron von Glen Clova), der im House of Lords sitzt. Er ist das nützlichste Sprachrohr Beijings, wenn es um die Internationalisierung des Renminbi geht. Er wirbt im Oberhaus für die chinesische Währung und fordert das Finanzministerium in Gastbeiträgen auf, sich für den Renminbi zu öffnen.[78] Im Jahr 2014 kritisierte er das Ministerium scharf für seine Ängstlichkeit und Phantasielosigkeit, weil es die britischen Devisenreserven nicht um den Renminbi erweitert hatte; er wollte London zum wichtigsten ausländischen Handelsplatz für die chinesische Währung machen.[79] Sein Wunsch erfüllte sich 2018, als Londons Anteil an den Renminbi-Transaktionen außerhalb Chinas auf 37 Prozent stieg, womit die City einen größeren Anteil hatte als jedes andere Finanzzentrum der Welt.[80]

Davidson ist als Freund Chinas bekannt. Als er im Jahr 2013 an einem Menschenrechtsforum in Beijing teilnahm, beschrieb ihn eine führende deutsche Menschenrechtsanwältin als »lautstärksten Relativisten der Menschenrechte bei dem Forum«.[81]

Im Jahr 2014 reiste Davidson zu einem »Entwicklungsforum« nach Lhasa, wo er sich von der Haltung der Labour Party distanzierte, indem er den Dalai Lama verurteilte und das chinesische Regime dafür lobte, dass es den Tibetern gesellschaftliche Harmonie und Glück gebracht habe.[82] 2018 erklärte er im Oberhaus, die britische Regierung solle lieber ein Freihandelsabkommen mit China für die Zeit nach dem Brexit schließen, anstatt sich gegenüber Beijing »kampflustig« zu geben, indem sie ein Kriegsschiff ins Südchinesische Meer schicke.[83]

Wie nicht anders zu erwarten, ist Davidson Mitglied des 48 Group Club.[84] Er hat auch gute Verbindungen in den Vereinigten Staaten. Als er 2018 nach Beijing reiste, übernahm das Berggruen Institute die Kosten,[85] eine vom deutsch-amerikanischen Investor Nicolas Berggruen gegründete und in Kalifornien ansässige Denkfabrik, die sich für engere Beziehungen zwischen den USA und China einsetzt (siehe Kapitel 11). Berggruen hat 25 Millionen Dollar in ein China-Zentrum an der Universität Beijing investiert, das den kulturübergreifenden »Dialog« fördern soll.[86]

Mittlerweile kann die City nicht mehr genug von China bekommen. Im März 2019, zwei Monate bevor Taiwan aus der Parade ausgeschlossen wurde, reiste der Bürgermeister der City of London Peter Estlin mit einer Delegation nach China, um Beziehungen im Bereich von »FinTech und Green Finance« zu knüpfen und für die Rolle der City in der Seidenstraßen-Initiative zu werben. In Beijing sprach Estlin über den wichtigen Beitrag der City zum Erfolg Chinas.[87] In einem Interview mit Phoenix TV gab er preis, dass die City im folgenden September ein Festbankett anlässlich des 70. Jahrestags der Gründung der Volksrepublik geben werde.[88] Der Bürgermeister pries die »für alle Seiten vorteilhafte Kultur« der Seidenstraßen-Initiative und erklärte, in seinen Augen werde die Londoner City eine zentrale Rolle in der

Finanzierung einer »phantastischen Initiative« und bei der Verwirklichung einer »aufregenden« Vision spielen.

An der Spitze der Delegation stand John McLean, ein Vorstandsmitglied des China-Britain Business Council, der erklärte, London sei offen »für Geschäfte mit chinesischen Finanz- und Technologieunternehmen«.[89] Anfang des Jahres 2019 hatte die Vorsitzende des Ausschusses für Politik und Ressourcen der City of London, Catherine McGuiness, ihre Freude über den Start einer globalen Ausgabe des Parteiorgans *China Daily* zum Ausdruck gebracht, einer Zeitung, die »ihren Standort in der Square Mile hat und eine gute Freundin der City of London Corporation ist«.[90]

Das International Monetary Institute hat auch ein Auge auf Frankfurt geworfen, das wichtigste Finanzzentrum auf dem europäischen Kontinent. Das Institut hat gemeinsam mit dem House of Finance der Goethe-Universität das Sino-German Center of Finance and Economics an der Frankfurt School of Finance and Management gegründet, einer Ausbildungseinrichtung für deutsche Banker. Das Zentrum wirbt für die internationale Expansion des Renminbi und wird von der chinesischen Zentralbank und der Bundesbank unterstützt. Ben Shenglin vom IMI sitzt in seiner Funktion als Dekan der Zhejiang-Universität im Kuratorium.[91]

Es dürfte kaum einen chinesischen Parteinahen geben, der bessere Verbindungen zu amtlichen und akademischen Finanznetzen in aller Welt hat als Ben Shenglin. Ein weiteres Beispiel dafür ist, dass ihn die guten Verbindungen des IMI in Kontakt mit Mark Sobel bringen, dem amerikanischen Vorsitzenden des Official Monetary and Financial Institutions Forum. Sobel ist ein ehemaliger Spitzenbeamter im amerikanischen Finanzministerium und arbeitet heute für den in Washington ansässigen Think Tank Center for Strategic and International Studies.[92]

Wie die Wahrnehmung der Wirtschaftslage geformt wird

Bridgewater Associates, der größte Hedgefonds der Welt, bemüht sich seit einigen Jahren, sein Chinageschäft aufzubauen. Im Jahr 2015 teilte der Gründer von Bridgewater, Ray Dalio, seinen Klienten im Vertrauen mit, dass die Schuldenkrise in China einen kritischen Punkt erreiche und dass sie ihre Produkte so rasch wie möglich veräußern sollten.[93] Als die *Financial Times* von dieser Warnung Wind bekam, ruderte Dalio zurück und erklärte, sein Rat sei »falsch verstanden« worden. Chinas Schulden seien gar kein so großes Problem, weil sie in eigenen Devisenreserven denominiert seien; auf lange Sicht seien die Aussichten für das Land gut.[94]

Zwei Jahre später machte sich Dalios Meinungsumschwung bezahlt: Als erstes Unternehmen, das zur Gänze in ausländischem Besitz stand, durfte Bridgewater eine chinesische Vermögensverwaltungsgesellschaft gründen, welche die Erlaubnis erhielt, auf den chinesischen Märkten zu investieren.[95] Im Jahr 2018 äußerte sich Dalio pessimistisch zu den Aussichten für die Weltwirtschaft, aber als er auf China zu sprechen kam, geriet er ins Schwärmen: »China ist ungeheuer erfolgreich [...]. Ich bin begeistert von China – ich kann nicht verstehen, dass jemand nicht von China begeistert sein kann.«[96] Im Jahr 2019 schrieb er, hochrangige Parteifunktionäre hätten ihm erklärt, China habe eine Art von Familienstaat, der »elterliche« Verantwortung für seine Bürger trage; genau darum gehe es im Sozialkredit-System. Im Gegensatz dazu beruhe die Gesellschaft der Vereinigten Staaten auf den Rechten des Individuums. »Ich sage nicht, dass eines der beiden Systeme besser ist.«[97] Dalio zeigt nicht die geringste Scham im Bemühen um politische Vergünstigungen und pflegt die Beziehungen zur Parteielite unter anderem durch gemeinnützige Aktivitäten, wobei er so weit gegangen ist, seinen 16-jährigen Sohn mit dem Aufbau einer Organisation namens China Care zu beauftragen, die Waisenkindern mit besonderen Bedürfnissen helfen soll.[98]

Auf den globalen Finanzmärkten hängt alles von der Wahrnehmung ab. Die Meinungsführer – die Chefvolkswirte der Banken, die in den Abendnachrichten interviewt werden, die Analysten der Investmentfonds, die Finanzexperten der Zeitungen, die Ökonomen, die Newsletter an Abonnenten verteilen, die Fachleute der Ratingagenturen – haben großen Einfluss auf die Einschätzung und die Erwartungen der globalen Marktteilnehmer. Ihre Äußerungen beeinflussen zum Beispiel die Wahrnehmung der Glaubwürdigkeit chinesischer Wachstumsprognosen und der Stabilität des chinesischen Finanzsektors. Daher misst Beijing diesen Personen große Bedeutung bei.

Das chinesische Regime fürchtet sich sehr davor, dass die Welt das Vertrauen in die fragilen Finanzmärkte des Landes verlieren könnte, seien es die legitimen oder die Schattenmärkte. Sollte eine Finanzkrise einen Zusammenbruch der Wirtschaft provozieren, so stünde die Macht der Partei auf dem Spiel, ganz zu schweigen von einem gewaltigen Wertverlust des Vermögens der roten Aristokratie.

Als der chinesische Aktienmarkt im Juni 2015 einbrach, erhielten die Staatsmedien Anweisung, ihre Berichterstattung zu ändern, um »die Markterwartungen rational zu steuern«.[99] Sie durften keine Diskussionen und Experteninterviews mehr ausstrahlen. In der Anordnung hieß es weiter: »Übertreiben Sie Panik oder Traurigkeit nicht. Verwenden Sie keine emotional befrachteten Worte wie ›Krise‹, ›Kursausschlag‹ oder ›Kollaps‹.«

Zwei Monate nach dem Crash wurde Wang Xiaolu, ein Journalist der angesehenen Wirtschaftszeitschrift *Caijing*, unter dem Vorwurf verhaftet, er habe »Gerüchte verbreitet«.[100] Wang hatte nicht anders berichtet als gewohnt, aber als er im Fernsehen auftrat und gestand, seine Berichterstattung über die Börse sei »unverantwortlich« gewesen, verstanden seine Berufskollegen die Botschaft. Ausländische Journalisten stellten fest, dass chinesische Experten, die sie um Analysen baten, nicht mehr zu Stellungnahmen bereit waren. Regierungsvertreter setzten ausländische Berichterstatter unter Druck, warfen ihnen vor, übermäßig pessimistisch zu sein, und verlangten von ihnen, »ausgewogener« über die chinesische Wirtschaft zu berichten, während es schwieriger wurde, an die ohnehin immer unzuverlässigen Daten heranzukommen.[101]

Die auf China spezialisierten Volkswirte und Marktanalysten sitzen überwiegend in Hongkong. Seit einem Jahrzehnt wächst unter diesen Experten der Anteil der im Ausland ausgebildeten Ökonomen aus Festlandchina, die in ausländischen oder chinesischen Firmen arbeiten, aber ungeachtet ihrer Herkunft werden die meisten von Beijing unter Druck gesetzt, Zweifel an der Wirtschaft und den Finanzmärkten Chinas für sich zu behalten. Die »unabhängigen Empfehlungen« von Volkswirten aus Hongkong wirken koordiniert, aber es besteht die Möglichkeit, dass die Kommentatoren einfach auf dieselben Signale der chinesischen Staatsmedien reagieren.[102] Wer sich willfährig verhält, wird irgendwann belohnt. Indem Beijing Einfluss auf die privaten und öffentlichen Aussagen von Wirtschaftsexperten nimmt, formt es das Bild, das sich die Weltöffentlichkeit von der chinesischen Wirtschaft macht.

Als der chinesischen Wirtschaft im Jahr 2015 ernsthafte Gefahren drohten, begann die KPCh, subtil Einfluss auf die internationalen Banken zu nehmen, damit diese nicht mit schlechten Nachrichten für Unruhe sorgten. Die Schweizer Großbank UBS arbeitet seit Langem mit China zusammen und bemüht sich aktiv um eine wichtigere Rolle im Finanzsystem des Landes.[103] Die Bank wurde ebenfalls gedrängt, sich mit öffentlichen Kommentaren über die Wirtschaftslage zurückzuhalten, und im Jahr 2018 wurde ein UBS-Mitarbeiter ohne erkennbaren Grund in China verhaftet, was das Management dazu bewegte, Mitarbeitern der Bank Reisen nach China zu untersagen.[104] Da der Finanzsektor ein Hauptziel von Xis Antikorruptionskampagne ist, sind die Banker ohnehin nervös.

Die Erwartungen können auch abwärts manipuliert werden, um jeden zu bestrafen, der die Partei ärgert. Während der Kundgebungen der Hongkonger Demokratiebewegung im Jahr 2019 zog sich Cathay Pacific den Zorn der chinesischen Führung zu, weil sich einige seiner Mitarbeiter den Demonstranten anschlossen. Zhao Dongchen, ein Analyst einer Investmentbank, informierte seine Klienten darüber, dass Cathay seinem Markennamen »nicht wiedergutzumachenden Schaden« zugefügt habe, sagte einen Absturz der Cathay-Aktie voraus und stufte sie auf »Unbedingt verkaufen« herab.[105] Unter den 19 Analysten, deren Bewertungen Bloomberg verwendete, war Zhao Dongchen der einzige, der die Cathay-Aktie auf »Verkaufen« herabgestuft hatte; 13 empfahlen »Kaufen« und fünf »Halten«. Zhao, der kein Experte für Fluglinien ist, sondern sich auf Energieversorger spezialisiert hat, arbeitet für die riesige staatseigene Industrial and Commercial Bank of China. Andere Analysten haben ihn beschuldigt, ausländische Unternehmen übermäßig streng zu bewerten, während er die Zukunftsaussichten chinesischer Firmen ausgesprochen positiv beurteilt.[106] (Der Kurs der Cathay-Aktie stürzte nicht ab, sondern stabilisierte sich auf hohem Niveau und stieg in der Folge.)

Yi shang bi zheng: Die Wirtschaft einsetzen, um die Regierung unter Druck zu setzen

Wie wir gesehen haben, besteht eine der wirksamsten Taktiken der KPCh darin, ausländische Unternehmen dazu zu bewegen, sich bei ihrer Regierung für die Anliegen Beijings einzusetzen. Nachdem der Manager der Houston Rockets mit seiner Sympathiebekundung für die Demokratiebewegung in Hongkong eine Krise zwischen der NBA und Beijing ausgelöst hatte, schrieb John Pomfret in einem Kommentar, dass sich der Traum jener, die in der Hoffnung, »wir« könnten »China« verändern, eine verstärkte wirtschaftliche Integration fordern, als Illusion erweise und dass China zunehmend *uns* verändere – und dass die westlichen Unternehmen Beijings beste Waffe seien, um das zu erreichen.[107] Als die Kontroverse über das China-Engagement der NBA ihren Höhepunkt erreichte, untersagte ESPN, der wichtigste Sportsender in den Vereinigten Staaten, seinen Kommentatoren jegliche Diskussion über die politischen Vorgänge. Obendrein zeigte ESPN eine Chinakarte mit der »Neun-Striche-Linie«: Diese Karte, auf der umstrittene Gebiete als chinesisches Hoheitsgebiet ausgewiesen sind, widerspricht dem internationalen Recht und wird fast nie außerhalb der Volksrepublik verwendet.[108]

Ein anderes Beispiel lieferte der Kamerahersteller Leica, der sich, aufgeschreckt von patriotischen chinesischen Netizens, umgehend von einem Werbespot distanzierte, in dem der berühmte »Tank Man« nahe dem Platz des Himmlischen Friedens vorkam. Marriott International entließ einen untergeordneten Mitarbeiter, der einen Twitter-Post zugunsten der Autonomie Tibets »gelikt« hatte, und ersetzte nach Missfallensbekundungen Beijings den Namen Taiwan durch »Taiwan, China«. In Stockholm untersagte das zu Marriott gehörende Sheraton dem örtlichen Büro Taiwans (der De-facto-Botschaft), den taiwanesischen Nationalfeiertag im Hotel zu feiern.

Ein Ehrenplatz in der Hall of Shame der Unternehmenswelt gebührt jedoch Apple. Nachdem sich das Unternehmen der amerikanischen Regierung vor Gericht widersetzt hatte, als das FBI Zugang zu Benutzerdaten verlangte, überließ es den chinesischen Behörden ohne zu zögern seine Verschlüsselungscodes und iCloud-Daten.[109] Apple, dessen iPhones in China produziert werden, geriet auch in die Kritik, als es eine App löschte, die von den Demonstranten in Hongkong genutzt worden war, um Zusammenstöße mit den Sicherheitskräften zu vermeiden – nur einen Tag vorher hatten Chinas Staatsmedien Apple beschuldigt, »Randalierer« zu schützen. Kurze Zeit später wurde Apple-Chef Tim Cook zum Vorsitzenden des Beirats der Business School der Tsinghua-Universität ernannt.[110]

In Xis »neuer Ära« hat Beijing seine wirtschaftliche Staatskunst zu einem wirkungsvollen Instrument der politischen Einflussnahme weiterentwickelt.[111] Eine häufig angewandte Taktik ist *yi shang bi zheng* (Unternehmen einsetzen, um die Regierung unter Druck zu setzen). Diese Taktik wurde während des Handelskriegs mit den USA angewandt, um die Regierung Trump zum Nachgeben zu bewegen. Im Juni 2019 warnte eine Koalition von rund 600 Unternehmen und Verbänden (darunter eine ungewöhnlich große Zahl von Produzenten von Tierfutter und Sportartikeln) in einem offenen Brief an den Präsidenten vor »Zöllen, die amerikanischen Familien und Gemeinden schaden«. Es war Teil einer gut geplanten, disziplinierten und teuren Kampagne, die eine Gruppe namens Tariffs Hurt the Heartland organisiert hatte. Auf der Website der Gruppe wird beschrieben, wie Strafzölle eine gemeinnützige Organisation gezwungen haben, die Zahl der Krippen zu verringern, die »einkommensschwachen Müttern im Mittleren Westen« angeboten werden.[112] Die KPCh-Medien berichteten ausführlich über den Fall.[113]

Es ist nicht klar, ob Tariffs Hurt the Heartland von Organisationen unterstützt wird, die mit der KPCh verbunden sind. Doch die China-Verbindungen von Charles Boustany, dem Sprecher der Gruppe, hat Bethany Allen-Ebrahimian in *Daily Beast* aufgedeckt.[114] Boustany, bis 2017 republikanischer Kongressabgeordneter für Louisiana, ist einer der Vorsitzenden der U.S.-China Working Group. Nach seinem Ausscheiden aus dem Kongress schloss er sich der Lobby-Firma Capitol Counsel an und ließ sich als ausländischer Lobbyist für die U.S.-China Transpacific Foundation registrieren. Diese Stiftung bezahlte ihn dafür, Kongressabgeordnete mit hochrangigen Politikern und Wirtschaftsführern aus China in Kontakt zu bringen, um das Verständnis der amerikanischen Parlamentarier für China zu vertiefen.

In Deutschland scheint die Regierung zeitweise eine kritischere Haltung gegenüber Beijing einzunehmen, nur um sich dann wieder auf ein »wirtschaftsfreundlicheres« Vorgehen zu besinnen. Um die Gründe dafür zu verstehen, muss man sich ansehen, wie die KPCh die Wirtschaft einsetzt, um Druck auf die Politik auszuüben. Als Bundeskanzlerin Angela Merkel einem Gesetz, mit dem Huawei aus dem deutschen 5G-Netz ausgeschlossen werden sollte, eine Absage erteilte, berichtete das *Handelsblatt*, sie habe das aus Furcht vor einem Zerwürfnis mit China getan.[115] Im Jahr 2018 belief sich das Volumen des bilateralen Handels zwischen den beiden Ländern auf fast 200 Milliarden Euro, womit China im dritten Jahr in Folge Deutschlands größter Handelspartner war. Die chinesischen Einfuhren deutscher Güter hatten in jenem Jahr einen Wert von 93 Milliarden Euro.[116] Die wirtschaftlichen Beziehungen zwischen den beiden Ländern sind in den letzten

Jahren derart eng geworden, dass Deutschland mittlerweile so abhängig von China ist wie kein anderes EU-Land.[117]

Die deutschen Exporte nach China sind gewachsen, aber ihr Umfang allein kann ihre Wirkung auf die Chinapolitik Berlins nicht erklären. Anscheinend wirken sich spezifischere Industrieinteressen aus. Die deutsche Automobilindustrie hat seit Jahrzehnten einen unverhältnismäßig großen politischen Einfluss.[118] Im Jahr 2018 wurden in China mehr als 5,5 Millionen deutsche Autos verkauft.[119] Im Juli 2019 gab BMW seine Absicht bekannt, gemeinsam mit dem chinesischen Internetriesen Tencent autonome Fahrzeuge zu entwickeln.[120] Die Autoindustrie ist nicht der einzige Sektor der deutschen Wirtschaft, der sich für China starkmacht, aber sie ist ein unschätzbarer Verbündeter der KPCh, den die Chinesen sorgfältig pflegen. Die Folge ist, dass »die Leiter der vielgepriesenen deutschen Autobauer alles tun, um einen Konflikt mit Beijing zu vermeiden«, wie *Der Spiegel* schreibt.[121] Im Dezember 2019 erklärte der neue chinesische Botschafter in Deutschland, Wu Ken: »Wenn Deutschland die Entscheidung trifft, Huawei vom deutschen Markt auszuschließen, dann wird das Konsequenzen haben.« Es war vermutlich kein Zufall, dass er als Beispiel für mögliche Vergeltungsmaßnahmen die Automobilindustrie anführte und fragte: »Könnten wir eines Tages sagen, dass deutsche Autos nicht mehr sicher sind, weil wir unsere eigenen produzieren können?« Zwar verneinte er kurz darauf die eigene Frage, da ein derartiges Vorgehen »Protektionismus« sei;[122] angesichts der Tatsache, dass China in der Vergangenheit bereits ähnliche politisch motivierte protektionistische Maßnahmen gegen Kanada, Norwegen und andere Länder ergriffen hatte, kam die Drohung vermutlich trotzdem an. So argumentierte Sigmar Gabriel im Folgemonat, dass ein Huawei-Verbot zur Verdrängung der deutschen Automobilindustrie aus China führen würde.[123]

Um sich bei der chinesischen Führung einzuschmeicheln, üben sich die deutschen Autobauer in ihren Äußerungen über China in Selbstzensur. Der Vorstandsvorsitzende von VW bestritt in einem BBC-Interview, je von den Konzentrationslagern in Xinjiang gehört zu haben, und erklärte, er sei »extrem stolz« auf die Tätigkeit des Unternehmens in der Region.[124] Mercedes-Benz beeilte sich, sich dafür zu entschuldigen, dass es ein harmloses Zitat des Dalai Lama in einer seiner Werbeanzeigen auf Instagram verwendet hatte (obwohl Instagram in China ohnehin blockiert wird).[125] Audi entschuldigte sich prompt und »aufrichtig«, nachdem es in einer Pressekonferenz in Deutschland eine »falsche« Chinakarte (auf der Taiwan nicht als Teil Chinas dargestellt war) verwendet hatte.[126]

Siemens bemüht sich ebenfalls sehr, sich Beijings Gunst zu sichern.[127] Der Konzern gehört zu den frühen Befürwortern der Seidenstraßen-Initiative, hat Vereinbarungen mit zehn chinesischen Partnern geschlossen und veranstaltete im Juni 2018 einen eigenen internationalen Seidenstraßen-Gipfel in Beijing.[128] Siemens-Chef Joe Kaeser antwortete auf eine Frage nach den Kundgebungen in Hongkong, Deutschland müsse seine moralischen Werte und Interessen »immer ganz besonders abwägen«: »Wenn Arbeitsplätze in Deutschland davon abhängen, wie wir mit brisanten Themen umgehen, dann sollte man nicht die allgemeine Empörung verstärken, sondern die Positionen und Maßnahmen in allen Facetten überlegen.«[129] Seit Februar 2019 ist Kaeser Vorsitzender des einflussreichen Asien-Pazifik-Ausschusses der Deutschen Wirtschaft (APA).[130]

Hans von Helldorff, der Vorstandsvorsitzende des Bundesverbands Deutsche Seidenstraße Initiative (BVDSI, formal im März 2019 in Bremen gegründet, obwohl er schon vorher aktiv war), hat die Politik der Bundesregierung gegenüber China im Fernsehen kritisiert und eine Abkehr von der »Werte-Politik« des Landes gefordert.[131] Mit anderen Worten, die Regierung solle aufhören, Menschenrechtsverstöße des chinesischen Regimes zu kritisieren, und sich ausschließlich auf die geschäftlichen Interessen konzentrieren. Nur wenige sagen es so offen wie von Helldorff, aber hinter verschlossenen Türen ist dieses Argument oft zu hören.[132]

Die Seidenstraßenstrategie

Bis 2019 schlossen sich mehr als 60 Länder, in denen zwei Drittel der Weltbevölkerung leben, der Seidenstraßen-Initiative an oder bekundeten die Absicht dazu.[133] Überall in Eurasien, Indochina und Südostasien investieren chinesische Staatsbetriebe und mit dem Staat verbundene Unternehmen in Straßen, Häfen, Flughäfen, Bahnlinien, Energienetze und Dämme. Häfen haben besonders großen Wert für China, das auf den Seehandel angewiesen ist; außerdem erfüllen sie sowohl in Friedenszeiten als auch in Konflikten eine wichtige strategische Funktion. Der Ausbau der Infrastruktur in den Anrainerstaaten des Südchinesischen Meeres macht es einfacher, diese Länder dazu zu bewegen, sich in ihr Schicksal zu fügen und mit der Annexion von Inseln durch China abzufinden.

Der Think Tank Council on Foreign Relations erklärt: »Die Vereinigten Staaten teilen die Sorge einiger asiatischer Länder, dass die Seidenstraßen-Initiative ein trojanisches Pferd sein könnte, mit dem eine von China gelenkte Entwicklung der Region, eine militärische Expansion und die Errichtung von Institutionen vorbereitet werden sollen, die Beijing kontrollieren kann.«[134] Es sollte hinzugefügt werden, dass Beijing auch die Kontrolle über kritische Infrastrukturen anstrebt. Nachdem 40 Prozent des nationalen Stromnetzes der Philippinen an die riesige staatseigene State Grid Corporation of China verkauft worden waren, gestand der Leiter des nationalen philippinischen Stromversorgungsunternehmens, dass von nun an der Strom im ganzen Land abgeschaltet werden könne, indem in Nanjing (dem Standort des Kontrollzentrums) ein Schalter umgelegt werde.[135] State Grid hält auch einen großen Anteil an den Stromnetzen in den australischen Bundesstaaten Victoria und South Australia sowie in Portugal.[136] Das Angebot des chinesischen Konzerns für das Netz von New South Wales wurde aus Sorge um die nationale Sicherheit abgelehnt. (Im Jahr 2016 verhandelte Donald Trumps Hotelkette mit State Grid über das Strommanagement eines großen Immobilienprojekts in Beijing.[137])

In Europa besitzen chinesische Unternehmen mittlerweile Flughäfen, Häfen und Windparks in neun Ländern.[138] (In chinesischem
Besitz befinden sich auch der Reifenhersteller Pirelli, das schweizerische Agrochemieunternehmen Syngenta, ein großer Anteil an Daimler, eine Reihe von Bürogebäuden im Londoner Finanzzentrum und
13 Fußballvereine.) Chinesische Unternehmen sind Allein- oder Mit-
eigentümer der Häfen von Rotterdam (Europas größter Hafen), Antwerpen und Zeebrugge. Die staatseigene China Ocean Shipping Company besitzt den größten griechischen Hafen in Piräus und hält einen
Mehrheitsanteil an der spanischen Hafenverwaltungsgesellschaft Noa-
tum, womit sie die Häfen von Bilbao und Valencia kontrolliert.[139] Der
riesige neue Containerterminal im Hafen von Barcelona gehört einem
in Hongkong ansässigen Unternehmen.

Den größten Teil der chinesischen Investitionen in Europa haben
Großbritannien, Deutschland und Frankreich angelockt, aber die
Mittelmeeranrainerstaaten, deren Beziehungen zur EU seit der Staatsschuldenkrise gespannt sind, finden wachsende Aufmerksamkeit in
Beijing. Die Seidenstraßen-Initiative ist perfekt dafür geeignet, Länder
anzulocken, die sich von ihren traditionellen Partnern vernachlässigt
fühlen, und die Mittelmeerländer verfügen nicht über die Investi-
tionsfilter, die anderswo eingesetzt werden, um ausländischen Firmen
den Zugang zu grundlegenden Infrastrukturen zu verwehren.[140] Zudem erhöht die chinesische Kriegsmarine ihre Präsenz im Mittelmeer.
Die Marine der Volksrepublik fällt seit einigen Jahren durch Aktivitäten im östlichen Mittelmeer auf und hielt 2015 gemeinsame Manöver
mit der griechischen Kriegsmarine ab.

Beijing versichert, mit der Übernahme von Häfen lediglich den
Handel fördern zu wollen, aber die Volksrepublik verfolgt einen langfristigen Plan, um strategischen Druck aufzubauen. Teil dieses Plans
ist die unauffällige Ausweitung der Militärpräsenz. In einer Studie für
die auf Sicherheitsfragen spezialisierte Denkfabrik C4ADS gelangen
Devin Thorne und Ben Spevack zu dem Ergebnis, dass China Investitionen in Häfen einsetzt, »um politischen Einfluss zu erlangen, um
Empfängerländer einzuschränken und sowohl zivil als auch militä-

risch nutzbare Infrastrukturen aufzubauen, um Marineoperationen über große Distanzen zu ermöglichen«.[141] Am weitesten fortgeschritten sind die strategischen Verschiebungen im Indischen Ozean und im Pazifik, aber China fasst auch im Mittelmeer Fuß. In chinesischsprachigen Quellen beschreiben Marineexperten der Volksbefreiungsarmee die Strategie so: »Sorgfältig Standorte auswählen, diskret vorrücken, der Kooperation Vorrang geben und langsam infiltrieren.«[142] Beijing versucht, »strategische Unterstützerstaaten« aufzubauen (das heißt Staaten, die dazu bewegt werden, sich Chinas »strategischen Erfordernissen« unterzuordnen), indem es in Infrastrukturen investiert und »die betreffenden Länder von Chinas Wohlwollen überzeugt«.

Die Seidenstraßen-Initiative als Instrument der Diskurssteuerung

Xiang Debao, ein führender chinesischer Forscher, erklärt, dass China mit der Seidenstraßen-Initiative »seine internationale Kommunikations- und Diskursmacht ausübt«.[143] Dass die »Neue Seidenstraße« in diesem Buch immer wieder auftaucht, liegt an ihrer Bedeutung für die Gestaltung des Chinabilds der Weltöffentlichkeit. Die Initiative ist für Beijing eines der wichtigsten Instrumente, um die bestehenden regionalen Ordnungen zu attackieren und alternative Regierungsformen zu fördern, darunter den autoritären Staatskapitalismus. Dazu wird die Initiative in eine Sprache gepackt, in der viel von »Gleichberechtigung« und »Koexistenz« die Rede ist. Wir haben es mit Agitprop für das »chinesische Modell« zu tun.[144]

Der ideologische Wettbewerb zwischen der KPCh und dem Westen wird weniger mit konkurrierenden Ideen, sondern vielmehr mit alternativen Narrativen ausgetragen. Das chinesische Regime bedient sich einer Sprache, welche die gesellschaftliche Realität subtiler beschreibt. Narrative sind eine Machtquelle, weil sie Grenzen des Vorstellbaren und des Machbaren setzen.[145] Zwei Theoretiker der Partei drücken es so aus: »In der neuen Ära muss sich der *von der Seidenstraßen-Initia-*

tive repräsentierte chinesische Zugang zur globalen Governance in der Geschichte Chinas niederschlagen, und China muss mittels der Seidenstraßen-Initiative eine unüberhörbare chinesische Botschaft aussenden.«[146]

Die Seidenstraßen-Initiative wurde von Anfang an als Modell für eine »inklusive Globalisierung« dargestellt und zielte auf jene, die sich aus der Weltwirtschaft ausgeschlossen fühlen. Die Sprache wird so gewählt, dass sie jene anspricht, die von globaler Harmonie durch Handel und kulturellen Austausch träumen. Wenn Xi Jinping von der »Schicksalsgemeinschaft der Menschheit« spricht, lautet der Subtext, dass die von China dominierte neue Weltordnung die Hegemonie der Vereinigten Staaten seit dem Zweiten Weltkrieg ersetzen wird – daher der unermüdlich wiederholte Vorwurf des »Kalter-Krieg-Denkens« an die Adresse von Kritikern der Seidenstraßen-Initiative. Die »Neue Seidenstraße« ist das wichtigste Vehikel der KPCh, um ihr alternatives Diskurssystem zu verbreiten und ihre »Diskursmacht« (siehe Kapitel 2) zu vergrößern. Gegenüber der Außenwelt sprechen Xi und andere Mitglieder der chinesischen Führung über eine »für alle Seiten vorteilhafte Kooperation«, über eine »große Familie in harmonischer Koexistenz« und über »eine Brücke für Frieden und Ost-West-Kooperation«, aber in den Diskussionen daheim geht es um die Frage, wie China eine globale diskursive und geostrategische Vormachtstellung erringen kann.[147]

Daher übernimmt ein Land, das sich der Seidenstraßen-Initiative anschließt, das Narrativ der KPCh. In der gemeinsamen Absichtserklärung Italiens und Chinas über die Seidenstraßen-Initiative bekennen sich die beiden Länder zu »gemeinsamer Entwicklung und Wohlstand«, zu einer »Vertiefung des gegenseitigen Vertrauens« und zur »vorteilhaften Kooperation«.[148] Die Regierung des australischen Bundesstaates Victoria, die sich über die Entscheidung der Bundesregierung hinwegsetzte, nicht an der Seidenstraßen-Initiative teilzunehmen, hat sich dazu verpflichtet, »den Geist der Seidenstraße, der auf Frieden, Kooperation, Offenheit, Inklusivität, gegenseitigem Lernen und gemeinsamen Vorteilen und Bestrebungen beruht, zu verbreiten, um ihn mit Blick auf die Erfordernisse der neuen Ära zu stärken«.[149] Gemeint ist natürlich Xi Jinpings neue Ära.

Nach dem Beitritt zur Seidenstraßen-Initiative übernehmen Politiker und hochrangige Bürokraten meist rasch die Sprache der KPCh und bestätigen dadurch das Bild, das die Partei in einer Art von sublimer weicher Machtausübung von China zeichnet. In den Augen der Partei legitimieren sie die Bestrebungen des Regimes und werden Teil von Xis »Schicksalsgemeinschaft der Menschheit«.

Am Ende des 2. Seidenstraßenforums 2019 in Beijing unterzeichneten Dutzende Politiker aus aller Welt eine Abschlusserklärung, in der es hieß: »Die alte Seidenstraße trug im Geist von Frieden, Kooperation, Offenheit, Inklusivität, Gleichberechtigung, gegenseitigem Lernen und gemeinsamen Vorteilen zur Stärkung der Verbindungen und zum Wachstum der Weltwirtschaft bei.«[150] Die Gäste aus aller Welt übernahmen die Gedankenwelt, welche die Theoretiker und Propagandisten der Partei entworfen haben, um das Versprechen chinesischer Investitionen schön zu verpacken. Richtig verstanden, ist die Verpackung wichtiger als der Inhalt – denn durch sie wird die größere Vision der KPCh, die sich hinter der Sprache versteckt, legitimiert.

7

DIE MOBILISIERUNG
DER CHINESISCHEN DIASPORA

Qiaowu: Personen chinesischer Herkunft
als Ziel der Einheitsfrontarbeit

Rund 50 bis 60 Millionen Menschen chinesischer Herkunft leben über die Welt verstreut. Das entspricht etwa der Bevölkerung Großbritanniens. Wie nicht anders zu erwarten, ist diese Gruppe sozial, politisch, kulturell und sprachlich vielgestaltig, und ihre Angehörigen haben unterschiedliche Einstellungen zu China. Sie stammen nicht nur aus Festlandchina, sondern aus Taiwan, Hongkong, Malaysia und anderen Ländern. Viele sind Nachkommen von Chinesen, die vor der Machtergreifung der Kommunistischen Partei auswanderten.

Seit zwei oder drei Jahrzehnten zielt die Einheitsfrontarbeit, die ursprünglich dazu diente, Bündnisse mit nichtkommunistischen Organisationen in China zu schmieden, auf eine große Zahl von Gruppen, darunter chinesischstämmige Gemeinden im Ausland. Menschen, die erst seit wenigen Jahren außerhalb Chinas leben – *xinqiao*, wenn sie neu Ausgewanderte sind, oder *huaqiao*, wenn sie chinesische Staatsbürger sind, die im Ausland leben –, halten eher den Kontakt zur »alten Heimat« aufrecht und haben »ein emotionales und psychologisches Bedürfnis, an Aktivitäten teilzunehmen, die aus dem Land ihrer Vorfahren stammen«.[1] Diese Verbindungen, darunter familiäre und geschäftliche Beziehungen, macht sich die KPCh zunutze. Im Jahr 2015 erklärte Xi Jinping chinesische Auslandsstudenten zu einem neuen und wichtigen Ziel der Einheitsfrontarbeit.[2]

Die Partei verbreitet eine Version des »Chinesischseins«, die chinesischstämmige Personen an die »Heimat der Vorfahren« binden und für die Zwecke des Regimes das Nationalgefühl und den Stolz auf die Errungenschaften Chinas wecken soll. Beispielsweise wehrt sich die Partei gegen westliche Kritik an Menschenrechtsverstößen oft mit dem Hinweis, ihr Regierungsstil entspringe der chinesischen Denkweise oder dem Konfuzianismus. (Daraus folgt, dass Taiwan in der Parteipropaganda einen für das chinesische Volk ungeeigneten Weg eingeschlagen hat und den Preis dafür in Form von gesellschaftlichem und politischem Chaos bezahlen muss.)

Der neuseeländische KPCh-Experte James Jiann Hua To zeichnet ein außergewöhnlich detailliertes Bild der Ziele und Methoden der Einheitsfrontarbeit in westlichen Ländern einschließlich der auf Chinesen im Ausland und chinesischstämmige Personen zielenden Programme.[3] Durch diese als *qiaowu* (wörtliche Übersetzung: auslandschinesische Angelegenheiten) bezeichneten Programme sollen Gemeindegruppen, die mit dem Regime in Beijing sympathisieren oder potenziell für die Partei gewonnen werden können, in den Dienst der KPCh gestellt werden, während jene, die als feindselig eingestuft werden, zum Schweigen gebracht werden sollen. Die Einheitsfrontarbeit dient auch dazu, Chinesen im Ausland die politischen Bestrebungen der Partei nahezubringen und zu verhindern, dass sie von »giftigen westlichen Ideen« (darunter repräsentative Demokratie, Menschenrechte und Freiheit der Wissenschaft) beeinflusst werden. In einem Schulungshandbuch für Einheitsfrontkader heißt es: »Für die Einheit der Chinesen daheim bedarf es der Einheit der chinesischen Söhne und Töchter im Ausland.«[4]

In den letzten 20 Jahren ist es der KPCh gelungen, zahlreiche kritische Stimmen im Westen zu unterdrücken, insbesondere jene, die sich für Demokratie, die Autonomie Tibets, die Rechte der Uiguren, die Unabhängigkeit Taiwans oder die Rechte der Anhänger von Falun Gong aussprechen. Diese Stimmen sind heute kaum noch zu hören, sei es in chinesischsprachigen oder Mainstream-Medien. Die Unterwerfung der chinesischsprachigen Medien im Ausland hat wesentlich zur Gleichschaltung beigetragen. Beispielsweise gab es in den neunziger Jahren in Australien eine vitale und vielfältige chinesischsprachige Medienlandschaft, aber mittlerweile sind fast alle Zeitungen und Radiosender Sprachrohre Beijings und werben für Loyalität gegenüber dem Mutterland.

Seit den neunziger Jahren haben zuverlässige Personen, die mit der KPCh sympathisieren, mit Unterstützung der chinesischen Botschaften und Konsulate zahlreiche, wenn nicht die meisten bestehenden chinesischen Gemeindeeinrichtungen und Berufsverbände in Nordamerika und Westeuropa übernommen. Außerdem wurden viele neue Organisationen gegründet, die Beijings Positionen vertreten: Wirtschaftsvertretungen und wissenschaftliche Vereinigungen, Berufsverbände, Gemeindegruppen für Menschen chinesischer Herkunft und seit 1989 Verbände für Studenten und Wissenschaftler an Universitäten.

So ist in der Öffentlichkeit der Eindruck entstanden, dass die regimefreundlichen Elemente die gesamte chinesischstämmige Gemeinschaft vertreten, und die tonangebenden Medien stellen es oft so dar. Diese scheinbare Legitimität erleichtert es mit Beijing sympathisierenden Gruppen, sich den politischen Repräsentanten des Aufnahmelandes zu nähern. Beijing gibt diesen Organisationen durch seine Botschaften und Konsulate eher den Kurs vor, als dass es sie direkt steuern würde. Aus einem vertraulichen Regierungsdokument geht hervor, dass das Ziel darin besteht, »ihre innere Funktionsweise zu infiltrieren, ohne offen zu intervenieren, und sie durch Anleitung zu beeinflussen, anstatt sie offen zu lenken«.[5]

Die Einheitsfront: Modus operandi und Strukturen

James To schreibt, dass *qiaowu*, also die auf Chinesen im Ausland und Menschen chinesischer Herkunft zielende Einheitsfrontarbeit, »eine kontinuierliche und fortschreitende Bemühung« ist, »Entscheidungen, Ausrichtung und Loyalität der Auslandschinesen zu beeinflussen, indem ihr Misstrauen und die Missverständnisse in Bezug auf China ausgeräumt und durch ein positives Bild ersetzt werden«.[6] Es wird an Patriotismus und Sentiment appelliert, und Kritik an der KPCh wird gewohnheitsmäßig mit einer »antichinesischen« Haltung gleichgesetzt. Aber es gibt noch weitere Motive. Wie der Parteiexperte Gerry Groot schreibt: »Die Zielpersonen werden mit einem höheren Status und in einigen Fällen auch mit materiellen Vorteilen belohnt.«[7] Die Anwendung von Zwang und Drohungen gegen im Ausland lebende Chinesen, die von der Parteilinie abweichen, werden normalerweise dem Ministerium für Staatssicherheit und den Konsulaten überlassen.[8]

Die psychologischen Techniken, die die KPCh in der Einheitsfrontarbeit einsetzt, wurden im Lauf von Jahrzehnten entwickelt und verfeinert und werden den Kadern unter Einsatz interner Handbücher beigebracht. James To erklärt, dass diese Techniken für eine »intensive Kontrolle und Manipulation des Verhaltens« geeignet sind, gleichzeitig jedoch »harmlos, gutartig und hilfreich« wirken.[9] In einer Rede auf der Konferenz über Einheitsfrontarbeit im Jahr 2015 schärfte Xi Jinping den Delegierten ein, dass sie sich in der Kunst üben müssten, »Freunde zu gewinnen«, da dies »eine wichtige Methode der Einheitsfrontarbeit« sei: »Parteikader, Regierungsbeamte und Einheitsfrontkader müssen diese Methode beherrschen.«[10]

Seit der Jahrtausendwende veranstalten die nationalen und Provinzbüros des Büros für auslandschinesische Angelegenheiten für junge Auslandschinesen »Schulungen« und »Sommerlager für die Suche nach den Wurzeln«, wobei sie sich auf Personen konzentrieren, die das Potenzial haben, in Zukunft leitende Positionen in ihrer Gemeinde einzunehmen.[11] Die Angehörigen dieser kommenden Führungsgeneration beherrschen die Sprache des Landes, in dem sie leben, und sind mit seiner Kultur vertraut. Ziel ist es, ihre patriotischen Gefühle zu stärken und sie in Netzwerke in China einzubinden. Es gibt kaum Daten dazu, aber aus offiziellen chinesischen Quellen geht hervor, dass im Jahr 2006 11 000 junge Auslandschinesen an solchen Schulungen teilnahmen.[12]

Im Vor- und Nachsatz dieses Buches findet sich ein Organigramm zu den ausländischen Einheitsfrontaktivitäten für ein beliebiges westliches Land.[13] Das Diagramm ist nicht vollständig, und es sind weder die Beeinflussungsorganisationen der Volksbefreiungsarmee (insbesondere die Vereinigung für internationale Freundschaftskontakte) noch die Beeinflussungsoperationen in Universitäten, Denkfabriken oder nicht chinesischsprachigen Medien berücksichtigt. Aber es gibt Aufschluss über die Verbindungen zwischen der KPCh und inländischen Organisationen: Diese finden sich unterhalb der Linie, die China von dem westlichen Beispielland trennt. Dargestellt werden nur die wichtigsten Durchführungsbehörden – jene, die sich in westlichen Ländern bemerkbar machen und in diesem Buch auftauchen –, nicht jedoch die für die Gestaltung der Politik verantwortliche Bürokratie, die oberhalb dieser Behörden angesiedelt ist (zum Beispiel die Zentrale Kommission für auswärtige Angelegenheiten und die Führungskleingruppen).

Die Einheitsfrontarbeit wird nicht von staatlichen Stellen (rechts im Diagramm), sondern von der KPCh gesteuert, obwohl diese Stellen von der Partei kontrolliert werden und sich ebenfalls an der Beeinflussungsarbeit beteiligen. Die große Abteilung für Einheitsfrontarbeit (UFWD) untersteht einer Führungskleingruppe. Seit der jüngsten Umstrukturierung sind das 3., 9. und 10. Büro der Abteilung für Einheitsfrontarbeit für die Beeinflussungsoperationen in chinesischstämmigen Gemeinschaften im Ausland zuständig.[14] Zwei weitere Parteiabteilungen betätigen sich ebenfalls in der Beeinflussungsarbeit im Ausland: die Internationale Verbindungsabteilung (oder »Internationale Abteilung«) und die Propagandaabteilung. Die Einheitsfrontabteilung legte die Grundzüge ihrer Strategie im Jahr 2004 in einem Blaubuch fest.[15] Ihr Ziel ist es, den »Zusammenhalt der chinesischen

Nation« zu stärken, indem sie die »kulturelle Identität« und die Liebe nichtkommunistischer Auslandschinesen zu ihrem Heimatland oder ihrer Heimatstadt fördert.

Im August 1979 gab Generalsekretär Deng Xiaoping auf der 14. Konferenz für Einheitsfrontarbeit klare Anweisungen: »Die Einheitsfrontarbeit ist eine Aufgabe der gesamten Partei, sie hängt von der Beteiligung der gesamten Partei ab. Die Parteikomitees auf allen Ebenen sollten die Einheitsfront in ihre Agenda aufnehmen.«[16] Das bedeutet, dass die Einheitsfrontarbeit in der Praxis weniger strukturiert und amorpher ist, als das Diagramm nahelegt.

Die Einheitsfrontabteilung lenkt die Politische Konsultativkonferenz des Chinesischen Volkes (PKKCV), ein großes, hochrangiges Beratungsgremium, das nicht direkt in den Parteiapparat integrierte gesellschaftliche Gruppen in die Sphäre der KPCh zieht (mehr dazu später). Personen chinesischer Herkunft, die der Partei gute Dienste erweisen, werden eingeladen, der Politischen Konsultativkonferenz oder ihren Provinzgremien beizutreten. Zu den wichtigsten Auslandseinrichtungen der PKKCV gehört der Chinesische Rat für die Förderung der friedlichen nationalen Wiedervereinigung (CCPPNR), der rund 200 Niederlassungen in aller Welt hat. Der Allchinesische Bund repatriierter Auslandschinesen (ACFROC) ist formal ebenfalls ein Bestandteil der PKKCV, wird in der Praxis jedoch von der Einheitsfrontabteilung kontrolliert und wird daher in dem Kasten gezeigt, der die wichtigsten von dieser Abteilung gesteuerten Behörden enthält – das Büro für auslandschinesische Angelegenheiten (OCAO), der China News Service und die Chinesische Gesellschaft für Auslandsfreundschaften, die auch als Chinesische Gesellschaft für Auslandsaustausch (OCEA) bezeichnet wird.

Gesellschaft des Chinesischen Volkes für Freundschaft mit dem Ausland (CPAFFC)

Als wichtigstes Organ der Einflussnahme in westlichen Ländern für die »Volksdiplomatie« über Provinz- und Lokalregierungen, Städtepartnerschaften, parlamentarische Freundschaftsgruppen und Freundschaftsgesellschaften usw. ist die CPAFFC eine weitere Organisation, die in diesem Buch oft erwähnt wird.

Der genaue Platz der CPAFFC in der Parteihierarchie ist unklar, aber Jichang Lulu argumentiert überzeugend, dass diese Organisation vom Außenministerium gemanagt, aber nicht kontrolliert wird, wobei mit »Management« eine »politische und intellektuelle Führung« statt eines alltäglichen Managements gemeint ist.[17] Die Mitarbeiter der CPAFFC sind Kader aus dem System für auswärtige Angelegenheiten. Da die Organisation von einem mächtigen Mitglied der roten Aristokratie geleitet wird, nämlich von Li Xiaolin, der Tochter von Li Xiannian, einem der »acht Unsterblichen« der Partei, genießt sie beträchtliche Autonomie.[18]

Büro für auslandschinesische Angelegenheiten (OCAO)

Das OCAO ist für Auslandschinesen zuständig und soll ihre Aktivitäten so weit wie möglich lenken oder beaufsichtigen. James To schreibt: »Das OCAO soll durch Anleitung, Koordinierung, Solidarität und Freundschaft mit Massenmedien, kulturellen Einrichtungen und Schulen der Auslandschinesen weiche Macht ausüben.«[19]

Im Jahr 2018 übernahm die Abteilung für Einheitsfrontarbeit sämtliche Funktionen des OCAO (die in die Büros 9 und 10 integriert wurden), aber die Bezeichnung wird weiterhin für externe Zwecke verwendet.[20] Wir behalten die Bezeichnung bei, weil in auf den Westen zielenden Berichten und Kommentaren nach wie vor von den Aktivitäten der »OCAO-Mitarbeiter« die Rede ist. Wichtig ist, dass das OCAO und der Allchinesische Bund repatriierter Auslandschinesen (ACFROC) überall in China Vertretungen auf Provinz-, Bezirks- und Stadtebene haben, und diese Einrichtungen beteiligen sich direkt an der Pflege der Beziehungen zu Vereinen von Auslandschinesen. In den meisten westlichen Ländern existieren Dutzende derartige Organisationen auf nationaler, Provinz- und lokaler Ebene, und sie alle haben in der Regel Kontakt zur chinesischen Botschaft oder zu den örtlichen Konsulaten.[21]

Im Rahmen der von Xi Jinping vorangetriebenen Intensivierung der Einheitsfrontarbeit kündigte das OCAO im Juni 2014 »acht große Pläne zur Unterstützung der Auslandschinesen« an, ein Programm, das auf chinesische Gemeindegruppen, Nachbarschaftshilfegruppen, Bildungs-, Ernährungs-, medizinischen und kulturellen Austausch, Geschäftsleute und Informationsdienste zielt.[22] Das OCAO betreibt auch einen eigenen internationalen Nachrichtendienst, den China News Service (CNS). Während der CNS so wie die amtliche Nachrichtenagentur Xinhua chinesischsprachige Medien im Westen mit Berichten versorgt, betreibt der CNS zusätzlich »heimlich ausländische Medienorganisationen«, die er teilweise besitzt.[23]

Die Organisationen der Auslandschinesen in der unteren Hälfte des Diagramms können acht Kategorien zugeordnet werden: Organisationen für die »friedliche Wiedervereinigung«, Wirtschaftsverbände wie Handelskammern, Berufsverbände und wissenschaftliche Gesellschaften, Ehemaligenvereine, Heimatverbände, religiöse Gruppen wie die Kongregationen chinesischer Christen und buddhistische Gruppen, kulturelle Gesellschaften und Kulturvereine, darunter Tanzensembles und Schriftstellerverbände, Veteranenvereine der Volksbefreiungsarmee, Freundschafts- und Austauschorganisationen, die auch Personen nichtchinesischer Herkunft anlocken, und Studentenverbände.

Es lohnt sich, einen Blick auf die Veteranenvereine zu werfen. In westlichen Ländern mit einer großen chinesischen Diaspora haben sich Veteranen der Volksbefreiungsarmee zusammengeschlossen, um die Kameradschaft der Tage in der Armee wiederaufleben zu lassen und geschäftlich und sozial vorteilhafte *guanxi* (Verbindungen) herzustellen. Die Nostalgie soll dafür sorgen, dass sich die Mitglieder von Veteranenverbänden der Volksrepublik emotional, sprachlich und kulturell verbunden fühlen. Aber als Einheitsfrontorganisationen erfüllen sie auch subversive Funktionen und dienen der Beeinflussung.[24] Der Verein der chinesischen Veteranen der französischen Fremdenlegion wurde im Jahr 1996 gegründet, obwohl er erst 2004 nach seiner Registrierung bei der chinesischen Botschaft in Paris bei sozialen Veranstaltungen aktiv wurde.[25] Auf der Website der Organisation findet sich die Information, dass Veteranen der Volksbefreiungsarmee, die die Aufnahmeprüfung bestehen, in die Fremdenlegion eintreten und nach fünfjähriger Dienstzeit die französische Staatsbürgerschaft erhalten können.[26] Im Jahr 2016 übernahm Chen Jianqing in Gegenwart mehrerer Würdenträger »unter den Auspizien der chinesischen Botschaft in Frankreich« die Leitung des Vereins.[27] Der scheidende Präsident beschrieb eine Reihe von Beeinflussungsaktivitäten des Vereins, darunter Wissenschafts- und Technologieaustausch, Werbung für die Seidenstraßen-Initiative, ein Forum über Fragen der öffentlichen Sicherheit in China und Maßnahmen zur Stärkung der Beziehungen zwischen Auslandschinesen und China. Zu den zuletzt genannten Maßnahmen zählten kulturelle Aktivitäten für chinesischstämmige französische Kinder in China.[28]

Jedes Jahr am 1. August wird am »Tag der Armee« die Gründung der Volksbefreiungsarmee gefeiert. Anlässlich der Feiern in London im Jahr 2016 erklärte der Präsident der British Chinese Veteran's Association, Wang Jing, der Verein werde »die Würde des Mutterlands verteidigen« und »dem Ruf des Mutterlands folgen«, wann immer es ihn brauche.[29] In Kanada löste die Gründung der Canada Chinese Veteran's Society im Jahr 2018 in Teilen der chinesischstämmigen Gemeinde in Kanada Befremden aus.[30] Die Gesellschaft hat Konzerte veranstaltet, bei denen in Uniformen der Volksbefreiungsarmee gekleidete Veteranen patriotische Militärlieder sangen, und richtet Treffen aus, bei denen die Mitglieder exerzieren und vor den Flaggen der Volksbefreiungsarmee, der Volksrepublik und Kanadas salutieren.

In Sydney gründeten chinesische Veteranen im Jahr 2015 den Australisch-Chinesischen Verein ehemaliger Militärangehöriger. Auch dieser Verein veranstaltet Treffen, bei denen uniformierte Veteranen patriotische Lieder schmettern, und greift auf militärische Taktiken zurück, um auf der Straße an Begrüßungszeremonien für chinesische Regierungsvertreter teilzunehmen. In Melbourne marschierten im Jahr 2018 am Tag der Armee uniformierte Mitglieder des Australia-China Veterans Club zu Revolutionsliedern.[31] Eine dubiosere Rolle spielt die New Zealand (Chinese) Veterans Association: Ihre Mitglieder beobachten Veranstaltungen von Gegnern des chinesischen Regimes und schüchtern Kritiker der KPCh ein.[32] Die Behörden in westlichen Ländern gehen bisher nicht gegen derartige Praktiken vor.

Politische Konsultativkonferenz des Chinesischen Volkes (PKKCV)

Die Konsultativkonferenz zählt zu den wichtigsten Einheitsfronteinrichtungen und ist ein hochrangiges Beratungsgremium, deren Aufgabe darin besteht, nicht der Partei angehörende Personen und diverse Interessengruppen nominal in den nationalen Entscheidungsprozess einzubinden. Vor einigen Jahren wurde die Konferenz für Wirtschaftsführer und Fachleute geöffnet; seither ist es ihr sehr gut gelungen, im Ausland und daheim vermögende und einflussreiche Chinesen in die Sphäre der Parteipolitik zu integrieren. Eine Einladung zur PKKCV ist gleichbedeutend mit einem unschätzbaren Zugang zu den Machtzentren Chinas. Es wird berichtet, dass unter den Delegierten der nationalen Konsultativkonferenz im Jahr 2013 52 Milliardäre waren.[33]

Die Konsultativkonferenz hat Provinz- und Stadtgremien, was der Partei erlaubt, das Netz noch weiter zu spannen. Als politische Einrichtung, die unter anderem nicht der KPCh angehörende, jedoch als wichtig betrachtete Personen an die Partei binden soll, ist sie die vielleicht »prominenteste nationale Einrichtung der Einheitsfront«.[34] Mitglieder der chinesischen Diaspora, die an der PKKCV teilnehmen, genießen normalerweise das Vertrauen der Partei, die davon ausgeht, dass diese Personen ihren Interessen dienen werden. Beispielsweise fungierte Fred Teng, der Leiter des America China Public Affairs Institute (und »Sonderbeauftragter« der China-U.S. Exchange Foundation), bei der Sitzung der Konsultativkonferenz im Jahr 2018 als Organisator einer Delegation aus Übersee. Während seines Aufenthalts in Beijing erklärte Teng seinen Gastgebern, dass »ein starkes China die größte Hoffnung der Auslandschinesen« sei.[35]

Chinesischer Rat für die Förderung der friedlichen nationalen Wiedervereinigung (CCPPNR)

Der CCPPNR wurde im Jahr 1988 gegründet, um potentielle Unabhängigkeitsbestrebungen in Taiwan zu untergraben, und hat seine Beeinflussungsaktivitäten in chinesischen Gemeinden im Ausland seitdem ausgeweitet. In einigen Ländern ist die CCPPNR-Niederlassung die wichtigste Organisation der Einheitsfront. Die Bedeutung des Wiedervereinigungsrats in der Parteihierarchie ist daran zu erkennen, dass sein Vorsitzender Wang Yang dem Ständigen Ausschuss des Politbüros angehört. Der stellvertretende Vorsitzende leitet zugleich die Abteilung für Einheitsfrontarbeit (UFWD). Als kaum getarnte Frontorganisation der UFWD verbreitet der Wiedervereinigungsrat Propaganda der KPCh. John Dotson hat 91 Länder aufgelistet, in denen der CCPPNR vertreten ist, darunter einige, in denen er mehrere regionale Vertretungen hat, und weist darauf hin, dass diese Organisation »ihre verdeckten Aktivitäten zur politischen Einflussnahme im Dienst der chinesischen Regierung ausweitet«.[36]

Die englischen Bezeichnungen des Wiedervereinigungsrats variieren, aber die chinesischen Zeichen sind im Allgemeinen dieselben. In den Vereinigten Staaten, wo es in den meisten Großstädten Büros des Wiedervereinigungsrats gibt, trägt die nationale Zentrale in Washington die Bezeichnung National Association for China's Peaceful Unification. Die Niederlassung im Großraum Chicago heißt Chinese American Alliance for China's Peaceful Reunification. In Großbritannien nennt sich die Organisation U.K. Chinese Association for the Promotion of National Reunification. Auch in Deutschland gibt es seit 2001 einen Ableger des Wiedervereinigungsrats, der jedoch vergleichsweise selten öffentlich in Erscheinung tritt.[37]

Die Führungen all dieser Gruppen pflegen enge Beziehungen zu Beijing, und unter Xi Jinping wurde ihre Funktion als Beeinflussungsagenten weiter aufgewertet. Der in Sydney ansässige Australian Council for the Promotion of Peaceful Reunification of China bemüht sich sehr aktiv um Einflussnahme auf die australische Öffentlichkeit und hat enge Beziehungen zu den wichtigsten politischen Parteien geknüpft, wobei er auch Spenden einsetzt. Im Jahr 2018 wurde dem damaligen Präsidenten der Organisation, dem Milliardär Huang Xiangmo, die Wiedereinreise nach Australien untersagt, was unter anderem an seiner Beteiligung an Operationen der KPCh lag.[38]

In den Vereinigten Staaten verhalten sich die Mitglieder des Wiedervereinigungsrats unauffälliger. In Washington scheint sich die Organisation kaum um Politiker zu bemühen und beschränkt sich im Wesentlichen darauf, die Einstellung der chinesischstämmigen Gemeinschaft zu gestalten, anstatt Einfluss auf die öffentliche Meinung oder die Regierungspolitik zu nehmen. Aber auch hier drängen sich diese Unterstützer der KPCh zunehmend in den Vordergrund, um abweichende Meinungen zu übertönen.[39]

Wie der Name verrät, soll der Wiedervereinigungsrat dazu beitragen, Taiwan aus der Staatengemeinschaft zu drängen. Die European Association for the Peaceful Reunification of China hat einen Appell an »alle Landsleute in Europa« veröffentlicht, der dazu aufforderte, von taiwanesischen Aktivisten organisierte Veranstaltungen zu bekämpfen, auf denen für eine Aufnahme Taiwans in der Weltgesundheitsversammlung geworben wird.[40]

Einschüchterung und Schikane

Unter den vom Regime verfolgten chinesischen Gemeinschaften (sowie den Gemeinschaften, die China für sich reklamiert) sind die Anhänger von Falun Gong einer besonders harten Repression ausgesetzt. Diese auf Taijiquan und dem Buddhismus beruhende, friedliche spirituelle Praxis hatte in den neunziger Jahren Millionen Anhänger in China. Möglicherweise verdankte Falun Gong den großen Zulauf einem von vielen Autoren und Intellektuellen beklagten moralischen Verfall in China. Obwohl Falun Gong keinerlei politische Ambitionen hatte, erschreckte sein rascher Aufstieg die Parteiführung, und im Jahr 1999 gab Ministerpräsident Jiang Zemin den Befehl zu einer brutalen Repressionskampagne. Vielen Anhängern der Praxis gelang die Flucht ins Ausland, aber wo auch immer sie sich angesiedelt haben, sehen sie sich mit Verfolgung konfrontiert, die von Belästigung bis zu Gewaltakten reicht.

Ein gravierender Zwischenfall fand in Flushing im New Yorker Stadtteil Queens statt, wo eine große chinesische Gemeinde lebt. Im Jahr 2008 wurden Anhänger von Falun Gong auf offener Straße von patriotischen »Sektengegnern« beschimpft, bedrängt und körperlich angegriffen. Angeführt wurden diese Trupps von einem Mann namens Michael Chu, der auch der Vizepräsident der New Yorker Vereinigung für die friedliche Wiedervereinigung Chinas war.[41] Falun Gong-Anhänger wurden auch telefonisch mit dem Tod oder mit Repressalien gegen ihre Familien in China bedroht. Wie sich herausstellte, hatte der chinesische Generalkonsul in New York, Peng Keyu, persönlich zu Gewalt gegen Falun Gong aufgerufen.[42]

Als die Repression der muslimischen Uiguren in der »autonomen Region« Xinjiang im Jahr 2019 einen Höhepunkt erreichte – die Bevölkerung wurde umfassend überwacht, und mehr als eine Million Menschen wurden in Konzentrationslagern eingesperrt –, intensivierten die chinesischen Behörden auch die Verfolgung der außerhalb Chinas lebenden Uiguren. In Frankreich nimmt die chinesische Polizei telefonisch und per WeChat Kontakt zu ausgewanderten Uiguren auf und verlangt von ihnen, Scans ihrer französischen Personalausweise und Heiratsurkunden sowie ihre privaten und beruflichen Adressen anzugeben. Als der im deutschen Exil lebende Uigure Abjujelil Emet einen Anruf von seiner in Xinjiang lebenden Schwester erhielt, hörte er im Hintergrund Stimmen, während sie die Kommunistische Partei pries und ihn anflehte, seinen Menschenrechtsaktivismus einzustellen. Emet verlangte, mit den Personen im Hintergrund zu sprechen, und ein Agent kam ans Telefon: »Sie leben im Ausland«, sagte der Beamte, »aber Sie sollten an Ihre Familie denken, während Sie in Deutschland herumlaufen und als Aktivist arbeiten. Sie müssen an die Sicherheit Ihrer Familie denken.«[43] Die Uiguren werden in vielen Ländern verfolgt, und auch die Staatsbürgerschaft eines anderen Landes schützt sie nicht vor der chinesischen Polizei.[44]

Im Westen kommt es immer wieder vor, dass uigurische Studenten von han-chinesischen Studienkollegen bedroht werden, wenn sie ihre Meinung sagen. Einem Uiguren, der in den Vereinigten Staaten studierte, drohten andere Studenten, ihn bei der chinesischen Botschaft zu melden, weil er die von vielen Uiguren bevorzugte Bezeichnung »Ostturkestan« für seine Heimat verwendete.[45] Die chinesischen Studenten beschimpften ihn als Separatisten und sagten: »Wir können nicht erlauben, dass du in unserer Klasse etwas gegen China sagst!« (Als der Lehrer sie darüber aufklärte, dass der Uigure für den Fall, dass sie ihn bei der Botschaft anzeigten, das Recht habe, sie beim FBI anzuzeigen, gaben sie klein bei.) Uiguren in Kanada, Großbritannien, Schweden und Deutschland berichten über Drohungen, sie würden ihre Familien nie wiedersehen, sollten sie sich nicht bereit erklären, andere Uiguren in ihrer Umgebung auszuspionieren.[46] »Du denkst, dass du frei sein wirst, wenn dir die Flucht aus China gelungen ist«, erklärt ein Vertreter der kanadischen Uiguren. »Aber du wirst nie frei sein.«

Wen Yunchao, ein in New York lebender Menschenrechtsaktivist, berichtet, dass chinesische Beamte seinen Sohn auf dem Weg zur Schule fotografiert haben. »Sie wollten mich wissen lassen, dass sie meinem Kind jederzeit etwas antun können«, sagt er.[47] Viele andere im Ausland lebende Chinesen, darunter die Menschenrechtsanwälte Teng Biao und Chen Guangcheng, haben über Morddrohungen berichtet.[48] Die Demokratieaktivistin Sheng Xue aus Toronto erklärte, die chinesischen Behörden beobachteten sie und hätten ihr gedroht, sie zu töten, wenn sie nicht aufhöre, die chinesische Führung zu kritisieren. Sie wird auch im Internet schikaniert; unter anderem wurde ihr Kopf per Photoshop auf nackte Körper gesetzt; die Fotos wurden anschließend samt ihrer Telefonnummer und Adresse auf Websites von Escort-Agenturen gestellt, was zur Folge hatte, dass sie zahllose Telefonanrufe erhielt.[49]

Der in Deutschland lebende Künstler Yang Weidong erklärt: »Das geht so weit, dass sie Deutschland so behandeln, als wäre es der Hinterhof der Kommunistischen Partei Chinas.«[50] Didi Kirsten Tatlow berichtet über einen Zwischenfall bei einer Gedenkveranstaltung anlässlich des ersten Jahrestags des Todes des chinesischen Nobelpreisträgers Liu Xiaobo in Berlin im Jahr 2018, als eine Reihe von chinesischen Gästen »mit emotionslosem Ausdruck« begannen, die Teilnehmer zu filmen, womit sie all jene, die mit den Methoden des chinesischen Staatssicherheitsdienstes vertraut waren, in Angst und Schrecken versetzten.[51]

Das Gefühl der Unsicherheit und Furcht, in dem viele Chinesen, Uiguren, Hongkonger und Tibeter im Westen leben, wird noch verstärkt, wenn die Strafverfolgungsbehörden in freien Ländern mit chinesischen Polizeibehörden und Nachrichtendiensten zusammenarbeiten (mehr dazu in Kapitel 13). Um Kritiker des Parteistaats daran zu erinnern, dass sie nirgendwo vor ihm sicher sind, dekorierten einige patriotische Chinesen in westlichen Städten ihre Autos so, dass sie chinesischen Polizeiautos ähnelten.[52]

Huaren canzheng

Mit der Politik von *huaren canzheng* (»politische Partizipation ethnischer Chinesen«) begann Beijing um das Jahr 2005.[53] Dies war eine neue Taktik zur Verwirklichung der Einheitsfrontstrategie der Partei, die sich auf die Narrative vom »Jahrhundert der Demütigung« und vom Fortbestand des antichinesischen Rassismus stützte. In den folgenden Jahren traten von Beijing unterstützte Personen in Parteien ein und bewarben sich in Kanada, den USA, Neuseeland, Australien, Großbritannien und anderen Ländern um politische Ämter.[54]

Die Einheitsfrontorganisationen befolgen zunehmend den Rat eines Parteistrategen aus dem Jahr 2010: Sie sollen politische Organisationen in der chinesischstämmigen Gemeinde aufbauen, politische Spenden machen, chinesischstämmige Politiker unterstützen und Stimmen gezielt einsetzen, um umkämpfte Wahlen zu entscheiden.[55] Diese Vorgehensweise hat Ähnlichkeit mit der vom »Großen Vorsitzenden« Mao angewandten Taktik des »Sandmischens«, die darin besteht, vertrauenswürdige Personen in das feindliche Lager einzuschleusen.[56] Am weitesten vorangeschritten ist das Programm in Kanada, aber es macht auch in Großbritannien, Frankreich, Neuseeland und Australien Fortschritte.[57] Im September 2019 meldeten australische Medien, dass Gladys Liu, eine neu gewählte Abgeordnete im australischen Bundesparlament, Verbindungen zu einer Reihe von Einheitsfrontgruppen in Australien und China habe.[58] Besonders unangenehm für sie war, dass Beweise dafür auftauchten, dass sie seit Jahren dem Beirat der Vereinigung für Auslandsaustausch von Guangdong angehörte, einer Ortsgruppe der Chinesischen Vereinigung für Auslandsaustausch (COEA), die eine Behörde der Abteilung für Einheitsfrontarbeit ist (siehe Organigramm). Liu sicherte sich eine Kandidatur für die Liberal Party, indem sie in der chinesischen Gemeinde hohe Wahlkampfspenden einsammelte (700 000 US-Dollar).[59] Nachdem sie einen Parlamentssitz ergattert hatte, wies Ministerpräsident Scott Morrison den Vorwurf, Liu habe ein Naheverhältnis zum chinesischen Regime, als rassistisch motivierte Schmutzkampagne zurück.[60]

Im November 2019 veröffentlichte Nick McKenzie, ein führender australischer Enthüllungsjournalist, eine explosive Reportage über die Versuche eines chinesischen Spionagerings, einen auf Luxuslimousinen spezialisierten Autohändler aus Melbourne für eine Kandidatur im Bundesparlament zu gewinnen.[61] Die chinesischen Agenten versprachen Bo (Nick) Zhao 1 Million australische Dollar für seinen Wahlkampf. Geleitet wurde der Spionagering offenbar von dem Geschäftsmann Brian Chen aus Melbourne, der »in dem Verdacht steht, ein hochrangiger chinesischer Geheimagent zu sein«.[62] (Chen weist diesen Vorwurf zurück.) Geplant war, Nick Zhao als Kandidaten der Liberal Party für den Bezirk Chisholm im Bundesstaat Victoria aufzustellen (diesen Parlamentssitz sicherte sich später Gladys Liu). Zhao meldete den Versuch, ihn anzuwerben, Ende 2018 dem australischen Inlandsnachrichtendienst ASIO; im März 2019 starb er unter ungeklärten Umständen in einem Motelzimmer.

Menschen mit chinesischen Wurzeln sind im Westen oft politisch unterrepräsentiert, und es muss mehr getan werden, um ihre Partizipation zu fördern. Doch die KPCh nutzt diese Situation aus, um Kandidaten aufzubauen, die mit ihr sympathisieren. Das Problem ist nicht, dass Menschen wählen gehen, sich zur Wahl aufstellen lassen, sich organisieren oder auf andere Art ihre demokratischen Rechte wahrnehmen. Ein Problem entsteht jedoch, wenn die KPCh systematisch versucht, sich in diese Prozesse einzumischen und sie in eine bestimmte Richtung zu steuern, so wie dies inzwischen an einigen Stellen zu beobachten ist. Demokratische Wahlen in anderen Ländern werden genutzt, um den autoritären Einfluss der Kommunistischen Partei zu erhöhen, und häufig wird eine Geschichte um antichinesische Ressentiments eingesetzt, um die Wählerschaft zusammenzuschweißen.

Eine weitere Methode, um politischen Einfluss zu erlangen, besteht darin, in Großparteien Fraktionen ethnischer Chinesen aufzubauen. Beispielsweise hat in der Labour Party des Bundesstaats Westaustralien die Australian Chinese Labor Association beträchtlichen Einfluss und ist in der Lage, Kandidaten in politische Ämter zu hieven.[63] Der Chinese Liberal Club hat dasselbe in der Liberal Party dieses Bundesstaats getan. Die von diesen Organisationen angeworbenen und unterstützten Kandidaten sollen die Interessen der chinesischstämmigen Wähler vertreten. Einheitsfrontorganisationen scheinen eine neue Generation von chinesischstämmigen Australiern für politische Ämter heranzuziehen, sei es durch Beratung oder »Bildungsseminare«.

In Frankreich schickte die Association Chinois Residants en France im Jahr 2017 eine Delegation nach Beijing, wo sie sich mit dem Leiter des Amts für auslandschinesische Angelegenheiten, Tan Tianxing, traf. Der Präsident der französischen Vereinigung, Ren Limin, bot Tan an, seine Organisation könne junge Meinungsführer in der chinesischstämmigen Gemeinde aufbauen und zum Engagement in der Lokalpolitik ermutigen.[64] Im Jahr darauf erhielt Ren Limin eine Einladung zur Politischen Konsultativkonferenz des Chinesischen Volkes (PKKCV), was ein Beleg dafür war, dass die Partei großes Vertrauen in ihn setzte.[65]

Huaren canzheng in Großbritannien

Einige prominente Briten chinesischer Herkunft sind Amtsinhaber oder Mitglieder von Einheitsfrontorganisationen, die sich in China versammeln.[66] Im Mai 2018 forderte das Büro für auslandschinesische Angelegenheiten chinesischstämmige Briten auf, zur Wahl zu gehen, und lobte die Gemeinde dafür, dass so viele ihrer Mitglieder für das Parlament kandidierten.[67] Zwei Briten chinesischer Herkunft verdienen besondere Aufmerksamkeit.

Christine Lee ist eine Anwältin, deren Londoner Firma Büros in Beijing, Hongkong und Guangzhou hat.[68] Im Jahr 2006 gründete sie das British Chinese Project (im Chinesischen trägt die Organisation den Namen »Britisch-chinesische politische Partizipation«). Zu jener Zeit gehörte Lee der Chinesischen Vereinigung für Auslandsaustausch an.[69] Sie pflegt enge Beziehungen zur KPCh. Sie war Justiziarin der chinesischen Botschaft in London und Rechtsberaterin des Büros für auslandschinesische Angelegenheiten. Außerdem ist sie Mitglied der Politischen Konsultativkonferenz des Chinesischen Volkes (PKKCV).[70] Diese Ämter zeigen deutlich, wie wichtig sie für die Partei ist. Zugleich ist sie laut offiziellen chinesischen Quellen die Sekretärin der parteiübergreifenden China-Gruppe im britischen Parlament.[71]

Lees Engagement in der britischen Innenpolitik begann offenbar während der Amtszeit von Premierminister Tony Blair. Damals schloss sie ein Bündnis mit dem Labour-Abgeordneten und Minister Barry Gardiner, der zuletzt Handelsminister im Schattenkabinett der Labour Party war. Im Jahr 2017 deckten Hannah McGrath und Oliver Wright diese Verbindungen in der *Times* auf: »Es entstand […] eine fruchtbare Verbindung, die Lee schließlich dazu bewegte, sowohl für den Abgeordneten als auch für seine Partei 200 000 Pfund zu spenden.«[72]

Im Jahr 2007 übernahm Barry Gardiner, der zu jener Zeit Blairs Kabinett angehörte, den Vorsitz in Lees British Chinese Project, und gemeinsam machten sich die beiden daran, neue Freunde in Westminster zu finden. Dabei half ihnen die 2011 von Gardiner ins Leben gerufene parteiübergreifende Gruppe, die »die chinesischen Bürger in Großbritannien vertreten« sollte. Einer von Lees Söhnen, Michael Wilkes, wurde stellvertretender Vorsitzender der Gruppe.[73]

Ein weiterer Sohn, Daniel Wilkes, begann in Gardiners Abgeordnetenbüro zu arbeiten; sein Gehalt zahlte die Anwaltsfirma seiner Mutter. Gardiner ist ein überzeugter Befürworter engerer sino-britischer Beziehungen und spricht sich für Investitionen des chinesischen Staatsfonds in Großbritannien aus. Er setzt sich dafür ein, einem chinesischen Staatsunternehmen die Erlaubnis zum Bau eines Atomkraftwerks bei Hinkley Point zu erteilen, ein Projekt, das die Regierung von Theresa May aufgrund von Bedenken bezüglich der nationalen Sicherheit auf Eis gelegt hat. Die *Times* berichtet: »Eine Quelle bei Labour erklärt, dass er [Gardiner] der parteiinternen Kritik an einer chinesischen Beteiligung am Hinkley Point-Projekt entschieden widerspricht.«[74]

Christine Lee beschreibt in ihrem Blog das *Huaren canzheng*-Programm der KPCh und gibt Briten chinesischer Herkunft Ratschläge dazu, wie sie Einfluss gewinnen können. Sie schreibt, das British Chinese Project arbeite mit dem früheren konservativen Abgeordneten Edmon Yeo (der aus Malaysia stammt), dem Vorsitzenden von Chinese for Labour, Sonny Leong, und der Co-Vorsitzenden der Chinese Liberal Democratic Party, Merlene Emerson, zusammen.[75] Lee hat für ihre Bemühungen großes Lob von den offiziellen Medien der KPCh erhalten: *China Daily* berichtete im Jahr 2011, Lee habe große Anstrengungen unternommen, um die Rechte der Chinesen in Großbritannien zu stärken.[76]

Lee hat zahlreiche Veranstaltungen für chinesische Delegationen organisiert und sich mit Angehörigen der Parteiführung einschließlich Xi Jinping getroffen. Anscheinend knüpfte sie eine enge Beziehung zu David Cameron, während dieser Premierminister war. Im Jahr 2012 reiste sie an der Spitze der bisher größten *Huaren canzheng*-Delegation nach Beijing. Begleitet wurde sie von Sonny Leong und der

Vorsitzenden der Liberaldemokraten. Die Delegation wurde von Tan Tianxing empfangen, dem stellvertretenden Leiter des Büros für auslandschinesische Angelegenheiten (OCAO).[77] Im Jahr 2016 trafen sich Lee und Sonny Leong erneut mit Tan, diesmal in Begleitung des Vizepräsidenten der Chinese Liberal Democrats. Tan forderte die chinesischstämmigen Briten auf, sich dem politischen Mainstream anzuschließen.[78] Im Jahr darauf trafen Lee, Leong und eine Gruppe von britischen Verfechtern von *huaren canzheng* erneut in Beijing ein, um sich mit Tan zu beraten.[79]

Im Jahr 2015 wurde Lee erneut für ihre Arbeit im Dienst der *huaren canzheng* belobigt, diesmal auf der Webseite des offiziellen Sprachrohrs der KPCh, der *People's Daily*, die berichtete, Lee sei »von Tür zu Tür gegangen, um die Auslandschinesen zum Wählen zu ermutigen, das Verständnis der Abläufe von Wahlen zu fördern und den Chinesen zu helfen, die Stimmzettel auszufüllen«.[80] Im Jahr 2016 war auf einer amtlichen *qiaowu*-Website Folgendes über Lees Arbeit zu lesen: »Die Chinesen müssen ihr Schicksal selbst bestimmen.«[81] Am 31. Januar 2019 nahm Christina Lee von Premierministerin May den Points of Light Award entgegen, mit dem sie für die Beiträge ausgezeichnet wurde, die sie mit dem British Chinese Project geleistet hatte.[82] Auf einem Foto ist Lee vor der Tür der Downing Street Nr. 10 zu sehen, die mit roten Spruchbändern behängt ist, auf denen Reime in chinesischer Schrift stehen und eine »goldene Ära« in den sino-britischen Beziehungen angekündigt wird. Die Symbolwirkung hätte nicht größer sein können: Lee war ins Herz der britischen Demokratie vorgestoßen und wurde von dieser akzeptiert.

Zu den Gründern der Gruppe Chinese for Labour zählte Katy Tse Blair, die chinesisch-amerikanische Schwägerin von Tony Blair, der Premierminister war, als die Gruppe im Jahr 1999 entstand.[83] Sie gehört zur Labour Party, ist im Nationalen Exekutivausschuss und im Nationalen Politikforum vertreten und trifft sich regelmäßig mit dem Parteichef, seinem Stellvertreter und dem Schattenkabinett.[84] Der Vorsitzende Sonny Leong gehört dem 48 Group Club und dem Labour Party 1000 Club (zu dem man durch Spenden Zutritt erhält) an und ist Mitglied des Exekutivausschusses von BAME Labour (Black, Asian and Minority Ethnic Labour), einer mit der Partei verbundenen Gruppe.[85]

Die zweite Britin chinesischer Herkunft, die von besonderer Bedeutung für dieses Buch ist, ist auf der anderen Seite des politischen Spektrums beheimatet. Li Xuelin kam im Jahr 1989 nach Großbritannien und stieg nach einigen Jahren ins Immobiliengeschäft ein.[86] Im Jahr 2009 gründete sie die Zhejiang UK Association, die Einheitsfrontarbeit leistet.[87] (Li ist weiterhin Ehrenvorsitzende der Organisation.[88]) Im selben Jahr wurde sie zur stellvertretenden Vorsitzenden des Beirats der Vereinigung für Auslandsaustausch von Zhejiang ernannt, einer Organisation, die zur Einheitsfrontabteilung gehört.[89]

Dass ihr die KPCh vertraut, zeigt sich daran, dass Li Xuelin geschäftsführende Vizepräsidentin der UK Chinese Association for the Promotion of National Reunification ist, der britischen Niederlassung des CCPPNR. Im Jahr 2013 wurde sie auch in den Auslandsbeirat des Bunds repatriierter Auslandschinesen (ACFROC) berufen und im Jahr 2018 erneut ernannt (siehe Organigramm im Vor- und Nachsatz).[90]

Im Jahr 2009 nahm Li Xuelin in Hangzhou an einem fünftägigen Workshop für Führungskräfte teil. Der vom Büro für auslandschinesische Angelegenheiten (OCAO) organisierte Workshop sollte »die nachhaltige Entwicklung der *qiaowu*-Arbeit fördern«.[91] Im folgenden Jahr kehrte Li nach Hangzhou zurück, wo sie sich mit Mitgliedern der Parteiführung traf und »Führungspersonen ihres Heimatlands und ihrer Heimatstadt« über ihre Tätigkeit Bericht erstattete. Die Zhejiang UK Association (ZJUKA) wurde für ihre Leistungen belobigt.[92]

Li hatte sich bald nach ihrer Ankunft in England in eine begeisterte Wahlkämpferin für die britischen Konservativen und insbesondere für David Cameron verwandelt, mit dem sie sich bei zahlreichen Gelegenheiten traf.[93] Im Jahr 2015 begann Cameron, von einer »goldenen Ära« in den sino-britischen Beziehungen zu sprechen.[94] Zur selben Zeit arbeitete Li als »kostenlose Beraterin« für Lord Wei (Nathanael Ming-Yan Wei), einen sozialen Unternehmer, der als erster gebürtiger Brite chinesischer Herkunft in den Adelsstand erhoben wurde.

Li Xuelin begleitete Wei nach China, wo sie Berichten zufolge Lord Weis Verständnis für die Volksrepublik vertiefte.[95]

Im Jahr 2011 lernte Li den konservativen Peer und ehemaligen Staatsminister Lord Michael Bates kennen, den sie kurz darauf mit Li Xiaolin bekannt machte, der Präsidentin der CPAFFC und hochrangigen Parteifunktionärin.[96] Im folgenden Jahr heirateten Li Xuelin und Michael Bates.[97] Lord Bates zählte sich seit einigen Jahren zu den Freunden Chinas, und diese Freundschaft war so groß, dass ihn Xi Jinping bei seinem Staatsbesuch im Jahr 2015 in einer Rede vor dem britischen Parlament lobend erwähnte. Bates war auch bei Xis Treffen mit der Elite der britischen Freunde des chinesischen Regimes anwesend; unter den Teilnehmern waren einige bekannte Gesichter aus dem 48 Group Club, dem Bates angehört.[98] In einem TED-Vortrag im Jahr 2019 gestand Bates seine Liebe zu China und seine Bewunderung für die verblüffenden Leistungen von dessen Regierung; er betete eine Reihe von Statistiken herunter und erklärte seinen Zuhörern, dass China nur Frieden wolle.[99] Im April desselben Jahres nahm Li Xuelin, mittlerweile Lady Bates, an einem von der chinesischen Botschaft veranstalteten Seminar zum Thema »Xi Jinpings Gedanken über die Diplomatie« teil, bei dem auch mehrere prominente Mitglieder des 48 Group Club einschließlich des Vorsitzenden Perry gesehen wurden.[100]

Die Heirat mit Bates öffnete weitere Türen. Im Lauf der Jahre hat Xuelin Bates zahlreichen chinesischen Geschäftsleuten Zugang zu britischen Elitekreisen verschafft, wofür sie von chinesischen Einheitsfrontpublikationen mit Lob überhäuft worden ist.[101]

Im Jahr 2014 war Xuelin Bates in einen Immobilienskandal verstrickt, an dem auch der damalige Londoner Bürgermeister Boris Johnson beteiligt war, mit dem sie sich angefreundet hatte. Sie fädelte ein Geschäft zwischen Johnson und einem von ihr betreuten chinesischen Unternehmen namens Advanced Business Park (ABP) ein, in dem es um die Umgestaltung des Royal Albert Dock in London ging. Für das Projekt wurden 1 Milliarde Pfund veranschlagt, womit es »Chinas größte Immobilieninvestition im Vereinigten Königreich«

war.[102] Johnson wurde vorgeworfen, er habe ABP eine Vorzugsbe-handlung zukommen lassen, weil Bates in den Jahren 2010 bis 2012 162 000 Pfund für die Konservativen gespendet hatte. Lady Bates er-klärte, das Geld sei nicht von ABP, sondern aus ihrer eigenen Tasche gekommen.[103] Anscheinend überredete sie Johnson im Jahr 2015, ein weiteres Bauvorhaben einer chinesischen Firma zu unterstützen. Das Projekt in Crystal Palace Park hatte einen Wert von 500 Millionen Pfund.[104] Lord Bates unterließ es, seine finanzielle Beteiligung an dem Vorhaben offenzulegen, und das Projekt scheiterte.[105]

Xuelin Bates lässt es sich 50 000 Pfund im Jahr kosten, ein Mitglied der Leader's Group zu sein, die von David Cameron für besonders großzügige Spender der Konservativen Partei gegründet wurde.[106] Die Mitglieder haben bevorzugten Zugang zu Spitzenpolitikern. Im Mai 2014 stellte Xuelin Bates bei einem von ihr mit organisierten Mittag-essen der Konservativen Partei ihre chinesischen Gäste einzeln Came-ron vor; es hieß, auf diese Art wolle sie ein Fundament für die zukünf-tige britisch-chinesische Zusammenarbeit legen.[107] Im Jahr 2017 setzte sie sich im Wahlkampf gemeinsam mit ihrem Ehemann für Theresa May ein und saß neben der Premierministerin, als diese vom Handy aus Wähler anrief. Im ZJUKA-Newsletter wurde hervorgehoben, dass die Präsidentin der Vereinigung neben May stand, als die Premier-ministerin ihre Wahlrede hielt.[108] Bei einem Two Cities-Bankett im Jahr 2018 war Lady Bates erneut an der Seite der Premierministerin zu sehen.[109] Im Jahr 2019 setzten sich Lord und Lady Bates im Wahl-kampf begeistert für Boris Johnson ein.

Im Februar 2019 veranstaltete die ZJUKA im Parlament ein Neu-jahrsdiner zur Feier der »goldenen Ära« in den britisch-chinesischen Beziehungen. Britische Politiker mischten sich mit chinesischen Di-plomaten und Geschäftsleuten. Bei einer wohltätigen Versteigerung erstand ein Beijinger Geschäftsmann namens Yao Yichun einen von Theresa May angefertigten Scherenschnitt.[110] Einige Tage später infor-mierte Xuelin Bates beim jährlichen Spendenball der Konservativen Partei Theresa May darüber, dass Yao Yichun 2200 Pfund für ihr Kunst-werk bezahlt hatte. Es wird berichtet, dass die Ministerpräsidentin sehr angenehm überrascht war und Yo für seine Großzügigkeit dankte.[111] Zwei Jahre früher hatte Yao Yichun 12 000 Pfund für eine von Lady Bates organisierte Wohltätigkeitsveranstaltung gespendet.[112]

Am selben Tag, an dem Christine Lee die Tür der Downing Street Nr. 10 mit chinesischen Spruchbändern verhängte, schmückten Xuelin Bates und drei weitere Personen, die mit Behörden der KPCh verbunden waren, die Räumlichkeiten der Residenz der Premierministerin für eine Feier anlässlich des chinesischen Neujahrsfests mit Theresa May.[113] Sowohl Christine Lee als auch Xuelin Bates hatten es geschafft, in den innersten Kreis der britischen Eliten vorzustoßen, wo sie für die »chinesische Sichtweise« werben konnten.

Lord Michael Bates ist ein begeisterter Wanderer und hat mehrere »Freundschaftsspaziergänge« durch China unternommen. Im August 2019 unternahm er gemeinsam mit Lady Bates eine einmonatige Wanderung durch die Provinz Zhejiang. Die Aktivität war von der Gesellschaft des Chinesischen Volkes für Freundschaft mit dem Ausland (CPAFFC) gemeinsam mit der Walk for Peace Foundation (deren Vorsitzende Lady Xuelin Bates ist) organisiert worden.[114] Eine Tochtergesellschaft des Fremdsprachenbüros, das Teil des Auslandspropaganda-Apparats der KPCh ist, produzierte einen süßlichen Dokumentarfilm von Bates' Begegnung mit dem chinesischen Volk.

Gleichgültig, ob man Bates' Aktivitäten für lächerlich oder finster hält, passen sie sehr gut zur Taktik »Lass den Ausländer vorteilhafte Geschichten über China erzählen«. In einem Interview mit *People's Daily* schwärmte Bates einmal mehr vom modernen China und betonte, wie viel das Land zu Frieden und Wohlstand in der Welt beigetragen habe.[115]

Bei einer Vorführung des Dokumentarfilms in der chinesischen Botschaft in London erklärte der Botschafter den versammelten Gästen: »Auf ihrer Reise versuchten sie, mehr über den Zusammenhang zwischen den Xi-Jinping-Gedanken über den Sozialismus, den Chinesischen Charakteristika für eine neue Ära und verschiedenen Orte und Menschen in China zu erfahren und herauszufinden, wie sich die lokale Entwicklung an diesen Gedanken orientieren kann.«[116] Es wurden Vereinbarungen über die Ausstrahlung des Dokumentarfilms auf CNBC, der Website des *Wall Street Journal*, im chinesischen Staatsfernsehen und in einer Reihe neuer Medien geschlossen.[117]

Wichtiger für die Beeinflussungsarbeit der KPCh in Großbritannien ist, dass Bates Berichten zufolge im Dezember 2019 mit CPAFFC-Präsidentin Li Xiaolin eine Vereinbarung über die Gründung der UK China Friendship Association unterzeichnete, die im Februar 2020 ihre Tätigkeit aufnehmen sollte.[118] Die Vereinbarung wurde bei einem Treffen mit Li Xiaolin in der Zentrale der Freundschaftsgesellschaft in Beijing geschlossen. Während desselben Besuchs wurden Lord und Lady Bates vom stellvertretenden Leiter der Propagandaabteilung der KPCh für die »Verbreitung der Brillanz Chinas« ausgezeichnet.[119]

8

DIE ÖKOLOGIE DER SPIONAGE

Beeinflussen und spionieren

Im Jahr 1996 flossen dem Wahlkampffonds von US-Präsident Bill Clinton eine große Spende des chinesisch-indonesischen Unternehmens Lippo sowie weitere Spenden der chinesisch-thailändischen Gruppe Charoeun Popkhand und des in Macau ansässigen Unternehmens San Kin Yip zu. Lippo war teilweise von der China Resources Group übernommen worden, einem Unternehmen im Besitz des Ministeriums für Außenhandel und wirtschaftliche Zusammenarbeit. Alles in allem beliefen sich die Spenden auf 4,5 Millionen Dollar. Sie waren von einer Reihe chinesischstämmiger Amerikaner mit Verbindungen zur KPCh vermittelt worden. Später wurde bekannt, dass die Tochter von General Liu Huaqing, der bis 1997 stellvertretender Vorsitzender der Zentralen Militärkommission Chinas gewesen war, 300 000 Dollar beigesteuert hatte.[1]

Die Mittelsmänner waren häufige Besucher im Weißen Haus und brachten oft chinesische Partner mit. Einer organisierte ein Treffen zwischen Bill Clinton und Wang Jun, dem Leiter der in Hongkong ansässigen Unternehmen CITIC und China Poly Group, die beide eng mit der Volksbefreiungsarmee verbunden sind. Eine Insiderin aus Hongkong erklärte, dass »die Führung von CITIC dafür bekannt ist, eine große Zahl von Geheimagenten« aus dem Militärgeheimdienst zu beschäftigen, und Poly Technologies (eine Tochtergesellschaft der Poly Group) wurde als »Auffangbecken für rote Prinzen« beschrieben.[2] Mit anderen Worten: Wang Jun, ein Mann mit Verbindungen zum chinesischen Geheimdienst, besuchte den US-Präsidenten im Weißen Haus. Die Verzweigungen des »Chinagate«-Skandals sind nie vollkommen aufgedeckt worden, was teilweise daran lag, dass der Lewinsky-Skandal die Aufmerksamkeit der Öffentlichkeit vollkommen in Anspruch nahm. Aber der Fall zeigte, dass chinesische Geheimdienste in der Lage waren, in die höchsten Kreise der amerikanischen Politik einzudringen.[3]

»Chinagate« gab einen Vorgeschmack auf eine andere Entwicklung. Beijings Spionageaktivitäten (der Diebstahl von Geheimnissen und geistigem Eigentum) und die Beeinflussungsoperationen Beijings (die Manipulation von Meinungen und Verhalten) gehen oft Hand in Hand und werden von denselben Personen und Organisationen durchgeführt. Aber während die Einheitsfrontagenten im Westen in vielen Fällen identifiziert werden können, was nicht zuletzt an ihrer Neigung liegt, sich mit ihren Leistungen zu brüsten, arbeiten die Geheimagenten unter einer guten Tarnung. In diesem Kapitel wird erklärt, wie Einfluss genutzt wird, um Spionage zu ermöglichen, und wie Spionageerkenntnisse genutzt werden, um die Wirksamkeit von Beeinflussungsaktivitäten zu erhöhen.

Die westlichen Geheimdienste beschränken sich traditionell darauf, politische und militärische Geheimnisse zu stehlen, indem sie Agenten anwerben, Maulwürfe in Regierungsbehörden einschleusen und Informationen abfangen. China geht ebenfalls diesen herkömmlichen Praktiken nach, aber es überschreitet die Grenzen der traditionellen Spionage und schleust Agenten in verschiedenste andere Bereiche ein. Beijing wendet gewaltige Mittel auf, um durch Industriespionage an wirtschaftlich nutzbare Geheimnisse zu gelangen und durch Staatsspionage die politischen und militärischen Geheimnisse anderer Staaten in seinen Besitz zu bringen. Der stellvertretende Leiter der Gegenspionage beim FBI, Bill Priestap, spricht von »Tausenden« Beschwerden und Untersuchungen über nicht traditionelle Spionageaktivitäten, die überwiegend China betreffen. »Wann immer wir einen Stein umdrehen, wann immer wir danach suchen, werden wir nicht nur fündig, sondern stellen fest, dass es schlimmer als erwartet ist«, erklärt er.[4] Das amerikanische Justizministerium schätzt, dass China in den Jahren 2011 bis 2018 in 90 Prozent aller Fälle von Industriespionage verwickelt war.[5]

Privatunternehmen betreiben seit Langem Industriespionage, aber China ist einen Schritt weiter gegangen und setzt seine diplomatischen und Nachrichtendienste ein, um den Diebstahl von geistigem Eigentum zu fördern.[6] Darüber hinaus haben der Einheitsfrontapparat und die Geheimdienste in chinesischen Gemeinden im Ausland Fuß gefasst, wo sie sowohl Beeinflussungsagenten als auch Informanten und Spione rekrutieren. Während man eine spezialisierte Ausbildung braucht, um an traditionellen Spionageaktivitäten teilnehmen zu können, stützt sich das diffuse chinesische Programm der Informationsbeschaffung auf Tausende Amateure, die Daten sammeln. James To bezeichnet dies als »dezentralisierte Mikrospionage«.[7] Im Rahmen der Strategie »Tausend Sandkörner« werden Fachkräfte, Geschäftsleute, Studenten und sogar Touristen angehalten, die Führungsoffiziere in Botschaften und Konsulaten mit Informationen zu versorgen. Im Jahr 2007 erklärte der Leiter des kanadischen Inlandsnachrichtendienstes SIS: »Manchmal sind wir überrascht von der Zahl hyperaktiver Touristen und von ihrer Herkunft.«[8] Die Informationen können Technologie, Handelsgespräche, Geschäftsstrategien oder Berichte über die Aktivitäten der chinesischen Diaspora betreffen.[9]

Obwohl es tatsächlich Tausende Amateure gibt, die Informationen sammeln, werden die Aktivitäten nach Ansicht von Peter Mattis und anderen Experten von Fachleuten in den Geheimdiensten geplant und geleitet.[10] Mattis beschreibt einen »abgestuften Zugang zur Informationssammlung«, der von traditionellen Geheimdienstaktivitäten bis zum Einsatz von Amateuren reicht, die von zu Hause oder aus dem Büro arbeiten.[11] Anstatt abzuwarten, was hereinkommt, nehmen die Geheimdienstmitarbeiter oft in Zusammenarbeit mit Fabriken und Forschungseinrichtungen in China bestimmtes geistiges Eigentum ins Visier und machen sich auf die Suche nach Personen, die diese Informationen beschaffen können.[12] Unter Anleitung ihrer Führungsoffiziere setzen manche Amateurspione spezialisierte Methoden wie Verschlüsselung, verdeckte Kommunikation, Decknamen und Praktiken der Gegenspionage ein. Im November 2019 wurde Xuehua Peng, ein amerikanischer Staatsbürger, der in San Francisco als Reiseführer arbeitete, wegen Spionage verurteilt, nachdem er bei der Verwendung von »toten Briefkästen« erwischt worden war: Er hatte mit Bargeld gefüllte Briefumschläge in Hotelzimmern versteckt, um nach einer Weile zurückzukehren und Speicherkarten mit vertraulichen Informationen abzuholen, die er nach China brachte und Agenten des Ministeriums für Staatssicherheit übergab.[13]

Die chinesischen Geheimdienste

Da das Aufgabengebiet der chinesischen Geheimdienste um einiges größer ist als das der westlichen Nachrichtendienste, brauchen sie mehr Mittel, und Xi Jinping hat dafür gesorgt, dass sie bekommen, was sie brauchen. Wie Roger Faligot schreibt, ist »insbesondere seit 2017 ein spektakulärer Autoritätszuwachs des chinesischen Nachrichtendienstapparats« zu beobachten.[14] Die maßgeblichen Geheimdienste sind das Ministerium für Staatssicherheit und die Nachrichtendienstbüros der Gemeinsamen Stabsabteilung der Zentralen Militärkommission (die ehemalige 2VBA, die 2. Abteilung des Generalstabs der Volksbefreiungsarmee).

In einer groben Analogie könnte man sagen, dass das Ministerium für Staatssicherheit (MSS) die Funktionen der CIA und des FBI verbindet, wobei der chinesische Geheimdienst jedoch sehr viel größere Macht besitzt und sich auf die Sicherheit des politischen Systems konzentriert. Das MSS ist also sowohl für die inländische als auch für die ausländische Nachrichtendienstarbeit sowie für Sicherheitsoperationen zuständig. Es kann chinesischen Organisationen und Bürgern einschließlich jener im Ausland nachrichtendienstliche Aktivitäten befehlen. Ein Großteil seiner Tätigkeit wird von Provinz- und städtischen Büros geleistet. Peter Mattis und Matthew Brazil, die Autoren der aktuellsten und fundiertesten Analyse der chinesischen Geheim-

dienste, haben 18 MSS-Büros identifiziert.[15] Für die Zwecke unserer
Untersuchung sind einige dieser Büros erwähnenswert.

Das Büro Nr. 1 ist für verdeckt operierende Agenten zuständig, die
keinerlei Verbindungen zum chinesischen Staat haben. Das Büro Nr. 2
betreut Agenten, die »als Diplomaten, Journalisten oder Regierungsvertreter getarnt sind«.[16] Das Büro Nr. 10 (Ausländische Sicherheit
und Aufklärung) ist unter anderem für chinesische Studentenorgani-
sationen im Ausland zuständig, während das Büro Nr. 11, zu dem die
Denkfabrik CICIR gehört, Open-Source-Forschung und Netzwerk-
aufbau im Ausland betreibt. Das Büro Nr. 12 (Soziale Angelegenheiten) ist für die »Beiträge des MSS zur Einheitsfrontarbeit« zuständig,
und das Büro Nr. 18 (US-Operationen) betreibt Spionage in den Vereinigten Staaten. Die meisten gegen die Vereinigten Staaten gerichteten Operationen werden vom Staatssicherheitsbüro Shanghai gesteuert.[17]

Im Jahr 2005 wurde berichtet, dass das MSS nach Ansicht des FBI
rund 3000 Tarnfirmen gegründet hatte, um seine Aktivitäten zu verschleiern.[18] Mehrere Sparten des MSS betreiben Wirtschaftsspionage,
und das Ministerium ist »tief in große Finanz- und Wirtschaftsorga-
nisationen eingedrungen, insbesondere in Shanghai und Hongkong«.[19]
Nicht die gesamte chinesische Wirtschaftsspionage wird vom Staat ge-
lenkt. Chinesische Staatsbürger gründen Firmen, die im Auftrag von
Unternehmen in China bestimmtes intellektuelles Eigentum von
westlichen Konkurrenten stehlen und weiterreichen; zu diesem Zweck
suchen sie normalerweise einen Mitarbeiter des westlichen Unternehmens, der bereit ist, die Geheimnisse weiterzugeben.[20]

Die Volksbefreiungsarmee geht ebenfalls umfassenden nachrichtendienstlichen und Spionageaktivitäten nach. Ihr Geheimdienst
wurde im Jahr 2016 umstrukturiert, und viele Bestandteile des neuen
Systems sind unklar; die beste bisher verfügbare Beschreibung der
neuen Struktur hat Peter Mattis geliefert.[21]

Das Nachrichtendienstbüro der Gemeinsamen Stabsabteilung der
Zentralen Militärkommission (ehemals 2VBA) ist für die militärische
Aufklärung verantwortlich, engagiert sich jedoch seit Langem auch

umfassend im zivilen Bereich. Nachrichtendienstliche Informationen werden von Militärattachés sowie durch Fernmelde- und elektronische Aufklärung beschafft. Die Gemeinsame Stabsabteilung hat eigene Denkfabriken – das Chinesische Institut für Internationale Strategische Studien, das sich auf die Forschung konzentriert, und die Chinesische Stiftung für Internationale und Strategische Studien, die für den akademischen und politischen Austausch zuständig ist.[22] Das Institut für Internationale Beziehungen (das mittlerweile Teil der Nationalen Universität für Verteidigungstechnologie ist) bildet Militärattachés und Geheimagenten aus. James Scott und Drew Spaniel haben in *China's Espionage Dynasty* (2016) geschätzt, dass die 2VBA zwischen 30 000 und 50 000 Spitzel in Organisationen in aller Welt platziert hat, die vertrauliche und andere Informationen sammeln und nach China schicken.[23]

Die Abteilung für politische Arbeit der Zentralen Militärkommission ist dafür verantwortlich, mittels Bildung, Indoktrinierung und Disziplin die Kontrollstrukturen der Partei in den Streitkräften aufrechtzuerhalten. Nach Angabe von Mattis ist ihre Verbindungsabteilung auf Einheitsfrontarbeit, politische Kriegführung und verdeckte HUMINT (»menschliche Aufklärung«) spezialisiert.[24] Sie betreibt ein groß angelegtes Programm zur Infiltration und verdeckten Übernahme von Privatunternehmen und setzt Staatsbetriebe als Deckmantel für nachrichtendienstliche Aktivitäten ein. Viele dieser Unternehmen sind in Hongkong stationiert. Die Verbindungsabteilung steuert eine wichtige Tarnorganisation, die Chinesisches Vereinigung für internationale Freundschaftskontakte (CAIFC), die in Kapitel 10 behandelt wird.

Die schlagkräftige Strategische Unterstützungseinheit der Volksbefreiungsarmee, die 2016 gegründet wurde, bündelt »den Großteil der technischen Aufklärungsmittel der VBA am Himmel, im virtuellen Raum und im elektromagnetischen Spektrum«.[25] Die Strategische Unterstützungseinheit konzentriert sich auf die Informationssammlung für militärische Operationen und ist für die Fernmeldeaufklärung einschließlich der Überwachung der Telekommunikation sowie für Cyberaufklärung, Spezialeinsätze, Informationskrieg und offensive Cyberoperationen zuständig (diese Aufgaben wurden früher von den Abteilungen 3 und 4 der Generalstabsabteilung erledigt).[26]

Chinas gewaltiger Appetit auf die Technologie anderer Länder – sei es, dass sie legal oder illegal erworben wird – wird mit verschiedenen Mitteln gestillt. Im Zentrum des Technologietransfers zur Rüstungsindustrie steht die Staatliche Verwaltung für Wissenschaft, Technologie und Industrie in der Landesverteidigung (SASTIND), die »ein wahrhaftiger ›Staubsauger für nachrichtendienstliche Information‹« ist.[27]

Die Staatssicherheitsbüros in den einzelnen Provinzen sind Parallelstrukturen zu diesem zentralen Nachrichtendienstapparat. Die Provinzen und wichtigsten Städte haben auch eigene Rekrutierungs- und Ausbildungsprogramme, die direkt mit der Abteilung für Einheitsfrontarbeit verknüpft sind.[28]

Rekrutierungsmethoden

In einer Überblicksstudie über die mit China zusammenhängenden Spionagefälle jeder Art in den Vereinigten Staaten zwischen 2000 und Anfang 2019 fand das Center for Strategic and International Studies bei 137 gemeldeten Fällen heraus, dass 57 Prozent der Akteure »chinesische Militärangehörige oder Regierungsbeamte« waren. 36 Prozent waren »chinesische Privatpersonen«, und 7 Prozent waren »nichtchinesische Akteure (normalerweise US-Bürger)«.[29] (Eine Studie zu sämtlichen Fällen von *Wirtschafts*spionage in den Vereinigten Staaten zwischen 2009 und 2015 zeigte, dass 52 Prozent der Beschuldigten chinesischer Herkunft waren, womit der Anteil dieser Gruppe dreimal höher war als noch im Zeitraum 1997 bis 2009.[30])

Es ist möglich, dass der hohe Anteil chinesischstämmiger Spione auf ethnische Voreingenommenheit im FBI und im Justizministerium zurückzuführen ist. Aber eine plausiblere Erklärung als eine rasante Zunahme des antichinesischen Rassismus in den amerikanischen Bundesbehörden ist, dass Beijing die Industriespionage in den Vereinigten Staaten deutlich intensiviert hat und chinesische USA-Besucher sowie Amerikaner chinesischer Herkunft anwirbt, um diese Straftaten zu begehen.[31] Dennoch scheint auch die Zahl der für die Spionage für China angeworbenen Personen, die nicht chinesischer Herkunft sind, zu steigen.

Die chinesischen Geheimdienste setzen Ego, Sex, Ideologie, Patriotismus und vor allem Geld ein, um Spione anzuwerben. Im Jahr 2017 wurde ein FBI-Mitarbeiter namens Kun Shan Chun (Joey Chun) verurteilt, der im Gegenzug für bezahlte Auslandsreisen und Besuche bei Prostituierten Informationen zu Organisation und Operationen der Behörde an chinesische Agenten weitergegeben hatte.[32] Die Ideologie spielt vor allem bei den Spionen chinesischer Herkunft eine Rolle (im Gegensatz dazu spionierten in der Vergangenheit Staatsbürger westlicher Länder unterschiedlichster Herkunft häufig aus ideologischen Gründen für die Sowjetunion). Wenn sich eine Zielperson weigert, mit den chinesischen Geheimdiensten zu kooperieren, droht Beijing auch mit Sanktionen gegen Familienmitglieder in China.

Die Ideologie war möglicherweise auch das Motiv von Russell Lowe, der viele Jahre für Senatorin Dianne Feinstein arbeitete, unter anderem in der Zeit, als sie den Geheimdienstausschuss des Senats leitete, womit sie Zugang zu vielen streng gehüteten Geheimnissen der amerikanischen Regierung hatte.[33] Im Jahr 2013 wurde Feinstein vom FBI über den Verdacht informiert, dass in ihrem Büro ein Spion saß. Lowe, ein Amerikaner mit chinesischen Wurzeln, hatte sich jahrelang als Aktivist in der San Francisco Bay Area für die Anliegen des chinesischen Regimes eingesetzt und das chinesische Konsulat mit politischen Informationen versorgt. Eine der Organisationen, für die Lowe arbeitete, war die Education for Social Justice Foundation, eine Stiftung, die Gerechtigkeit für die überwiegend koreanischen Frauen fordert, die im Zweiten Weltkrieg von der japanischen Armee als Sexsklavinnen missbraucht wurden. Die grausame Behandlung der »Trostfrauen« wird von Agenten der KPCh genutzt, um bei chinesischstämmigen Personen Ressentiment und patriotische Gefühle zu wecken und einen Keil zwischen Japan und seine westlichen Alliierten zu treiben. Lowe war auch mit einer Gruppe namens End National Security Skapegoating verbunden, die die Position vertritt, die Verfolgung von Spionen chinesischer Herkunft sei nichts anderes als Racial Profiling unter dem Deckmantel der nationalen Sicherheit.[34]

Feinstein wirbt seit Anfang der neunziger Jahre für engere Beziehungen zu China und hat im Senat zahlreiche Gesetzesvorhaben unterstützt, die dem chinesischen Regime zugutekommen. Ihr Ehemann hat enge geschäftliche Beziehungen zu China; Feinstein bestreitet, dass diese Geschäftsinteressen Einfluss auf ihre politische Haltung haben. Im Jahr 1997 verglich sie das Massaker auf dem Tiananmenplatz mit den tödlichen Schüssen auf vier Studenten an der Kent State University in Ohio im Jahr 1970 und forderte die Einrichtung einer gemeinsamen amerikanisch-chinesischen Kommission, welche die Menschenrechtssituation in beiden Länder beurteilen solle.[35] Lowe schied im Jahr 2013 aus Feinsteins Büro aus, nachdem das FBI die Senatorin vor ihm gewarnt hatte. Angeklagt wurde er jedoch nie.

Die chinesischen Geheimdienste nehmen auch Bürger westlicher Länder, die nicht chinesischer Herkunft sind, als Informationssammler ins Visier. Im Jahr 2017 wurde Candace Claiborne, eine langjährige Mitarbeiterin des amerikanischen Außenministeriums, angeklagt, weil sie als Gegenleistung für die Preisgabe diplomatischer und wirtschaftlicher Informationen Geld und Geschenke von chinesischen Agenten angenommen hatte.[36] Sie war vom Shanghaier Staatssicherheitsbüro kontaktiert worden, nachdem sie einen chinesischen Freund gebeten hatte, in China einen Job für ein Mitglied ihrer Familie zu finden. Claiborne pflegte fünf Jahre lang heimlich Kontakt zu Agenten des MSS und versorgte sie mit Informationen; im Gegenzug halfen ihr die Chinesen bei der Bewältigung ihrer »finanziellen Nöte«. Sie wurde zu einer Haftstrafe von 40 Monaten verurteilt.

Anfang der neunziger Jahre gab der britische Inlandsgeheimdienst MI5 Geschäftsleuten, die nach China reisten, in einem Handbuch einen Rat, der auch heute Gültigkeit hat: »Seien Sie besonders misstrauisch gegenüber Schmeichelei und übertrieben großzügiger Gastfreundschaft [...] [Westliche Bürger] werden eher zum Ziel einer langfristigen, unauffälligen Bearbeitung, die dazu dient, »Freunde« zu gewinnen. [...] Diese Taktiken dienen dazu, bei der Zielperson ein Gefühl der Verpflichtung zu wecken, damit es ihr schwerfällt, die unvermeidlichen Bitten um Gegenleistungen auszuschlagen.«[37]

In China werden zivile und militärische Geheimagenten in der Kunst geschult, »Freunde« zu gewinnen. Sinophile Personen und von der chinesischen Kultur faszinierte Neuankömmlinge sind besonders verwundbar. Nach einer sorgfältigen Bearbeitung sind sie möglicherweise bereit, in dem Glauben, einen Beitrag zum gegenseitigen Verständnis zu leisten, blauäugig nachrichtendienstlich relevante Informationen preiszugeben.

Zumeist werden westliche Bürger mit Geld, sexuellen Gefälligkeiten und dem Nervenkitzel verdeckter Operationen angelockt. Nach den in die Öffentlichkeit gelangten Fällen zu urteilen, werden Personen, die für Beijing spionieren, am häufigsten mit Geld geködert. Beispielsweise wird einer Zielperson ein geringer Geldbetrag für ein kurzes »Weißbuch« über die amerikanisch-chinesischen Handelsbeziehungen angeboten. Sobald die Lieferung von Information gegen Bezahlung ein normaler Vorgang ist, werden höhere Beträge für vertrauliche Informationen gezahlt, bis die Grenze zur Illegalität überschritten ist.

Im Fall von Industriegeheimnissen wird der Zielperson – zum Beispiel einem Ingenieur in einem amerikanischen Hochtechnologieunternehmen – angeboten, auf Kosten des chinesischen Staates nach China zu reisen und dort gegen Entgelt einen Vortrag an einer Universität zu halten. Ist die Zielperson chinesischer Herkunft, so kann auch an ihre Bereitschaft appelliert werden, dem »Mutterland« zu helfen. Bei dieser Gelegenheit werden möglicherweise keine Firmengeheimnisse preisgegeben, aber wenn die Beziehung im Lauf der Zeit enger wird, lässt sich die Zielperson möglicherweise dazu bewegen, ihren Arbeitgeber zu verraten.

Ein Beispiel dafür ist der Fall von Xu Yanjun, einem hochrangigen Mitarbeiter des Büros in Jiangsu des Ministeriums für Staatssicherheit, der im Jahr 2018 wegen des Versuchs angeklagt wurde, »extrem sen-

sible Information« von GE Aviation zu stehlen. In Zusammenarbeit
mit der Universität für Luftfahrt und Astronomie in Nanjing nahm Xu
Kontakt zu amerikanischen Luftfahrtingenieuren auf und bot ihnen
einen Ausbildungsaustausch an.[38] Die Chinesen übernahmen die Rei-
sekosten und zahlten Vorlesungshonorare. Schritt für Schritt wurden
die angestrebten Beziehungen aufgebaut. Ein weiterer Fall ist der von
Ji Chaoqin, der im Jahr 2013 in die Vereinigten Staaten kam, um am
Illinois Institute of Technology Elektrotechnik zu studieren. Im September jenes Jahres wurde er vom FBI beschuldigt, Wissenschaftler
und Ingenieure identifiziert zu haben, welche die chinesischen Geheimdienste anwerben konnten. Ji war mutmaßlich vom MSS-Büro in
Jiangsu angeworben worden.[39] Er war als Reservist in die U.S. Army
eingetreten.

Wenn Sex als Köder eingesetzt wird, bedienen sich die chinesischen
Geheimdienste einer von drei Methoden. Die erste besteht darin, eine
Person zu verführen, um direkt Geheimnisse zu stehlen. Beispielsweise geriet Ian Clement, der Stellvertreter des damaligen Londoner
Bürgermeisters Boris Johnson, während eines Besuchs der Olympischen Spiele in Beijing im Jahr 2008 in eine »Honigfalle«. Er wurde
von einer attraktiven Frau angesprochen, die er auf einen Drink einlud und anschließend auf sein Hotelzimmer mitnahm.[40] Doch anscheinend hatte ihm die Frau ein Betäubungsmittel in seinen Drink
gemischt: Er verlor das Bewusstsein, und als er wieder zu sich kam,
waren seine Dokumente verschwunden und der Inhalt seines Black-
berry war heruntergeladen worden. Ein hochrangiger Assistent von
Premierminister Gordon Brown erlitt im selben Jahr das gleiche
Schicksal.[41]

Die zweite Methode besteht in Verführung und anschließender Erpressung, für die kompromittierende Fotos verwendet werden. Diese
klassische Honigfalle (*meiren ji*, wörtliche Übersetzung: »Schöne-Per-
son-Plan«) wurde von russischen Geheimdiensten perfektioniert.[42]
Die Methode ist durchaus verbreitet, aber die wenigsten Fälle kommen ans Licht.[43] Im Jahr 2017 erklärte der ehemalige stellvertretende
Leiter des britischen Auslandsgeheimdienstes MI6, Nigel Inkster, dass

die chinesischen Geheimdienste öfter Honigfallen verwendeten.[44] Im Jahr 2016 tauchten Berichte darüber auf, dass der niederländische Botschafter in Beijing offenbar in eine solche Falle gegangen war.[45]

Die dritte Methode besteht darin, eine dauerhafte Beziehung aufzubauen und die Zielperson »umzudrehen«, das heißt, dazu zu bringen, die Welt mit den Augen der KPCh zu sehen. Im Mai 2018 wurden zwei frühere Agenten des französischen Auslandsgeheimdienstes DGSE wegen Spionage für China verhaftet.[46] Einer von ihnen, Oberst Henri Manioc, war mutmaßlich 1998 übergelaufen, nachdem er sich in eine Chinesin verliebt hatte. Er war Missionschef in der französischen Botschaft in Beijing gewesen.

Seit einiger Zeit nutzen chinesische Geheimdienste auch soziale Medien, um sich potenziell nützlichen Personen im Westen zu nähern. Im Jahr 2018 gaben die französischen Behörden die Aufdeckung eines Programms bekannt, in dem auf dem beruflichen Vernetzungsdienst LinkedIn mit falschen Benutzerkonten Tausende Experten kontaktiert worden waren. Die Inhaber dieser Accounts gaben sich als Mitarbeiter von Denkfabriken, Unternehmer und Berater aus, eröffneten den Zielpersonen, ihre Fachkenntnisse seien von Interesse für ein chinesisches Unternehmen, und boten ihnen bezahlte Reisen nach China an. Jene, die das Angebot annahmen, wurden einige Tage im Rahmen von sozialen Aktivitäten umhegt und anschließend aufgefordert, Informationen zu liefern. Die Ermittler glauben, dass einige dieser Personen in kompromittierenden Situationen – zum Beispiel bei der Entgegennahme von Geld – fotografiert wurden, womit sie für Erpressung anfällig wurden.[47] Ähnliche Vorgänge waren in Deutschland beobachtet worden, wo mehr als 10 000 Experten und Fachkräfte kontaktiert worden waren.[48] Anscheinend zeigten mehrere Hundert Interesse an den Angeboten. Im Jahr 2016 nutzte ein chinesischer Geheimagent, der sich als Geschäftsmann ausgab, LinkedIn für die Kontaktaufnahme zu einem Mitglied des deutschen Bundestags, dem er 30 000 Euro für vertrauliche Informationen über seine Arbeit im Parlament anbot. Der Abgeordnete, der nicht namentlich genannt wurde, nahm das Angebot an.[49]

Die Aktivitäten der KPCh haben im Westen die Wachsamkeit gegenüber Personen chinesischer Herkunft erhöht, was den Vorwurf nach sich gezogen hat, amerikanische Behörden betrieben Racial Profiling.[50] Es gibt relativ wenige Beweise für ethnische Voreingenommenheit, obwohl es tatsächlich zu einigen unbegründeten Verhaftungen gekommen ist. Es besteht die Gefahr, dass die Verantwortung für die Entwicklung nicht den sehr aktiven chinesischen Geheimdiensten, sondern den amerikanischen Justizbehörden zugeschrieben wird, die erklären, nicht über ausreichende Mittel zu verfügen, um die Herausforderung zu bewältigen.[51]

Think Tanks und Forschungseinrichtungen

Verschiedene chinesische Geheimdienste pflegen seit Jahren Beziehungen zu westlichen Universitäten und Denkfabriken. Teilweise dienen diese Bemühungen dazu, Anhänger für die Standpunkte der KPCH zu gewinnen. Faligot erklärt, dass die chinesischen Geheimdienste »häufig versuchen, ausländische Institute und auf China spezialisierte Forschungszentren zu infiltrieren«.[52]

Eine wichtige Rolle in diesen Bemühungen spielt der Think Tank China Institutes of Contemporary International Relations (CICIR).[53] Berichten zufolge hatte er 2011 etwa 400 Mitglieder, darunter Offiziere der Volksbefreiungsarmee und der Geheimdienste. Er untersteht dem Büro Nr. 11 des MSS.[54] (Von 1992 bis 1998 wurde CICIR von Geng Huichang geleitet, der von 2007 bis 2016 Minister für Staatssicherheit war und dem ZK der KPCh angehört.[55]) Abgesehen davon, dass die Denkfabrik Beeinflussungsaktivitäten nachgeht, bildet CICIR zukünftige Nachrichtendienstoffiziere aus und bereitet Nachrichtendienstberichte für den Stehenden Ausschuss des Politbüros vor. David Shambaugh bezeichnet CICIR als »Geheimdienstorgan sowjetischer Prägung«.[56]

CICIR hat enge Verbindungen zur Universität für internationale Beziehungen in Beijing, mit der er Personal austauscht. Zu den Aufgaben dieser Universität zählt die Ausbildung von Geheimagenten für die Nachrichtenagentur Xinhua.[57] Seinen Einfluss verdankt der Think Tank weniger der Anwerbung von Informanten, als vielmehr der Pflege beruflicher Kontakte in aller Welt. Seine Aktiva sind akademische Austauschprogramme und Konferenzen, die Faligot als »einen der Tricks« bezeichnet, mit denen sich CICIR Zugang zu den »vollkommen geschlossenen Kreisen des Gastlandes« verschafft.[58]

CICIR führt einen jährlichen Dialog mit dem Institut der Europäischen Union für Sicherheitsstudien (EUISS) in Paris und trifft sich regelmäßig mit der in Washington ansässigen Denkfabrik Center for Strategic and International Studies, um über Fragen der Sicherheit im virtuellen Raum zu sprechen.[59] Diese Gespräche eröffnen den Vertretern von CICIR nicht nur Möglichkeiten, um Netzwerke für die Sammlung nachrichtendienstlicher Informationen aufzubauen, sondern auch die Vorstellungen der amerikanischen und europäischen Experten zu beeinflussen, indem sie China beispielsweise als Opfer von Angriffen im Internet darstellen und die Fähigkeit der USA anzweifeln, China Hackerangriffe zuzuschreiben.[60]

In Italien hat CICIR gemeinsam mit der in Turin ansässigen Denkfabrik Torino World Affairs Institute (TWAI) Workshops organisiert. Die TWAI-Zeitschrift *OrizzonteCina* vermeidet nicht nur jegliche Kritik am chinesischen Regime, sondern macht keinen Hehl aus seiner Bewunderung für die Entwicklung Chinas unter der Führung der KPCh; dazu gehört auch, dass sie die Ausweitung der Seidenstraßen-Initiative auf Europa begrüßt.[61] Gemeinsam mit der Universität Turin und der renommierten Pariser Wirtschaftshochschule ESCP hat das TWAI ein auf China spezialisiertes »Wissenszentrum« gebildet.

Seit Beginn des Jahrtausends organisiert CICIR gemeinsam mit anderen chinesischen Organisationen, darunter das Chinesische Institut für Internationale und Strategische Studien (CIISS), das ein Arm des Militärgeheimdienstes ist, und die Chinesische Akademie der Sozialwissenschaften, Konferenzen,[62] die ebenfalls Gelegenheit bieten, Ausländer zu einem regelmäßigen Austausch zu bewegen.[63]

Die Akademie der Sozialwissenschaften in Shanghai ist eine angesehene Einrichtung mit mehr als 500 Forschungsmitarbeitern, deren Prestige nur von dem der Chinesischen Akademie der Sozialwissenschaften übertroffen wird. Agenten des Büros für Staatssicherheit in Shanghai geben sich gerne als Forscher der Akademie aus, und das Büro setzt Mitarbeiter der Akademie ein, um ausländische Spione und Beeinflussungsagenten ausfindig zu machen.[64] Die Chinesische Akademie der Sozialwissenschaften wird ebenfalls für diesen Zweck genutzt. Im Juli 2017 veröffentlichte der amerikanische Journalist Nate Thayer eine detaillierte Beschreibung der Versuche des Staatssicherheitsbüros in Shanghai, ihn als Spion anzuwerben.[65]

Im Jahr 2017 legte das FBI in einer eidesstattlichen Erklärung Beweise dafür vor, dass Kevin Mallory, der früher für die Defense Intelligence Agency des Pentagon gearbeitet hatte und Zugang zu streng geheimen Dokumenten hatte, von einer Person, die behauptete, der Akademie der Sozialwissenschaften in Shanghai anzugehören, als Spion angeworben worden war.[66] Nachdem Mallory über sein LinkedIn-Konto angesprochen worden war, reiste er nach Shanghai, wo man ihm ein neues Handy gab und ihm zeigte, wie er einen verschlüsselten Dienst zur Übermittlung von Dokumenten verwenden konnte. Er wurde aufgefordert, Weißbücher über politische Entwicklungen in den Vereinigten Staaten zu verfassen, und erklärte sich dazu bereit. Nach Angaben des FBI eignete er sich auch geheime und streng geheime Dokumente von Firmen aus dem Verteidigungssektor an und schickte sie an seine Kontakte in Shanghai, wofür er Tausende Dollar erhielt.

Anders lagen die Dinge bei dem US-Bürger Glenn Duffie Shriver, der sich bei einem Besuch im Rahmen eines Sommerstudienprogramms in China verliebte.[67] Er ging nach Shanghai und wurde vom Ministerium für Staatssicherheit angeworben, nachdem er auf eine Zeitungsannonce reagiert hatte, in der jemand gesucht wurde, der einen Artikel über Handelsbeziehungen schreiben wollte. Für einen kurzen Bericht erhielt er 120 Dollar. Im Lauf der Zeit wurden »Freundschaften« geschlossen, und seine chinesischen Kontaktpersonen boten Shriver mehr Geld an. Dann wurde er ermutigt, sich einen Job im amerikanischen Außenministerium oder bei der CIA zu suchen. Er erhielt hohe Summen, als er sich dort bewarb. Vor Gericht erklärte er in seiner Aussage vor der Urteilsverkündung, dass die Dinge außer Kontrolle geraten seien. Er gab zu, aus Gier gehandelt zu haben: »Sie verstehen, da lagen große Geldbündel vor mir.«[68]

»Tausend Talente«

Die auf die Auslandschinesen zielenden *qiaowu*-Aktivitäten der KPCh sowie die Mobilisierung von Unterstützung für politische Ziele sind weitere Mittel zur Rekrutierung von Spionen.[69] Die Agenten des Ministeriums für Staatssicherheit und der Volksbefreiungsarmee pflegen enge Beziehungen bei Abendessen und Veranstaltungen, die von Botschaften, Kulturvereinen und Berufsverbänden organisiert werden. Nach Aussage von James To identifizieren VBA und MSS auch neue Mitarbeiter, bevor diese China verlassen, normalerweise an ihrem Arbeitsplatz.[70] Dabei setzen sie sowohl Zuckerbrot als auch Peitsche ein. Das Zuckerbrot besteht im Versprechen eines guten Arbeitsplatzes und einer schönen Wohnung, wenn die Person nach China zurückkehrt. Um die Peitsche einzusetzen, können die Behörden Visa verweigern und drohen, der Familie der Zielperson Schaden zuzufügen. Studenten werden unter Umständen in »Schläfer« verwandelt, die erst »geweckt« werden, wenn sie einen Arbeitsplatz finden, an dem sie Zugang zu wünschenswerter Information haben. James To schreibt, dass verdeckte und aggressive Methoden in erster Linie bei jenen Auslandschinesen eingesetzt werden, die Informationen von wissenschaftlichem, technologischem oder militärischem Wert bereitstellen können.[71]

Im Rahmen des »Tausend Talente«-Plans werden hoch qualifizierte Personen überwiegend, aber nicht ausschließlich chinesischer Herkunft dazu bewegt, mit den im Ausland erworbenen Kenntnissen nach China zurückzukehren. Alternativ dazu können jene, die China gegenüber loyal sind, »vor Ort bleiben«, um dem Regime zu dienen.

Das amerikanische Energieministerium, das an der Erforschung von Atomwaffen und Energielösungen beteiligt ist, ist ein wichtiges Ziel derartiger Aktivitäten.[72] In den Laboratorien des Ministeriums sind rund 35 000 ausländische Forscher beschäftigt, darunter 10 000 aus China. Viele dieser chinesischen Experten kehren im Rahmen von »Tausend Talente« oder anderen Programmen in ihre Heimat zurück. Andere Heimkehrer bringen Kenntnisse mit, die sie in führenden Rüstungseinrichtungen gesammelt haben. In einer Reportage heißt es, dass »so viele Wissenschaftler aus Los Alamos an chinesische Universitäten und Forschungsinstitute zurückgekehrt sind, dass man sie als den ›Los Alamos-Club‹ bezeichnet«.[73]

Der »Tausend Talente«-Plan wurde erst im Jahr 2008 verabschiedet, aber der systematische Technologietransfer aus dem Westen läuft schon viel länger. Als sich China unter Deng Xiaoping Ende der siebziger und Anfang der achtziger Jahre zu öffnen begann, wurde ein Programm entwickelt, um technisch begabte junge Chinesen im Westen auszubilden. Viele der intelligentesten Studenten wurden nach Deutschland und in die Vereinigten Staaten geschickt, um Physik zu studieren; einige von ihnen blieben in ihren Gastländern und nahmen hochrangige Positionen an Spitzenuniversitäten ein, was sie in die Lage versetzte, Informationen nach China zu senden.

In den Vereinigten Staaten ist seit Jahren bekannt, dass Wissenschaftler mit Zugang zu sensiblen Erkenntnissen und wertvollen Forschungsdaten für China arbeiten.[74] Aber bis vor Kurzem war kaum jemand bereit, das Ausmaß des Problems einzugestehen und es in Angriff zu nehmen. Im März 2019 wurde berichtet, dass der wichtigste amerikanische Geldgeber für die Forschung, die in Maryland ansässigen National Institutes of Health (NIH), Hunderte Forschungsuniversitäten angeschrieben haben, um sich nach den Verbindungen bestimmter Forscher zu ausländischen Regierungen zu erkundigen.[75] Die Behörde äußerte sich besorgt über den Diebstahl geistigen Eigentums durch mit dem chinesischen Regime oder Universitäten dieses Landes verbundene Forscher (Russland und der Iran waren ebenfalls auf dem Radar).

Im folgenden Monat wurde bekannt, dass das angesehene Krebsforschungszentrum MD Anderson in Houston drei chinesisch-amerikanische Forscher entlassen hatte, die von den National Institutes of Health verdächtigt wurden, Forschungsergebnisse gestohlen und ihre Verbindungen zu ausländischen Regierungen nicht offengelegt hatten.[76] Das Krebsforschungszentrum wird teilweise vom NIH finanziert. Mindestens 55 weitere Einrichtungen hatten ähnliche Schreiben von der Behörde erhalten.[77] Einige der genannten Personen wurden wegen ihrer Beteiligung am »Tausend Talente«-Plan untersucht.

Am 28. Januar 2020 wurde ein hochrangiges Fakultätsmitglied der Harvard Universität, der Chemiker und Nanoforscher Dr. Charles Lieber, verhaftet. Das FBI behauptete, er sei für das »Tausend Talente«-Programm rekrutiert worden. Das Justizministerium bezichtigt ihn, zwischen 2012 und 2017 monatlich 50 000 US-Dollar sowie großzügige Lebenshaltungskosten für die Einrichtung eines Labors an der Technischen Universität Wuhan (WUT) erhalten zu haben.[78] Lieber hatte seine China-Verbindungen gegenüber Harvard anscheinend nicht offengelegt, obwohl das Zentrum in Wuhan den Namen »WUT-Harvard Joint Nano Key Laboratory« trug. Bereits 2009 hatte die KPCh Lieber mit einem Freundschaftspreis ausgezeichnet.[79]

Die Chinesische Vereinigung für Internationalen Personalaustausch (CAIEP) ist eine unauffällige Einrichtung, die außerhalb Chinas kaum bekannt ist. Die Organisation, die sich vordergründig dem »Volk-zu-Volk«-Austausch widmet, hat Büros in den Vereinigten Staaten, Kanada, Russland, Deutschland, Großbritannien, Australien, Israel, Japan, Singapur und Hongkong und arbeitet mit Einrichtungen in vielen weiteren Ländern zusammen. Im Jahr 1999 wurde die CAIEP im bahnbrechenden Bericht des Cox-Ausschusses des US-Kongresses über die chinesische Atomspionage als eine von mehreren Organisationen beschrieben, die von der Volksrepublik China eingerichtet wurden, um sich über Kontakte mit westlichen Wissenschaftlern und Ingenieuren illegal Technologie anzueignen.[80] Die CAIEP steuert »eine groß angelegte Spionageoperation, in der die Vereinigten Staaten nach sensiblen Waffengeheimnissen durchkämmt werden«.[81]

Zwanzig Jahre später sind die amerikanischen Strafverfolgungsbehörden immer noch mit den Aktivitäten dieser Organisation beschäftigt. Im Jahr 2019 ließ das amerikanische Justizministerium den Leiter des New Yorker CAIEP-Büros unter dem Vorwurf der Verschwörung zum Visabetrug verhaften.[82] Die Anklageschrift lieferte wertvolle Einblicke in die Methoden, welche die CAIEP anwendet, um Wissenschaftler, Ingenieure, IT-Spezialisten und andere Fachleute dazu zu bewegen, mit dem geistigen Eigentum ihrer Arbeitgeber im Gepäck nach China zurückzukehren. Ausgehend von der Einheitsfrontarbeit, kooperiert die CAIEP in enger Abstimmung mit den chinesischen Konsulaten mit Berufsverbänden chinesischstämmiger Amerikaner, »Freunden« an US-Universitäten und Konfuzius-Instituten.

Die CAIEP wird von der Staatlichen Verwaltung für Ausländische Experten (SAFEA) betrieben, die direkt dem Ministerium für Wissenschaft und Technologie untersteht (siehe Organigramm). Die Spionageexperten Hannas, Mulvenon und Puglisi betrachten die SAFEA (die manchmal als Büro für Auslandsexperten bezeichnet wird, was eine direktere Übersetzung des offiziellen chinesischen Namens ist) als wichtigste chinesische Organisation für den Technologietransfer.[83] In der Praxis »gibt es keinen Unterschied zwischen der Zusammenarbeit« mit der CAIEP und der SAFEA.[84] Die zweite Organisation wurde in den Vereinigten Staaten auf frischer Tat ertappt, als sie einen Ingenieur anwarb, der streng geheime Baupläne für amerikanische Stealth-Marschflugkörper an die Chinesen liefern sollte.[85] Der Ingenieur wurde zu einer Haftstrafe von 32 Jahren verurteilt. Während die USA den illegalen Technologietransfer bekämpfen, fördert Kanada seit Jahren aktiv die Tätigkeit der CAIEP und beseitigt Hindernisse für den »Austausch von Talenten«.[86]

Dass die SAFEA die Aufgabe hat, Spione anzuwerben, deutet sie auf ihrer Website an, wo es heißt, dass sie sich »vielfältiger Rekrutierungskanäle« bedient und ihre »Kontakte zu Regierungen, Austauschprogramme mit Schwesterstädten, internationale Wirtschafts- und Handelsgespräche, internationale Konferenzen und ähnliche Gelegenheiten umfassend« nutzt, um ausländische Experten zu rekrutieren.[87]

Einer dieser Kanäle sind Privatunternehmen. Triway Enterprise ist ein unter den Auspizien der SAFEA gegründetes, in Virginia ansässiges Unternehmen mit Filialen in Beijing und Nanjing.[88] Es hat die Aufgabe, chinesische Firmen und lokale Behörden mit US-Experten in Kontakt zu bringen, die geistiges Eigentum liefern können.

Berufsverbände

Die Chinese Association for Science and Technology USA (CAST-USA) ist mit mehr als 10 000 Mitgliedern der wahrscheinlich größte Zusammenschluss chinesischer und chinesischstämmiger Wissenschaftler und Ingenieure in den Vereinigten Staaten.[89] Sie arbeitet mit Triway Enterprises zusammen und hat enge Verbindungen zum chinesischen Staat und zu Universitäten, was ihrer Mission entspricht, als Brücke für die wissenschaftliche und technologische Kooperation zwischen den USA und China zu dienen.[90] Einige Mitglieder haben auch Posten an chinesischen Universitäten inne, und nach Angabe ihres Vorsitzenden aus dem Jahr 2016 sind 20 Präsidenten der verschiedenen Niederlassungen zum Arbeiten nach China zurückgekehrt.

Die Niederlassung der CAST-USA in Washington, D.C., hat mehr als 1000 Mitglieder, die nicht nur im District of Columbia, sondern auch in Maryland und Virginia tätig sind.[91] Im Jahr 2000 wurde an der University of Maryland die CAST Network Society für IT-Experten chinesischer Herkunft gegründet.[92] Im Jahr 2002 willigte die University of Maryland ein, einen nationalen Innovationspark Chinas zu beherbergen; es war die erste derartige Einrichtung, die im Ausland angesiedelt wurde.[93]

CAST-USA ist nur eine in einem weitläufigen Netz ähnlicher Vereinigungen in den Vereinigten Staaten, und auch in anderen Ländern gibt es solche Organisationen.[94] In Australien ist die Dachorganisation derartiger Vereinigungen die Federation of Chinese Scholars in Australia (FOCSA), deren Mitglieder chinesischstämmige Professoren und Leiter von Universitäten sind.[95] Die Gründung der Organisation im Oktober 2004 wurde vom Parteiorgan *People's Daily* begrüßt, das erklärte, die FOCSA habe ihre Tätigkeit »mit der entschlossenen Unterstützung der chinesischen Botschaft in Australiens Bildungsamt« aufgenommen. Die damalige chinesische Botschafterin in Australien, Fu Ying, gab ihrer Hoffnung Ausdruck, »dass die Spezialisten und Wissenschaftler in der Lage sein werden, neueste technologische Errungenschaften nach China zurückzuschicken«.[96] Der Gründer und Präsident der FOCSA war Max Lu (Lu Gaoqing), ein Nanotechnologieexperte von der University of Queensland. Er hat seit Langem enge Verbindungen zum chinesischen Staat und gehört unter anderem dem Expertenkonsultativkomitee des Chinesischen Staatsrats an.[97] Im Jahr 2017 wurde Lu Vizekanzler der University of Surrey in Großbritannien.

Viele dieser Berufsverbände sind mit dem chinesischen Staat verflochten und arbeiten eng mit den Konsulaten und SAFEA-Büros zusammen. Einige dieser Berufsverbände wurden auf Anregung des chinesischen Staats gegründet. Den potenziellen Mitgliedern werden patriotische Avancen gemacht, aber man verspricht ihnen zusätzlich zu ihren legitimen Einkommen auch »extrem hohe« Gehälter.[98] Hannas, Mulvenon und Puglisi schreiben, dass Beijing »diese Verbände hofiert und ihre Aktivitäten mit einer Mischung aus psychologischem Druck, politischer Kontrolle und finanziellen Anreizen lenkt«.[99] Im Silicon Valley, wo rund ein Zehntel der Arbeitskräfte im Hochtechnologiesektor aus Festlandchina stammen, gibt es zahlreiche Berufsverbände für chinesischstämmige Experten.[100] Die Silicon Valley Chinese Engineers Association wurde im Jahr 1989 für Experten aus Festlandchina gegründet, die in der Bay Area lebten. Ihre Mission beinhaltet die »Errichtung von Kanälen, die es den Mitgliedern ermöglichen, zur raschen wirtschaftlichen Entwicklung Chinas beizutragen«.[101] Wie abhängig das Wachstum Chinas von westlicher Technologie war, gab Jack Peng, ein hochrangiger IT-Ingenieur aus dem Silicon Valley, in einem indiskreten Interview im Jahr 2013 preis. Peng, der auch ein Amt in der Silicon Valley Chinese Overseas Business Association

(SCOBA) bekleidete, die Auslandschinesen mit Expertenwissen mit dem chinesischen Staat in Kontakt bringt, verriet nebenbei auch eine der Methoden, die angewandt werden, um an solche Technologie heranzukommen: »China betrachtet diejenigen Bürger, die im Ausland leben, als unverzichtbar. Es reicht uns die Hand, damit wir dabei helfen, dass die Ergebnisse unserer Forschung auf chinesischem Boden blühen. [...] Die meisten von uns dienen der chinesischen Regierung über die SCOBA-Organisation als Berater. [...] Wir alle sind Teil eines Systems der umfassenden Kooperation.«[102]

In Kanada gibt es ein ähnliches Netzwerk von mit der Volksrepublik verbundenen Berufsverbänden. Diese Organisationen stellen soziale Kontakte her und unterstützen die berufliche Entwicklung ihrer Mitglieder, ermöglichen jedoch auch die Manipulation dieser Experten nach Maßgabe der chinesischen Konsulate.

Auch der im März 2018 offiziell gegründete Technologie- und Handelsverband von Chinesen in Deutschland (TeCAC e.V.) arbeitet laut eigenen Angaben »aktiv mit chinesischen Regierungsabteilungen auf allen Ebenen zusammen«.[103] Der Verbandsvorsitzende Gao Peng erklärte bei einem Besuch in China, es sei gerade angesichts der amerikanischen Handels- und Technologiesanktionen für *Made in China 2025* von großer Bedeutung, dass fortschrittliche deutsche Industrie-4.0-Konzepte und -Methoden nach China gebracht würden.[104]

Im Jahr 2017 nahm der Leiter der SAFEA, Zhang Jianguo, in New York an einer Feier anlässlich des 30-jährigen Bestehens der CAIEP in den Vereinigten Staaten teil.[105] Er war erfreut darüber, dass die Organisation in all den Jahren »intensiv mit amerikanischen Bildungseinrichtungen, Industrieverbänden und berühmten Wissenschaftlern zusammengearbeitet«, zahlreiche akademische Besuche arrangiert und in China tätigen ausländischen Experten Hilfe angeboten hatte.[106]

Im Jahr darauf fand in London eine ähnliche Feier anlässlich des 30. Jahrestags des Beginns der Tätigkeit von SAFEA/CAIEP statt. Ein auf geistiges Eigentum spezialisierter britischer Anwalt erklärte den

Anwesenden, dass China ein Weltklassesystem zum Schutz der geistigen Eigentumsrechte entwickle und dass der Diebstahl der Technologie westlicher Unternehmen zumeist auf die mangelnde Sorgfalt der betroffenen Unternehmen zurückzuführen sei.[107]

Als die amerikanischen Bundesbehörden im Jahr 2019 begannen, chinesisch-amerikanische Wissenschaftler mit Verbindungen nach China genauer zu beobachten, begannen einige dieser Experten (mit Unterstützung des Committee of 100, siehe Kapitel 11), sich über einen neuen McCarthyismus zu beklagen und zu erklären, man wolle sie zwingen, sich »für eine Seite zu entscheiden« (so als bestünde das normale Verhalten darin, für beide Seiten zu arbeiten).[108] In einem Report über die Entlassung chinesisch-amerikanischer Wissenschaftler, die im Verdacht standen, geistiges Eigentum an China verraten zu haben, berichtete Bill Bishop vom angesehenen Newsletter *Sinocism*, einige mit ihm bekannte Forscher chinesischer Herkunft hätten erklärt, die Praxis der geheimen »Beidseitigkeit« sei seit Jahren an der Tagesordnung und es sei seit Langem überfällig, dass die Behörden dagegen einschritten.[109] Bishop zitierte einen chinesisch-amerikanischen Wissenschaftler mit der Aussage, er und andere wie er seien »beschämt über das Ausmaß an Diebstahl, das sie rund um sich beobachten«.

Wissenschaftler der Volksbefreiungsarmee an westlichen Universitäten

Westliche Universitäten sind seit Jahren Ziel intensiver Beeinflussungsbemühungen der KPCh. Ihre Wissenschaftler werden eingeladen, mit chinesischen Universitäten zusammenzuarbeiten, darunter die Nationale Universität für Verteidigungstechnologie der Volksbefreiungsarmee. Auch haben westliche Universitäten chinesische Wissenschaftler und Ingenieure in ihre Laboratorien eingeladen, um gemeinsam an Forschungsprojekten mit militärischem Nutzen zu arbeiten. So haben Universitäten im Westen China geholfen, sich mit fortschrittlicher Waffentechnologie einen militärischen Vorteil vor den USA zu verschaffen.

Alex Joske hat in detaillierten Nachforschungen das ausgedehnte Netz aufgedeckt, in dem Forscher an westlichen Hochschulen und mit dem chinesischen Militär verbundene Wissenschaftler miteinander kooperieren.[110] Er hat festgestellt, dass die VBA seit 2007 mehr als 2500 Militärwissenschaftler und Ingenieure zum Studieren ins Ausland geschickt und dabei Forschungsbeziehungen zu Hunderten Spitzenforschern in aller Welt geknüpft hat. Die größte Zahl findet man in den in der nachrichtendienstlichen Five Eyes-Initiative zusammengeschlossenen Ländern (USA, Großbritannien, Kanada, Australien und Neuseeland) sowie Deutschland und Singapur. Bis 2017 schrieben westliche Forscher gemeinsam mit chinesischen Militärwissenschaftlern Hunderte wissenschaftliche Artikel.

In vielen Fällen wird die Zugehörigkeit der chinesischen Militärwissenschaftler zur Volksbefreiungsarmee verschleiert. Einige behaupten, am Institut für Informatik und Technologie in Zhengzhou zu arbeiten, das gemessen an der Zahl der Publikationen, in denen es zitiert wird, zu den weltweit führenden Forschungseinrichtungen für Informatik und Kommunikationstechnik gezählt werden muss. Joske hat entdeckt, dass die Wissenschaftler des Instituts teilweise in Zusammenarbeit mit amerikanischen Forschern mehr als 900 Artikel in wichtigen Wissenschaftsjournalen veröffentlicht haben, darunter *Physical Review Letters*, eine der führenden Physikzeitschriften der Welt, und das von der Universität Oxford herausgegebene *The Computer Journal*.

Aber das Institut für Informatik und Technologie in Zhengzhou existiert in Wahrheit überhaupt nicht. Es hat keine Telefonnummer, keine Gebäude und keine Website. Es hat ein Postfach in Zhengzhou, der Hauptstadt der Provinz Henan, aber das ist auch schon alles. Tatsächlich ist der Name eine Tarnung für die Universität, an der die Hacker und Techniker der Fernmeldeaufklärung des chinesischen Militärs ausgebildet werden, der ebenfalls in Zhenghou ansässigen Universität für Informationstechnik der Volksbefreiungsarmee (PLAIEU).[111] Forscher der University of Texas in Dallas, der State University of New York in Buffalo, der Clemson University in South Carolina, der Louisiana State University und der City University of New York haben mit Personen zusammengearbeitet, die ihre Zugehörigkeit zur Universität der VBA verschleiern, die de facto eine Ausbildungsstätte für virtuelle Kriegführung ist.[112]

Besonders willkommen scheinen die VBA-Wissenschaftler in Australien zu sein. Wie Joske gezeigt hat, besteht seit einigen Jahren ein komplexes Kooperationsnetz zwischen australischen Wissenschaftlern und ihren Kollegen an den führenden VBA-Hochschulen, das dabei hilft, Xi Jinpings »Traum von der starken Armee« zu verwirklichen.[113] Australische Forscher haben gemeinsam mit Forschern der Nationalen Universität für Verteidigungstechnologie (NUDT) der VBA Hunderte Artikel über Materialforschung, Künstliche Intelligenz und Informatik veröffentlicht. Einer der beteiligten Forscher ist Professor Tao Dacheng, der früher an der University of Technology in Sydney arbeitete und jetzt an der University of Sydney ist. Für seine Forschungsergebnisse auf dem Gebiet der Computervision gibt es Anwendungen in automatischer Zielerfassung, Raketenlenksystemen und Beurteilung der Gefechtssituation. Taos gemeinsame Forschung mit Wissenschaftlern der NUDT wurde von der nationalen australischen Behörde für Forschungsfinanzierung bezahlt.

Der Leiter der NUDT war bis vor Kurzem Generalleutnant Yang Xuejun, der mittlerweile Präsident der Militärwissenschaftlichen Akademie der Volksbefreiungsarmee ist, des führenden militärischen Forschungszentrums Chinas. Im Jahr 2017 wurde Yang als Vollmitglied in das Zentralkomitee der KPCh aufgenommen.[114] Einer seiner engen Mitarbeiter ist Xue Jingling, Professor für Informatik und Computertechnik an der University of New South Wales und ein »Tausend-Talente«-Wissenschaftler.[115] Das Thema ihrer gemeinsamen Arbeit war das Stream Processing, das grundlegend für die Superrechner der letzten Generation ist, die vom Militär unter anderem für das Design moderner Fluggeräte, für Gefechtssimulationen und Tests von Atomraketen eingesetzt werden. Xue ist auch Professor am NUDT und hat gemeinsam mit Forschern dieser Militäreinrichtung mindestens 36 wissenschaftliche Artikel verfasst.

Wissenschaftler an australischen Universitäten forschen auch gemeinsam mit führenden chinesischen Herstellern von Waffen und Verteidigungssystemen, darunter die Aviation Industry Corporation of China, die der wichtigste Lieferant von Militärflugzeugen für die chinesische Luftwaffe ist, und die China Electronics Technology Group Corporation (CETC), die in erster Linie eine militärische Forschungseinrichtung ist, die sich einmal selbst als »nationale Einheit für militärisch-industrielle Elektronik« bezeichnet hat.[116] Die CETC sieht ihre Aufgabe darin, »zivile Elektronik in den Dienst der VBA zu stellen«.[117]

Im Januar verurteilte ein Gericht in Massachusetts zwei chinesische Staatsangehörige wegen Verschwörung zum Diebstahl und Export militärischer Elektronikkomponenten und spezieller Bauteile für phasengesteuerte Antennen, elektronische Kriegführung und Raketensysteme zu Haftstrafen.[118] Die CETC war eine der Organisationen, für die das gestohlene Material bestimmt war. Im Oktober 2010 wurden in Kalifornien zwei chinesische Staatsangehörige unter dem Vorwurf verhaftet, sich zum Export von Ausfuhrbeschränkungen unterworfener Elektronik nach China verschworen zu haben; die beiden hatten die erforderlichen Genehmigungen nicht eingeholt und Falschaussagen gemacht.[119] Angeblich hatten sie mit dem 24. Forschungsinstitut der CETC Verträge über Entwicklung und Weitergabe von Technologie geschlossen, die für zwei Typen von leistungsfähigen Analog-Digital-Umwandlern benötigt wurde.

Westliche Universitäten legen im Umgang mit chinesischen Unternehmen und Universitäten eine außergewöhnliche Naivität an den Tag und sind oft selbst dann, wenn sie mit Beweisen konfrontiert werden, nicht bereit, die Risiken einzugestehen. Finanzierungseinrichtungen wie die amerikanische National Science Foundation und der Australian Research Council verfügen nicht über Verfahren zur sorgfältigen Prüfung von Forschungsvorhaben und verlassen sich darauf, dass die Universitäten die mit ihnen zusammenarbeitenden Forscher und Unternehmen durchleuchten.[120] Doch die Universitäten haben oft beträchtliche finanzielle Anreize, nicht allzu genau nachzufragen. Sie verteidigen die traditionelle wissenschaftliche Kultur von Offenheit und Transparenz, die von Beijing systematisch ausgenutzt wird.

Cyberattacken und Beeinflussungsoperationen

In einer möglichen Kooperation zwischen dem chinesischen Beeinflussungsapparat und den Cyberhacking-Zentren haben staatliche chinesische Akteure große Datenbanken gehackt, die persönliche Informationen enthalten. Sogar die Europäische Union, die sich zuvor eher selten zu chinesischen Cyberattacken geäußert hat, hat das Problem zur Kenntnis genommen.[121] In Australien wurden im Jahr 2018 bei einer massiven und extrem anspruchsvollen Hacking-Operation große Mengen an Informationen über Mitarbeiter und Studenten der renommierten Australian National University gestohlen: Namen, Adressen, Telefon- und Passnummern, Steuernummern und akademische Aufzeichnungen.[122] Viele Absolventen dieser Universität nehmen später hochrangige Positionen im Staatsdienst, in Sicherheitsbehörden und Politik ein. Die National University hat auch zahlreiche chinesische Studenten.

Sicherheitsbehörden in aller Welt haben einen alarmierenden Anstieg der Cyberattacken auf medizinische Aufzeichnungen registriert, und staatliche Akteure in China sind die Hauptverdächtigen für den Datendiebstahl. Im August 2018 wurde berichtet, dass aus der staatlichen Gesundheitsdatenbank Singapurs 1,5 Millionen medizinische Akten gestohlen worden waren; Experten glauben, dass der Angriff von staatlichen Stellen in China ausging.[123] Auch die Daten von Ministerpräsident Lee Hsien Loong waren betroffen, was ihn zu folgendem Tweet bewegte: »Vielleicht suchten sie nach […] etwas, um mich zu blamieren.«[124]

Dem Angriff in Singapur war eine massive Attacke in den Vereinigten Staaten im Jahr 2014 vorangegangen, in deren Verlauf aus 206 Krankenhäusern die Krankenakten von 4,5 Millionen Patienten abgeschöpft worden waren, und im Jahr darauf wurden bei einer Versicherungsgesellschaft bis zu 80 Millionen Akten gestohlen.[125] In diesen beiden Jahren drang eine vom chinesischen Staat finanzierte Organisation namens Deep Panda in die Systeme von Unternehmen im amerikanischen Gesundheitssektor ein und stahl die Aufzeichnungen von rund 80 Millionen Patienten; diese Daten könnten genutzt werden, um Zielpersonen zu erpressen.[126] Im Jahr 2014 wurden auch 4,5 Millionen medizinische Akten aus einer in Tennessee ansässigen Krankenhauskette entwendet; auch diesen Angriff schrieben Experten vom chinesischen Staat unterstützten Hackern zu.[127] Im selben Jahr schickte ein medizinisches Unternehmen, das auch eine Niederlassung in Guangdong hat, die medizinischen Aufzeichnungen einer nicht genannten Zahl australischer Soldaten einschließlich Angehöriger der im Ausland eingesetzten Spezialkräfte nach China.[128]

Die Krankenakten gegenwärtiger und zukünftiger Führungskräfte in Politik, Militär und Staatsdienst befinden sich wahrscheinlich in den Händen chinesischer Geheimdienste und könnten genutzt werden, um die Schwachstellen dieser Personen zu finden und diese zu beeinflussen oder zu erpressen. Einige dürften gesundheitliche Probleme haben, die sie nicht mit der Öffentlichkeit teilen möchten. Daten zur medikamentösen Behandlung würden genügen: Die Veröffentlichung derart heikler Informationen könnte Karrieren zerstören, weshalb jene, über die kompromittierende Daten vorliegen, leicht Opfer von Nötigung werden können.[129]

Der Fall Huawei

Die Geschichte Huaweis, des weltgrößten Herstellers von Telekommunikationsausrüstung, ist ein ausgezeichnetes Anschauungsbeispiel dafür, wie die KPCh Spionage, Diebstahl von geistigem Eigentum und Beeinflussungsoperationen miteinander verschmilzt. Die ganze Geschichte ist zu lang, um sie hier zu erzählen, aber die Schlüsselelemente sind aufschlussreich.

Der Verdacht, dass Huawei den chinesischen Geheimdiensten nahesteht, tauchte schon früh auf. Der Gründer des Unternehmens, Ren Zhengfei, war laut Ansicht einiger Experten ein Direktor der Informationstechnischen Akademie der Volksbefreiungsarmee, die Berichten zufolge für die Telekommunikationsforschung für das chinesische Militär verantwortlich ist und nach Einschätzung von Branchenexperten mit der 3 VBA, der Fernmeldeaufklärungsabteilung, verbunden ist.[130]

In einem Bericht der RAND Corporation aus dem Jahr 2005 heißt es, dass das chinesische Militär wahrscheinlich der politische Schutzherr und seit der Gründung von Huawei ein wichtiger Kunde des Unternehmens ist.[131] In einem unbestätigten Bericht aus dem Jahr 2010 heißt es, dass Huaweis Vorsitzende Sun Yafang früher im Ministerium für Staatssicherheit arbeitete.[132]

Im Jahr 2018 spielte Huawei-Ausrüstung Berichten zufolge eine Rolle im Diebstahl vertraulicher Information aus der Zentrale der Afrikanischen Union in Addis Abeba. Von dort wurden offenbar fünf Jahre lang jede Nacht große Mengen an Daten an Server in Shanghai geschickt.[133] Unter Huawei-Mitarbeitern ist die Einschätzung verbreitet, dass der chinesische Staat wohl Geheimdienstagenten im globalen Niederlassungsnetz von Huawei platziert hat.[134] Wie ein Mitarbeiter in Shenzhen laut einem Bericht sagte: »Der Staat will Huawei benutzen, und wenn er will, kann er es benutzen.«[135] In Polen wurde im Januar 2019 der Huawei-Angestellte Wang Weijing unter dem Verdacht der Spionage für China verhaftet.[136]

Huawei ist wiederholt von Lieferanten und Konkurrenten beschuldigt worden, ihr geistiges Eigentum nicht zu achten.[137] Laut einer Anklageschrift des amerikanischen Justizministeriums führte die Huawei-Zentrale im Jahr 2013 »ein formales Bonusprogramm« ein, um »Mitarbeiter für das Stehlen vertraulicher Information von Konkurrenten zu belohnen«.[138] Das Unternehmen habe einen dem Wert der gestohlenen Informationen entsprechenden Zahlungsplan in Umlauf gebracht und für besonders sensible Informationen einen verschlüsselten E-Mail-Dienst bereitgestellt. Alle sechs Monate sollten drei regionale Bereiche von Huawei ausgezeichnet werden, die besonders wertvolle gestohlene Information geliefert hätten.

Die Konzentration auf den Gesetzesbruch kann jedoch die größere Gefahr verschleiern, die von Huawei ausgeht. Elsa Kania drückt es so aus: »Huaweis globale Expansion kann an und für sich als Vektor für Beijings Einflussnahme dienen.«[139] Sollte Huawei sein Ziel erreichen, sich in den dominierenden Lieferanten für das globale Kommunikationsnetz des 21. Jahrhunderts zu verwandeln und große Teile dieses Netzes zu errichten, so würde das Beijing gewaltigen Einfluss rund um den Erdball sichern. Huawei ist ein Angelpunkt für Präsident Xis zwei Fusionen: der Fusion der Partei mit der Unternehmenswelt und der zivil-militärischen Integration. Wir könnten eine dritte hinzufügen, nämlich die Fusion von Einflussnahme und Spionage.

In dem Jahr der hitzigen Kontroverse, die einen Höhepunkt erreichte, als Präsident Trump entschied, Huawei auf die »Entity List« zu setzen und amerikanischen Unternehmen damit zu verbieten, Huawei ohne Genehmigung der Regierung zu beliefern, erhielt Huawei in der westlichen Öffentlichkeit Unterstützung von den Freunden Chinas.[140] Wie wir gesehen haben, schlug sich der kanadische Botschafter in Beijing, John McCallum, auf die Seite des Unternehmens, als die Huawei-Managerin Meng Wanzhou verhaftet wurde. Der bekannte amerikanische Ökonom Jeffrey Sachs (siehe Kapitel 11) hat den »Krieg gegen Huawei« lautstark verurteilt. Peter Mandelson, Präsident des Great Britain China Centre und Mitglied des 48 Group Club, hat die Vereinigten Staaten beschuldigt, in Bezug auf Huawei »Hysterie zu schüren«, und erklärt, die Kritik an dem Unternehmen sei Teil von Trumps Kampagne gegen China – und das, obwohl zahlreiche Nachrichtendienste und Industrieorganisationen in anderen Ländern Vorwürfe gegen Huawei erhoben hatten, lange bevor Trump Präsident wurde.[141]

In Großbritannien hat Huawei seine Position über Jahre hinweg gefestigt. Das Unternehmen sponserte Veranstaltungen der Konservativen Partei und der Liberaldemokraten und gab der parteienübergreifenden Parlamentsgruppe für Ostasiengeschäfte 50 000 Pfund.[142]

Es bezahlte zahlreiche Reisen von Parlamentsabgeordneten zur Besichtigung chinesischer Forschungseinrichtungen und wurde 2012 von Premierminister David Cameron empfangen. Es nahm Lord Clement-Jones, den ehemaligen Parteivorsitzenden der Liberaldemokraten, Sir Andrew Cahn, den früheren Leiter von UK Trade & Investment (der Wirtschaftsförderungsbehörde der britischen Regierung), und Baroness Wheatcroft, ein konservatives Mitglied des Oberhauses, in seinen »internationalen Beirat« auf, dessen Mitglieder fürstlich dafür bezahlt werden, dass sie wenig mehr tun, als dem Unternehmen den Anstrich der Seriosität zu verleihen.[143] Den Vorsitz im britischen Board von Huawei führt heute John Browne, der ehemalige Geschäftsführer von BP. Alles das zahlte sich im Januar 2020 aus, als die britische Regierung zur Bestürzung von Großbritanniens Five Eyes-Partnern grünes Licht für Huaweis Beteiligung am britischen 5G-Netzwerk gab. Es war ein entscheidender Sieg für Beijing.

In westlichen Ländern sind mit bekannten Persönlichkeiten besetzte Führungsgremien ein wichtiger Bestandteil von Huaweis Programm zur Pflege von Freundschaften und zur Ausweitung seines Einflusses. Huaweis ausländische Board-Mitglieder sprechen viel mit den Medien und wiederholen die Behauptung des Unternehmens, der Vorwurf, es arbeite mit dem chinesischen Staat und dessen Geheimdiensten zusammen, sei vollkommen haltlos. Diese Behörden haben nur »beschränkten Einblick in die inneren Abläufe von Huawei«,[144] wie es zwei Experten ausdrücken, aber sie sorgen dafür, dass Huawei wie ein ganz normales Unternehmen wirkt.

In Australien wird das Board von Huawei von John Lord geleitet, einem ehemaligen Konteradmiral. In Kanada ernannte das Unternehmen mitten in der Krise über die Verhaftung von Meng Wanzhou Alykhan Velshi, einen ehemaligen hochrangigen Berater des früheren Ministerpräsidenten Stephen Harper, zu seinem Berater für Regierungsangelegenheiten, und machte ihn zu seinem öffentlichen Gesicht.[145] In Deutschland ist Huawei in mehr als einem Dutzend Industrielobbygruppen vertreten.[146] Im Dezember 2018 sponserte das Unternehmen den Parteitag der CDU, was den Führungskräften des

Unternehmens Gelegenheit gab, enge persönliche Kontakte zu deutschen Spitzenpolitikern zu knüpfen.[147]

Um Huawei während der Krise von 2019 zu verteidigen, mobilisierte die KPCh in Kanada ihre Einheitsfrontorganisationen, eine Möglichkeit, die um politischen Einfluss bemühte westliche Unternehmen nicht haben. Die Pressekonferenz, bei der sich Botschafter McCallum schützend vor Meng stellte, war von einem bekannten Mitglied der chinesischen Gemeinde in Toronto organisiert worden: Tao (Thomas) Qu war bekannt als aktives Mitglied von Beijing-freundlichen Gemeindeorganisationen und hatte an Veranstaltungen teilgenommen, die dazu dienten, »das Ansehen Chinas zu schützen«, darunter Protestkundgebungen gegen einen Besuch des Dalai Lama und gegen das Hissen einer tibetischen Flagge.[148]

Kurze Zeit nach Mengs Verhaftung lud eine in Vancouver ansässige Organisation zu einer Pressekonferenz ein, auf der zwei Sprecher die Verhaftung verurteilten und Beijings Argumente nachplapperten.[149] Der Trick funktionierte, und der öffentliche Fernsehsender CBC News meldete, »Mitglieder der chinesisch-kanadischen Gemeinde Vancouvers« hätten sich versammelt, »um Meng Wanzhou zu unterstützen«.[150] Tom Blackwell vom *Windsor Star* stellte Recherchen zum Hintergrund der beiden Frauen an, die hinter dieser Organisation standen, die sich als United Association of Women and Children of Canada bezeichnete. Eine von ihnen, eine Frau namens Hong Guo, war im Jahr 1993 aus China nach Kanada ausgewandert und leitete eine Anwaltskanzlei in Richmond, einer Stadt mit zahlreichen chinesisch-stämmigen Bürgern. Hong war im Jahr 2018 erstmals ins öffentliche Rampenlicht getreten, als sie sich für das Bürgermeisteramt beworben und in Reaktion auf eine entsprechende Journalistenfrage erklärt hatte, in China gebe es keine Menschenrechtsverstöße. Vielmehr gebe es in China »sehr viel Redefreiheit«.[151] Hong Guo hat Geld für die Liberal Party gespendet und einen Fototermin mit Ministerpräsident Trudeau ergattert.

Die zweite Frau, die auf der Pressekonferenz sprach, war Han Dongmei. Sie war fünf Jahre früher nach Kanada eingewandert und leitete einen Investmentfonds, den sie in der Großen Halle des Volkes am Platz des Himmlischen Friedens vorgestellt hatte. Ihr Unternehmen spendete der Liberal Party 100 000 kanadische Dollar. Die United Association of Women and Children of Canada ist allem Anschein nach eine Tarnorganisation, die von Guo und Han für ihre Beeinflussungsarbeit genutzt wird.

Huawei tut auch, was viele Großunternehmen tun, um ihr Image zu verbessern: Es sponsert wichtige Sportveranstaltungen wie die öffentlichkeitswirksame »Hockey Night in Canada«. In Neuseeland organisierte Huawei eine Werbekampagne, in der es sich mit dem ikonischen All Blacks Rugby Team Neuseelands verglich. In Australien schmückt das Huawei-Logo die Trikots des Rugbyvereins Canberra Raiders, in dessen Vorstand ehemalige hochrangige Geheimdienst- und Sicherheitsbeamte sitzen.[152] Das Unternehmen ist auch eine wichtige Einnahmequelle für neuseeländische und kanadische Medien und sponsert sogar die wichtigste neuseeländische Auszeichnung für Journalisten, während die Nachrichten- und Meinungsmedien an der Debatte über Huawei teilnehmen.[153]

Im Bemühen um Zugang zu den Eliten vernachlässigt Huawei auch die Kultur nicht. Abgesehen davon, dass es klassische Musikkonzerte in Europa fördert, hat es seine KI-Kompetenz eingesetzt, um die »Unvollendete« von Franz Schubert (die 8. Symphonie) zu vervollständigen, die in London vor der Crème de la Crème der britischen Gesellschaft aufgeführt wurde.[154]

Auch an den Universitäten sucht Huawei Freunde. Im Jahr 2017 stellte es erstaunliche 13,3 Milliarden Dollar für die Forschung zur Verfügung, und ein großer Teil dieses Budgets fließt Universitäten in der westlichen Welt zu.[155] Huawei finanziert Forschungsarbeiten an mehr als 150 Universitäten, darunter 23 Forschungs- und Entwicklungszentren in 14 europäischen Ländern.[156] In Kanada hat das Unternehmen ein dichtes Netz von Forschungskooperationen geknüpft, an denen viele der besten IT-Experten beteiligt sind. Mit seinem Geld kann es sich eine Schar von hochrangigen Unterstützern wie Professoren und Spitzenmanager halten, die von den wohlmeinenden

Absichten Huaweis und seinen Beiträgen zum Gedeihen der Nation schwärmen.

Aber seit sich das Wissen über die Gefahren der Zusammenarbeit mit Huawei ausbreitet, haben renommierte Universitäten ihre Verbindungen zum Unternehmen gekappt. Die Universität Oxford, die Universität Stanford, das Massachusetts Institute of Technology (MIT) und die University of California in Berkeley haben bekannt gegeben, dass sie kein Geld mehr von Huawei annehmen werden.[157]

In einigen Fällen kämpft das Unternehmen mit harten Bandagen. Als die französische Forscherin Valerie Niquet in einem Interview erklärte, Huawei stehe unter »direkter« Kontrolle des chinesischen Staates und der Kommunistischen Partei und verfolge eine »reale Machtstrategie«, verklagte das Unternehmen sie wegen Verleumdung.[158] Unabhängig davon, ob diese Klage eine rechtliche Basis hat, kann das Unternehmen mit einem solchen Einsatz des Gesetzes vermutlich andere Kritiker einschüchtern.

9

MEDIEN:
»UNSER NACHNAME IST PARTEI«

Der Mediendiskurs

Der massive Vorstoß der KPCh in die globale Medienlandschaft ist ein weiterer Bestandteil ihrer Strategie zur Verschiebung des internationalen Diskurses über ihr politisches Regime, China und den Platz des Landes in der Weltgemeinschaft. Mit »Diskurs« meinen wir die konzeptuellen Rahmen, die Themen und die Sprache, die im Gespräch über bestimmte Themen verwendet werden, sowie die in die Sprache eingebetteten Überzeugungen, Einstellungen und Empfindungen. Seit einigen Jahren erklärt die Parteiführung, China brauche sein eigenes CNN, um die Machtverhältnisse im »globalen öffentlichen Meinungsumfeld« umzukehren. Das heißt, das Regime braucht einflussreiche Medienorganisationen, die als Erste über Ereignisse berichten und beeinflussen können, wie die Öffentlichkeit darüber denkt.

In einer folgenreichen Rede im Jahr 2016 erklärte Xi Jinping, China brauche »Flaggschiffmedien mit großem internationalem Einfluss«.[1] In diese Flaggschiffe werden gewaltige Mittel von schätzungsweise 10 Milliarden Dollar im Jahr investiert.[2] Schon im Jahr 2011 hatte der damalige Leiter der staatlichen Nachrichtenagentur Xinhua, Li Congjun, in einem auf der Website des *Wall Street Journal* veröffentlichten Meinungsartikel zur Errichtung einer »neuen medialen Weltordnung« aufgerufen.[3]

Betrachtet man nur die von den offiziellen Parteimedien verbreitete Propaganda, so gewinnt man möglicherweise den Eindruck, dass die Botschaften Beijings zu plump und zu aggressiv sind, um die Weltöffentlichkeit zu überzeugen, vor allem in einer Umgebung, die ganz anders aussieht als der geschlossene Raum, in dem die Parteimedien innerhalb Chinas operieren. Aber indem man das tut, übersieht man die zahlreichen subtilen Bestandteile der Strategie, mit der die Partei den globalen Diskurs zu kontrollieren versucht. Als Didi Kirsten Tatlow nach einem langjährigen Aufenthalt in China und Hongkong nach Deutschland zurückkehrte, stellte sie fest, dass sich die Diskussion über China radikal verändert hatte.[4] Die chinesischen Medien haben den Vorteil, dass sie vom Staat oder Stellvertretern des Staates großzügige finanzielle Unterstützung erhalten, während die Medien im Westen unter großen finanziellen Problemen leiden. Mit beträchtlicher Unterstützung westlicher Medienspezialisten haben die chinesischen Medien nicht nur ihre Aktivitäten massiv ausgeweitet, sondern auch gelernt, den für das ausländische Publikum bestimmten Inhalt zumindest in Teilen so zu gestalten, dass er nicht wie plumpe Propaganda klingt.

Während sich die chinesischen Medien weiter ausbreiten, nutzt die KPCh auch strategisch ausländische Medien, um von ihr gestaltete Inhalte zu verbreiten und die Berichterstattung in den westlichen Medien unter Einsatz von Überzeugungstechniken, finanziellen Anreizen und an nicht kooperative Nachrichtenkanäle und Auslandskorrespondenten gerichteten Drohungen zu beeinflussen. In Partnerschaft mit einigen ausländischen Medienhäusern verbreitet die Partei »positive Nachrichten« über China, zum Beispiel über Xi Jinpings Lieblingsprojekt und wichtigstes Instrument für die Diskurssteuerung, die Seidenstraßen-Initiative.

Die Entschlossenheit der Kommunistischen Partei Chinas, das globale Gespräch in die von ihr gewünschte Richtung zu lenken, droht in Kombination mit dem Geldmangel vieler westlicher Medien auch die ethischen Regeln auszuhebeln, an die sich Journalisten in demokratischen Ländern halten müssen. Westliche Medien können an diesem

Ethikkodex gemessen werden, und es gibt zahlreiche seriöse Medien, die ihr Bestes tun, um sich daran zu halten. Hingegen erwartet das Regime in Beijing von chinesischen Organisationen, dass sie den »marxistischen Nachrichtenwerten« entsprechen und sich der Partei gegenüber loyal verhalten, wie David Bandurski und Qian Gang vom China Media Project erklären.[5] In diesem Journalismus entscheidet allein die Partei darüber, was wahr ist.

Die KPCh profitiert weiterhin davon, dass Informationen nur in eine Richtung über Chinas Grenzen hinweg ungehindert fließen können: Während die Partei über ihre eigenen Medien ihre Botschaft im Ausland verbreitet, bleibt der durch die »Große Firewall« abgeschirmte chinesische Informationsmarkt für ausländische Medien weitgehend unzugänglich, und soziale Medien werden geblockt. Zwar können große westliche Medienkonglomerate ausgewählte Produkte in China verkaufen, aber wie wir sehen werden, dient dies unter Umständen dazu, die Kontrolle der chinesischen Zensoren über diese Anbieter nur noch weiter zu festigen.

Die Partei steht über allem

In China sind die Medien ein Organ der Partei. Sie müssen den Zielen der Partei dienen und »positive Energie« verbreiten. Mit dem berüchtigten »Dokument Nr. 9«, das im Jahr 2013 die Niederlage der liberalen Kräfte in China ankündigte, wurde ausdrücklich die Verbreitung »der westlichen Vorstellung von Journalismus« verboten.[6] Die Medien, heißt es in diesem Dokument, müssen »vom Geist der Partei durchdrungen« sein und sich an einer marxistischen Betrachtung der Nachrichten orientieren; wer diese Pflicht nicht erfüllt, muss mit Strafe rechnen. Und für den Fall, dass das Dokument Nr. 9 noch nicht klar genug war, hielt Xi im Februar 2016 eine »bedeutende Rede«, in der er erklärte, die Medien müssten »den Nachnamen Partei« tragen. Das chinesische Wort für Nachname, *xing*, beinhaltet mehr, als die Übersetzung ausdrückt. »Den Nachnamen Partei« zu tragen bedeutet, dass

die Medien Teil der vom Patriarchen Xi Jinping geführten Partei-
familie sein sollen.[7] In der Folge wurden in Medienorganisationen im
ganzen Land politische Studiensitzungen organisiert, in denen die
Journalisten den »Geist« von Xis Rede verinnerlichen konnten.

Dass die Partei von den Medien Loyalität verlangt, ist keine abstrakte Aufforderung, sondern eine Anordnung, die mit zahlreichen
Kontrollen vor und nach der Veröffentlichung oder Ausstrahlung von
Berichten durchgesetzt wird. Die Propagandaabteilungen schicken regelmäßig Anweisungen an die Medien, aus denen hervorgeht, über
welche Themen umfassend berichtet werden muss und welche nicht
erwähnt werden dürfen. Bei einigen Themen müssen die Medien die
Berichterstattung der amtlichen Nachrichtenagentur Xinhua exakt
wiedergeben. Spezialisierte politische Redakteure durchsuchen Inhalte sorgfältig nach »politischen Fehlern«. Nachdem Nachrichten
ausgestrahlt oder gedruckt worden sind, werden sie ein weiteres Mal
auf Abweichungen von der Parteilinie kontrolliert. Jeder politische
Fehler zieht für die Personen, die als verantwortlich betrachtet werden,
Geldbußen und Degradierungen nach sich.[8] Beispielsweise wurden
im Jahr 2015 vier Journalisten für einen geringfügigen Tippfehler bestraft, der den Eindruck erweckt hatte, dass Xi in einer Rede seinen
Rücktritt angedeutet hatte.[9] Der Fehler wurde nach nur 45 Minuten
korrigiert, aber den Journalisten half das nicht mehr. Neue Gesetze
bestrafen auch die Veröffentlichung von »Falschmeldungen«. Der Fi-
nanzjournalist Wang Xiaolu wurde 2015 während des chinesischen
Börsencrashs wegen »Erfindung von Nachrichten« verhaftet. (Er hatte
Tatsachen geschildert.) Wang wurde im Fernsehen vorgeführt, wo er
um Nachsicht flehte und gestand, dass es falsch gewesen sei, seine Berichte »zu einem so heiklen Zeitpunkt« zu veröffentlichen.[10]

Parteimedien wie *China Daily*, deren Berichterstattung für ein ausländisches Publikum bestimmt ist und in Fremdsprachen veröffentlicht wird, sind ähnlichen politischen Einschränkungen unterworfen.
Ihre Journalisten müssen »großen politischen Sachverstand« besitzen,
und bestimmte Positionen sind nur für Parteimitglieder zugänglich.[11]
Gegenwärtig (Stand Ende 2019) müssen für solche Medien tätige Jour-

nalisten die Xi Jinping-Gedanken über den Sozialismus chinesischer Prägung für das neue Zeitalter studieren und in einer Prüfung ihre Kenntnis dieser Gedanken nachweisen.[12]

Seit einigen Jahren bildet die Partei auch Journalisten aus Entwicklungsländern aus.[13] Nach Angaben von Reporter ohne Grenzen haben Zehntausende Journalisten derartige Schulungsprogramme durchlaufen.[14] Seit 2009 organisiert und finanziert Xinhua den World Media Summit, der wichtige westliche Medien wie die *New York Times*, die BBC, Reuters, und Associated Press angelockt hat.[15] Eine weitere Plattform ist das Media Cooperation Forum on Belt and Road, das seit 2014 von der *People's Daily* in Zusammenarbeit mit Lokalregierungen veranstaltet wird.[16] Im Jahr 2018 nahmen Vertreter der Zentralen Propagandaabteilung sowie Medien aus 90 Ländern an diesem Forum teil.[17] In der Zusammenarbeit mit ausländischen Journalisten verlangen die chinesischen Parteikader keine Loyalität gegenüber der KPCh, sondern werben stattdessen für eine Vorstellung von den Medien als »Brücken« zwischen den Ländern, die harmonische Beziehungen und das gegenseitige Verständnis fördern sollen.[18]

Eine Medienweltmacht

Der Traum von chinesischen Medien mit weltweitem Einfluss ist fast so alt wie die Volksrepublik selbst. Schon im Jahr 1955 wies Mao Zedong die Nachrichtenagentur Xinhua an, »den Erdball zu kontrollieren« und dafür zu sorgen, dass »die ganze Welt [Chinas] Stimme hört«.[19] Unter Mao hatte Xinhua Anweisung, sich zuerst auf Asien und Afrika zu konzentrieren, bevor sie versuchen sollte, Europa und Amerika für das Regime zu gewinnen.[20] Tatsächlich haben Louisa Lim und Julia Bergin überzeugend dargelegt, dass Afrika das »Versuchsfeld« für die Expansion chinesischer Medien war.[21]

Ab dem Jahr 2008 beschleunigte die KPCh, den Aufbau »erstklassiger internationaler Medien« und begann, viel Geld in die globale Expansion zu pumpen. Im Januar 2009 meldete die *South China*

Morning Post, die chinesische Regierung plane, 45 Milliarden Renminbi (6,6 Milliarden Dollar) in globale Medien zu investieren,[22] nachdem die Parteiführung in der 3. Plenarsitzung des 17. Parteitags Ende 2008 versprochen hatte, die »internationalen Kommunikationsfähigkeiten« Chinas auszubauen.[23]

Seitdem wachsen sämtliche zentralen Parteimedien rasch. Im März 2018 verschmolz die KPCh ihren nationalen Fernsehsender China Central Television (CCTV), ihren nationalen Radiosender China National Radio und ihre internationale Rundfunkanstalt China Radio International zur China Media Group, die auch als Voice of China bekannt ist. Obwohl die China Media Group formal dem Staatsrat untersteht, erhält sie ihre Anweisungen von der Zentralen Propagandaabteilung der KPCh.[24] Der internationale Arm von CCTV wurde Ende 2016 in China Global Television Network (CGTN) umgetauft. Dieses sendet in Englisch, Spanisch, Französisch, Arabisch und Russisch.[25] Das in Beijing ansässige CGTN betreibt Produktionszentren in Nairobi, Washington und London.[26] China Radio International (CRI) hat 32 Korrespondentenbüros, sendet in mehr als 60 Sprachen[27] und vertreibt seine Programme auch über ein globales Netz von Radiosendern und Kooperationsvereinbarungen (mehr dazu später).

Auch die Nachrichtenagentur Xinhua expandiert seit 2009 rasch.[28] Xinhua hat mittlerweile mehr als 180 Büros außerhalb Chinas und regionale Zentralen in New York, Brüssel, Hongkong, Moskau, Kairo, Nairobi, Vientiane und Mexiko-Stadt.[29] Die Nachrichtenagentur betreibt auch einen englischsprachigen Nachrichtenkanal, CNC World, der im Jahr 2010 ins Leben gerufen wurde und rund um die Uhr sendet. Wie CRI vertreibt CNC World seine Inhalte durch Partnerschaften und mit Sendern, die ihm gehören.[30]

Ein weiterer wichtiger Akteur ist die China Daily Group. Ihre Flaggschiffpublikation *China Daily* ist die älteste englischsprachige Tageszeitung Chinas, die im Jahr 1981 mit Unterstützung der australischen Zeitung *The Age* und finanzieller Unterstützung der australischen Regierung gegründet wurde.[31] Die China Daily Group erhält ihre Anweisungen vom Informationsbüro des Staatsrats – diese Bezeichnung verwendet das Büro für Auslandspropaganda der KPCh in der Interaktion mit der Außenwelt.[32] Die Gruppe unterhält 40 Zweigstellen in aller Welt, darunter Büros in den USA, Kanada, Großbritannien, Deutschland, Frankreich, Belgien und Australien.[33] Im Jahr 2018 hatte sie weltweit 921 Beschäftigte.[34]

Mit der Geldspritze von 2009 wurde auch eine zweite englischsprachige Zeitung gegründet, die *Global Times*, deren chinesische Ausgabe erstmals im Jahr 1993 erschien. Die *Global Times* gehört zur People's Daily Group und vertritt die chauvinistischeren und aggressiveren Positionen, welche die KPCh in ihren offizielleren Medien nicht verbreiten möchte, was offiziellen Medien zusätzlich einen vergleichsweise moderaten Anstrich gibt.[35] Der Chefredakteur der *Global Times*, Hu Xijin, ist für seine nationalistischen Ausbrüche bekannt.

Die chinesischen Medien befinden sich überwiegend im Besitz der Partei, haben jedoch Anweisung, insbesondere in der Zusammenarbeit mit Ausländern »ihr kommerzielles Gesicht zu zeigen«.[36] Als CGTN in den Vereinigten Staaten nach Maßgabe des Foreign Agents Registration Act registriert wurde, bekundete der Sender seine »redaktionelle Unabhängigkeit von jeglicher staatlicher Lenkung oder Kontrolle«.[37] Diese Behauptung ist nachweislich falsch, denn CGTN ist Teil der China Media Group, die unter der Führung der Zentralen Propagandaabteilung steht. Der offiziellen Darstellung widersprechen auch die Mitarbeiter von CGTN America, die bestätigen, dass in Beijing über die Berichterstattung entschieden wird: Aufnahmen von Xi Jinping mit zerzauster Frisur dürfen nicht gezeigt werden, und Aufnahmen, in denen die taiwanesische Flagge zu sehen ist, werden beschnitten.[38]

Ein ehemaliger Mitarbeiter von Xinhua berichtet, dass er im Jahr 2012 aufgefordert wurde, seine Presseakkreditierung zu nutzen, um eine Pressekonferenz des Dalai Lama in Kanada auszuspionieren. Als sich herausstellte, dass seine Beobachtungen nicht in einem öffentlichen Bericht verwendet würden, kündigte er.[39] Andere Xinhua-Mitarbeiter geben zu, Berichte verfasst zu haben, die nur für den internen Gebrauch der chinesischen Führung bestimmt waren.[40] Xinhua liefert seit den fünfziger Jahren nachrichtendienstliche Informationen an parteistaatliche Stellen in China.[41]

Um ihre Attraktivität für das internationale Publikum zu erhöhen, verfolgen die parteistaatlichen Medien eine als »Medienlokalisierung« bezeichnete Strategie, die darin besteht, Ausländer zu engagieren, die Inhalte anzupassen und mehr regionale Ausgaben und Programme zu produzieren.[42] Die Zeitung *China Daily* bringt neben einer globalen Version auch eigene tägliche Ausgaben für die Vereinigten Staaten sowie wöchentliche Ausgaben für Europa und Asien heraus. CGTN beschäftigt ähnlich wie Russia Today lokale Moderatoren. Noch wichtiger ist, dass es dem Sender gelungen ist, Journalisten, Reporter und Produktionsredakteure anzuwerben, die zuvor für Medien wie CNN, NBC und die BBC gearbeitet haben.[43] Die Verantwortlichen der Partei sind zu dem Schluss gelangt, dass Nachrichten, die von Personen mit westlichen Gesichtern vermeldet werden, glaubwürdiger wirken. Im Gegensatz dazu dürfen ausländische Medien in China chinesische Bürger nur als Assistenten beschäftigen, nicht als Journalisten oder Moderatoren.[44]

Die Parteiorgane verfolgen die Strategie, Ausländer über Themen sprechen zu lassen, die das chinesische Regime selbst nicht kommentieren möchte; außerdem verleiht dies den Standpunkten Beijings in anderen Fragen zusätzliche Legitimität. Diese Strategie hat eine lange Tradition. Im Jahr 1968 rügte Mao Zedong auf dem Höhepunkt der Kulturrevolution die chinesischen Medien dafür, dass sie zu weit gegangen seien, indem sie China wiederholt als »Zentrum der Weltrevolution« bezeichnet hatten. Natürlich glaubte Mao selbst genau das, aber da das Eigenlob China nicht gut zu Gesicht stand, wies der »Große Vorsitzende« die Medien an, stattdessen Ausländer zu zitieren, die China diese Position zuschrieben.[45]

Kritik an einer angeblichen »antichinesischen Haltung« westlicher Medien überlässt das Regime oft Ausländern.[46] Diese werden auch mobilisiert, um für die KPCh besonders wichtige Anliegen zu vertreten und Chinas Beiträge zum Wohl der Menschheit zu preisen. Nach dem Urteil des Den Haager Gerichtshofs über den Konflikt im Südchinesischen Meer im Jahr 2016 vertrat Nirj Deva, der damalige Leiter der Europäisch-Chinesischen Freundschaftsgruppe des Europäischen Parlaments, die Position der KPCh und rügte die Philippinen dafür, dass sie den Disput nicht in bilateralen Gesprächen beigelegt hatten.[47] Der britische Journalist und Autor Martin Jacques, der ein häufiger Gast bei CGTN ist, erklärte im Jahr 2017 in einem Interview, der Westen müsse von China lernen: Die Verschiebung zu einer von China geführten Welt sei ein »reiner Segen« und »eine der großartigsten Demokratisierungsphasen, die die Welt je gesehen hat«.[48] Eine Expertin, die in einem CGTN-Programm auftrat, wurde ermahnt, sich nicht zu kritisch zu äußern, wenn sie erneut eingeladen werden wolle. Die Produzenten der Sendung nannten ihr den Namen eines anderen ausländischen Gesprächspartners und rieten ihr, sich »mehr wie er« zu verhalten.[49] (Wie einige andere Medien bezahlt CGTN ausländische Experten für Interviews.)

Westliche Experten übernehmen die Feinabstimmung der KPCh-Propaganda

Seit Langem helfen westliche Institutionen den Medien des chinesischen Regimes, zu expandieren und ihre globale Reichweite zu erhöhen. Die Digitalisierung von China Radio International (CRI) Ende der neunziger Jahre wurde teilweise durch einen Kredit der österreichischen Regierung bewerkstelligt und mit Ausrüstung, die Siemens Österreich zur Verfügung stellte.[50] Das nationale niederländische Forschungsinstitut für Mathematik und Informatik, das Centrum Wiskunde & Informatica, hilft Xinhua beim Aufbau eines »fortschrittlichen Laboratoriums für die Erforschung der Benutzererfahrung«, in dem Sensoren eingesetzt werden, um unter anderem die Aufmerksamkeit des Publikums zu messen.[51]

Auf Propaganda spezialisierte Parteikader bekommen auch Expertenrat, damit sie sich besser in der westlichen Medienlandschaft zurechtfinden können. Das China Media Centre an der University of

Westminster in London hat dreiwöchige Schulungskurse für chinesische Propagandafunktionäre veranstaltet.[52] Das Zentrum wurde 2005 vom Publizistikprofessor Hugo de Burgh gegründet und von Sun Yusheng, dem damaligen Vizepräsidenten des Chinesischen Zentralfernsehens CCTV, und Jeremy Paxman, der manchmal als angesehenster Journalist Großbritanniens bezeichnet wird, in Betrieb genommen.[53] Die Schulungsprogramme sind unter anderem für Kader der Zentralen Parteischule, Experten aus dem Verteidigungssektor sowie Mitarbeiter von Staatsbetrieben und amtlichen Medien bestimmt.[54] Die Kurse werden teilweise vom britischen Außenministerium und folglich mit britischen Steuergeldern bezahlt. Der Leiter des Zentrums, Hugo de Burgh, ist Ehrenmitglied des 48 Group Club, gehört dem Board des Great Britain-China Centre an und ist Professor an der Tsinghua-Universität, wobei diese Position Teil des Programms 985 des chinesischen Bildungsministeriums ist, das internationale Talente nach China holen soll.[55] De Burgh setzt sich für engere Beziehungen zwischen Großbritannien und China ein.[56]

Die KPCh betrachtet das Programm an der University of Westminster als großen Erfolg. Der Leiter des Bereichs Sprecherentwicklung des Büros für Auslandspropaganda (auch bekannt als Informationsbüro des Staatsrats) schreibt: »In den ausgezeichneten dreiwöchigen Intensivkursen, die vom China Media Centre entworfen und durchgeführt und in den vergangenen sieben Jahren Ministerien, Provinzregierungen und Städten angeboten worden sind, haben chinesische Funktionäre ein sehr viel besseres Verständnis der Funktionsweise der Medien in westlichen Ländern erworben und ihre Fähigkeit weiterentwickelt, auf die Medien zu reagieren und mit ihnen zu interagieren.«[57]

Im Rahmen des Kurses im Jahr 2018 organisierte das China Media Centre einen Runden Tisch zum Thema »Chinas internationale Beziehungen und Wirtschaftsstrategien: Wahrnehmungen Großbritanniens und Chinas«. Unter den Teilnehmern waren fünf hochrangige Kader der Zentralen Propagandaabteilung.[58] Das Zentrum hat zahlreiche Parteifunktionäre nach Großbritannien geholt, wo sie Kontakt zu den Medien und zur politischen Elite aufgenommen haben, darunter fünf Seminare in der Downing Street Nr. 11 auf Einladung des Finanzministers.[59] Boris Johnson, der auf seiner ersten Chinareise von Hugo de Burgh begleitet wurde, hat an den Kursen des Zentrums teilgenommen und erklärt, er könne sich keinen Besseren als de Burgh vorstellen, um den Briten die chinesischen Medien nahezubringen.[60]

Die Befürworter solcher Ausbildungsmaßnahmen sind überzeugt, dass so die Öffnung der chinesischen Medien vorangetrieben werden könne. Das Gegenteil trifft zu: Diese Programme helfen der KPCh, ihre Propaganda besser auf das ausländische Publikum abzustimmen und sie rund um den Erdball wirksamer einzusetzen. Die Kursteilnehmer erlernen Techniken, die von westlichen Journalisten angewandt werden, um Interviewpartnern Antworten zu entlocken, und erfahren, wie man als Regierungsvertreter in Pressekonferenzen unangenehme Fragen handhabt.[61] In einer Zeit, in der offizielle Sprecher des chinesischen Regimes regelmäßig wegen der Konzentrationslager in Xinjiang und anderer Menschenrechtsverstöße unter Beschuss geraten, dürfte eher die KPCh als die britische Öffentlichkeit davon profitieren, dass diese Sprecher gelernt haben, mit bohrenden Fragen »umzugehen«.

Es gibt durchaus seriöse chinesische Journalisten, die ernsthaften Journalismus betreiben wollen und dies auch tun, sobald sie ein Fenster dafür sehen, wie man zuletzt während der Covid-19-Krise beobachten konnte, als der chinesische Medienkontrollapparat für einen kurzen Zeitraum gelähmt war. Aber ihr Bewegungsspielraum ist in den letzten sechs Jahren dramatisch geschrumpft – und diese Journalisten werden auch nicht zu Schulungen ins Ausland geschickt. Die Kursteilnehmer kommen aus der Partei, ihren Behörden und den Fernsehsendern und Zeitungen, die bewiesen haben, dass sie die Vorgaben der Partei stets gewissenhaft erfüllen.[62]

Die »Große Firewall« überwinden

Seit den Unruhen in Xinjiang im Juli 2009 sind fast alle sozialen Medien aus dem Westen in China blockiert. Eine bekannte Ausnahme ist die Microsoft-Tochter LinkedIn. Dieses soziale Netzwerk hat mehr als 40 Millionen Benutzer in China, wo es arbeiten darf, weil es sich der vom Regime geforderten Zensur beugt.[63] Im Dezember 2018 blockierte LinkedIn den Account des Dissidenten Zhou Fengsuo und teilte ihm mit: »Wir unterstützen die Meinungsfreiheit entschieden, aber als wir unsere Tätigkeit aufnahmen, war uns klar, dass wir den Anforderungen der chinesischen Regierung entsprechen müssten, um in China operieren zu können.«[64] Im selben Monat schloss LinkedIn auch den Account des britischen Privatermittlers Peter Humphrey, der in China Fälle von Unternehmensbetrug untersucht hatte und der dort – wie er sagt, zu Unrecht – ins Gefängnis gesteckt und zu einem im Fernsehen übertragenen Geständnis gezwungen wurde.[65]

Obwohl Chinesen keinen Zugang zu sozialen Medien aus dem Westen haben, sind sämtliche chinesischen Medien, die sich an ein ausländisches Publikum wenden – darunter Xinhua und die *Global Times* – auf Facebook, Twitter und YouTube sehr präsent. Die parteistaatlichen Medien bieten auf diesen Plattformen Inhalte in zahlreichen Sprachen an, die teilweise auf spezifische Länder zielen, obwohl die wichtigsten Sprachen Englisch und Chinesisch sind. Aus Berichten in *People's Daily* geht hervor, dass Xinhua im Jahr 2015 ein Team von mehr als 100 Mitarbeitern bildete, deren Aufgabe darin bestand, ihre Präsenz in den westlichen sozialen Medien zu gestalten; in der Zwischenzeit dürfte diese Einheit deutlich gewachsen sein.[66]

Die westlichen sozialen Medien eröffnen der KPCh eine weitere Möglichkeit, irreführende Informationen zu verbreiten. Beispielsweise stellte *People's Daily* auf seinem Twitter-Account die Legalisierung der Homosexuellenehe in Taiwan im Jahr 2019 als Erfolg für die progressive Politik der Volksrepublik dar: »Lokale Gesetzgeber in Taiwan, China, haben erstmals in Asien gleichgeschlechtliche Ehen legalisiert.«[67] (Tatsächlich hat sich die Lage der LGBTQ-Gemeinschaft unter Xi Jinping eher verschlechtert. Wenige Monate nachdem Taiwan die gleichgeschlechtliche Ehe legalisiert hatte, schloss die Volksrepublik diesen Schritt ausdrücklich aus.[68]) Ebenfalls auf Twitter stellte *China Daily* die Demonstranten, die in Hongkong gegen das von Beijing vorgeschlagene Auslieferungsgesetz protestierten, als *Befürworter* des Vorhabens dar; die Schlagzeilen lauteten »800 000 sagen ›Ja‹ zum Auslieferungsgesetz« und »Hongkonger Eltern protestieren gegen die Einmischung der USA«.[69] Im selben Jahr benutzte Xinhua seine Facebook-Seite, um die Demonstranten in Hongkong als »Kakerlaken« zu beschimpfen.[70] Der Leiter des europäischen Büros von *China Daily*, der sehr aktiv auf Twitter ist, bezeichnete die Kundgebungsteilnehmer als »Ratten«.[71]

Auf Twitter wurde zudem in bezahlten Anzeigen für das politische System Chinas geworben und das Vorgehen des Regimes in Xinjiang und Hongkong und seine Haltung in anderen heiklen Fragen verteidigt.[72] Nachdem Parteiorgane für Anzeigen bezahlt hatten, in denen die Proteste in Hongkong verurteilt wurden, kündigte Twitter im August 2019 an, es werde staatlichen Medien nicht länger erlauben, bezahlte Inhalte zu platzieren. Zu diesem Schritt rang sich das Unternehmen allerdings erst nach einem Aufschrei der Öffentlichkeit durch.[73]

Auf YouTube posten die Medien des Parteistaats Clips in Formaten, die jüngere Zuschauer ansprechen sollen. In einem dieser Videos wird das politische System Chinas als Meritokratie präsentiert: Anders als in den Vereinigten Staaten, wo der Kandidat mit dem meisten Geld gewinne, werde das Präsidentenamt in der chinesischen Meritokratie durch harte Arbeit und Erfahrung erlangt.[74] Die erste Hälfte dieser Behauptung trifft teilweise zu, aber die zweite ist vollkommen falsch, es sei denn, die Leistung ist in China genetisch in den herrschenden Familien der Parteiaristokratie konzentriert. Bei den westlichen Medien finden Videoclips wie dieser keinen Anklang, aber es ist wenig darüber bekannt, wer sie tatsächlich anschaut und wie sie aufgenommen werden.[75]

Dass die KPCh diese Plattformen im Ausland nutzt, gleichzeitig jedoch in China blockiert, ist ein weiteres Beispiel dafür, wie sie die Offenheit der Demokratien ausnutzt. Sie hat das harte Durchgreifen gegen »nicht autorisierte« (das heißt private) chinesische Twitter-Benutzer verschärft und zensiert auch chinesischsprachige soziale Medien wie WeChat, das jeden Monat mehr als eine Milliarde aktive Benutzer hat, darunter Millionen in der Diaspora in aller Welt. Politiker im Westen, die chinesischstämmige Wähler für sich gewinnen wollen, haben WeChat-Konten eröffnet, um diese Gruppe anzusprechen; die Folge ist, dass die Botschaften politischer Kandidaten in demokratischen Ländern in Beijing überwacht und zensiert werden.[76]

Das chinesische Regime mobilisiert in den westlichen sozialen Medien auch ein Heer von Internettrollen, die umgangssprachlich als »die 50-Cent-Armee« bezeichnet werden. Viele dieser Trolle sind Staatsangestellte, die sich als Privatpersonen ausgeben. Die zuverlässigste Schätzung bezüglich der Aktivitäten der 50-Cent-Armee lautet, dass sie jedes Jahr 450 Millionen Kommentare in den sozialen Medien (einschließlich der chinesischen) ausstreut.[77] Die Angriffe auf taiwanesische oder uigurische Facebook-Seiten, die mit regimefreundlichen Kommentaren überflutet werden, werden immer zahlreicher.[78] Als eine in China als »Diba« bezeichnete Gruppe eine Website uigurischer Aktivisten attackierte, lobte die *Global Times* die Aktion als »patriotischen« Akt.[79] Im Jahr 2019 schloss Twitter 1000 Accounts und sperrte 200 000 vorübergehend, weil sie nach Einschätzung des Unternehmens Teil einer staatlich koordinierten Desinformationskampagne gegen die Demonstranten in Hongkong waren.[80] Eine vorläufige Analyse dieser Accounts durch das Australian Strategic Policy Institute hat gezeigt, dass viele von ihnen zuvor Follower gewonnen hatten, indem sie in mehreren Sprachen Tweets zu nicht verwandten Themen absetzten, bevor sie verstummten und im Juni 2019 plötzlich wieder aktiv wurden, um sich in chinesischer und englischer Sprache zu den Kundgebungen in Hongkong zu äußern.[81]

Facebook, Twitter und YouTube bekennen sich lautstark zur Meinungsfreiheit, haben jedoch eine ambivalente Beziehung zum chinesischen Regime. Sie alle haben Interessen in China und hoffen, Zugang zum riesigen chinesischen Markt zu erhalten. Mark Zuckerberg von Facebook hat versucht, sich der chinesischen Führung anzubiedern, indem er einen Smog-Lauf durch Beijing absolvierte, sich mit hochrangigen Vertretern der Propagandaabteilung traf und Xi Jinping bat, den Namen für seine ungeborene Tochter auszuwählen.[82] Auf YouTube, das zu Google gehört, wurden von der *Hong Kong Free Press* produzierte Videos und ein von China Uncensored produziertes Interview mit Denise Ho, einer Aktivistin der Demokratiebewegung, demonetisiert – die Schöpfer konnten also kein Geld mehr verdienen, indem sie in ihren Videos Werbung zuließen.[83] Auf Twitter wurden Bilder von den Protesten in Hongkong häufig als »sensible Inhalte« markiert und in der Folge nicht mehr gezeigt.[84] Vermutlich wurde diese Markierung durch von der KPCh koordinierte massenhafte Meldungen von Beijinger Trollen ausgelöst, aber es zeigt, dass diese Plattformen nicht gut gerüstet sind, um sich gegen von Staaten gesteuerte Crowd-Sourcing-Attacken auf Inhalte zu wehren.

Boote borgen

Die Taktik der KPCh, Kanäle abseits der Staatsmedien zu nutzen, um ihre Botschaften zu verbreiten, wird als »Ein Boot ausborgen, um zur See zu fahren« bezeichnet.[85] Diese Taktik, die oft mit einem Staatsbesuch koordiniert wird, besteht beispielsweise darin, in den Medien des Gastgeberlandes Meinungsartikel von Mitgliedern der chinesischen Führung zu veröffentlichen.[86]

Ein größeres »geborgtes Boot« ist das internationale Netzwerk, das der Staatssender China Radio International (CRI) nutzt, um Inhalte zu verbreiten. Das Netzwerk besteht aus einer Reihe lokaler Unternehmen, deren Gemeinsamkeit darin besteht, dass sie für CRI arbeiten und, wie der Forscher Jichang Lulu erklärt, in ihrer chinesischen Bezeichnung das Wort »global« führen.[87] Die Nachrichtenagentur Reuters fand im Jahr 2015 heraus, dass mindestens 33 Radiosender im

Netzwerk verdeckte Beziehungen zum chinesischen Staat unterhielten.[88] In den Vereinigten Staaten least CRI lokale Sender über das in
Los Angeles ansässige Unternehmen EDI Media.[89] Dessen Gründer
und Präsident James Su ist ein Vizepräsident des Allchinesischen
Bundes repatriierter Auslandschinesen (einer Einheitsfrontorganisation) sowie ein »hochrangiges beratendes Mitglied« der Stadtregierung von Beijing.[90]

In Europa arbeitet CRI in erster Linie über das in Finnland ansässige Unternehmen GBTimes (nicht zu verwechseln mit der *Global
Times*), das als »Brücke zwischen China und der übrigen Welt« dienen
soll. Das im Jahr 1994 von dem chinesischen Unternehmer Zhao Yinong gegründete Unternehmen wurde mehrere Male umgetauft, bevor es 2014 seinen heutigen Namen erhielt.[91] Das Unternehmen ist ein
Joint Venture: 60 Prozent gehören der Guoguang Century Media
Consultation Co., die Teil von CRI ist.[92] Zhao behauptet, sein Unternehmen versuche nicht zu verbergen, dass es chinesischen Staatsmedien gehört, aber mit Sicherheit macht es auch nicht offensiv auf seine
Verbindung zur KPCh aufmerksam.[93] Nach Angabe chinesischer
Staatsmedien hat das Unternehmen mehr als 200 Angestellte und bietet Dienste in 20 verschiedenen Sprachen an.[94] In Australien erfüllt
das in Melbourne ansässige Unternehmen CAMG Media eine ähnliche Rolle für CRI.[95] Wie GBTimes gehört es zu 60 Prozent Guoguang
Century Media. Auslandskorrespondenten in Beijing kritisierten die
Journalisten von CAMG, weil sie Parteifunktionären beim Nationalen
Volkskongress keine kritischen Fragen stellten, sondern nur »Stich-
worte« für Verlautbarungen gaben.[96]

Ein weiteres Beispiel für den Einsatz »geborgter Boote« ist *China
Watch*, eine seit 2010 von *China Daily* produzierte Beilage in westli-
chen Zeitungen. In den Augen chinesischer Analysten war die globale
Finanzkrise von 2008 ein Segen für China, da sie sämtliche westlichen
Medien in finanzielle Bedrängnis brachte. Die Liste der Zeitungen,
welche die *China Watch*-Beilage verbreiten, liest sich wie ein Who's
Who der Branche und beinhaltet unter anderen die *New York Times*,
das *Wall Street Journal*, die *Washington Post*, den *Daily Telegraph*,

den *Sydney Morning Herald*, *The Age*, *Le Figaro*, *El País* und das *Handelsblatt*.[97] Einige Zeitungen stellen auch Inhalte aus *China Watch* auf ihre Websites. Nur für eine einzige Zeitung wurde das jährliche Budget veröffentlicht: Der *Daily Telegraph* in London erhält jedes Jahr 750 000 Pfund dafür, dass er die Beilage und Webinhalte veröffentlicht.[98]

Die Beziehung des *Daily Telegraph* zum chinesischen Staat scheint nicht auf die Verbreitung der *China Watch*-Beilage beschränkt zu sein. Der chinesische Botschafter in Großbritannien, Liu Xiaoming, lobte 2019 die Telegraph Media Group für ihre »positiven Beiträge zur Förderung des gegenseitigen Verständnisses zwischen China und den westlichen Ländern«.[99] Und der *Telegraph* hat sich das Lob verdient: Führungskräfte des Unternehmens treffen sich bereitwillig mit chinesischen Regierungsvertretern.[100] Der ehemalige Herausgeber Ian MacGregor nahm im April 2019 sogar an einem von der chinesischen Botschaft in London veranstalteten Symposium über »Xi Jinpings Gedanken zur Diplomatie« teil (siehe Kapitel 4).[101]

Auf der Website einer Zeitung wie dem *Telegraph* oder dem *Wall Street Journal* sind Inhalte aus *China Watch* als »bezahlter Inhalt« gekennzeichnet. Werden diese Artikel jedoch in den sozialen Medien gepostet, so geht diese Identifizierung verloren, weshalb sie nicht mehr wie bezahlte Inhalte, sondern wie Artikel aus diesen Zeitungen wirken. Arrangements wie jenes mit *China Watch* sind auch bedenklich, weil sie den Zeitungsredaktionen einen Anreiz geben, in ihrer eigenen Berichterstattung innerhalb der von der KPCh gezogenen Grenzen zu bleiben. Aber wie der China-Experte Peter Mattis erklärt, besteht die bedeutsamste Wirkung solcher Kooperationen darin, dass die Verbindung mit angesehenen Zeitungen in aller Welt dem Inhalt von *China Watch* Glaubwürdigkeit verleiht.[102]

Eine weitere Initiative, die von den anderen hier beschriebenen Modellen »geborgter Bote« abweicht, aber dennoch Erwähnung verdient, ist ein von zwei deutschen Journalisten geplantes Informationsportal namens »Chinareporter«. Georg Blume und Wolfgang Hirn wandten sich an den damaligen chinesischen Botschafter in Berlin,

Shi Mingde. Shi verfasste daraufhin im Februar 2019 einen Brief an mehrere deutsche Konzerne mit der Bitte, das Projekt finanziell zu unterstützen und »das China-Bild in Deutschland dauerhaft zu beeinflussen« und »objektiver« zu machen. Shi versprach, das Projekt aus Beijing weiter zu »begleiten«. Das Projekt kam trotz eines weiteren Briefes des neuen Botschafters Wu Ken nicht zustande.[103]

Kooperationsvereinbarungen

Die chinesischen Staatsmedien schließen eifrig Kooperationsvereinbarungen mit ausländischen Medien. Als die in New York ansässige globale Nachrichtenagentur Associated Press im Jahr 2018 mit Xinhua eine Vereinbarung über die Ausweitung einer »für beide Seiten vorteilhaften Zusammenarbeit« unterzeichnete, löste dies in den Vereinigten Staaten Besorgnis aus, und mehrere Kongressmitglieder forderten, AP müsse den Inhalt der Vereinbarung offenlegen.[104]

Die Zusammenarbeit zwischen AP und Xinhua ist keineswegs eine Ausnahme.[105] Die in London ansässige Nachrichtenagentur Reuters, ein Konkurrent von AP, pflegt seit Langem eine Beziehung zu Xinhua: Die beiden Organisationen unterzeichneten bereits im Jahr 1957 ihre erste Vereinbarung.[106] In der Zeit, als Tom Glocer (ein Mitglied des 48 Group Club) Geschäftsführer von Reuters war, wurde die Verbindung der Nachrichtenagentur zu China enger. In einem Treffen mit der damaligen Botschafterin Fu Ying versprach Glocer, »umfassend und objektiv« über China zu berichten und »die langfristige freundschaftliche Zusammenarbeit mit China fortzusetzen«.[107] Im Jahr 2009 nahm Reuters am von Xinhua organisierten World Media Summit teil. Als Xi Jinping im Jahr 2015 Großbritannien besuchte, um die »goldene Ära« in den sino-britischen Beziehungen einzuleiten, gab er Reuters ein Exklusivinterview.[108]

Im Jahr 2017 vereinbarte der China Economic Information Service von Xinhua mit mehreren europäischen Medienunternehmen – darunter die deutsch-österreichische Finanznachrichtenagentur DPA-

AFX, die italienische Class Editori, die polnische Polska Agencja Pra-
sowa, die griechische Athens News Agency, die belgische Zeitung *Le
Soir* sowie British Metro – die Gründung der Belt and Road Economic
and Financial Information Partnership.[109] Portugal unterzeichnete im
Jahr 2019 im Rahmen eines Übereinkommens über seine Beteiligung
an der Seidenstraßen-Initiative eine Kooperationsvereinbarung, in
der sich die Parteien verpflichteten, »gemeinsame Besuche bei Nach-
richtenagenturen zu organisieren, eine gemeinsame Berichterstattung
zu betreiben [und] Seminare sowie Schulungen für Journalisten abzuhalten«.[110] Xinhua kooperiert auch mit Agence France Press (AFP,
neben AP und Reuters die dritte große globale Nachrichtenagentur),
der Deutschen Presse-Agentur (DPA), der Athenisch-Makedonischen
Nachrichtenagentur (ANA-MPA), der Australian Associated Press,
der staatlichen lettischen Nachrichtenagentur LETA und der italienischen ANSA.[111] Die China Media Group und die italienische Class
Editori haben eine Vereinbarung unterzeichnet, die neben dem Austausch von Inhalten eine neue Nachrichtenkolumne mit dem Titel
»Focus Cinitalia«, gemeinsame Fernsehproduktionen und eine gemeinsame Arbeitsgruppe für die Durchführung der geplanten Projekte beinhaltet.[112]

Diese Arrangements dürften kaum dazu führen, dass westliche Medien die Argumente der KPCh in wichtigen politischen Fragen unkri-
tisch wiedergeben. Aber wie der Leiter von National Endowment for
Democracy, Chris Walker, erklärt: »Die Zusammenarbeit mit chinesischen Staatsmedien kann zur Selbstzensur in bestimmten Fragen oder
dazu führen, dass unabsichtlich KPCh-Propaganda verbreitet wird.«[113]

Chinesischsprachige Medien

Dank der konzertierten Bemühungen des chinesischen Regimes stehen mittlerweile fast alle chinesischsprachigen Medien in der westlichen Welt direkt oder de facto unter der Kontrolle der KPCh, sieht
man von einigen wenigen bemerkenswerten Ausnahmen wie Ming-

jing News oder der mit Falun Gong verbundenen *Epoch Times* und New Tang Dynasty TV ab.

Die Kontrolle über diese Medien ist von größter Bedeutung für die Partei. Wenn sie die maßgeblichen Medien in anderen Ländern (noch) nicht von ihrem Weltverständnis überzeugen kann, so kann sie ihren Vorstellungen doch zumindest über die chinesischsprachigen Medien Geltung verschaffen. Wie wir gesehen haben, helfen diese Medien auch dabei, unter Auslandschinesen nationalistische Gefühle zu wecken, wie die Protestkundgebungen gegen das Urteil des Haager Gerichtshofs über den Konflikt im Südchinesischen Meer im Jahr 2016 und die Beschwerden chinesischer Studenten über »antichinesische« Kommentare gezeigt haben.[114] Im chinesischen Parteiapparat ist die Propagandaabteilung des Zentralkomitees für die Lenkung der Medien verantwortlich. Ihr zur Seite steht die Abteilung für Einheitsfrontarbeit, die für die zweite staatliche Nachrichtenagentur China News Service (CNS, siehe Organigramm im Vor- und Nachsatz) zuständig ist.[115] CNS betreibt einige Medien direkt (so zum Beispiel in Australien) und arbeitet mit anderen chinesischen Medien im Ausland zusammen.[116]

In den vergangenen zwei Jahrzehnten wurden zahlreiche unabhängige Medienunternehmen im Westen von Geschäftsleuten übernommen, die dem chinesischen Regime eng verbunden sind.[117] Mehrere chinesischsprachige Zeitungen in den Vereinigten Staaten stehen im Besitz der Asian Culture and Media Group, die Berichten zufolge 1990 vom Büro für auslandschinesische Angelegenheiten (OCAO) gegründet wurde.[118] Außerdem haben »patriotische« Geschäftsleute neue Medienunternehmen aufgebaut, in denen keine Kritik an der Politik der KPCh möglich ist. Der China-Experte John Fitzgerald berichtet, dass die Produzenten in Radiostudios in Melbourne von offiziellen Repräsentanten der Partei Anweisungen erhalten haben, wann sie Anrufer in Talkshows unterbrechen müssen, weil sie von regimetreuen Ansichten abweichen.[119]

Die verbliebenen unabhängigen Medien sehen sich intensivem Druck ausgesetzt, auf die Parteilinie einzuschwenken. Jenen Unternehmen, die in unabhängigen Medien Werbung schalten, wird mit einem Ausschluss vom chinesischen Markt gedroht, und ihre Eigentümer werden aus der Gemeinschaft verstoßen. Gelegentlich drohen die chinesischen Konsulate Eigentümern und Journalisten unabhängiger Medien mit Folgen für ihre Familien in China.[120]

In Kanada wurden Journalisten unter Druck gesetzt, damit sie ihre Kritik am chinesischen Regime mäßigen und sein Weltbild verbreiten. Der Freelance-Autor Jonathan Fon berichtet, dass seine Artikel, die er in der Vergangenheit problemlos veröffentlichen konnte, heute regelmäßig abgelehnt werden.[121] Im Jahr 2019 verlor ein Radiomoderator in Toronto seinen Arbeitsplatz, nachdem er einem Beijing-treuen Vertreter der chinesischen Gemeinde in einem Interview kritische Fragen gestellt hatte.[122] Der Moderator, Kenneth Yau, erklärt, dass er, nachdem er Sympathie für die Demonstranten in Hongkong geäußert hatte, Drohungen erhielt, man werde seine Familie töten und seine Tochter vergewaltigen. Die Leiterin des Senders, Louisa Lam, erklärte, die Verteidigung der Redefreiheit sei »eines der Ziele unseres Unternehmens«. Offenbar war es nicht das wichtigste.

Die chinesischen Medien im Ausland sind durch verschiedene von der KPCh gelenkte globale und regionale Organisationen verbunden. Eine davon ist die World Association of Chinese Mass Media, die 1998 in Toronto gegründet wurde und mehr als 160 Mitglieder hat. Vertreter ausländischer chinesischsprachiger Medien nehmen nicht nur an Konferenzen außerhalb Chinas teil, sondern erhalten auch Einladungen offizieller Einheitsfronteinrichtungen zu Veranstaltungen in China, wo sie »Anleitung« bekommen und Reden halten, in denen sie ihre Loyalität gegenüber dem Mutterland beweisen.[123]

Die entsprechende Organisation für Europa, die Association of Overseas Chinese Media in Europe, wurde 1997 gegründet. Ihr gehören mehr als 60 chinesischsprachige Medienunternehmen an.[124] Sie hat ihren Sitz im Pariser Büro von *Nouvelles d'Europe* (der *Europe Times*), der Flaggschiffpublikation der regimenahen Guanghua Culture and Media Group. Im Jahr 2011 begann *Nouvelles d'Europe* eine groß angelegte Expansion auf dem Kontinent, und mittlerweile werden Ausgaben der Wochenzeitung in London, Wien, Frankfurt, Rom, Istanbul und Madrid produziert. Die Organisation nimmt über Tochtergesellschaften wie chinesische Kulturzentren in den genannten Städten auch an Aktivitäten außerhalb des Mediensektors teil.[125] Guanghua kooperiert mit allen wichtigen chinesischen Parteiorganen, zählt jedoch nach eigenen Angaben auch *Le Figaro*, AFP, den *Daily Telegraph*, *Die Welt* und die *Frankfurter Allgemeine Zeitung* zu ihren Medienpartnern. Dazu kommen formale Kooperationsvereinbarungen mit den chinesischen Botschaften in Frankreich, Großbritannien, Deutschland, Österreich, Italien und Spanien.[126]

Die zu Guanghua gehörenden Websites und Online-Gemeinschaften unterliegen dem chinesischen Recht. In den Nutzungsbedingungen seiner Website (oushinet.com) heißt es, dass die Benutzer nicht nur die Gesetze des Landes respektieren müssen, in dem sie sich befinden, sondern auch nichts tun dürfen, was »die nationale Sicherheit bedroht, zur Verbreitung von Staatsgeheimnissen beiträgt oder die gesetzmäßigen Rechte und Interessen des Landes [also Chinas], der Gesellschaft, des Kollektivs oder der Bürger verletzt«.[127] Guanghua ist diesbezüglich keine Ausnahme: Auf der Website des in Italien ansässigen EZ TV werden den Lesern sogar wie auf jeder Website mit Sitz in der Volksrepublik Links zur chinesischen Internetpolizei angeboten, damit sie nicht regimetreue Inhalte melden können.[128]

Die 2009 gegründete *Nordic Chinese Times* ist in Stockholm ansässig und wird von der Nordic Chinese Ekonomisk Förening (Nordisch-Chinesische Handelskammer) betrieben. Sie unterhält eine strategische Partnerschaft mit dem China News Service, dessen Zielgruppe chinesische und chinesischsprachige Gemeinden im Ausland sind. Ihr Präsident He Ru hat an mehreren Sitzungen der Politischen Konsultativkonferenz des Chinesischen Volkes (PKKCV) von Guangxi teilgenommen und Kooperationsvereinbarungen zwischen chinesischen und nordeuropäischen Medien vermittelt.[129] Die *Nordic Chinese Times* hat auch von chinesischen Medienfunktionären »professionelle Anleitung« bekommen, wie sie Chinas Stimme besser vermitteln und seine Geschichte richtig erzählen kann.

Die Ouhua Group in Spanien ist ein gutes Beispiel dafür, wie chinesische Medien im Ausland in die Einheitsfrontnetzwerke eingebunden werden. Der Ehrenvorsitzende von Ouhua ist Marco Wang, ein einflussreicher spanisch-chinesischer Geschäftsmann, der auch geschäftsführender Vorsitzender der Spanisch-Chinesischen Handelskammer ist.[130] Dass ihm die KPCh vertraut, zeigt sich daran, dass er der PKKCV als Repräsentant der Auslandschinesen angehört.[131] Ouhua ist ein Partner von Xinhua, China News Service und anderen parteistaatlichen Medien sowie von Provinzbüros des ehemaligen Büros für auslandschinesische Angelegenheiten.[132]

Boote kaufen

Nach der globalen Finanzkrise von 2008 beschäftigten sich chinesische Funktionäre und Analysten mit den Möglichkeiten, westliche Medien zu übernehmen, die in eine finanzielle Schieflage geraten waren. Hier handelt es sich um eine Anwendung der Strategie »Ein Boot kaufen, um zur See zu fahren«.[133] Aus einem Bloomberg-Bericht aus dem Jahr 2018 geht hervor, dass chinesische Investoren seit 2008 fast 3 Milliarden Dollar in den Kauf von Anteilen an Medienunternehmen und in die Platzierung von Werbung in Europa investiert haben.[134] Beispielsweise besitzt der in Macau ansässige chinesische Fonds KNG 30 Prozent der Global Media Group, die ihrerseits Eigentümerin der portugiesischen Zeitung *Diário de Notícias* ist.[135] Einige Medienunternehmen wurden komplett gekauft. Der in London ansässige Sender Propeller TV, der 1993 mit staatlicher Finanzierung gegründet wurde und von BSkyB ausgestrahlt wird, wurde 2009 von der chinesischen Xijing Group übernommen. Das Motto des Senders: »Die Welt nach China und China in die Welt bringen.«[136]

Propeller TV ist kein großer Sender, aber es hat zur Organisation hochrangig besetzter Veranstaltungen wie der China UK Film and TV Conference beigetragen, an der chinesische und britische Regierungsvertreter teilnahmen, um für Partnerschaften mit chinesischen

Medienunternehmen zu werben. Im selben Jahr organisierte Propeller TV den China-UK Media Roundtable, an dem der stellvertretende Leiter der Propagandaabteilung der KPCh teilnahm, um den Anbruch eines »goldenen Zeitalters für die chinesischen und britischen Medien« zu feiern.[137]

Im Jahr 2014 wurde das einflussreiche amerikanische Wirtschaftsmagazin *Forbes* von dem in Hongkong ansässigen Investorenkonsortium Whale Media übernommen, dessen Eigentümer Yam Takcheung und der taiwanesische Geschäftsmann Wayne Hsieh sind.[138] *Forbes* stellte 2017 eine regelmäßige Kolumne von Anders Corr ein, nachdem dieser einen kritischen Artikel über den Einfluss des Magnaten Ronnie Chan in der Hongkonger Niederlassung der Asia Society geschrieben hatte, weil die Gesellschaft, zu deren Vorsitzenden Chan zählt, eine Rede des Demokratieaktivisten Joshua Wong abgesagt hatte. (Der Artikel verschwand kurze Zeit später von der *Forbes*-Website.) Aus an Corr geschickten E-Mails geht hervor, dass sich Chan persönlich mit seiner Beschwerde an *Forbes* gewandt hatte.[139]

Die erste große Übernahme einer englischsprachigen Zeitung durch ein chinesisches Privatunternehmen fand Ende 2015 statt, als Alibaba die altehrwürdige *South China Morning Post* aus Hongkong kaufte. Im Jahr 2018 stellte sich heraus, dass Alibabas Gründer und Leiter Jack Ma, der in China großes Ansehen genießt, seit Langem Mitglied der KPCh war.[140] Alibaba beseitigte die Bezahlschranke der *Post*, womit die Zeitung weltweit leichter zugänglich wurde. Von den westlichen Medien unbemerkt, stellte der neue Eigentümer zugleich jedoch auch die beliebte chinesischsprachige Website der Zeitung ein.[141] Die *South China Morning Post* steht zumindest in Teilen immer noch für guten Journalismus, verwandelt sich gleichzeitig jedoch auch in eine Plattform für eine wachsende Zahl regimetreuer Stimmen. Die Befürworter der Demokratie in Hongkong bedauern den Verlust einer einst unabhängigen Zeitung.

Die *SCMP* wurde im Jahr 2018 heftig kritisiert, weil sie eingewilligt hatte, ein vom chinesischen Ministerium für Öffentliche Sicherheit arrangiertes »Exklusivinterview« mit Gui Minhai zu veröffentlichen, dem schwedische Staatsbürger und Hongkonger Buchhändler, der von den chinesischen Sicherheitsbehörden entführt worden war. In dem Interview kritisierte Gui die schwedische Regierung und erklärte, er werde möglicherweise seine Staatsbürgerschaft ablegen, sollte Schweden nicht aufhören, »Schwierigkeiten zu machen«.[142] Mit Gui in dieser Zwangslage zu sprechen, war vermutlich nicht so schlimm wie das erzwungene Geständnis, das er im Staatsfernsehen CCTV ablegen musste, aber es ist ein Verstoß gegen die journalistische Ethik, einen Menschen zu »interviewen«, der nicht frei sprechen kann.

Selbstzensur ausländischer Medien

Die KPCh setzt Zuckerbrot und Peitsche ein, um die Berichterstattung ausländischer Medien über China zu steuern. Wenn westliche Medien versuchen, sich den chinesischen Markt zu erschließen, haben sie zusätzliche Anreize, ihre Korrespondenten zu Wohlverhalten gegenüber dem Regime anzuhalten, um den Zugang zu diesem Markt nicht zu verlieren. Das erhöht den Einfluss Beijings.

Einige westliche Medienunternehmen haben versucht, die Einschränkungen für die Berichterstattung in China zu umgehen, indem sie chinesischsprachige Websites eingeführt haben. Obwohl sie dabei früh auf Hindernisse gestoßen sind, arbeiten einige immer noch an ihrer chinesischen Internetpräsenz. Andere versuchen, auf dem chinesischen Markt Geld zu verdienen, indem sie Kunden in Festlandchina Abonnements auf Produkte und Dienste anbieten (darunter zum Beispiel die Bloomberg Boxes, spezialisierte Computerterminals für Informationen über die Finanzmärkte). Die wachsende Abhängigkeit vom chinesischen Markt ist die vielleicht größte Bedrohung für die redaktionelle Unabhängigkeit dieser Medien, da Beijing ihr Online-Angebot in China jederzeit blockieren und die Abonnements kündigen kann.

Das amerikanische PEN-Zentrum weist darauf hin, dass ausländische Medien Berichte, die die chinesischen Behörden verärgern könnten, offenbar nicht auf ihren chinesischsprachigen Websites veröffentlichen.[143] Nach Angabe des Online-Magazins *Slate* verwendet Bloomberg News einen Code, um zu verhindern, dass für Beijing unangenehme Berichte auf den für das chinesische Publikum bestimmten Plattformen auftauchen.[144]

Ein eklatantes Beispiel für Selbstzensur lieferte Bloomberg News im Jahr 2013, als es einen Enthüllungsbericht des Reporters Michael Forsythe über das Vermögen von Xi Jinping und seiner Familie entschärfte. Anschließend weigerte sich Bloomberg, einen weiteren Artikel zu diesem Thema zu veröffentlichen, da das Unternehmen laut Aussagen einiger Beobachter befürchtete, der Bericht könne den geschäftlichen Interessen des Unternehmens schaden (insbesondere dem Verkauf von Bloomberg Boxes).[145] Die Episode löste nur deshalb einen Skandal aus, weil sich Forsythe entschloss, mit seiner Reportage – und der Geschichte über seine Reportage – zur *New York Times* zu gehen.

Die KPCh organisiert regelmäßig Rundreisen für in China stationierte ausländische Korrespondenten und für ausländische Journalisten außerhalb des Landes. Die Reiserouten werden sorgfältig geplant, oft in Zusammenarbeit mit dem Allchinesischen Journalistenverband, einer Parteiorganisation, die die »marxistischen Nachrichtenwerte« hochhält. Die eigentlichen Reisen werden von Tarnorganisationen organisiert. Tung Chee-hwas China U.S. Exchange Foundation, mit der wir uns an anderer Stelle in diesem Buch bereits beschäftigt haben, hat Chinabesuche von amerikanischen Journalisten organisiert, darunter eine im Oktober 2018 für eine Delegation, die sich aus Mitarbeitern des *Philadelphia Inquirer*, der *Chicago Tribune*, von National Public Radio, Vox und *Forbes* zusammensetzte. Die Gäste besuchten verschiedene Regierungsbehörden und Forschungseinrichtungen, damit sie »die politischen und wirtschaftlichen Beziehungen zwischen China und den Vereinigten Staaten« in Zeiten des Wirtschaftskriegs »besser verstehen« könnten.[146]

Journalisten nehmen gern für sich in Anspruch, ihr Urteil könne nicht auf diese Art beeinflusst werden, aber diese sorgfältig choreographierten Reisen haben oft die erwünschte Wirkung. Im Jahr 2016 reisten einige der erfahrensten Journalisten Australiens nach China und schrieben nach der Rückkehr von ihrer Tour begeisterte Berichte darüber, dass die Menschen im Neuen China »größer, munterer, gesünder, lauter und glücklicher« wirkten und dass es keinen Hinweis auf eine »Atmosphäre wie in Orwells *1984*« gebe. Ein Mitglied der Reisegruppe forderte die australische Regierung sogar auf, in Zukunft auf Äußerungen zu verzichten, die Beijing verärgern könnten. Kurz nach der Abreise der Australier veröffentlichte Xinhua einen Artikel des Allchinesischen Journalistenverbands mit dem Titel »Warum die australischen Journalisten nicht anders konnten, als zu sagen, dass ihre ›Erwartungen übertroffen wurden‹«. Der Journalistenverband verkündete, die Australier hätten ihre Leser in der Heimat über die »historische Chance« informiert, die Chinas wirtschaftliche Entwicklung Australien eröffne, und »Chinas Stimme« unvoreingenommen weitergegeben.[147] Die Idee für die Reise hatte der ehemalige australische Außenminister Bob Carr gehabt, der sich zu einem begeisterten Fürsprecher Chinas gewandelt hatte, nachdem er von einem chinesischen Milliardär mit der Leitung einer Denkfabrik an einer australischen Universität betraut worden war. (Gegen den Milliardär wurde aufgrund seiner engen Verbindungen zur KPCh mittlerweile in Australien ein Einreiseverbot verhängt.)

Die Gewährung oder Ablehnung von Visen ist für das chinesische Regime ein wirkungsvolles Kontrollinstrument. Wenn Korrespondenten ein Visum beantragen, hören sie oft von chinesischen Offiziellen, dass China eine positivere oder »ausgewogenere« Berichterstattung von ihnen erwarte. Und nicht nur Journalisten werden auf diese Art unter Druck gesetzt. Der schwedische China-Experte Ola Wong hat beschrieben, wie ein schwedischer Geschäftsmann aus der Werbebranche bei der Antragstellung für ein Visum zu einem Gespräch in die chinesische Botschaft in Stockholm zitiert wurde, wo ihn seine chinesischen Gesprächspartner fragten, ob er seine Position in der schwedischen Medienlandschaft nutzen wolle, um die Darstellung Chinas zu verändern.[148]

Einmal auf chinesischem Territorium, wird Journalisten oft damit gedroht, dass ihnen in Zukunft eine Visumsverlängerung verweigert werden könnte. Melissa Chan von Al Jazeera, die französische Journalistin Ursula Gauthier, Megha Rajagopala von Buzzfeed, der ABC-Korrespondent Matthew Carney, Chun Han Wong vom *Wall Street Journal* und andere sind de facto des Landes verwiesen worden: Die chinesischen Behörden weigern sich, ihre Visa zu verlängern.[149] Bethany Allen-Ebrahimian wurde zur China-Korrespondentin der Nachrichtenagentur AFP ernannt, konnte ihre Tätigkeit jedoch nicht aufnehmen, weil sie kein Einreisevisum erhielt. Nachdem *Le Monde* über die massiven chinesischen Spionageattacken auf die Afrikanische Union in den Jahren 2012 bis 2017 berichtet hatte, wurde die Redaktion der Zeitung von erbosten Mitarbeitern der chinesischen Botschaft in Paris darüber aufgeklärt, dass ihre Journalisten in nächster Zeit gar nicht mehr versuchen sollten, Visa zu beantragen.[150] Die Praxis ist auch auf Hongkong ausgeweitet worden: Victor Mallet, ein Journalist der *Financial Times* und Vizepräsident des Klubs der Auslandskorrespondenten, erhielt kein Visum mehr, nachdem der Klub einen Vortrag des Unabhängigkeitsbefürworters Andy Chan Ho-tin veranstaltet hatte.[151] Einige wenige ablehnende Visabescheide und verweigerte Verlängerungen genügen, um dafür zu sorgen, dass alle ausländischen Korrespondenten in China die Botschaft verstehen: Überschreitet die rote Linie nicht.

Obwohl die Partei hauptsächlich gegen Journalisten vorzugehen scheint, die kritisch über Themen berichteten, die für die KPCh besondere Bedeutung haben, übt das Regime auch in weniger wichtigen Fragen Druck auf ausländische Medien aus. So wurde die *Financial Times* vom chinesischen Außenministerium angesprochen, nachdem sie Xi Jinping als »den Kern« der KPCh bezeichnet hatte. Dieser Ausdruck wurde in der Vergangenheit von den chinesischen Medien verwendet, wurde dann jedoch aus dem Verkehr gezogen, weil er im Lauf der Zeit mit einem Personenkult um Xi assoziiert wurde. Auch einige andere ausländische Medien wurden gedrängt, ihre Wortwahl zu ändern.[152]

Im Jahr 2019 schickte das chinesische Außenministerium einen Brief an mehr als 30 ausländische Medien, darunter die BBC, NBC,

Bloomberg und *Asahi Shimbun*, und forderte sie auf, »neutral, objektiv, unparteiisch und umfassend« über die Proteste in Hongkong zu berichten.[153] Das war eine verschlüsselte Aufforderung, sich an die Darstellung des Regimes zu halten. Diese Forderung erheben chinesische Funktionäre oft in Treffen mit westlichen Medienvertretern.[154]

Als der erfahrene China-Korrespondent der *Süddeutschen Zeitung*, Kai Strittmatter im Jahr 2017 sein Visum verlängerte, rechnete er mit den üblichen Drohungen, sein Antrag könne abgelehnt oder verzögert bearbeitet werden, wenn er nicht anfinge, positiver über China zu berichten. Stattdessen sagte ein Beamter zu ihm: »Ich muss Sie warnen: Es kann gefährlich sein.« Er erklärte dem Journalisten, »gewöhnliche chinesische Bürger« könnten sehr emotional und manchmal sogar »gewalttätig« sein; sollten sie mit Gewalt auf Strittmatters Berichterstattung reagieren, so könnten die chinesischen Behörden nicht viel tun, um ihn zu schützen. Strittmatter verließ China im September 2018.[155] Andere Berichterstatter, darunter Michael Forsythe von Bloomberg und David Barboza von der *New York Times*, haben in Reaktion auf Berichte, die der KPCh missfielen, Morddrohungen in anonymen Briefen oder aus dem Mund Dritter erhalten.[156]

Aber der Druck, der auf ausländische Journalisten ausgeübt wird, kann nicht mit dem verglichen werden, was chinesische Journalisten erleben. Viele einheimische Journalisten haben ihre Arbeit verloren, wurden verhaftet und zu Geständnissen genötigt oder verschwanden einfach, weil sie unabhängig berichteten. Die Lage der Presse hat sich unter Xi Jinping erheblich verschlechtert. In der von Reporter ohne Grenzen erstellten Rangliste der Pressefreiheit nahm China im Jahr 2019 den 177. von 180 beurteilten Ländern ein. Mehr als 60 Blogger und Journalisten, erklärt die Organisation, befinden sich »gegenwärtig unter lebensbedrohlichen Bedingungen in Haft«. Die KPCh will nun, eine »neue mediale Weltordnung« exportieren, in der solche Angriffe auf die Presse- und Meinungsfreiheit akzeptabel sein werden, wenn es nach dem Regime in Beijing geht.

10

DIE KULTUR ALS SCHLACHTFELD

Politische Kultur

Auch die Kultur ist für die KPCh seit jeher eine politische Angelegenheit. In den turbulenten sechziger und siebziger Jahren attackierte die Partei fast alle Bestandteile der traditionellen Kultur als feudal, bürgerlich oder anderweitig unterdrückerisch und verteufelte oder verbot kulturelle Aktivitäten. Doch der schwindende Einfluss der maoistischen Ideologie in den achtziger und neunziger Jahren und die wirtschaftliche Öffnung zwangen die Kommunistische Partei, eine Rechtfertigung für ihre Herrschaft zu finden, die nicht auf die Revolution beschränkt war. Die Partei entschied sich für einen Nationalismus, der die Einzigartigkeit Chinas und seines Volkes in den Mittelpunkt rückte und auf der Mission beruhte, die historische Erniedrigung durch die Kolonialmächte zu überwinden und China den ihm zustehenden Platz als große Nation auf der Weltbühne zu sichern. Wie Janette Jiawen Ai in ihrer Untersuchung zum politischen Einsatz des chinesischen Erbes erklärt, will der Parteistaat mit den chinesischen Traditionen »allgemein die Lücke füllen, die durch den Niedergang der offiziellen politischen Doktrin im ideologischen System entstanden ist, und insbesondere den Einfluss des westlichen Liberalismus auf die chinesische Politik und Gesellschaft bekämpfen«.[1]

Aber die Partei lässt die Wiederbelebung der traditionellen Kultur nicht ungefiltert zu: Sie will selbst der einzige legitime Schutzherr der Kultur sein. Die *Partei* entscheidet, was als authentische chinesische

Kultur zu betrachten ist, denn es darf keine Kultur außerhalb der politischen Einflusssphäre geben.

Die Strategie »Globalisierung der Kultur«, die in Dokumenten beschrieben wird, die ab dem Jahr 2011 auf den Parteitagen auftauchten, und unter Xi Jinping entschlossener verfolgt wird, dient dazu, nicht die chinesische Kultur, sondern die »rote Kultur« zu exportieren – das heißt die Wertvorstellungen der KPCh. Wie es in *People's Daily* heißt: »Der Aufbau der Führungsmacht über die Kultur ist eine der kulturellen Missionen der KPCh.«[2] Liu Runwei, ehemaliger stellvertretender Chefredakteur von *Qiushi*, dem Flaggschiffjournal des Zentralkomitees der Partei, unterschied in einem 2017 veröffentlichten Artikel zwischen der »traditionellen chinesischen Kultur« und einer revolutionären »sozialistischen hoch entwickelten Kultur«. Liu, der auch Präsident der Chinesischen Gesellschaft zur Erforschung der Roten Kultur ist, erklärte, die traditionelle müsse einer sozialistischen Kultur weichen. »Hat die traditionelle chinesische Kultur einmal die innovative Transformation der Partei durchlaufen, so wird sie sich ebenfalls in eine ›rote Kultur‹ verwandeln.«[3] Die rote Kultur ist grundlegend für die »große Wiederauferstehung« des chinesischen Volkes.

In einem Artikel in *Qiushi* im Jahr 2017 (»Die kulturelle Identifizierung für die größte Mobilisierung der Einheitsfront nutzen«) hob Yang Lin vom Zentralinstitut für Sozialismus »die strategische Rolle der kulturellen Identifizierung« in der Einheitsfrontarbeit hervor.[4] Zwei Jahre später beschrieb Lin Jian, ein Theoretiker des Zentralinstituts für Sozialismus, wie die Partei die kulturelle Diplomatie einsetzt, um ihren Einfluss im Ausland zu vergrößern: »Das Ziel ist, das Image unseres Landes aufzubauen, den Status unseres Landes zu heben und unseren Einfluss weltweit zu erhöhen.« Der Kulturaustausch ist ein Element der »großen Einheitsfront«: Es sollen »gemeinsame Werte« eingesetzt werden, um »die Herzen der Menschen zusammenzubringen« und Chinas Einfluss in der Welt zu vergrößern.[5]

Poly Culture

In den letzten Jahren hat sich das Unternehmen Poly Culture in den Kulturszenen westlicher Hauptstädte einen Namen gemacht. Im Jahr 2005 organisierte es eine Tournee der Chinesischen Philharmoniker durch die Vereinigten Staaten, Kanada und Europa.[6] In den folgenden Jahren finanzierte es Konzerte des London Philharmonic Orchestra, der Berliner Philharmoniker und des Wiener Johann Strauss Orchesters. Im Jahr 2017 produzierte es gemeinsam mit der San Francisco Opera Company eine Oper.[7] Als es sich 2018 als Sponsor und »Schlagzeilen- und Medaillenverleihungspartner« an der London Design Biennale beteiligte, nahmen Führungskräfte und Freunde von Poly Culture an einem »prestigeträchtigen Empfang« im Außenministerium teil, auf den eine »exklusive VIP-Party im Groucho Club« folgte.[8] All das wäre wenig bemerkenswert, wäre Poly Culture nicht untrennbar mit dem Apparat des chinesischen Militärgeheimdienstes verbunden.

Poly Culture ist eine Tochtergesellschaft der China Poly Group, eines undurchschaubaren Konglomerats, das einen Platz unter den Fortune 500 einnimmt. Im Jahr 2018 beliefen sich die Aktiva der Poly Group auf fast 140 Milliarden Dollar.[9] Sie wurde 1984 unter dem Namen Poly Technologies Co. Ltd. als staatliches Rüstungsunternehmen gegründet, das mit der China International Trust and Investment Corporation (CITIC) verbunden war, einer weiteren staatlichen Investmentfirma, die unter anderem in Kanada sehr aktiv war. Wie CITIC selbst war Poly Technologies eine Tarnfirma der Generalstabsabteilung der Volksbefreiungsarmee (der heutigen Gemeinsamen Stabsabteilung der Zentralen Militärkommission). Diese Funktion erfüllt das Konglomerat weiterhin.[10]

Poly Technologies wurde im Jahr 1992 eine Tochtergesellschaft der größeren China Poly Group.[11] Das Konglomerat ist in so unterschiedlichen Bereichen wie der Waffenproduktion, dem Handel und dem Immobiliensektor tätig, und seit einigen Jahren investiert es auch in

diverse Bereiche der Kultur.[12] Poly Culture wurde im Jahr 2000 gegründet und 2014 in Hongkong an die Börse gebracht.[13] (Den Börsen-
gang betreute die in London ansässige weltweit tätige Anwaltsfirma
Clifford Chance, die auch Dienstleistungen für Huawei erbracht hat.[14])

Die Führungsetage der China Poly Group war von Anfang an ein
Sammelbecken für Prinzlinge, was die Verbindungen des Konglomerats zur Partei festigt, ihm jedoch auch ein gewisses Maß an Unabhängigkeit innerhalb der Partei sichert. China Poly ist ein Staatskonzern,
aber der rote Adel hat finanzielle Interessen an diesem Konglomerat.[15]
Der erste Geschäftsführer der China Poly Group war He Ping, der
heute ihr Ehrenpräsident ist.[16] Der Sohn eines Kommandeurs der VBA
diente als Attaché (Nachrichtendienstoffizier) in der chinesischen
Botschaft in Washington und erreichte in der Hierarchie der VBA den
Rang eines Generalmajors. Er ist verheiratet mit Deng Rong, der
Tochter des »überragenden Führers« Deng Xiaoping, der zwei Jahrzehnte lang der mächtigste Mann Chinas war. (Deng Rong war von
1979 bis 1983 ebenfalls in der Botschaft in Washington stationiert.[17])

Der gegenwärtige Vorsitzende sowohl der China Poly Group als
auch von Poly Culture ist Xu Niansha, ein ehemaliger Kapitän der Marine, der heute im Immobiliensektor tätig ist. Xu ist ein hochrangiger
Parteifunktionär, der dem Nationalkomitee der Politischen Konsultativkonferenz des Chinesischen Volkes (PKKCV) und ihrem Außenpolitischen Ausschuss angehört.[18] (Bemerkenswert ist, dass die italienische Regierung Xu im Jahr 2007 für seine »Beiträge zur Förderung
des Austauschs und der Zusammenarbeit zwischen China und Italien« den Orden des Sterns von Italien verlieh.[19]) Der Generalmanager
von Poly Culture und Vorsitzende mehrerer Tochtergesellschaften des
Unternehmens, Jiang Yingchun, ist auch ein Vertreter des Beijinger
Volkskongresses, des städtischen Gegenstücks zum chinesischen
Scheinparlament, dem Nationalen Volkskongress.[20]

Abgesehen davon, dass es Geld für das Mutterunternehmen verdienen soll, hat Poly Culture die Aufgabe, freundschaftliche Kontakte
zu Angehörigen westlicher Eliten zu pflegen und Chinas globales Ansehen als Kulturland zu fördern. Poly Culture kann als Bestandteil der

»Kulturellen Globalisierung« im Rahmen der Seidenstraßen-Initiative betrachtet werden und inszeniert in den an der Initiative beteiligten Ländern gemeinsam mit künstlerischen Gruppen jedes Jahr 500 Auftritte.[21] Poly Culture hat auch mit renommierten Institutionen wie der Columbia University, dem Lincoln Center in New York, der Yale University und dem Metropolitan Museum of Art zusammengearbeitet.[22] Im Jahr 2017 fand im Kölner Dom ein »Chinesisch-deutsches Freundschaftskonzert« eines Jugendorchesters statt, das zu Poly Culture gehört; Gastgeberin war die Vorsitzende des Deutschen Bunds der Auslandschinesen, Li Aiping. Das Orchester gastierte auch im Wiener Amtssitz der Vereinten Nationen.[23]

Poly Culture hat mehr als hundert Tochtergesellschaften, darunter das auf Kunstversteigerungen spezialisierte Poly Auction, das mittlerweile weltweit das drittgrößte Unternehmen dieser Art ist, sowie eine Theatermanagementfirma und eine Gesellschaft, die Kinos besitzt.[24] Ein weiteres Tochterunternehmen namens Poly Art bietet Unternehmen »professionelle künstlerische Lösungen« an und erleichtert mit seiner strategischen Kunstplanung »den Aufbau von Unternehmenskulturen, die Werbung für Unternehmensperformance und den Ausdruck sozialer Verantwortung«.[25] Ziel von Poly Art ist es, »einen Kundenstock mit hohem Nettowert aufzubauen und zu betreuen«. In Beijing betreibt es ein Museum, das sich auf aus dem Ausland zurückgeholte chinesische Kunst spezialisiert hat.

Im Jahr 2015 gründete Poly Culture eine Nordamerika-Zentrale in Vancouver, wo es auch eine Kunstgalerie eröffnete. Berichten zufolge wurde das Unternehmen von der Handelsministerin der Provinz British Columbia, der in Hongkong geborenen Teresa Wat, durch nachdrückliches Lobbying nach Vancouver gelockt.[26] Kanada bot sich vermutlich auch aufgrund der Verbindungen des Unternehmens zur Volksbefreiungsarmee an und weil die Vereinigten Staaten im Jahr 2013 über Poly Technologies, eine weitere Tochtergesellschaft von China Poly, Sanktionen wegen des Verkaufs von Waffen an den Iran, Nordkorea oder Syrien verhängt hatten (möglicherweise wurden auch alle drei Länder beliefert; die amerikanischen Behörden machten keine genaueren Angaben dazu).[27] Poly Culture North America bezog ein Büro in dem Gebäude, in dem auch Wats Wahlkreisbüro untergebracht ist.[28] Geschäftsführerin des Unternehmens ist Yi Chen, über deren Hintergrund wenig bekannt ist.

Bei der Eröffnung der Niederlassung in Vancouver mischten sich Führungskräfte von Poly Culture und der China Poly Group mit der politischen und Wirtschaftselite von British Columbia. Im Jahr 2017 unterzeichneten die Vancouver Symphony Society und Poly Culture North America eine Absichtserklärung über gemeinsame Konzerte und die Förderung chinesischer Künstler. Im Board des Orchesters sitzen zahlreiche Angehörige der Wirtschaftselite Vancouvers.[29]

Mit seiner großen chinesischstämmigen Bevölkerung, die ursprünglich von Einwanderern aus Hongkong, in jüngerer Zeit jedoch von Festlandchinesen dominiert wird, ist Vancouver nicht zuletzt in der kulturellen Sphäre ein Brennpunkt der Einheitsfrontaktivität. Im Juli 2019 nahmen mehrere Politiker aus British Columbia in Gegenwart von Propagandafunktionären der KPCh eine neue Einheitsfrontgruppe in Betrieb, die Vancouver Association for Promotion of Chinese Culture.[30] Der chinesische Generalkonsul Kong Weiwei, sein Stellvertreter Wang Chengjun und das Einheitsfrontteam des Konsulats waren gekommen, um die feierliche Einweihung zu beobachten. Unter den anwesenden kanadischen Bundespolitikern waren Jenny Kwan und Joe Peschisolido (dieser wurde von der Presse wegen angeblicher Verbindungen zum chinesischen organisierten Verbrechen durchleuchtet); aus dem Provinzparlament war Teresa Wat zu Gast.[31]

Als die Stadt Vancouver und die Provinz British Columbia beschlossen, mit Unterstützung der Simon Fraser University ein Chinesisch-Kanadisches Museum zu gründen, konnten die Einheitsfrontorganisationen nicht unbeteiligt bleiben. Das Projekt wird von George Chow geleitet, dem Handelsminister der Provinzregierung.[32] Chow war früher Präsident der Chinese Benevolent Association von Vancouver, einer bekannten Einheitsfrontgruppe, die 2019 eine Aktion von mehr als 200 chinesischen Gemeindegruppen koordinierte, die

Anzeigen in Zeitungen schalteten, in denen die »Radikalen« in Hongkong verurteilt und das Vorgehen der von Beijing unterstützten Regierung der ehemaligen Kronkolonie gelobt wurde.[33] Im September
2019 veranstaltete die Gesellschaft in Chinatown eine Gala anlässlich
des 70. Geburtstags der Volksrepublik. Unter den Gästen waren Chow
und der kanadische Verteidigungsminister Harjit Sajjan, der in der
Öffentlichkeit heftig kritisiert wurde, weil er an dieser Feier teilnahm,
während die beiden Kanadier Michael Kovrig und Michael Spavor als
Vergeltung für die Verhaftung der Huawei-Managerin Meng unter
schlimmsten Bedingungen in chinesischen Gefängnissen festgehalten
wurden.[34]

Im Dezember 2018 war Chow Berichten zufolge nach Guangzhou
gereist, um mit Vertretern der KPCh über Pläne für das neue Museum
zu sprechen.[35] Als das Museum eine Zeitleiste der wichtigen Ereignisse in der Geschichte der chinesischen Einwanderer in Kanada fest-
legte, fehlten einige Ereignisse, die für viele Einwanderer besonders
prägend gewesen waren, darunter das Massaker um den Tiananmenplatz und die Übergabe Hongkongs an China.[36] Behandelt wurden
hingegen die Ereignisse, die für das Narrativ der KPCh wichtig waren;
hervorgehoben wurden rassistische Maßnahmen wie die Kopfsteuer
und andere Formen der kolonialen Demütigung. Chinesischstämmige Kanadier aus Hongkong nahmen es in die Hand, einige der Lü-
cken in der Zeitleiste zu füllen.[37]

Die China Arts Foundation

Welche Aufgabe Poly Culture im Rahmen der Beeinflussungsoperationen erfüllt, ist an seinen Verbindungen zur Chinesischen Vereinigung
für internationale Freundschaftskontakte (CAIFC) zu erkennen, die
eine Tarnorganisation des Internationalen Verbindungsbüros der Abteilung für Politische Arbeit der Zentralen Militärkommission ist. Das
Verbindungsbüro leistet nachrichtendienstliche Arbeit, pflegte jedoch
auch »Beziehungen zu den globalen Eliten und will die Politik und

das Verhalten von Ländern, Institutionen und Gruppen außerhalb Chinas beeinflussen«, wie der KPCh-Experte Geoff Wade erklärt.[38] Die mächtige Deng Rong ist eine Vizepräsidentin der CAIFC, und ihr Ehemann He Ping fungiert zusammen mit einigen Schwergewichten der Partei als Berater.[39]

Die CAIFC hat eine Reihe von Frontorganisationen errichtet.[40] Sie steht hinter Sanya Dialogue, dem Nishan Forum on World Civilizations und dem Centre for Peace and Development Studies und unterhält enge Beziehungen zur China-U.S. Exchange Foundation (siehe Kapitel 3 und 5).[41] Viele ihrer Funktionäre sind auch hochrangige Offiziere der Volksbefreiungsarmee, obwohl ihre militärischen Positionen im Allgemeinen nicht offengelegt werden, was Wade zu folgender Feststellung bewegt: »Dieses intensive Engagement hoher VBA-Offiziere in der CAIFC zeigt deutlich, dass es sich um einen verdeckten Arm der VBA handelt, der an Nachrichtendienst- und Propagandaarbeit beteiligt ist.«[42] Die CAIFC und ihre Tarnorganisationen laden Angehörige der westlichen Eliten zu breit gefächerten Aktivitäten ein. Beispielsweise nahmen am First China Philanthropy Forum im November 2012 neben rund 40 Beratern und Direktoren der CAIFC auch Bill Gates und Tony Blair teil.[43] Im selben Jahr lud das Forum gemeinsam mit der China Arts Foundation Bill Clinton ein, eine Rede zu halten. Der Ex-Präsident sagte jedoch ab, als das Außenministerium Alarm schlug.[44]

Der vordergründige Zweck der China Arts Foundation, die 2006 von Deng Rong mit Unterstützung der CAIFC gegründet wurde, besteht darin, das ausländische Publikum »durch Musik für die chinesische Kultur, Geschichte und Politik zu sensibilisieren«.[45]

Die Stiftung fungiert als »Magnet für die Elite Chinas«.[46] Im Jahr 2010 brachte sie die New Yorker Philharmoniker und das Symphonieorchester von Shanghai zu einem Konzert im Central Park zusammen, bei dem auch der chinesische Starpianist Lang Lang auftrat.[47] (Im Jahr darauf spielte Lang Lang bei einem Staatsdiner für Präsident Hu Jintao im Weißen Haus ein bekanntes antiamerikanisches Propagandalied.[48]) Der Leiter der Symphonie von Shanghai, Yu Long, gehört dem

Board der China Arts Foundation an.[49] Vor dem Konzert im Central Park gab die Stiftung einen privaten VIP-Empfang, bei dem der Autor Ron Chernow, der Promi-Innenarchitekt Geoffrey Bradfield und der milliardenschwere Investor und Philanthrop Theodore Forstmann zu Gast waren.[50] Im Jahr darauf unterzeichneten die beiden Orchester eine Vereinbarung über gegenseitige Tourneebesuche und über eine Zusammenarbeit in einer neuen Orchesterschule in Shanghai.[51]

Im Jahr 2014 gründete die China Arts Foundation eine Niederlassung in New York, die China Arts Foundation International (CAFI), um kulturübergreifende künstlerische Veranstaltungen zu organisieren.[52] Die Präsidentin der CAFI ist Angela Chen, eine Absolventin der Harvard Business School, die sich bei Merrill Lynch und anschließend bei der größten amerikanischen Versicherungsgesellschaft Prudential einen Namen im Finanzsektor gemacht hat.[53] Chen leitet auch Global Alliance Associates, »eine kleine Beratungsfirma für Unternehmensbeziehungen, die amerikanischen Firmen hilft, eine Präsenz in Festlandchina aufzubauen«.[54]

Global Alliance Associates und die China Arts Foundation waren für einige Zeit in derselben Wohnung in der Park Avenue 502 in New York untergebracht in einem Gebäude namens Trump Park Avenue.[55] Nachdem sie einige Jahre lang in einem weniger opulenten Apartment dort gewohnt hatte, zahlte Angela Chen dem neu gewählten Präsidenten Donald Trump 15,8 Millionen Dollar für ein Penthouse.[56] Eine Recherche von *Mother Jones* zeigte, dass Chen in ihren beiden Tätigkeiten die Aufgabe hat, amerikanische und chinesische Eliten zusammenzubringen.[57] Chen nutzt die CAFI, um *guanxi* aufzubauen; der Immobilienmagnat Larry Silverstein und der Modeguru Giorgio Armani nahmen an Veranstaltungen der Stiftung teil.[58] Im Jahr 2014 wurde Chen zur stellvertretenden Vorsitzenden des internationalen Kuratoriums der New Yorker Philharmoniker ernannt.[59] Im selben Jahr nahmen der Philanthrop und Bankier Steven Rockefeller sowie Stephen Schwarzman von der Blackstone Group, ein Trump-Vertrauter und Liebling Beijings, an der CAFI-Gala anlässlich des chinesischen Neujahrsfests teil.[60] Die CAFI hat auch gemeinsam mit Tiffany's einen Empfang zur Begrüßung des Chinesischen Nationalballetts gegeben.[61] (Im Oktober 2019 nahm Tiffany's eine Werbeanzeige zurück, die ein asiatisches Model zeigte, das sich mit der rechten Hand ein Auge bedeckte – diese Geste deuteten ultranationalistische chinesische Netizens als Anspielung auf eine junge Frau, die von der Hongkonger Polizei mit einem Gummigeschoss am Auge verletzt worden war.) Unter den Gästen bei der CAFI-Gala zum chinesischen Neujahrsfest 2015 waren Jon Huntsman, der frühere US-Botschafter in China, Nicholas Platt, der frühere Präsident der Asia Society, und Andy Serwer, der Chefredakteur von *Fortune*. Platt und Serwer gehören dem Kuratorium der Stiftung an.[62]

Die CAFI, eine mit dem chinesischen Militärgeheimdienst verbundene Organisation, hat also ein ungewöhnlich dichtes Netz von Verbindungen zu den politischen, kulturellen und Wirtschaftseliten der Vereinigten Staaten geknüpft. Neben den amerikanischen Mitgliedern gehört dem Leitungsgremium der CAFI Wang Boming an, der Chefredakteur des einflussreichen Finanzjournals *Caijing*, der dem Vernehmen nach eine enge Beziehung zu Wang Qishan hat, der eines der sieben Mitglieder des Ständigen Ausschusses des Politbüros und die rechte Hand von Xi Jinping ist.[63]

Kulturelle Monopolisierung

Während seines Italienbesuchs 2017 forderte der Leiter des Büros für auslandschinesische Angelegenheiten (OCAO), Qiu Yuanping, Auslandschinesen auf, zur Seidenstraßen-Initiative beizutragen und die Arbeit der Huaxing Arts Troupe zu unterstützen.[64] Dies ist eines von acht Projekten, die das OCAO im Jahr 2014 ins Leben rief, um »den Auslandschinesen zu helfen«.[65] Bis 2019 entstanden in 25 Ländern 42 Huaxing-Truppen, die »rote Konzerte« sowie Lieder und Tänze aufführen, in denen »die heroische Reise des Kommunismus in China« erzählt wird.[66] Die Gala des Frühlingsfestivals der Frankfurter Huaxing-Truppe im Jahr 2018 wurde vom OCAO geplant und vom chinesischen Konsulat unterstützt.[67] Im Februar 2018 trat die Huaxing-Tanztruppe aus Chicago im Rahmen der vom örtlichen Konsulat geleiteten chinesischen Neujahrsfeiern bei einem Spiel der Chicago Bulls auf.[68]

In Australien wird die Huaxing Arts Troupe von Melbourne ebenfalls offiziell vom OCAO unterstützt und veranstaltet zahlreiche ausgefallene »rote« Kulturveranstaltungen. Anscheinend ist sie an der nachrichtendienstlichen Informationssammlung auf niedriger Ebene beteiligt. In einem »Arbeitsbericht«, den sie im Jahr 2018 an die Huaxing-Zentrale in China schickte, brüstete sich die Truppe damit, eine Datenbank aufgebaut zu haben, »die Kontaktinformationen wichtiger politischer Figuren, wichtiger chinesischer Gemeindegruppen, Prominenter und Künstler enthält«.[69] Von der Tanztruppe organisierte oder mit organisierte Vorführungen locken eine Vielzahl von Politikern an, darunter Ministerpräsidenten und Mitglieder des australischen Bundesparlaments sowie Vertreter des chinesischen Konsulats. Die Huaxing-Truppe von Melbourne wird von Tom Zhou (Zhou Jiuming oder »Mr Chinatown«) geleitet, einem Geschäftsmann und Casinobetreiber, der im Jahr 2019 in einen Geldwäscheskandal im Crown Casino verwickelt war.[70]

Die meisten Regierungen setzen ihre nationale Kultur für die Diplomatie ein, aber die chinesische Regierung benutzt sie für die verdeckte Einflussnahme, zu deren Zielen auch die chinesische Diaspora zählt. Im Jahr 2008 erklärte die KPCh auf einer Website, der Zweck der Kultur bestehe darin, »die Funktion der traditionellen Feste – des chinesischen Neujahrsfests, des Qingming-Totengedenkfests, des Drachenbootfests, des Mittherbstfests und des Chongyangfests – vollkommen auszuschöpfen, weil die Feste patriotische Gefühle für China wecken und die ethnische Zusammengehörigkeit stärken können«.[71] Das chinesische Neujahrsfest, das seit Jahrzehnten von Menschen chinesischer Herkunft in aller Welt gefeiert wird, ist in den letzten Jahren von Sympathisanten des Regimes in Beijing vereinnahmt worden, um Politikern vor Ort die Vorstellungen der »chinesischen Gemeinde« aufzuzwingen.

Die Partei ist entschlossen, jeden noch so geringfügigen Ausdruck chinesischer Kultur zu monopolisieren. Ein Beispiel: Das *qipao* (oder *cheongsam*) ist ein elegantes, eng anliegendes Kleid, das als traditionell chinesisch gilt. In Wahrheit ist es weder chinesisch noch traditionell, sondern stammt von den Mandschu und wurde von den Frauen in China erst einige Jahre nach dem Fall der Qing-Dynastie im Jahr 1911 entdeckt und getragen.[72] In der Kulturrevolution wurde das *qipao* als »bürgerlich« geächtet und verschwand aus dem Alltag, aber in den letzten Jahren hat es ein Comeback gefeiert und ist mittlerweile wieder bei Mittelschichtfrauen beliebt.[73]

In aller Welt sind Gesellschaften aus dem Boden geschossen, die es sich zur Aufgabe gemacht haben, dieses Kleidungsstück zu erhalten. 2015 meldete *China Daily*, bei Veranstaltungen hätten sich weltweit rund 150 000 Anhänger und Anhängerinnen des *qipao* versammelt, um es »als Ausdruck traditioneller chinesischer Kunst« zu feiern.[74] Der Präsident der Chinesischen Qipao-Vereinigung, der Schweizer Geschäftsmann chinesischer Herkunft Wang Quan, erklärte, er wolle »die Welt mit exquisiter traditioneller Kleidung aus China beeindrucken«.[75]

Doch die *qipao*-Bewegung hat sich in eine globale Propagandawaffe verwandelt. Das Kulturministerium hat einen eigenen Ausschuss eingerichtet, um sie anzuleiten.[76] Als Qi Quansheng, der stellvertretende Leiter des Allchinesischen Bundes repatriierter Auslandschinesen (ACFROC, der Teil der Einheitsfrontstruktur ist), im Jahr 2018 ein Propagandaseminar in Tianjin abhielt, war der Einfluss der *qipao*-Kultur eines der Diskussionsthemen.[77] Später im selben Jahr fand an der Jinan-Universität ein Qipao/Tai-Chi-Kurs für Auslandschinesen statt; unter den Teilnehmern war eine Phalanx von Parteifunktionären, darunter ein hochrangiger Vertreter des 10. Büros der Einheitsfrontabteilung, der den Anwesenden Xi Jinpings Aufforderung in Erinnerung rief, die traditionelle Kultur zur Verbreitung seines chinesischen Traums zu nutzen.[78] Ebenfalls im Jahr 2018 verkündete das Einheitsfrontbüro in Wuhan, dass der stellvertretende Vorsitzende der China Qipao Society Global Alliance, Li Ye, versprochen habe, seine Organisation werde sich »um die Partei sammeln«.[79]

Daher überrascht es nicht, dass der Vorsitzende der China Qipao Society, Wang Quan, ein Auslandsrepräsentant der Politischen Konsultativkonferenz des Chinesischen Volkes (PKKCV) ist.[80] Die von ihm geleitete Gesellschaft genießt umfassende Unterstützung seitens des Kulturministeriums, und ihre Aktivitäten sind ein fester Bestandteil der Seidenstraßen-Initiative.

Die deutsche Qipao-Vereinigung, die im Jahr 2018 in Neuss gegründet wurde, ist eins der wichtigsten Begegnungszentren für Auslandschinesen in Deutschland.[81] Ihre Einweihungsfeier wurde vom chinesischen Konsulat in Düsseldorf unterstützt.[82] Die Präsidentin der Vereinigung, Jiang Haiying, leitet auch die Chinesische Frauenvereinigung in Deutschland, die der chinesischen Botschaft untersteht.[83] Als Belohnung für ihre Loyalität wurde Jiang Haiying zu den Feiern anlässlich des 70-jährigen Bestehens der Volksrepublik nach Beijing eingeladen.[84] Im Jahr 2015 wurde sie zur geschäftsführenden Vizepräsidentin des Deutschen Qingtian-Heimatverbands gewählt, zu dessen »Sonderberatern« hochrangige Funktionäre der chinesischen Einheitsfront gehören.[85]

In Australien ist ein hochrangiger Amtsträger in einer Organisation für die »friedliche Wiedervereinigung« zugleich Präsident der Qipao Society of Australia, was zur Politisierung dieser Organisation geführt hat. Im Jahr 2016 unterzeichnete die Gesellschaft eine Erklärung, in der sie sich Beijings Ablehnung der Entscheidung des Internationalen Gerichtshofs in Den Haag anschloss, die besagte, dass China keinen Hoheitsanspruch auf das Südchinesische Meer erheben könne.[86]

Die Partei setzt die *qipao*-Bewegung ein, um die Einheitsfrontarbeit »auf freundlichere Art und in einer entspannteren kulturellen Atmosphäre« durchzuführen.[87] Der Glamour des *qipao* lockt ein ausländisches Publikum an, rückt die Einheitsfrontgruppen in den Blickpunkt der Öffentlichkeit, legitimiert sie als »kulturelle Botschafter« und verschafft ihnen nebenbei Zugang zu den Eliten in Mode, Wirtschaft und Politik. All das sind Hinweise auf die Entschlossenheit der Partei, sich als legitimer Verwalter des chinesischen Kulturerbes zu präsentieren und ihre Vorstellung davon, was chinesisch ist, zu verbreiten, um sich die Loyalität der Chinesen daheim und im Ausland zu sichern. Bedauerlich ist, dass es jenen Auslandschinesen, die keine Anhänger der KPCh sind, auf diese Art schwergemacht wird, an der Renaissance des *qipao* teilzuhaben.

Die Unterdrückung von kultureller Abweichung

Während die KPCh die von ihr kontrollierten Manifestationen der chinesischen Kultur fördert, versucht sie, all jene zu unterdrücken, die sie nicht unter ihre Kontrolle bringen kann. Als das Regime 2015 versuchte, Chinas Image mit ein wenig kosmopolitischem Glamour aufzupolieren, indem es den Miss World-Wettbewerb ausrichtete, sorgte der Fall von Anastasia Lin für einen Missklang. Lin, eine chinesisch-kanadische Schauspielerin, die sich für mehr Menschenrechte in China einsetzt, hatte den Titel der Miss Kanada gewonnen und sich damit für den Miss World-Wettbewerb qualifiziert, der auf der Insel Hainan stattfinden sollte. Doch die chinesische Regierung erklärte sie zur unerwünschten Person und ließ sie nicht einreisen. Die *Global Times* begründete die Entscheidung damit, dass Lin »von ihren Werten irregeleitet« worden sei. Die junge Frau sei nicht bösartig, erklärte das Parteiorgan, aber es fehle ihr an einem »vernünftigen Verständnis ihres Geburtslandes«.[88] Voreingenommene Leute im Westen, glaubte die Zeitung, würden sich wahrscheinlich von einem »hübschen 25-jährigen Mädchen« beeinflussen lassen, »wenn es murrt«.

In Schönheitswettbewerben wie Miss World ist es normalerweise eine unverzichtbare Voraussetzung für den Erfolg, dass die Teilnehmerinnen über ihr soziales Engagement sprechen – zum Beispiel darüber, dass ihnen die Bildung für Mädchen in Entwicklungsländern oder der Kampf gegen die Armut in der Welt am Herzen liegt –, aber Lin hatte das falsche Thema gewählt. (Es kam ihr auch nicht zugute, dass sie Falun Gong praktizierte, das sie als »schickes Yoga« beschrieb.[89]) Aufgrund ihres Aktivismus war ihr Vater in Hunan von Agenten des Staatssicherheitsministeriums schikaniert worden, und seine Tochter berichtete, dass er, wenn sie ihn jetzt anrief, jedes Mal erwähnte, »wie großartig der chinesische Präsident ist«.[90]

Eine derart kleinliche Zensur durch Beijing wird auch von Funktionären im Westen übernommen. Bei einem Drachenbootfest in Ottawa wies die Organisation einen Mann an, ein T-Shirt auszuziehen, auf dem für Falun Gong geworben wurde.[91] Unter den Sponsoren des Fests war die chinesische Botschaft. Einem weiteren Falun Gong-Anhänger, der sich *außerhalb* des Veranstaltungsgeländes in einem öffentlichen Park aufhielt, wurde angedroht, man werde ihn hinauswerfen. Er sprach vielen aus dem Herzen, als er sagte: »Kanadier sollten sich von der chinesischen Botschaft keine Anweisungen geben lassen.«

Anfang 2019 entschied ein Kunstzentrum in Cary (North Carolina), das eine Ausstellung der in den USA wohnhaften chinesischen Künstlerin Weng Bing vorbereitete, Einwänden aus Beijing zuvorzukommen und vorsorglich drei als »politisch« eingestufte Bilder auszuschließen.[92] Zwei der Bilder waren wenig schmeichelhafte Darstellungen Xi Jinpings. Lyman Collins, der Kulturmanager von Cary, erklärte der Künstlerin, die diese Bilder gemalt hatte, ihm persönlich gefielen ihre Werke und er wolle die Meinungsfreiheit verteidigen, aber er müsse »alle Standpunkte berücksichtigen« – vermutlich auch die der KPCh. Weng sagte, die Idee für die Bilder sei ihr beim Verfolgen eines Lifestreams von einer Performance der chinesischen Künstlerin Dong Yaoqiong gekommen, die sich dabei filmte, wie sie zum Protest gegen die »Tyrannei« ein Plakat mit Xis Konterfei mit Tinte bespritzt hatte. Die Reaktion des Regimes weckte beängstigende Erinnerungen an die in der Sowjetunion übliche Praxis, abweichende politische Meinungen als psychische Störung einzustufen: Dong Yaoqiong wurde zur »Zwangsbehandlung« in die psychiatrische Abteilung des Krankenhauses Zhuzhou Nr. 3 in Hunan gesteckt. Nachdem sie das Video gesehen hatte, erklärte Weng, sie könne »nicht länger schweigen«, aber genau wie Dong wurde sie mundtot gemacht.[93]

Film- und Theaterzensoren

Berlin ist eine Stadt, die eine große Zahl von chinesischen Dissidenten angelockt hat, was dazu geführt hat, dass die chinesische Kulturpolizei der deutschen Hauptstadt ein unverhältnismäßig hohes Maß an Aufmerksamkeit widmet. Und das chinesische Regime übt mit Erfolg Druck auf Berlin aus: Im Februar 2019 kündigten die Organisatoren der Berlinale an, dass zwei zum Wettbewerb angemeldete chinesische Beiträge, darunter ein in der politisch heiklen Zeit der Kulturrevolution angesiedelter Film des bekannten Regisseurs Zhang Yimou, »aus technischen Gründen« zurückgezogen werden müssten.[94] »Technische Gründe« sind mittlerweile die übliche Ausrede der Betreiber von Veranstaltungsorten und Theatern, die sich politischem Druck gebeugt haben.

Eine mögliche Erklärung ist, dass der Film bei den chinesischen Zensoren keine Zustimmung fand und damit nicht die amtliche Genehmigung erhielt, im Ausland gezeigt zu werden; solche Fälle sind insbesondere seit 2018 häufiger zu beobachten, da die KPCh durch eine bürokratische Umstrukturierung eine direktere Kontrolle über den Unterhaltungssektor übernommen hat.[95] Eine andere nicht völlig fernliegende Erklärung ist, dass die Organisatoren des Filmfestivals vom deutschen Autobauer Audi, dem Hauptsponsor der Berlinale, unter Druck gesetzt wurden.[96] Audis Absatz hatte in China, das sein größter Markt ist, kurz zuvor ein Rekordniveau erreicht. Im Jahr 2016 hatte das Unternehmen ein neues Konfuzius-Institut in Ingolstadt gesponsort.[97]

Gleichzeitig wurde bekannt, dass aus dem Film *Berlin, I Love You* ein Segment des Künstlers und Dissidenten Ai Weiwei herausgeschnitten worden war. Sein Beitrag war dem Druck der Vertriebsfirmen zum Opfer gefallen, die sich weigerten, den Film mit diesem Segment zu kaufen.[98] Ai, der seinerzeit am Design des berühmten »Vogelnest«-Olympiastadions in Beijing beteiligt gewesen war, hatte sich den Zorn des Regimes zugezogen, als er nach dem Erdbeben in Sichuan im Jahr 2008 die Vertuschung von Baumängeln angeprangert hatte, die Tausende Schulkinder das Leben gekostet hatten. Im Jahr 2018 wurde eines seiner Studios in Beijing ohne Vorwarnung abgerissen. Einer der Produzenten von *Berlin, I Love You*, Emmanuel Benbihi, behauptete, man habe Ais Segment aus »künstlerischen Gründen« herausgenommen. Doch zwei andere Mitarbeiter des Produktionsteams erklärten im Gespräch mit der *New York Times*, sie hätten für die Beibehaltung des Segments gekämpft, seien jedoch auf Druck der Vertriebspartner gezwungen worden, es herauszuschneiden.[99] Ai, der nicht über die Entfernung seines Beitrags informiert wurde, hält den Eingriff für einen Akt des vorauseilenden Gehorsams: »Der Großteil dieser Zensur hat seinen Ursprung tatsächlich in den westlichen Organisationen. Sie betreiben Selbstzensur, um den chinesischen Zensurbestimmungen zu entsprechen. Das ist verinnerlichter politischer Druck und nicht unbedingt etwas, was ihnen die chinesische Regierung direkt gesagt hat.«[100]

Ais Einschätzung, dass der Eingriff einfach ein Kotau der westlichen Vertriebsfirmen vor dem chinesischen Regime war, wurde von Edda Reiser bestätigt, einer weiteren Produzentin des Films, die in die Verhandlungen hinter den Kulissen eingeweiht war. Sie gestand: »Wir hatten nicht den chinesischen Einfluss unterschätzt, sondern die Furcht. Die Furcht der freien Welt vor China.«[101]

Unter ähnlichem Druck gerieten die Filmfeste in Kopenhagen und Melbourne. In der Vergangenheit fiel das chinesische Regime durch eher plumpe Versuche auf, im Westen bestimmte Künstler oder Filme zu unterdrücken, und verschaffte diesen Filmen durch sein Verhalten unabsichtlich Publicity. Das hat sich geändert: Eine wachsende Zahl von Organisationen ist bereit, die Forderungen Beijings zu erfüllen und ihre Unterwürfigkeit als »technische Schwierigkeiten« zu tarnen.

Die Aufnahme der Kultur in die Seidenstraßen-Initiative erhöht den politischen Einfluss der KPCh.[102] Das Kulturministerium hat diesen Schritt im Aktionsplan für die kulturelle Entwicklung im Rahmen der Seidenstraßen-Initiative (2016 bis 2020) festgeschrieben.[103] Ende 2016 hatten mehr als 60 Länder entlang der »Neuen Seidenstraße«

kulturelle Austausch- und Kooperationsvereinbarungen mit Beijing unterzeichnet.[104]

Da die KPCh die Kultur fest im Würgegriff hält, kontrolliert sie auch, was als »chinesisch« gilt, und ersetzt verschiedenste Stimmen und Stile durch einen zunehmend monolithischen kulturellen Charakter. Beispielsweise haben sich britisch-chinesische Künstler darüber beklagt, dass die »internationalen« chinesischen Künstler, das heißt jene, die aus China geschickt werden und den Segen der Partei haben, die Kunst von Menschen chinesischer Herkunft in Großbritannien zusehends an den Rand drängen.[105]

In London wurde das »China Changing Festival« des Southbank Centre, das von 2016 an drei Jahre lang lief, beschuldigt, Künstler aus Festlandchina ins Rampenlicht zu rücken und jene aus Großbritannien hinter den Kulissen zu verstecken.[106] Das Southbank Centre zählt zu jener Handvoll westlicher Kultureinrichtungen, die sich der Silk Road International League of Theatres angeschlossen haben, die vom chinesischen Kulturministerium im Rahmen seines Aktionsplans für die kulturelle Entwicklung der »Neuen Seidenstraße« bewilligt wurde.[107] In einem Bericht über den Theaterbund in der *People's Daily* wurde ein früherer Vizekanzler der Zentralen Parteischule mit der Aussage zitiert, Ziel der Seidenstraßen-Initiative sei es nicht nur, durch Wirtschaft und Handel »das gemeinsame Interesse« zu fördern, sondern auch, durch kulturelle Beziehungen »die Verbindungen der menschlichen Herzen« zu festigen.[108] Neben dem Theaterbund gab es im Rahmen des Plans auch internationale Zusammenschlüsse von Bibliotheken, Museen, Kunstmuseen, Festivals und Kunstschulen.[109]

Eine Reihe von Theatern in Russland, Japan, Osteuropa und dem Globalen Süden haben Vereinbarungen unterzeichnet. Die französische Association des Scènes Nationales sowie das in Minneapolis ansässige Arts Midwest unterzeichneten im Jahr 2016 Absichtserklärungen mit der Silk Road International League of Theatres.[110] Eine weitere westliche Institution, die sich dem Theaterbund angeschlossen hat, ist das Teatro Real in Madrid, das zum Schauplatz eines der bisher dreistesten Fälle von China-gesteuerter Kulturzensur geworden ist. Es

lohnt sich, kurz auf diese Geschichte einzugehen, denn solche Vorgänge sind immer öfter zu beobachten. Zunächst zum Hintergrund.

Einige der Falun Gong-Anhänger, die nach der Zerschlagung der
Gruppe im Jahr 2001 aus China geflohen waren, gründeten die Shen
Yun-Tanztruppe, um »klassische chinesische Tänze« vorzuführen, die
Prinzipien von Falun Gong zu verbreiten und die Weltöffentlichkeit
auf die Verfolgung durch das chinesische Regime aufmerksam zu ma-
chen.[111] Die KPCh ist entschlossen, Auftritte von Shen Yun in aller
Welt zu verhindern. Bis Anfang 2019 wurden mehr als 60 Versuche in
Europa und Nordamerika dokumentiert, Gastspiele von Shen Yun zu
unterbinden.[112]

Das begann im Jahr 2008, scheiterte jedoch überwiegend. Dann
wurden im Jahr 2010 auf Druck der chinesischen Behörden Auftritte
von Shen Yun in Rumänien, Griechenland, Moldawien und der
Ukraine abgesagt. Im Jahr 2011 schrieb der chinesische Generalkonsul
im neuseeländischen Auckland an die Mitglieder des Stadtrats, um ihnen zu raten, einen bevorstehenden Auftritt von Shen Yun nicht zu
besuchen. »Dieser Generalkonsul hat kein Recht, mir zu befehlen,
einer Aufführung in Auckland fernzubleiben«, erklärte ein empörter
Stadtrat. »Wie können sie es wagen?«[113]

Im Jahr 2012 gelang es den chinesischen Behörden nicht, eine Vorführung von Shen Yun im London Coliseum zu verhindern, und im
Jahr 2014 versuchte das chinesische Konsulat in Barcelona ohne Erfolg,
durch Druck auf das Katalanische Nationaltheater und das spanische
Außenministerium einen Auftritt zu unterbinden. Das Konsulat
drohte mit Auswirkungen auf die Beziehungen zwischen Spanien und
China, sollte Shen Yun eine Genehmigung für den Auftritt erhalten.[114]
Im selben Jahr verlangte die chinesische Botschaft in Brüssel, dass
eine Shen Yun-Vorführung, die während Xi Jinpings Besuch in der
belgischen Hauptstadt auf dem Programm stand, gestrichen wurde.
Das Belgische Nationaltheater verweigerte den Gehorsam. In Berlin
besuchte der chinesische Kulturattaché im Jahr 2014 Jörg Seefeld, den
Marketing- und Verkaufsmanager des Stage Theaters, und eröffnete
ihm, sollte er ein geplantes Gastspiel von Shen Yun nicht absagen,

würden keine chinesischen Theatertruppen mehr in seinem Haus auftreten und er selbst werde keine Einreiseerlaubnis mehr für China erhalten. Seefeld, der in der DDR im Gefängnis gesessen hatte, ließ sich nicht einschüchtern.[115]

Im März 2015 verschickte Stacy Lyon, die Leiterin des chinesischen Sprachprogramms der Schulbehörde von Utah, E-Mails an die Direktoren der Fremdsprachenschulen des Bundesstaats und forderte sie de facto auf, Angebote der Shen Yun-Tanztruppe für Auftritte in ihren Schulen abzulehnen. Lyon schrieb, die für die Konfuzius-Klassen der Schulen bereitgestellten Mittel dürften nicht für Shen Yun-Vorführungen verwendet werden.[116]

Je mehr Chinas Einfluss wuchs, desto erfolgreicher wurden seine Zensurversuche. Im Jahr 2017 übte die chinesische Botschaft in Kopenhagen mit Erfolg Druck auf das Königlich Dänische Theater aus, das sich entschloss, Shen Yun einen Auftritt zu verweigern.[117]

Und damit sind wir wieder in Madrid. Das Teatro Real hatte sich im Jahr 2016 der Silk Road International League of Theatres angeschlossen, und bald begannen gegenseitige Besuche und Austauschprogramme. Im November 2018 besuchte die chinesische Präsidentengattin Peng Liyuan an der Seite der spanischen Königin das Theater.[118] Im Januar 2019 machten chinesische Diplomaten keinen Hehl aus ihrer Verärgerung darüber, dass das Theater Auftritte der Shen Yun-Truppe angesetzt hatte, und drängten den Leiter, diese Vorführungen wieder abzusagen. Der chinesische Botschafter gehört dem »Diplomatischen Zirkel« des Theaters an.

Tatsächlich sagte das Teatro Real die Auftritte ab, obwohl bereits 900 Eintrittskarten verkauft worden waren. Die Leitung des Hauses verwies auf »technische Schwierigkeiten«. Laut einem Bericht der *Epoch Times*, die sich an den Leitsätzen von Falun Gong orientiert, rief jemand, der sich als hochrangiger chinesischer Regierungsbeamter ausgab, wenige Tage nach der Absage des Gastspiels den chinesischen Botschafter in Madrid an.[119] Der Botschafter brüstete sich in diesem Telefonat damit, persönlich Druck auf den Theaterdirektor ausgeübt und diesem klargemacht zu haben, dass das Teatro Real den

Zugang zum chinesischen Markt verlieren würde, sollten die Auftritte stattfinden. Der Botschafter erinnerte den falschen Regierungsvertreter an die Vereinbarung des Theaters mit dem Internationalen Theaterbund der Seidenstraßen-Initiative. Der Direktor, der gerade erst von einer Chinareise zurückgekehrt war, war nach Aussage des Botschafters anfangs besorgt wegen des möglichen Schadens für das Ansehen seines Hauses, gab dann jedoch klein bei und willigte ein, auf den vom Botschafter vorgeschlagenen Vorwand der technischen Schwierigkeiten zurückzugreifen.

Zwei Monate nach der Absage des Shen Yun-Gastspiels unterzeichnete der Direktor des Teatro Real, Ignacio Garcia Belenguer, eine Kooperationsvereinbarung mit dem chinesischen Nationalen Zentrum für Darstellende Kunst.[120] Er bezeichnete die Vereinbarung als »einen weiteren Schritt hin zu stärkerer Zusammenarbeit zwischen den beiden Institutionen, die seit einigen Jahren eine enge Beziehung pflegen«. Er wies darauf hin, dass Peng Liyuans Besuch des Theaters im November 2018 einen qualitativen Sprung in der Beziehung ermöglicht habe.

Das »marxistische Verständnis von Kunst und Kultur«

Es wird häufig darauf hingewiesen, dass China kaum *soft power* in der Kultur einsetzen kann. Das liegt jedoch nicht daran, dass die kulturellen Traditionen des Landes unattraktiv wären. Der Grund ist vielmehr, dass die Kommunistische Partei die chinesische Kultur vollkommen gleichgeschaltet und mit einer dicken Schicht plumper Propaganda überzogen hat. Kulturelle *soft power* entsteht organisch in der Zivilgesellschaft und verliert normalerweise ihre Authentizität, wenn sich der Staat übermäßig einmischt, vor allem, wenn er versucht, sie zu manipulieren und in den Dienst der Politik zu stellen.

Doch während die KPCh die weiche Macht Chinas kaum für sich hat nutzen können, ist es ihr sehr wohl gelungen, die wichtigste Quelle des kulturellen Einflusses der Vereinigten Staaten in den Griff zu bekommen. Es gibt zahlreiche Presseberichte über die Selbstzensur von Hollywood-Produzenten, die um Zugang zum riesigen chinesischen Markt buhlen. An dieser Stelle muss ein Anschauungsbeispiel genügen: »Als die Schöpfer der Science-Fiction-Komödie *Pixels* Außerirdische zeigen wollten, die ein Loch in die Chinesische Mauer sprengen, begannen sich einige Leute in der Führungsetage von Sony Sorgen zu machen, diese Szene könne die Freigabe des Films in China im Jahr 2015 verhindern, wie aus durchgesickerten E-Mails des Studios hervorgeht. Also wurde stattdessen das Taj Mahal in die Luft gejagt.«[121]

Anscheinend sind die Empfindungen der Inder nicht so wichtig wie die der Chinesen. Zhang Xun, ein leitender Beamter in der chinesischen Filmbehörde, machte amerikanischen Produzenten die Position seines Landes klar: »Wir haben einen riesigen Markt, und wir wollen ihn mit Ihnen teilen. … Wir wollen positive China-Bilder sehen.«[122] Wenn heute amerikanische Filme geplant, Finanzierungsquellen gesucht und Drehbücher geschrieben werden, haben Produzenten, Regisseure und Drehbuchautoren die Wünsche der Zensoren in China im Hinterkopf.

Das gilt sogar für die Kostümbildner. Im 2019 gedrehten Remake von *Top Gun* wurden die Aufnäher auf der Rückseite von Mavericks Fliegerjacke subtil geändert, um die Flaggen Japans und Taiwans zu entfernen.[123] Der Druck zur Selbstzensur war in diesem Fall noch größer, weil einer der Produzenten des Films ein Unternehmen des chinesischen Internetriesen Tencent war.

Dasselbe geschieht in Bollywood, denn auch indische Filme locken in China ein großes Publikum an. Der Schauspieler Aamir Khan, der den chinesischen Zuschauern Millioneneinnahmen verdankt, ist ein entschiedener Befürworter freundschaftlicher Beziehungen zwischen Indien und China.[124]

Im Juli 2019 schickte Xi Jinping ein Glückwunschschreiben an den Chinesischen Schriftstellerverband und die Chinesische Vereinigung für Literatur- und Kunstzirkel. Der Anlass war der 70. Jahrestag ihrer Gründung. In dem Brief, den der Leiter der Propagandaabteilung der KPCh bei einem Symposium vorlas, erklärte Xi, die Entwicklung von Literatur und Kunst sei »ein wichtiges Anliegen der Partei und des Volks, und die Literatur- und Kunstfront ist eine lebenswichtige Front der Partei und des Volkes«.[125] Fünf Jahre zuvor hatte Xi klarer gesprochen: »Kunst und Kultur werden die größte positive Energie ausstrahlen, wenn die marxistische Vorstellung von Kunst und Kultur fest etabliert ist und wenn das Volk in ihrem Mittelpunkt steht«.[126]

Der Chinesische Schriftstellerverband ist eine staatliche Einrichtung, dessen erste Pflicht darin besteht, die Autoren zu organisieren, »damit sie den Marxismus-Leninismus, die Mao Zedong-Gedanken und die Deng Xiaoping-Theorie sowie die politischen Leitlinien der Partei studieren«.[127] In liberaleren Zeiten wollten einige Schriftsteller die Organisation nutzen, um die kreativen Freiheiten auszuweiten, doch im Jahr 2016 traten zwei Vizepräsidenten der Ortsgruppe in Suzhou zurück, was als Protest gegen die strenge Kontrolle durch die Partei interpretiert wurde.[128]

Wenn sich Literturfestivals und Autorenverbände im Westen im Geist des kulturübergreifenden Austauschs mit dem Chinesischen Schriftstellerverband zusammentun – wie es die Universität Waterloo im Jahr 2014 und das Melbourne Writers' Festival im Jahr 2015 taten und wie es das International Writing Program der University of Iowa regelmäßig tut –, haben sie es mit Autoren zu tun, die von der KPCh anerkannt werden und nicht riskieren werden, zu stark von der Parteilinie abzuweichen.[129] Chinesische Schriftsteller, die abweichende Meinungen vertreten, dürfen nicht an diesen Veranstaltungen teilnehmen, und wann immer einer von ihnen doch erscheint, um den offenen Gedankenaustausch mit ausländischen Kollegen zu suchen, stellt er fest, dass er von den Aufpassern der Partei auf Schritt und Tritt verfolgt wird. Chinesische Autoren aus der Diaspora werden ausgeschlossen oder marginalisiert, sofern sie nicht dem lokalen Verband chinesischer Autoren angehören, der unter der Aufsicht der Einheitsfront steht. Trotz aller guten Absichten findet auf diesen Festivals kein freier künstlerischer Austausch statt. Die »chinesische Kultur«, von der die Leute im Westen dort hören, ist eine von der Partei eingegrenzte Version dieser Kultur.

Im Westen sind mittlerweile viele mit der Unterdrückung religiöser Gemeinschaften in China vertraut. Die Repressionsmaßnahmen umfassen die Beobachtung von Christen und Muslimen in ihren Gotteshäusern mit Überwachungskameras und die Beschränkung der zulässigen religiösen Praktiken. Behörde Nr. 11 und 12 der Abteilung für Einheitsfrontarbeit verwenden große Mühe auf diese Repression und richten »repräsentative Organisationen« für die einzelnen Religionen ein.[130] Im Jahr 2019 wurde berichtet, dass die Behörden tibetischen Nomaden mitgeteilt hatten, sie könnten nur weiterhin staatliche Subventionen erhalten, wenn sie »die buddhistischen Gottheiten geweihten Altäre durch Bilder chinesischer Parteiführer ersetzten«.[131] Christen werden gedrängt, Jesusbilder durch Fotos von Xi Jinping zu ersetzen. Der Vatikan weckte Erinnerungen an sein Verhalten gegenüber Hitler-Deutschland in den dreißiger Jahren, als er mit der chinesischen Regierung eine Vereinbarung schloss, die der Partei erlaubt, die katholischen Bischöfe auszuwählen.[132]

Noch überraschender sind die Bemühungen der Partei, die religiösen Gruppen chinesischstämmiger Gemeinden im Westen auszuspionieren, zu infiltrieren, anzuleiten oder zu kontrollieren. Aufgrund des beschränkten Raums können wir uns hier nicht eingehend mit dieser Frage beschäftigen; wir möchten jedoch auf die Berichte über die Beobachtung und Infiltrierung chinesischer christlicher Kirchengemeinden verweisen. Einige Pastoren glauben, dass sich unter ihren Gläubigen Spione der örtlichen Konsulate verstecken, die der Partei über jegliche Kritik am Regime Bericht erstatten.[133]

Umfassender sind die Bemühungen der KPCh, den Buddhismus im Westen zu kontrollieren; dazu gehört die Gründung handzahmer buddhistischer Vereinigungen.[134] Im Jahr 2018 traf Shi Xuecheng, Generalsekretär der Buddhistischen Vereinigung Chinas und Mitglied der PKKCV, in Sydney ein, um die Gründung des Australia China Buddhist Council zu beaufsichtigen. Begleitet wurde er von Diplomaten und hochrangigen Funktionären der Einheitsfront, darunter Huang Xiangmo, ein vermögender politischer Spender, der kurz darauf wegen seiner Verbindungen zur KPCh ein Einreiseverbot erhielt.[135] Der von der Partei bestätigte Meister Xuecheng teilt die Bestrebung der Partei, die Religion zu »sinisieren«. (Allerdings verlor Beijing einen nützlichen Funktionär, als Shi Xuecheng wegen des Vorwurfs, Nonnen sexuell belästigt zu haben, zurücktreten musste.)[136]

Unter den »roten Buddhisten«, die unter dem Schirm des Australia China Buddhist Council Schutz gefunden haben, ist Wang Xinde, der Leiter einer vermögenden »Heiligen Tantra«-Sekte in Tasmania, die weltweit und insbesondere in Kanada eine große Gefolgschaft hat. Wang ist auch der Präsident des tasmanischen Zweigs der wichtigsten Einheitsfronteinrichtung Australiens, des Australischen Rats für die Förderung der friedlichen Wiedervereinigung Chinas.[137] Wang ist oft auf Fotos mit Lokalpolitikern zu sehen, und auf seiner Website macht er keinen Hehl aus seinem Wunsch, seinen Beitrag zur Verwirklichung von Xi Jingpings »chinesischem Traum« zu leisten und »eine gute Geschichte über China zu erzählen und Chinas Stimme Gehör zu verschaffen«. Er hat erklärt: »Wir werden uns in allem, was wir tun, an den vom Mutterland beschlossenen politischen Maßnahmen orientieren.«[138] Im Jahr 2019 repostete er einen Artikel, in dem zur Tötung der Demonstranten aufgerufen wurde, die in Hongkong für die Demokratie marschierten.[139]

Selbstverständlich tut die Partei auch alles, um den tibetischen Buddhismus unter Kontrolle zu bringen. Als der Penchen Lama, der traditionell die zweithöchste Autorität nach dem Dalai Lama ist, im Jahr 2015 Xi Jinping traf, erklärte er, »unter der Führung des Zentralkomitees der Partei mit dem Genossen Xi Jinping im Kern« sei die Zukunft Tibets »strahlend und unser Morgen glorreich«.[140] Als der frühere Penchen Lama starb, wurde sein im Jahr 1995 vom Dalai Lama nominierter Nachfolger, der sechsjährige Gendün Chökyi Nyima, entführt und tauchte nie wieder auf. Die Partei setzte einen eigenen Jungen an seinen Platz.

Das vielleicht faszinierendste Beispiel für die Entschlossenheit der Partei, die chinesische Kultur zu kontrollieren, liefert die Geschichte von Xu Xiaodong, die Lauren Teixeira in einem Artikel mit dem Titel »Er hatte nie die Absicht, ein Dissident zu werden, begann dann jedoch, Tai-Chi-Meister zu verprügeln« wunderbar erzählt hat.[141] Xu ist ein Experte für Mixed Martial Arts (MMA, eine Kampfsport-Disziplin, die ihren Ursprung in Japan und Brasilien hat und in den neunziger Jahren in den USA populär wurde). Er leitete ein Trainingszentrum in Beijing und gewann über die Jahre eine Gefolgschaft in den sozialen Medien. Aber er zog auch die Wut der Behörden auf sich, indem er die Vertreter der traditionellen chinesischen Kampfkünste, insbesondere die verehrten Tai-Chi-Meister, als »Hochstapler« verspottete. Sie könnten Tricks vorführen, erklärte er, darunter verblüffende Kunststücke in beliebten Fernsehsendungen, aber sie könnten nicht kämpfen. Schließlich forderten ihn mehr als 100 empörte Meister zum Duell. Er wählte die 17 besten aus und trat gegen sie an. MMA gegen Tai-Chi. Auf YouTube kann man sich ansehen, wie er alle 17 besiegte, oft in sehr kurzen, brutalen Kämpfen.

Um Xi Jinpings Anweisung umzusetzen, die Kultur als Teil der großen Wiederauferstehung der chinesischen Nation zu nutzen, versucht das Regime auch, das Tai-Chi und die traditionelle chinesische Medizin zu fördern. Als Xu mit seinen ausländischen Kampftechniken so viele Tai-Chi-Meister als »Hochstapler« entlarvte, stellte er auch die Partei bloß. »Die chinesische Regierung wünscht sich, dass er seinen Feldzug gegen das Tai-Chi beendet«, schreibt Teixeira, und sie hat zahlreiche Mittel, um ihm Einhalt zu gebieten, darunter ein Eintrag auf einer schwarzen Liste, die Teil des Sozialkreditsystems ist. Da es ihm nun unmöglich war, zu fliegen oder in Hochgeschwindigkeitszügen zu fahren, musste Xu eine 36-stündige Zugfahrt nach Xinjiang auf sich nehmen, um gegen einen berühmten, auf »Druckpunkte« spezialisierten Kung-fu-Meister anzutreten. (Er vermöbelte seinen Gegner in weniger als einer Minute.)

Als sich der amerikanische MMA-Promoter Ultimate Fighting Championship entschloss, seinen Markt auf China auszuweiten, nutzte er die große Fanbasis, die Xu in jahrelanger Arbeit aufgebaut hatte. Aber wenn die UFC Kämpfe in China veranstaltet, steht Xu Xiaodong nicht auf der Liste der Kämpfer.

11

DENKFABRIKEN UND MEINUNGSFÜHRER

»Das Essen der KPCh genießen«

Da zahlreiche politische und Wirtschaftsführer mit ihnen verbunden sind, bieten Think Tanks ein ideales Ziel für kurz- oder langfristige Beeinflussungsversuche. Diese Einrichtungen für sich zu gewinnen ist wichtig für die KPCh, wenn ihr Vorhaben gelingen soll, »die Debatte zu ändern, ohne sich selbst zu Wort melden zu müssen«.[1] Man kann ohne Übertreibung sagen, dass die KPCh größtes Interesse zeigt, wann immer sich eine einflussreiche Denkfabrik mit Themen beschäftigt, die etwas mit China zu tun haben.

Die Welt der Think Tanks ist eng mit der Philanthropie verbunden, womit es schwierig ist, die zahlreichen Interessen zu entwirren, die eine Institution prägen. Viele amerikanische Einrichtungen, die sich mit China-Themen befassen, werden von Wirtschaftseliten gesponsert, die dem Regime in Beijing nahestehen. Ein Teil der finanziellen Mittel kommt direkt von der chinesischen Regierung und chinesischen Unternehmen, aber größeres Gewicht haben Schenkungen von »Freunden Chinas«, darunter Goldman Sachs oder Tung Chee-hwa.

Denkfabriken pochen stets auf ihre Unabhängigkeit. Wie politische Parteien, die Schenkungen von Unternehmen akzeptieren, bleibt ihnen gar nichts anderes übrig. Aber die Realität lässt eher an die Redensart denken, dass man die Hand nicht beißen soll, die einen füttert. Oder, um es mit Xi Jinpings Worten auszudrücken: »Wir dürfen nicht zulassen, dass jene, die den Kessel der KPCh zerschlagen, das Essen der KPCh genießen.«[2] Wenn man Geld von jemandem entgegennimmt, steht man in seiner Schuld: Du hast mich glücklich gemacht, also bin ich verpflichtet, dich ebenfalls glücklich zu machen – oder zumindest nicht unglücklich. Einige Forscher lassen sich nicht von der Erwartung beeinflussen, dass sie den Kessel nicht zerschlagen werden, aber nur wenige können sich dem Druck ihrer Arbeitgeber widersetzen, nicht einmal an Universitäten. Damit wollen wir nicht sagen, dass sich alle Think Tanks in Propagandaorgane verwandeln, die nichts anderes als die Botschaft der Partei verbreiten werden. So ist es keineswegs. Aber Investitionen in die Forschung machen sich normalerweise auf die eine oder andere Art bezahlt, und das ist der Grund dafür, dass die Internationale Verbindungsabteilung der Partei großen Wert auf die Interaktion mit Denkfabriken legt. Die Belt and Road Think Tank Cooperation Alliance hat mehr als 100 Mitglieder.[3]

Es ist problematisch, dass viele Think Tanks im Westen Geld von vermögenden »Freunden Chinas« oder Unternehmen annehmen, deren Ergebnisse von guten Beziehungen zum chinesischen Regime abhängen. Das färbt die Arbeit dieser Einrichtungen, darunter auch angesehene und einflussreiche. Mehrere westliche Denkfabriken haben Niederlassungen oder Vertretungen in China eröffnet, womit sie der KPCh eine zusätzliche Möglichkeit geben, Einfluss auf die von ihnen produzierten Inhalte zu nehmen. Das Resultat ist ein Chinabild, das im Großen und Ganzen vorteilhafter ist, als es ohne finanzielle Verbindungen wäre. Auch in diesem Fall würde eine umfassende Untersuchung die Grenzen des Buches sprengen, aber einige Beispiele sollten genügen, um das grundlegende Problem zu veranschaulichen.

Die Brookings Institution ist eine der größten und angesehensten Denkfabriken in den Vereinigten Staaten. Sie beschreibt sich selbst als überparteilich, und Personen aus allen politischen Lagern stützen sich auf ihre Arbeit, aber ihre China-Forschung wurde von John L. Thornton finanziert, einem ehemaligen Präsidenten von Goldman Sachs und »Freund Chinas«. Thornton, der das nach ihm benannte China Center von Brookings mit einer Schenkung dotiert hat, ist so wichtig für die Einrichtung, dass er bis 2018 Vorsitzender des Stiftungsrats war und auch heute noch einen Platz darin hat.

Im Jahr 2008 erhielt Thornton die höchste Auszeichnung, die der chinesische Staat Ausländern verleiht, den Freundschaftspreis.[4] Er ist Board-Vorsitzender der in Hongkong ansässigen Investmentfirma Silk Road Finance Corporation (SRFC), die chinesische Investitionen in den Ländern entlang der »Neuen Seidenstraße« vermittelt.[5] Ihr Geschäftsführer Li Shan gehört der Politischen Konsultativkonferenz des Chinesischen Volkes (PKKCV) an.[6] Thornton ist ein Freund von Wang Qishan, einem Mitglied des Ständigen Ausschusses des Politbüros und Xi Jinpings Vollstrecker und Feuerwehr.[7]

Thornton hält auch einen Lehrstuhl an der Tsinghua-Universität, wo er das Global Leadership Program leitet, das er nach seinem Ausscheiden bei Goldman Sachs im Jahr 2003 gründete.[8] Die Brookings Institution selbst hat gemeinsam mit der Tsinghua-Universität im Jahr 2006 das Brookings-Tsinghua Center for Public Policy eröffnet.[9] Die Denkfabrik nahm ihr Brookings China Council, das als Bindeglied zwischen dem Thornton Center in Washington und dem Brookings-Tsinghua Center in Beijing dient, zeitgleich mit Xi Jinpings Staatsbesuch in den Vereinigten Staaten im Jahr 2015 in Betrieb, wobei Thornton gemeinsam mit dem Präsidenten der Tsinghua-Universität, Qiu Yong, den Vorsitz führte.[10] Berichten zufolge machte Xi Jinpings Neffe ein Praktikum bei Brookings.[11]

Brookings hat Geld von Huawei angenommen. Zwischen Juli 2016 und Juni 2018 erhielt die Denkfabrik mindestens 300 000 Dollar von der amerikanischen Tochtergesellschaft des Unternehmens, Futurewei Technologies. Huawei bezahlte auch die Forschungsarbeit von Brookings über Technologien für sichere Städte; im Forschungsbericht wurde nicht offengelegt, dass ein Teil der empfohlenen Technologie von Huawei stammte. Um es mit den Worten von Isaac Stone-Fish zu sagen, der diesen Zusammenhang in der *Washington Post* aufdeckte: »Brookings pries Huaweis Technologie in einem von Huawei finanzierten Bericht.«[12]

Eine ähnliche Verstrickung der Eliten ist beim angesehensten britischen Think Tank Chatham House zu beobachten. Die Einrichtung erhält Geld aus zahlreichen Quellen, darunter die chinesische Regierung und chinesische Unternehmen einschließlich der China International Capital Corporation und Huaweis.[13] Während die finanziellen Beiträge des chinesischen Staates relativ gering sind, ist Chatham House vom chinesischen Botschafter in London, Liu Xiaoming, für seinen »positiven Beitrag […] zur Förderung des gegenseitigen Verständnisses und der Zusammenarbeit zwischen China und Großbritannien« gelobt worden.[14]

Liu täuscht sich nicht, wenn er sagt, dass Chatham House gut für die KPCh ist. Im Jahr 2019 drängte der Leiter der Denkfabrik, Robin Niblett, den neuen Premierminister Boris Johnson, an die Politik der Regierung May und an David Camerons »goldene Ära« in den sinobritischen Beziehungen anzuknüpfen und eine Annäherung an China zu suchen.[15] Niblett unterstützt das Projekt der City of London Corporation, London zum Finanzzentrum für die »Neue Seidenstraße« zu machen. Die China-Expertin von Chatham House, Yu Jie, hat die britische Regierung aufgefordert, nicht länger widersprüchliche Signale an Beijing zu senden, sondern die Freundschaft zwischen den beiden Ländern zu vertiefen, ihre Sicherheitsbedenken zu überwinden und zu begreifen, dass »China ein unverzichtbarer Partner ist, wenn ›ein globales Großbritannien‹ nach dem Brexit erfolgreich sein soll«.[16]

Der wichtigste Fürsprecher der Partei bei Chatham House dürfte sein Vorsitzender Jim O'Neill sein, der frühere Chefvolkswirt von Goldman Sachs. O'Neill hat Großbritannien aufgefordert, »eine wachsende Zahl von Win-win-Situationen zwischen Großbritannien und China« zu schaffen und Großbritannien in einen »großen vertrauenswürdigen Partner Chinas« zu verwandeln.[17] Er ist gemeinsam mit Botschafter Liu Xiaoming und dem britischen Journalisten Martin Jacques, der ein Anhänger des Regimes in Beijing ist, bei Vision China aufgetreten, einer Veranstaltung des *China Daily*, auf der er die Seidenstraßen-Initiative als »vielleicht wichtigste Sache für die Zukunft des Welthandels« bezeichnete.[18] O'Neill ist auch ein gerne gesehener Gast in den chinesischen Staatsmedien, wo er von Chinas wirtschaftlichen Erfolgen schwärmt.[19] So wie Stephen Perry vom 48 Group Club hat er die Xi Jinping-Gedanken mit Lob überhäuft.[20] In einer Einrichtung, in der ein Vorsitzender wie O'Neill den Ton angibt, kann es nicht überraschen, dass Lord Browne of Madingley, der Vorsitzende von Huawei Technologies (UK), dem Beratenden Ausschuss angehört.[21]

Chatham House hat auch gemeinsam mit dem führenden chinesischen Think Tank China Centre for International Economic Exchanges einen Bericht veröffentlicht, der die Seidenstraßen-Initiative befürwortet. Der Titel »Europäisch-chinesische Wirtschaftsbeziehungen im Jahr 2025: Eine gemeinsame Zukunft errichten« deckt sich mit Xis Wortwahl. Abgesehen von der fragwürdigen Entscheidung, mit einer von der KPCh abhängigen Denkfabrik zusammenzuarbeiten (mehr dazu später), kam das Geld für den Beitrag von Chatham House von Huawei.[22] Chatham ist auch Partnerschaften mit dem Institute of World Economics and Politics, einer staatlichen chinesischen Denkfabrik, und der Chinesischen Akademie für Sozialwissenschaften eingegangen, um den Einsatz des Renminbi zur Finanzierung von BRI-Projekten zu erforschen.[23] Der Bericht warb für London als globale Renminbi-Drehscheibe und als Zentrum für die Finanzierung der Seidenstraßen-Initiative.

Das in Chicago ansässige Paulson Institute ist ein weiteres gutes Beispiel dafür, wie chinafreundliche Wirtschaftseliten die Forschung über China fördern. Das im Jahr 2011 von Henry Paulson, dem ehemaligen amerikanischen Finanzminister sowie ehemaligen Vorsitzenden und CEO von Goldman Sachs, gegründete Institut will »eine amerikanisch-chinesische Beziehung fördern, die geeignet ist, in einer sich rasch wandelnden Welt die globale Ordnung zu erhalten«.[24] Das tut es unter anderem, indem es Beijing hilft, mit Unterstützung der Londoner City umweltfreundliche Investitionsprinzipien in die Seidenstraßen-Initiative zu integrieren.[25] In seinem Wirtschaftsblog MacroPolo wirbt das Institut für eine fortgesetzte wirtschaftliche Kooperation und neigt dazu, die Stabilität der chinesischen Wirtschaft und die Beständigkeit der Reformen zu unterstreichen.[26]

Wie Thornton pflegt auch Paulson sehr enge Beziehungen zur Führung der KPCh, die er in seiner Zeit bei Goldman Sachs knüpfte.

Im April 2019 traf er sich mit Han Zheng, einem Mitglied des Ständigen Ausschusses des Politbüros, um die bilateralen Beziehungen zwischen China und den USA zu diskutieren.[27] In einem auf der Website der Stadtverwaltung von Beijing veröffentlichten Bericht wurde Paulson als »alter Freund« von Bürgermeister Chen Jining bezeichnet.[28] Das Paulson Institute hat auch eine gemeinsame Absichtserklärung mit der Stadtregierung von Beijing unterzeichnet.[29] Das Büro des Instituts in Beijing zählte so wie das Weltwirtschaftsforum (ein Liebling der Partei) zu den ersten ausländischen NRO, die nach Maßgabe des neuen Gesetzes über ausländische NRO angemeldet wurden und weiter in China arbeiten durften.[30]

Der vielleicht schamloseste Unterstützer der KPCh unter den Denkfabriken ist das in Los Angeles ansässige Berggruen Institute, das im Jahr 2010 von dem deutsch-amerikanischen Milliardär Nicolas Berggruen gegründet wurde. Das Institut zeigt seit seinen Anfängen Sympathie für die autoritären Ideale der KPCh und pflegt ausgezeichnete Beziehungen zu Chinas Elite. Berggruen ist im Chinesischen Zentralfernsehen CCTV aufgetreten und hat erklärt, die Partei und die chinesische Regierung versuchten, nur eines zu tun, nämlich »den Bürgern zu dienen«.[31] Sein Kollege Nathan Gardels hat den Einparteienstaat als die beste Regierungsform gepriesen und erklärt, dass die Demokratie für Hongkong ungeeignet sei.[32] Mit Berggruen verbundene Analysten werben in ihren Artikeln oft für das politische Modell Chinas oder verteidigen es. Beispielsweise hieß es in einer Berggruen-Analyse des politischen Systems der Volksrepublik, die KPCh beziehe ihre Legitimität aus »Wohlstand und Kompetenz«.[33] Im Rahmen einer Konferenzreihe mit dem Titel »Understanding China«, die vom früheren De-facto-Leiter der Zentralen Propagandaabteilung der KPCh, Zheng Bijian, organisiert wird, haben sich Mitglieder des Berggruen Institute mit Xi Jinping und anderen Mitgliedern der chinesischen Führung getroffen.[34] (Zheng hat sich auch bei anderen Gelegenheiten mit der Berggruen-Leitung getroffen.[35]) Die Konferenzen haben hochrangige Teilnehmer angelockt, darunter den früheren britischen Ministerpräsidenten Gordon Brown, die frühere dänische Ministerpräsidentin

Helle Thorning-Schmidt und die Gründerin der *Huffington Post*, Arianna Huffington.[36] Im Dezember gründete das Institut gemeinsam mit der Peking Universität das in dieser Hochschule untergebrachte Berggruen Research Centre.

Das Berggruen Institute veröffentlicht gemeinsam mit der *Washington Post* die von Nathan Gardels herausgegebene *WorldPost*, in der »Beitragende aus aller Welt«, Meinungs- und Leitartikel veröffentlichen.[37] Eine ähnliche Partnerschaft existiert anscheinend auch mit der *Huffington Post*.[38] In einem Artikel in der *WorldPost* werden westliche Unternehmen angehalten, sich dem »andersartigen Verständnis« von der Privatsphäre in China anzupassen – das heißt der Tatsache, dass es dort keine für den Staat unzugängliche Privatsphäre gibt – und wirklich »globale Normen für das Privatleben« zu entwickeln, »selbst wenn diese sich von denen unterscheiden, die wir gewohnt sind«.[39] In einem anderen Artikel, dessen Autorin Song Bing eine ehemalige Spitzenmanagerin von Goldman Sachs und gegenwärtige Vize-Präsidentin des Berggruen Institute und Leiterin seines China Center ist, wird erklärt, warum der Westen das chinesische Sozialpunktesystem falsch verstanden habe.[40]

Song Bing ist mit Daniel Bell verheiratet, der das Berggruen Institute of Philosophy and Culture leitet, das mit renommierten Universitäten zusammenarbeitet, um die »kulturübergreifende« Arbeit zu Governance und anderen Fragen zu fördern.[41] Bell, ein begeisterter Apologet der KPCh, ist vor allem für sein Buch *The China Model: Political Meritocracy and the Limits of Democracy* bekannt, in dem er die KPCh mit Lob überhäuft.[42] Bell ist der Meinung, der Westen solle von der »meritokratischen Herrschaft« der chinesischen Kommunisten lernen, und beschreibt Xi Jinpings Aufstieg als ein Ergebnis dieser Meritokratie.[43] Daniel Bell bekleidet außerdem einen Lehrstuhl im Schwarzman Scholar Program der Tsinghua-Universität in Beijing.

China Daily behauptet ebenfalls, eine Partnerschaft mit dem Berggruen Institute zu haben, wobei das Ziel, wie es in einem Artikel auf der Website der chinesischen Internetaufsichtsbehörde beschrieben wird, darin besteht, ein Team von ausländischen Kommentatoren zusammenzustellen, damit »Chinas positive Energie ›hinausgetragen‹« wird.[44] Dank ihrer Partnerschaften mit mehreren anderen Denkfabriken hat die Zeitung auf ihrer Website laut eigenen Angaben 300 signierte Meinungsartikel von fast 200 Experten ausländischer Think Tanks veröffentlicht, um »ein größeres Publikum im Ausland zu beeinflussen und die chinesische Geschichte richtig zu erzählen«.[45]

Die Hongkong-Connection

Mit der KPCh verbundenes Geld hat über die China-U.S. Exchange Foundation (CUSEF) seinen Weg auf die Konten einflussreicher Denkfabriken gefunden. Diese Stiftung finanziert auch die United States Heartland China Association und die Sanya Initiative (siehe Kapitel 3). Die CUSEF wurde im Jahr 2008 in Hongkong gegründet und wird von dem Reedereimagnaten Tung Chee-hwa geleitet, der Hongkongs erster Regierungschef nach der Rückgabe an China war (1997–2005) und ein wichtiger Geldgeber der Stiftung ist.[46] Die CUSEF hat Verbindungen zum chinesischen Militär und arbeitet auch mit der Chinesischen Vereinigung für internationale Freundschaftskontakte (CAIFC) zusammen, einer Tarnorganisation der Volksbefreiungsarmee (siehe Kapitel 3 und 10).[47]

Tung Chee-hwa ist auch stellvertretender Vorsitzender der Politischen Konsultativkonferenz des Chinesischen Volkes (PKKCV). Im Jahr 2019 beschuldigte er die USA und Taiwan, die Proteste in Hongkong zu »orchestrieren«.[48] Der stellvertretende Vorsitzende der CUSEF ist Victor Fung, Group Chairman von Li & Fung, einem Logistikunternehmen mit Kunden in den Vereinigten Staaten und der EU. Fung ist eine weitere wichtige Figur der Einheitsfront in Hongkong, gehört ebenfalls der PKKCV an und ist Berater des Bürgermeisters von Beijing und der Kommunalregierung von Nanjing.[49] Seine Fung Foundation finanziert China-Forschung.[50]

Der Sondervertreter der CUSEF in den Vereinigten Staaten ist Fred Teng. Er ist der Präsident des America China Public Affairs Institute, das seine Aufgabe darin sieht, »die Kenntnis, das Verständnis und die Wahrnehmung Chinas in der amerikanischen Regierung und bei wichtigen politischen und Meinungsführern zu verbessern«.[51] Das Institut organisiert in enger Zusammenarbeit mit der KPCh und der chinesischen Regierung Reisen von Delegationen amerikanischer Führungskräfte nach China und setzt sich für ein bilaterales Freihandelsabkommen und eine Sicherheitspartnerschaft zwischen China und den USA ein; diese Partnerschaft soll Terrorbekämpfung, Cybersicherheit und Gesetzesvollzug umfassen.[52]

In New York wird die CUSEF von der PR-Firma BLJ Worldwide vertreten (die auf ihrer Website erklärt, »fortschrittliche und intelligente Kommunikationskampagnen« zu gestalten). Die Firma ist gemäß *Foreign Agent Registration Act* als ausländischer Vertreter registriert.[53] Um den Kongress in China-Fragen zu beeinflussen, beschäftigt sie verschiedene Lobby-Firmen, darunter die Podesta Group,[54] die in den Jahren 2016 und 2017 auch Lobbyarbeit für den chinesischen Telekommunikationsausrüster ZTE betrieb.[55] Einer der früheren Inhaber der Gruppe war John Podesta, ein einflussreicher Akteur in der Demokratischen Partei. Nachdem er die Leitung der Gruppe in die Hände seines Bruders gelegt hatte, wurde John Podesta unter Präsident Bill Clinton Stabschef im Weißen Haus und leitete im Jahr 2016 den Präsidentschaftswahlkampf von Hillary Clinton. Von 2003 bis 2011 war er Präsident des Center for American Progress, eines Washingtoner Think Tanks, der auch als Parkplatz für hochrangige Mitarbeiter der Demokraten während republikanischer Präsidentschaften bezeichnet wird. Diese Funktion macht das Center zu einem ausgezeichneten Ziel für Beeinflussungsversuche der KPCh, und die CUSEF hat einen Besuch hochrangiger Mitarbeiter in Beijing vermittelt. Die beiden Organisationen haben seit 2011 eine Partnerschaft, die gelegentlich mit dem Shanghai Institute for International Studies zusammenarbeitet,[56] das zum Außenministerium gehört.[57] Im Jahr 2015 organisierten das Center for American Progress und die CUSEF gemeinsam ein hochrangiges Gespräch in Beijing.[58]

Abgesehen davon, dass die CUSEF Gelder für die Brookings Institution, den Atlantic Council, das EastWest Institute, das Carter Center und das Carnegie Endowment for International Peace bereitstellt,[59] hat die Stiftung einen Lehrstuhl für China-Studien an der Johns Hopkins School of Advanced International Studies (SAIS) dotiert, einer der angesehensten amerikanischen Schulen für internationale Beziehungen. Gemeinsam mit dem Kissinger Institute betreibt die CUSEF auch die Pacific Community Initiative an der Johns Hopkins SAIS. Bethany Allen-Ebrahimian weist darauf hin, dass SAIS-Absolventen »in einer Vielzahl von Regierungsbehörden vom Außenministerium bis zur CIA sowie beim Militär unterkommen«.

Das Geld des Parteistaats wirkt in Brüssel

Die Chinese Mission to the European Union hat sich als wichtiger Geldgeber für Think Tanks herausgestellt, die sich mit China oder mit Fragen befassen, die für die KPCh von Interesse sind. Wie François Godement und Abigaël Vasselier in ihrer Studie zur Macht Chinas in Europa schreiben, »zeigt ein kurzer Blick auf eine Liste von Konferenzen und Seminaren in Brüssel, dass fast alle Think Tanks, die sich mit internationalen Beziehungen und Wirtschaftsthemen oder mit Asien beschäftigen, chinesisches Geld erhalten«.[60] The Madariaga – College of Europe Foundation war eine in Brüssel ansässige Denkfabrik, die teilweise von der chinesischen Regierung finanziert wurde. Sie fusionierte später mit dem College of Europe in Brügge, das ein Beobachter als »Harvard für Europas Eliten« bezeichnet hat.[61] Gegründet wurde die Stiftung von Pierre Defraigne, einem ehemaligen Leiter des Handelsressorts der Europäischen Kommission. Nach Defraignes Angaben entwickelte Madariaga »eine konstruktive und ausgewogene Arbeitsbeziehung zur Chinese Mission« und ermöglichte Besuche zwischen hochrangigen Vertretern der KPCh und ihrer Amtskollegen im Europäischen Parlament, der Kommission und den Außen- und Verteidigungsressorts der EU.[62] Im Jahr 2014 bezog die

Stiftung 20 Prozent ihres Budgets von der Chinese Mission. Noch bedeutsamer ist, dass 40 Prozent ihrer Mittel von einem Unternehmen namens Beijing Peace Tour Cultural Exchange Center stammten.[63] Der Vorsitzende dieser Firma, Shao Changchun, musste Belgien verlassen, nachdem die belgische Staatssicherheit eine Untersuchung seiner Organisation eingeleitet und Berichten zufolge Beweise für Einmischung und Spionage gefunden hatte.[64] Shao leitet auch mehrere andere Stiftungen, darunter die China-Europe Culture and Education Foundation und die Silk Road Peace Prize Foundation.[65] Sogar Defraigne wurde schließlich misstrauisch in Bezug auf die Finanzierung durch Peace Tour und räumte ein, dass er die Zusammenarbeit beendet habe, als ihm klar geworden sei, »dass wir möglicherweise als Lobby für Sonderinteressen benutzt worden waren«.[66]

Madariaga stellte seine Tätigkeit in Brüssel ein, aber das College of Europe, von dem es übernommen wurde, und das 2014 gegründete EU-China Research Center des Colleges arbeiten weiterhin eng mit der Chinese Mission zusammen, nehmen finanzielle Unterstützung an und organisieren gemeinsame Seminare und Konferenzen über die Seidenstraßen-Initiative und die sino-europäischen Beziehungen.[67] Das College of Europe beherbergt auch das Europäisch-Chinesische Menschenrechtsseminar, das von der Chinesischen Gesellschaft für Menschenrechtsstudien gegründet wurde.[68] Diese Gesellschaft, die mit dem Büro für Auslandspropaganda der KPCh verbunden ist, wurde im Jahr 1993 gegründet, um Kritik an Chinas Menschenrechtsverletzungen zu entschärfen, indem die Debatte in der Weltöffentlichkeit von den individuellen und politischen Rechten weggelenkt wurde (siehe Kapitel 13).

Kurz vor dem europäisch-chinesischen Gipfel im Juni 2017 veröffentlichte das in Brüssel ansässige europäische Mediennetzwerk Euractiv einen Bericht mit dem Titel »EU-China – Gegensätze überwinden«.[69] Der von der Chinesischen Mission finanzierte Bericht enthielt ein Interview mit dem China-Lobbyisten Luigi Gambardella, der die Seidenstraßen-Initiative pries und erklärte, China setze sich »beharrlich für politische Maßnahmen ein, die beiden Seiten zugutekommen«.[70] Im Jahr 2015 hatte Gambardella eine Firma namens ChinaEU gegründet, deren offizielle Mission darin besteht, die Zusammenarbeit zwischen der EU und China in der digitalen Wirtschaft zu fördern.[71] Gambardella, der von *Politico* als »Europas Mr. China« und Brüssels »auffälligster Lobbyist« bezeichnet wird,[72] drängt in Gesprächen mit Mitgliedern des Europaparlaments auf eine engere Zusammenarbeit mit China.[73] Wie andere »Freunde Chinas« schreibt er häufig für chinesische Parteiorgane und wird von ihnen zitiert; auch ist er ein regelmäßiger Besucher der World Internet Conference in Wuzhen (siehe Kapitel 13).[74]

Gemeinsam mit der Chinese Mission organisiert Friends of Europe das Europe-China Forum sowie den Europe-China Policy and Practice Roundtable.[75] Im März 2019 organisierten Friends of Europe, die Chinese Mission und die Vereinigung für Öffentliche Diplomatie der PKKCV gemeinsam eine hochrangig besetzte europäisch-chinesische Veranstaltung unter dem Titel »Kann die Kooperation über den Wettbewerb siegen?«.[76] Die Policy-Leiterin der Denkfabrik, Shada Islam, wird häufig in den Parteimedien zitiert.[77]

Ein ähnliches Bild lässt sich für andere Brüsseler Think Tanks zeichnen, die sich mit Asien beschäftigen. Beispielsweise nimmt das EU-Asia Centre Geld von der Chinesischen Mission an und arbeitet eng mit den Behörden in Beijing zusammen.[78] Sein Gründer und Leiter Fraser Cameron ist ein früherer britischer Diplomat und EU-Beamter, dessen Ansichten von *China Daily* wiedergegeben werden. In einem Artikel in dieser Zeitung erklärte er, die EU unterstütze die Seidenstraßen-Initiative »nachdrücklich«.[79] Im Jahr 2015 lehnte das European Institute for Asian Studies (EIAS) einen Vorschlag des australischen Experten Gabriel Lafitte für einen Vortrag über Tibet mit der Begründung ab, ein öffentliches Seminar über Tibet sei »keine Möglichkeit für das EIAS«. Wochen später war das Institut jedoch Schauplatz des Vortrags eines KPCh-Funktionärs und Militäroffiziers über die wirtschaftliche Entwicklung Tibets.[80]

In der Schweiz hat das chinesische Regime einen Freund in Gestalt des Weltwirtschaftsforums, das von Beijing genutzt worden ist, um ein dichtes Netz von Verbindungen zu den Angehörigen der globalen Wirtschaftselite zu knüpfen. In einer bezahlten Anzeige in der *New York Times* kündigte *China Daily* an, dass der Gründer und Vorsitzende des Forums, Klaus Schwab, als einer von nur zehn ausländischen Experten für seine Unterstützung der »Bemühungen Chinas zur Neugestaltung der Weltwirtschaftsordnung« die hohe Auszeichnung der Chinesischen Reform-Freundschafts-Medaille erhalten werde.[81] Schwab, der Xis »offenen und kooperativen Geist« pries, erklärte, das Forum werde China weiterhin helfen, »den gemeinsamen Traum zu verwirklichen, mit Weltfrieden, Glück, Gerechtigkeit, Gleichheit und Liebe über die Armut zu triumphieren«.[82]

Anscheinend ist es dem chinesischen Regime gelungen, einen beträchtlichen Teil der europäischen Think Tanks zu neutralisieren oder für sich zu gewinnen, indem es wohlwollende Stimmen hegt und kritische zum Schweigen bringt, darunter jene, die Beijings Einmischung in Europa untersuchen.

Andere Formen des Drucks

Geld ist nicht das einzige Mittel, das die KPCh einsetzen kann, um Denkfabriken im Westen gefügiger zu machen. Im Jahr 2019 berichtete Isaac Stone-Fish, die chinesische Botschaft in den Vereinigten Staaten arbeite an einer »weißen Liste« von Personen, denen bei Einreisevisa eine Vorzugsbehandlung zugestanden werden solle.[83] Mitarbeiter, die in Think Tanks an China-Themen arbeiten, sind ebenso betroffen von dieser Form des Drucks wie Journalisten (und Wissenschaftler und Intellektuelle, wie wir im nächsten Kapitel sehen werden), und sogar ohne chinesische Finanzierung oder andere Verbindungen zur KPCh spüren sie den Druck. Für einen Bericht der Hoover Institution befragte Forscher erklärten, sie seien von Visabeamten darüber aufgeklärt worden, dass eine Nennung bestimmter Think Tanks als Arbeitgeber eine Einreiseerlaubnis erschweren oder sogar unmöglich machen könne.[84]

In einem anderen Manöver schickte Huawei im Jahr 2019 einen Brief an die Sponsoren des Australian Strategic Policy Institute (ASPI), darunter Boeing und Google, und bezichtigte die Denkfabrik einer »ungesunden Fixierung« auf das Unternehmen. Aus dem Brief ging hervor, dass Huawei »extrem enttäuscht vom Verhalten des Instituts« sei. Der Grund für die Enttäuschung war, dass das ASPI »zum ›Sammelbecken‹ für alles Antichinesische« geworden sei. Der Brief deutete an, dass es den Sponsoren schaden werde, mit einer solchen Einrichtung in Verbindung gebracht zu werden.[85]

Die einzige europäische Denkfabrik, die sich vollkommen auf China konzentriert, das Mercator Institute for China Studies (MERICS) in Berlin, ist ebenfalls unter Druck geraten. Im Jahr 2017 erschien in der nationalistischen Parteizeitung *Global Times* eine Reihe von Artikeln, in denen das Institut scharf angegriffen wurde, weil es »irregeleitete Forscher« fördere und »politisierte« Forschung betreibe. Die Zeitung zettelte eine persönliche Kampagne gegen den damaligen Leiter von MERICS, Sebastian Heilmann, an. Besonders unzufrieden war Beijing Anfang 2018, als MERICS gemeinsam mit dem Global Public Policy Institute einen Bericht veröffentlichte, in dem die Intensivierung der Einflussnahme der KPCh in Europa kritisiert wurde. In dem (von Mareike Ohlberg mitverfassten) Bericht mit dem Titel »Authoritarian Advance« wurde die europäische Politik aufgerufen, Maßnahmen gegen den Vormarsch des chinesischen Regimes in Europa zu ergreifen. Als Heilmann kurze Zeit später bei MERICS ausschied, nahm die *Global Times* seinen Rückzug für sich in Anspruch und erklärte, ihre Kritik an dem Berliner Institut habe die Stiftung, die es finanziere – die Mercator Stiftung – »unter Druck gesetzt«.[86]

Diese Behauptung ist haltlos, aber Heilmanns Nachfolger an der Spitze des Instituts, der niederländische Sinologe Frank Pieke, hat tatsächlich Ansichten geäußert, die der KPCh sehr viel angenehmer sein dürften. Beispielsweise erklärte er, Huawei werde verteufelt, und bezeichnete die Befürchtungen in Bezug auf das Unternehmen als »Paranoia«.[87] Im Jahr 2019 erklärte Pieke, China habe »die gewaltsame

Natur der westlichen Zivilisation und ihre Intoleranz gegenüber echtem Wettbewerb erheblich unterschätzt«, und nachdem das Land in der Vergangenheit geglaubt habe, »der Westen werde eine sehr viel wichtigere Rolle Chinas in der Welt akzeptieren«, habe es ein böses Erwachen erlebt, weshalb die Diplomatie Beijings jetzt »nicht länger auf der Annahme beruht, dass die Menschen vollkommen rational sind«.[88] Die Wurzel des Übels, erklärt Pieke, ist nicht der Aufstieg einer zunehmend aggressiven autoritären Großmacht, sondern »die westliche Einstellung gegenüber dem kommunistischen China«. Die Angst des Westens, erklärt er, sei eine *Projektion*, die »mehr über die Ängste des Westens in Bezug auf seine eigene Zukunft als über die Vorgänge in China verrät«.

Dieses rosige Bild von der KPCh als naivem globalem Akteur, der nur gute Absichten verfolgt und von einer irrationalen westlichen Feindseligkeit überrascht wird, ignoriert die Schriften der Partei aus 30 Jahren, die zeigen, dass die KPCh das im Kalten Krieg verhaftete Denken auch in jenen Phasen nicht aufgab, in denen die Beziehungen zum Westen am besten waren.

Nach seiner Ernennung zum neuen Leiter von MERICS, aber noch vor dem Antritt seiner neuen Tätigkeit, kritisierte Pieke in einem Interview mit chinesischen Medien den Bericht »Authoritarian Advance«.[89] Nach einigen Kommentaren zu im Westen verbreiteten falschen Vorstellungen von China erklärte er, der Bericht habe China irrtümlich als Feind dargestellt und beruhe auf schwachen Belegen. Das Interview zeigte deutlich, dass MERICS unter Piekes Leitung keinen solchen Bericht mehr herausgeben würde. Doch trotz Piekes Ansichten zogen einige seiner Äußerungen und die Arbeit von MERICS weiterhin »den Zorn der chinesischen Behörden« auf sich.[90] Im Januar 2020 gab die Denkfabrik bekannt, dass Pieke »aufgrund von Meinungsverschiedenheiten bezüglich der strategischen Entwicklung von MERICS« zurückgetreten sei.[91]

Meinungsmacher

Jene westlichen Intellektuellen und Meinungsführer, die mit ihren Ansichten die Legitimität der Herrschaft der KPCh und ihre globalen Ambitionen stützen, tun dies teils auf unverhohlene und teils auf subtile Art und Weise. Ein Beispiel für die erste Methode liefert Tom Plate, der Vizepräsident des Pacific Century Institute, der erklärt, die besten Ideen zur Lösung der Probleme der Welt stammten von Professoren an der Zentralen Parteihochschule in Beijing sowie von Kishore Mahbubani, einem Autor aus Singapur, und dem australischen strategischen Denker Hugh White.[92] Chinas Botschafter in Kanada ist derselben Meinung: Nachdem er westliche Kritik an der KPCh verurteilt hatte, forderte er uns auf, »vernünftigen Staatsmännern« wie Jimmy Carter zuzuhören und Mahbubanis neues Buch zu lesen, in dem er den Regierungsstil von Xi Jinping als Beispiel für »rationale gute Herrschaft« bezeichnet.[93]

Als die Huawei-Managerin Meng Wanzhou in Kanada verhaftet wurde, schrieb Jeffrey Sachs, der bekannte Wirtschaftsprofessor an der Columbia University, einen Meinungsartikel mit dem Titel »Der Krieg gegen Huawei«, in dem er erklärte, die Aktion sei »beinahe eine Kriegserklärung der USA an die chinesische Wirtschaftsgemeinde« und ein Beispiel für »Trumps Gangstertaktik«.[94] Sachs verkündete, nicht das Regime der KPCh, sondern die Vereinigten Staaten seien »heute die größte Bedrohung für die internationale Rechtsstaatlichkeit«.

Sachs' Angriff auf die Heuchelei der Vereinigten Staaten – er erklärte, die amerikanischen Behörden hätten die Leiter amerikanischer Unternehmen, die gegen dieselben Gesetze verstoßen hätten, nicht verhaftet – wäre überzeugender gewesen, hätte der Professor nicht eine derart innige Beziehung zu Huawei, wie Twitter-Nutzer rasch aufdeckten.[95] Im November 2018 hatte Sachs »Huaweis Vision für unsere gemeinsame digitale Zukunft« als »wirkungsvoll, begeisternd und unvergleichlich gut fundiert« bezeichnet.[96] Dies waren die ersten

Worte auf einer Seite voller Plattitüden, mit denen Huawei als das Unternehmen gepriesen wurde, das die Menschheit in die Zukunft führen werde.[97]

Nach Angaben chinesischer Staatsmedien hat Sachs Xi Jinpings große Seidenstraßen-Initiative als »eine der wichtigsten wirtschaftlichen Entwicklungsinitiativen in der Geschichte der modernen Ökonomie« bezeichnet. Diese Initiative, erklärt Sachs, sei »voller Weisheit« und diene der Errichtung einer »humanisierten Plattform für die Förderung von Frieden und Zusammenarbeit in Europa und Asien«.[98]

Es dauerte offenbar einige Jahre, bis man Jeffrey Sachs so weit hatte. Er wurde durch seine Verbindungen zu einer Reihe staatlicher chinesischer Einrichtungen und zum privaten Energiekonzern CEFC China Energy bearbeitet, bei dessen Veranstaltungen Sachs aufgetreten ist.[99] (Die Führung von CEFC ist mittlerweile wegen Korruption angeklagt worden.) Auf CNN wiederholte Sachs seine Kritik an der Verhaftung von Meng Wanzhou. Im kanadischen Fernsehen CBC pries er Huawei und verteidigte die Entscheidung der chinesischen Behörden, zur Vergeltung zwei kanadische Bürger zu verhaften. Sachs betete die Propagandatropen der KPCh nach und erklärte, Mengs Verhaftung sei Ausdruck der »dem Kalten Krieg verhafteten amerikanischen Denkweise«. Seine Aussagen wurden auch im chinesischen Staatsfernsehen wiedergegeben.[100]

Als heftige Kritik an seinem Einsatz für Huawei und seinen Verbindungen zur KPCh über Sachs hereinbrach, stand ihm die *Global Times* bei und forderte tatsächlich Meinungsfreiheit für ihn ein.[101] In Reaktion auf den Proteststurm schloss Sachs seinen Twitter-Account, aber er fand Zustimmung in Beijing, wo er im März 2019 bei einem großen Treffen der chinesischen Staatsführung auftauchte und Donald Trumps »wirtschaftlichen Analphabetismus« kritisierte.[102]

Die Legitimität der KPCh wird auch von jenen reichen und einflussreichen Amerikanern chinesischer Herkunft gestützt, die sich zum Committee of 100 zusammengeschlossen haben. Aus der Website des Komitees geht hervor, dass die Idee für die Gruppe im Jahr

1988 aufkam, als einer der späteren Gründer, I. M. Pei, mit Henry Kissinger darüber sprach, »eine Gruppe einflussreicher chinesischstämmiger Amerikaner zu bilden, um über Fragen von internationaler Bedeutung zwischen den Vereinigten Staaten und China zu diskutieren«.[103] Das Komitee wurde im Jahr 1990 ins Leben gerufen, zu einer Zeit, als die KPCh infolge des Massakers in der Umgebung des Tiananmenplatzes international isoliert war; in dieser Situation sah die Gruppe eine »dringende Notwendigkeit, Brücken zwischen China und den Vereinigten Staaten zu bauen«.[104] Heute erfüllt das Komitee eine doppelte offizielle Mission: Es will »die umfassende Teilhabe aller chinesischstämmigen Amerikaner an der amerikanischen Gesellschaft fördern« und »den konstruktiven Dialog und die Beziehungen zwischen den Völkern und Führern der Vereinigten Staaten und Großchina vertiefen«.[105] Theoretisch könnte das breit gefächerte Aktivitäten ermöglichen: Beispielsweise könnte sich das C100 für Reziprozität in den amerikanisch-chinesischen Handelsbeziehungen und für die Rechte der Minderheiten in China einsetzen. Oder es könnte im Namen jener chinesischstämmigen Amerikaner sprechen, die in China gefangen sind, weil ihnen die Ausreise verweigert wird.[106]

Aber eine Auswertung der öffentlichen Stellungnahmen des C100 zeigt, dass sich das Komitee auf sehr viel enger eingegrenzte Fragen konzentriert und sich dabei oft an den Interessen der KPCh ausrichtet. Auf der einen Seite verteidigt es pflichtgemäß Personen chinesischer Herkunft, deren Rechte in den Vereinigten Staaten verletzt wurden – aber auf der anderen schweigt es zu den massiven Menschenrechtsverstößen in China. Mark Simon drückt es so aus: »Es ist schwierig, in der Auseinandersetzung (des Komitees) mit der amerikanisch-chinesischen Beziehung irgendwelche nennenswerten Einwände gegen das Vorgehen der KPCh zu finden.«[107]

Einige namhafte Mitglieder des C100 unterhalten enge geschäftliche und persönliche Beziehungen zur Führung der KPCh und ihrem Einheitsfrontapparat. Das Gründungsmitglied C. B. Sung war ein Berater des Bundes repatriierter Auslandschinesen in Shanghai.[108] Weitere Mitglieder sind der Mitgründer der HNA Group, des mit dem roten Adel vernetzten Konglomerats, sowie der Präsident von Baidu, dem riesigen Internetkonzern, der sich am Zensurregime der KPCh beteiligt. Delegationen und führende Vertreter des C100 treffen sich regelmäßig mit hochrangigen Parteifunktionären aus der Einheitsfrontabteilung und dem Büro für auslandschinesische Angelegenheiten.[109] Bei einem Treffen mit der damaligen Leiterin der Einheitsfrontabteilung, Liu Yandong, versicherte ihr der ehemalige Vorsitzende des C100, John Fugh, das Komitee der 100 werde sich »weiter für die Modernisierung Chinas, für die friedliche Wiedervereinigung des Landes und für gute sino-amerikanische Beziehungen« einsetzen.[110]

Der verstorbene Charles Sie, ein früherer Vizepräsident des C100, beriet laut chinesischen Medienberichten hochrangige Einheitsfrontfunktionäre bei einem Besuch in Los Angeles in der Frage, wie sie ihre Propaganda zu Tibet wirksamer gestalten könnten. Einer seiner Vorschläge war, man solle frühere tibetische »Leibeigene« nach Hollywood bringen, wo sie sich mit Filmstars treffen und diesen erzählen sollten, welche Fortschritte Tibet unter der KPCh gemacht habe.[111]

Victor Fung, dessen Fung Foundation verschiedene Denkfabriken finanziert, ist ebenso ein Mitglied des C100 wie Ronnie Chan, ein weiterer Geschäftsmann aus Hongkong, der sowohl in chinesischen als auch in amerikanischen Denkfabriken Posten bekleidet. Chan ist Vorsitzender des strategischen Beirats des mit der KPCh verbundenen Center for China and Globalization und ein Berater der China Development Research Foundation des Staatsrats. In den Vereinigten Staaten ist er im chinafreundlichen Peterson Institute vertreten und ist unter anderem ein hochrangiges Mitglied der CUSEF und zudem einer der Vorsitzenden des Kuratoriums eines gemeinsamen Publikationsprojekts der Universität Yale und des Fremdsprachenbüros der KPCh.[112] Ronnie Chan leitet auch das Kuratorium des Hongkonger Büros der Asia Society, die sich im Jahr 2017 weigerte, den Studentenaktivisten Joshua Wong bei einer Buchvorstellung zu Wort kommen zu lassen.[113] Im Jahr 2014 spendete Chan der Universität Harvard 350 Millionen Dollar.[114]

Es ist möglich, dass ein Teil der C100-Mitglieder nicht mit den regimefreundlichen Positionen der Führung einverstanden ist, aber man kommt kaum um die Schlussfolgerung herum, dass das Komitee der KPCh bedenklich nahesteht und folglich sehr viel weniger repräsentativ für die Anliegen der chinesischstämmigen Amerikaner ist, als es sein könnte.

Die Expansion der Partei-Denkfabriken im Inland

Unter Xi Jinping hat das Regime seine Anstrengungen verdoppelt, in China Denkfabriken aufzubauen, die der Partei zur Seite stehen können. Der im Jahr 2015 vorgelegte 13. Fünfjahresplan beinhaltete Pläne zur Errichtung von 50 bis 100 »Spitzendenkfabriken« in den Geistes- und Sozialwissenschaften, um die Glaubwürdigkeit des politischen und wirtschaftlichen Systems Chinas zu erhöhen.[115] Das Ziel bestand von Anfang an darin, Chinas Stimme international zu verstärken. In einem zentralen Dokument zu »neuartigen Denkfabriken chinesischer Prägung« wurde die Bedeutung dieser Einrichtungen für die Förderung der chinesischen Werte in der Welt, für den Aufbau neuer »Diskurssysteme« und für die Ausweitung des internationalen Einflusses des Landes erklärt.[116] Im März 2019 rief Huang Kunming, der Leiter der Propagandaabteilung, den führenden chinesischen Denkfabriken ihre Pflicht in Erinnerung, den Austausch und die Kooperation auf internationaler Ebene zu intensivieren, um »Chinas Geschichte richtig zu erzählen« und »Chinas Standpunkt zu verbreiten«.[117] Die Errichtung dieser Denkfabriken dient mithin dem Ziel der KPCh, die Wahrnehmung Chinas in der Weltöffentlichkeit zu verändern. Und es funktioniert.

Während einige Denkfabriken ganz offiziell mit staatlichen Behörden oder Parteiorganen verbunden sind, werden viele im letzten Jahrzehnt gegründete Einrichtungen als »unabhängig« und »regierungsunabhängig« dargestellt. So beschreibt sich zum Beispiel das Charhar-Institut als »regierungsunabhängige und überparteiliche Denkfabrik«.[118] Sein Gründer Han Fanming ist stellvertretender Vorsitzender des Außenpolitischen Ausschusses der PKKCV und übt Funktionen in der Gesellschaft des chinesischen Volkes für Freundschaft mit dem Ausland (CPAFFC), einer Einheitsfrontorganisation, sowie in einem Forschungszentrum der Zentralen Parteihochschule aus.[119]

Charhars Behauptung, unabhängig zu sein, ist nicht nur wegen der persönlichen Verbindungen seiner Führungskräfte zum Parteiapparat irreführend, sondern auch weil die Kontrolle der Partei über die Denkfabriken in politischen Beschlüssen festgeschrieben ist. Aus diesen Dokumenten geht klar hervor, dass *alle* Denkfabriken »die Führungsrolle der Partei aufrechterhalten« und dafür einstehen müssen, »dass die Partei die Denkfabriken leitet«.[120] In nationalen Leitlinien ist festgehalten, dass Denkfabriken »Aktivitäten durchführen sollten, die der Entscheidungsfindung von Partei und Regierung dienen«.[121] Think Tanks, die nach Unabhängigkeit streben, geraten unter immensen Druck. Ein besonders auffälliges Beispiel in jüngerer Zeit war das Unirule Institute of Economics, das im Jahr 2019 den Betrieb einstellte, nachdem es mehrere Jahre lang von den Behörden schikaniert und von seiner Arbeit abgehalten worden war.[122]

Obwohl die chinesischen Denkfabriken am Gängelband der KPCh gehen, bemühen sich westliche Denkfabriken eifrig um hochrangig besetzte Begegnungen und Partnerschaften mit ihnen. Ein prominentes Beispiel ist das in Beijing ansässige Center for China and Globalization (CCG), das eng in die Parteistruktur eingeflochten ist, wie wir in Kapitel 6 gesehen haben. Es wurde im Jahr 2008 von Wang Huiyao gegründet (der auch als Henry Wang bekannt ist), einem Funktionär der Einheitsfront, der eine Reihe von Positionen in Regierungsstellen und Abteilungen der KPCh bekleidet. Seit 2008 gehört Wang dem Zentralkomitee der Gesellschaft des 3. September (Jiusan Xueshe) an, einer von acht zugelassenen »demokratischen Parteien« Chinas; außerdem ist er stellvertretender Direktor eines Sonderausschusses des Allchinesischen Bundes repatriierter Auslandschinesen (ACFROC, siehe Organigramm im Vor- und Nachsatz).[123]

Das CCG bemüht sich sehr aktiv um Kontakte zum Ausland. Wang Huiyao hat beim Jahrestreffen des Committee of 100 in China gesprochen. Er nahm 2019 auf der Münchner Sicherheitskonferenz an einer Expertenrunde teil,[124] bei der das CCG seine erste Nebenveranstaltung zur Seidenstraßen-Initiative organisierte.[125] Wang gehört auch dem Leitungsgremium des Pariser Friedensforums an, Emmanuel Macrons »Davos für Demokratie«, wo er mit Pascal Lamy und den Mächtigen der Welt von Merkel bis Putin zusammenkommt.[126] Als das Kissinger Institute des Wilson Center Wang zu einem Vortrag bei einer Konferenz über ausländischen Einfluss einlud, rügte Senator Marco Rubio die Organisatoren dafür, dass sie Wangs politische Zugehörigkeit nicht offengelegt hatten. Daraufhin sagte Wang seine Teilnahme ab.

Eine andere wichtige chinesische Denkfabrik ist das China Centre for International Economic Exchanges (CCIEE), das im Jahr 2009 »nach den Anweisung von Ministerpräsident Wen Jiabao« ins Leben gerufen wurde. Seine Rolle ist es, »die höchstrangige Denkfabrik in China zu sein«.[127] Das CCIEE untersteht der zentralen makroökonomischen und Planungsbehörde des Landes, der Nationalen Entwicklungs- und Reformkommission,[128] und wird vom ehemaligen Vize-Premierminister Zeng Peiyan geleitet. Das Personalbüro des CCIEE ist zugleich das Büro des Disziplinarischen Inspektionsausschusses des Parteikomitees.[129] Die am CCIEE tätigen Experten sind de facto Staatsbeamte, die kaum Spielraum haben, sich außerhalb der von der Partei festgelegten Parameter zu bewegen.[130]

Das CCIEE verfügt über eine gute finanzielle Ausstattung und beteiligt sich aktiv an den globalen Wirtschaftsdebatten. In Partnerschaft mit Bloomberg hat es eine große internationale Konferenz geplant, deren Ziel es ist, die nationalen Bestrebungen Chinas und der Vereinigten Staaten miteinander in Einklang zu bringen, wie es der Kuratoriumsvorsitzende ausdrückte, der allgegenwärtige Henry Kissinger.[131] Neben Kissinger sitzen weitere Freunde Chinas im Kuratorium der Konferenz, darunter der ehemalige amerikanische Finanzminister Henry Paulson, der frühere Wirtschaftsberater des Weißen Hauses, Gary Cohn, der ehemalige australische Premierminister Kevin Rudd und Tung Chee-hwa, der Hongkonger Milliardär, der die China-U.S. Exchange Foundation finanziert.[132]

Im Jahr 2016 verfasste das CCIEE gemeinsam mit dem East Asian Bureau of Economic Research an der Australian National University einen Bericht über die Zukunft der wirtschaftlichen Beziehung zwischen den beiden Ländern.[133] Der Bericht wurde als »erste große unabhängige Studie« der Beziehung angepriesen; seine Autoren riefen dazu auf, den »Turbolader« einzuschalten, was durch größere Ströme chinesischer »Touristen, Studenten, Investoren und Migranten« nach Australien erreicht werden sollte. Aber statt China zur Öffnung seiner Märkte aufzufordern, schrieb Professor Peter Drysdale, der federführende Autor des Berichts, Australiens »geschützte Industrien« bräuchten mehr Konkurrenz aus China, obwohl Australien eine der offensten Volkswirtschaften der Welt hat. Das Problem Australiens – und in dem Bericht wimmelt es von australischen Problemen – ist nach Ansicht der Autoren, dass seine Öffentlichkeit »die Vorteile ausländischer Investitionen« aus China »nicht versteht«, was seinen Ursprung oft in Xenophobie habe. Der Bericht empfiehlt die Beseitigung der Beschränkungen für chinesische Investitionen einschließlich solcher in kritische Infrastrukturen. Die Autoren sehen das Problem nicht darin, dass wichtige geschäftliche Entscheidungen in China oft untrennbar mit den Interessen und strategischen Bestrebungen des Parteistaats zusammenhängen, sondern in der Ignoranz der australischen Öffentlichkeit. Dieser »gemeinsame Bericht« liest sich wie eine Wunschliste der chinesischen Machthaber, aber bei der Australian National University rannten sie damit offene Türen ein.

Im Jahr 2017 veröffentlichte das CCIEE einen ähnlichen gemeinsamen Bericht mit der Brüsseler Denkfabrik Bruegel, Chatham House und der Chinese University of Hong Kong. Der teilweise von Huawei finanzierte Bericht mit dem Titel »EU-China Economic Relations to 2025: Building a Common Future« rief zu Freihandels- und Investitionsabkommen zwischen der EU und China, einem Anschluss Europas an die Seidenstraßen-Initiative und einer engeren Kooperation in Wissenschaft, Technologie und Innovation auf. Der hochrangigen Beratergruppe für den Bericht gehörten Peter Mandelson vom 48 Group Club, Huang Ping, der Leiter des China-CEE Institute in

Budapest (dies war der erste chinesische Think Tank in Europa), der CUSEF-Gründer Tung Chee-hwa und das PKKCV-Mitglied Victor Fung an.[134]

Das Taihe Institute ist eine weitere mit der KPCh verbundene Denkfabrik, die Unabhängigkeit vorgibt. Die 2013 in Beijing gegründete Organisation behauptet, Forschungszentren in Europa und den Vereinigten Staaten zu haben. In Deutschland wird das Europazentrum des Taihe-Instituts von Thorsten Jelinek geleitet, einem ehemaligen Associate Director des Weltwirtschaftsforums. Es gibt keine offiziellen Angaben dazu, wer in der Parteihierarchie für das Taihe-Institut zuständig ist, aber es beschäftigt zahlreiche Forscher von den China Institutes of Contemporary International Relations, einer großen Denkfabrik beim Ministerium für Staatssicherheit.[135] Die wichtigste Veranstaltung von Taihe ist das Taihe Civilizations Forum, das erstmals im Jahr 2017 stattfand. Unter den Rednern in jenem Jahr waren der ehemalige tschechische Ministerpräsident Jan Fischer, Cheng Li von der Brookings Institution, Steve Orlins, der Präsident des National Committee on U.S.-China Relations, sowie Robert Daly vom Wilson Center.

In einer Studie über Beeinflussungsoperationen in Zusammenhang mit der Seidenstraßen-Initiative beschreibt Nadège Rolland die Silk Road Think Tank Association, das Silk Road Think Tank Network und das (von Xinhua betriebene) Belt and Road Studies Network.[136] Die Silk Road Think Tank Association operiert unter den Auspizien der Internationalen Verbindungsabteilung der KPCh und wird von deren hauseigener Denkfabrik koordiniert, dem China Center for Contemporary World Studies.[137] Das Sekretariat des Silk Road Think Tank Network ist im Entwicklungsforschungszentrum des Staatsrats untergebracht. Angesehene europäische Einrichtungen haben sich diesem Netzwerk angeschlossen, darunter Chatham House, das Königliche Elcano-Institut in Madrid, das Deutsche Institut für Entwicklungspolitik und das Development Centre der OECD. Diese Denkfabriken sagten dem chinesischen Regime Gefolgschaft zu *(biaotai)*, als sie die folgende, mit Propagandaslogans der KPCh versehene gemeinsame Erklärung abgaben:

Ausgehend von der gemeinsamen Einschätzung, dass die Seidenstraßen-Initiative ein wichtiges Unterfangen ist zur Förderung des weltweiten Wirtschaftswachstums, zur Vertiefung der
regionalen Kooperation und zur Förderung des Wohlergehens
von Menschen in aller Welt im von der Seidenstraße repräsentierten Geist von ›Frieden und Zusammenarbeit, Offenheit und
Inklusivität, gegenseitigem Lernen und beiderseitigem Vorteil‹
gemäß den Prinzipien von ›umfassender Konsultation, gemeinsamer Teilhabe und geteilten Vorteilen‹, riefen wir im Jahr 2015
gemeinsam das Silk Road Think Tank Network (SiLKS) ins
Leben.[138]

Beijing hat auch seinen eigenen Think Tank in Washington errichtet.[139]
Das Institute for China-America Studies (ICAS) wurde im Jahr 2015
als Außenposten des staatlichen Nationalen Instituts für das Studium
des Südchinesischen Meers gegründet. Seine vorrangige Aufgabe besteht darin, »eine klare Botschaft« in Bezug auf Chinas Ansprüche auf
das Südchinesische Meer zu senden.[140] Henry Kissinger, der jederzeit
mit seinem Namen für von Beijing unterstützte Vorhaben bürgt,
schickte eine Videobotschaft, in der er die Initiative begrüßte. Kissinger wird in Kreisen der KPCh geradezu verehrt.[141] Es heißt, dass in der
Zentralen Parteischule in Beijing nur ein einziges Bild von einem Ausländer an der Wand hänge – eines von Henry Kissinger.

In Washington ist die Einschätzung verbreitet, dass das Institute for
China-America Studies wenig bewirkt hat.[142] Die Einrichtung führt
ein Schattendasein und hat offenbar weder politische Analysen vorgelegt noch Lobbyarbeit geleistet. Aber viele Wege führen nach Rom.
Die Aufgabe des ICAS besteht darin, die Freunde der KPCh zu organisieren, anzuspornen und zu belohnen. Zu den Board-Mitgliedern
zählt Myron Nordquist, der stellvertretende Direktor des Center for
Oceans Law and Policy an der juristischen Fakultät der University
of Virginia. Nordquist, ein Experte für Seerecht, hat eine detaillierte
Auswertung der Entscheidung des Internationalen Gerichtshofs in
Den Haag verfasst, der zufolge die Besetzung mehrerer Inseln im

Südchinesischen Meer durch China jeglicher Rechtsgrundlage entbehrt. Nordquist ist zu dem Schluss gelangt, der Gerichtshof habe das Seerecht nicht richtig ausgelegt und sich an politischen Faktoren orientiert. Mit dieser Argumentation lieferte Nordquist dem chinesischen Regime Munition zur Verteidigung seines Vorgehens.[143]

Ein weiteres Board-Mitglied des ICAS ist Sam Bateman, ein ehemaliger Offizier der australischen Kriegsmarine, der heute als Gastprofessor an der University of Wollongong in New South Wales Vorlesungen über die Sicherheit der Weltmeere hält.[144] Er verteidigt bei jeder Gelegenheit den Expansionismus Chinas und erklärt beispielsweise, indem der amerikanische Vizepräsident Pence im Jahr 2018 China für sein Vorgehen im Südchinesischen Meer gerügt habe, habe er eine maßlose Sinophobie geschürt.[145] Bateman führt die Spannungen im Asien-Pazifik-Raum auf das aggressive amerikanische Vorgehen zurück und hat einige fadenscheinige Argumente dafür vorgelegt, warum die Entscheidung des Gerichtshofs in Den Haag über den Konflikt im Südchinesischen Meer angeblich irrelevant und nicht im Interesse Australiens war. In Einklang mit der Position der KPCh schrieb er, Australien solle sich stattdessen bemühen, »die Kooperation zu fördern und Vertrauen zu schaffen«.[146]

Ein drittes Mitglied der ICAS-Leitung ist Gordon Houlden, ein ehemaliger Diplomat, der viele Jahre in China verbracht hat und heute das China-Institut an der University of Alberta leitet. Er hat größere Unabhängigkeit bewiesen als Nordquist und Bateman. Kurze Zeit nach der Entscheidung des Den Haager Gerichtshofs schrieb er, Kanada habe »ein bleibendes Interesse an Verhandlungen und Schiedsgerichtsverfahren im Bereich des internationalen Rechts«. Er forderte die kanadische Regierung zu einer Stellungnahme auf, die »unser Bekenntnis zu einer regelbasierten Governance in seerechtlichen Fragen unterstreicht«.[147] Das ICAS hat auch Unterstützung von Michael Swaine und Susan Thornton erhalten, zwei der federführenden Autoren des in Kapitel 3 erwähnten Briefs »China ist nicht der Feind«. Die beiden haben auf einer Reihe von Veranstaltungen des Instituts gesprochen.[148]

Das China-CEE Institute in Budapest wird von Huang Ping geleitet, der auch der Generaldirektor des Instituts für europäische Studien an der Chinesischen Akademie der Sozialwissenschaften (CASS) ist. Obwohl das China-CEE Institute in Ungarn als gemeinnütziger Verein eingetragen ist, ist es Teil der chinesischen Bürokratie; auf seiner Website findet sich die Angabe, dass es von der CASS organisiert und verantwortet wird.[149] Das chinesische System der »organisierenden Einheiten« und »verantwortlichen Einheiten« gewährleistet politische Gefügigkeit und Loyalität gegenüber der KPCh, indem es eine Kette der Verantwortlichkeiten erzeugt. Das China-CEE Institute ist in erster Linie deshalb bemerkenswert, weil es der erste europäische Ableger der CASS ist. Es hat eine Reihe von öffentlichkeitswirksamen Konferenzen über die Seidenstraßen-Initiative veranstaltet und trägt zur Festigung der guten Beziehungen und der Kooperation zwischen China und den mittel- und osteuropäischen Ländern bei.[150]

Schließlich sollten wir noch das World Forum for China Studies erwähnen. Das Forum wird von der Akademie der Sozialwissenschaften in Shanghai organisiert und findet seit 2004 alle zwei Jahre statt. Es steht unter der Verantwortung des Büros für Auslandspropaganda der KPCh und der Stadt Shanghai.[151] In jüngster Zeit hat es ins Ausland expandiert – im Jahr 2015 fanden Veranstaltungen bei der Asia Society in New York und im Carter Center in Atlanta statt.[152] Im Jahr 2017 organisierte das Forum eine Veranstaltung in Berlin unter dem Titel »China und die Globalisierung: Neue Ära, neue Herausforderungen«. Die Mitveranstalter waren das prestigeträchtige German Institute of Global and Area Studies und die Bertelsmann Stiftung.[153] Das war kein geringer Erfolg für eine von der wichtigsten Organisation der KPCh für Auslandspropaganda finanzierte Veranstaltung.

12

GEDANKENMANAGEMENT: DER EINFLUSS DER KPCH AUF DIE WESTLICHE AKADEMISCHE WELT

Die Universitäten als politisches Schlachtfeld

Konfuzius-Institute werden von westlichen Medien oft als Kanäle beschrieben, über die der chinesische Parteistaat Einfluss auf ausländische Universitäten ausübt. Aber das globale Projekt der Partei für das »Gedankenmanagement« ist sehr viel ehrgeiziger und nutzt eine Vielzahl von Kanälen. In diesem Kapitel untersuchen wir die Einmischung der KPCh in den Disziplinen der Sozial- und Geisteswissenschaften an westlichen Universitäten (mit der naturwissenschaftlichen und technologischen Forschung haben wir uns in Kapitel 8 beschäftigt).

Der Druck auf die Universitäten, sich dem Weltbild der KPCh anzupassen, wächst stetig und wird nicht nur über die Konfuzius-Institute, sondern auch durch direkte Lobbyarbeit chinesischer Botschaften und Konsulate ausgeübt. Chinesische Studenten werden angehalten, Aktivitäten ihrer Universitäten zu melden und Proteste zu organisieren. Hochschulen, die auf die Studiengebühren chinesischer Studenten angewiesen sind, wird gedroht, den Zustrom dieser Studenten zu drosseln, oder ihnen wird die Streichung gemeinsamer Programme und Führungskräfteausbildungen angekündigt. Zusätzlich zu diesen Zwangsmaßnahmen werden Forscher darüber im Unklaren gehalten, ob sie ein Einreisevisum für China erhalten werden.

Gleichzeitig verbreitet die KPCh systematisch ihre offiziellen »China-Narrative« und andere akademische Konzepte mit ihrer Strategie der »Globalisierung chinesischer Forschung«. Da Länder in aller Welt versuchen, ihre Wissenslücken in Bezug auf China zu schließen, haben finanziell klamme Universitätsadministrationen strukturelle Anreize, Kooperationsvereinbarungen mit chinesischen Institutionen anzustreben. Allerdings wissen viele nur wenig über die Ziele und Methoden der KPCh. Die Partei stellt das Verständnis der »chinesischen Sichtweise« als einen wichtigen Teil des akademischen Austauschs und der Bemühungen dar, mehr nicht-westlichen Forschern international Gehör zu verschaffen und den Eurozentrismus in der Wissenschaft zu überwinden. Das Problem ist, dass die »chinesische Sichtweise« in Wahrheit die Sichtweise der KPCh oder zumindest stark von ihr gefiltert ist. An sich ist nichts dagegen einzuwenden, die Perspektive der Partei darzustellen – schließlich hat sie rund 90 Millionen Mitglieder und ist eine globale Macht, die es zu berücksichtigen gilt –, aber dies mit der chinesischen Perspektive zu verschmelzen, ohne auf die zugrunde liegenden Bestrebungen der KPCh hinzuweisen (sie will ein »globales Diskurssystem mit chinesischen Charakteristika« errichten, um die Herrschaft der Partei auf Dauer zu sichern), ist bestenfalls irreführend. Schlimmer ist, dass es zur Unterdrückung alternativer Stimmen führt, darunter jener von Wissenschaftlern chinesischer Herkunft, die der KPCh kritisch gegenüberstehen.

Die KPCh glaubt, dass Gedankengut und Ideen eine entscheidende Rolle im Wettbewerb um die politische Macht spielen, und daher kommt der akademischen Welt eine unverzichtbare Rolle im ideologischen Kampf zu. Die chinesischen Universitäten sind unter Xi Jinping einer sehr viel strikteren Kontrolle der Partei unterworfen worden. Um zu verstehen, was die Partei global zu erreichen versucht, ist es hilfreich, einen kurzen Blick auf ihr Vorhaben zu werfen, durch akademische Forschung daheim »systemisches Selbstvertrauen« zu entwickeln: Wie in anderen Sphären ist auch die Neugestaltung der internationalen akademischen Landschaft eine Erweiterung des heimischen Projekts von Xi. Auch hier besteht das Ziel darin, Kritik an der Partei zum Verstummen zu bringen, ihre Vorstellungen von angemessener Zensur zu exportieren und Forschung zu fördern, welche die Vorteile des »chinesischen Wegs«, des »chinesischen Systems« und der »chinesischen Theorien« beleuchtet.[1]

Die KPCh hat seit Jahrzehnten Angst vor dem Potenzial »westlicher« Wissenschaft, den Glauben an die Partei zu schwächen und das politische System Chinas zu destabilisieren. In einem kurz nach der Unterdrückung der chinesischen Demokratiebewegung im Jahr 1989 veröffentlichten Buch über Deng Xiaopings Propagandabegriff heißt es, die vom Westen ausgehende »kulturelle Infiltration« habe zwei Ebenen.[2] Die erste sei die Verbreitung »feindlicher« politischer Ansichten durch ausländische Medien, die relativ leicht überwacht und bekämpft werden könne. Die zweite sei die ideologische und akademische Infiltration, die es »feindseligen Kräften« erlaube, chinesische Intellektuellen für moderne sozialwissenschaftliche Theorien und Werte zu gewinnen. Gegen diese Art von Infiltration, erklärte der Autor, könne man sich nur sehr viel schwerer verteidigen.[3]

Fast 30 Jahre später kam diese Vorstellung in einem Meinungsartikel in der *People's Daily* zum Ausdruck: »Den chinesischen Weg klar zu erklären, ist sowohl eine wichtige politische Verantwortung als auch eine bedeutsame Forschungsaufgabe für chinesische Akademiker.«[4] Die Erfüllung der Aufgabe wird nicht von den Neigungen und der Initiative der Wissenschaftler abhängig gemacht: Die ideologische Forschung wird vom Nationalen Amt für Philosophie und Sozialwissenschaften koordiniert, das seine Anweisungen von der Führungskleingruppe für Philosophie und Sozialwissenschaften sowie von der Propagandaabteilung erhält.[5] Xi Jinping hat die Bedeutung der Geistes- und Sozialwissenschaften für den wachsenden internationalen Einfluss Chinas hervorgehoben.[6]

Die jüngst aktualisierten Lehrpläne für den Fremdsprachenunterricht an chinesischen Sekundarschulen beinhalten Klassen, deren Zweck es ist, die Schüler gegen eine »Infektion« mit westlichen Ideen zu »immunisieren« und das Vertrauen in das chinesische System zu stärken. Die Schüler lernen, die beiden Systeme miteinander zu vergleichen, um »unabhängig« zu der Erkenntnis zu gelangen, dass das chinesische System überlegen ist.[7]

Die im Dokument Nr. 9 (siehe Kapitel 2) skizzierten sieben »falschen ideologischen Tendenzen«, die Parteikadern verboten sind, müssen auch in der akademischen Welt bekämpft werden. Studenten werden angehalten, Lehrkräfte zu melden, die durch abweichende Vorstellungen auffallen. In Wuhan verlor eine Professorin ihren Arbeitsplatz, nachdem ihre Studenten sie denunziert hatten, weil sie »falsche« Behauptungen über die Aufhebung der Beschränkung der Amtszeit des Staatspräsidenten aufgestellt hatte.[8] Andere wurden entlassen oder suspendiert, weil sie die chinesische Führung kritisierten oder geringfügigere »Gedankenverbrechen« begingen, darunter Meinungsäußerungen in Chatgruppen.[9]

Konfuzius-Institute

Die Konfuzius-Institute, die unter der Ägide von Hu-Wen (Hu Jintao und Wen Jiabao) konzipiert und im Jahr 2004 als harmlos wirkendes Instrument eingeführt wurden, um das Narrativ der Partei zu verbreiten und gleichzeitig Zugang zu ausländischen Universitäten zu finden, sind ein weiteres Produkt des Wunsches der KPCh, selber international »weiche kulturelle Macht« auszuüben.

Vordergründig haben diese Institute die Aufgabe, die chinesische Sprache zu unterrichten und für die Kultur des Landes zu werben, aber sie sind auch »ein wichtiger Teil des ausländischen Propagandasystems«, wie es der ehemalige Propagandaleiter Li Changchung ausdrückte.[10] Die Institute werden vom Büro des Internationalen Rats für die chinesische Sprache (dem Hanban) im Bildungsministerium geleitet. Der bekannte Sinologe David Shambaugh behauptet jedoch, dass die finanziellen Mittel für die Institute in Wahrheit von der Propagandaabteilung der KPCh zur Verfügung gestellt und im Bildungsministerium »gewaschen« werden.[11]

In der westlichen Welt findet man die größte Zahl von Konfuzius-Instituten in den englischsprachigen Ländern. Im Juli 2019 gab es in den Vereinigten Staaten etwa 90 Institute, obwohl es in jüngerer Zeit eine Welle von Schließungen gegeben hat.[12] In Großbritannien gibt es rund 30 und in Kanada 13 Niederlassungen.[13] In Europa sind neben Großbritannien die meisten in Frankreich, Deutschland und Italien zu finden. Die Länder Mittel- und Osteuropas, die oft als vorrangiges Ziel der Einflussnahme der KPCh in Europa betrachtet werden, beherbergen jeweils zwischen ein und vier Konfuzius-Institute, obwohl die Gesamtzahl wächst, während in Westeuropa Niederlassungen schließen.

Anders als die Goethe-Institute und die British Councils sind die Konfuzius-Institute überwiegend in ausländischen Universitäten untergebracht.[14] Das gibt ihnen potentiell auch Einfluss auf die Aufnahmeeinrichtungen. Über die Auswahl der Mitarbeiter und die Lehrpläne der Institute wird in der Regel in Beijing entschieden, was den China-Experten John Fitzgerald zu folgender Beobachtung veranlasst hat: »Universitäten, die [Konfuzius-Institute] zu Beijings Bedingungen und all den damit verbundenen Verpflichtungen aufnehmen, signalisieren damit die Bereitschaft, ihre akademischen Prinzipien hintanzustellen, um gute Beziehungen zu China zu knüpfen, [und] geben zu verstehen, dass die normale Sorgfaltspflicht in den Beziehungen zu chinesischen Universitäten und Firmen nicht gilt.«[15]

In den Vereinigten Staaten gab die konservative National Association of Scholars (NAS) im Jahr 2017 eine gründliche Untersuchung der Konfuzius-Institute in Auftrag.[16] Die Autoren der Studie gelangten zu dem Ergebnis, dass viele mit den Instituten verbundene Lehrkräfte »immensen Druck« verspürten, sich mit den Leitern der Konfuzius-Institute und der mit dem Institut arbeitenden Universitätsverwaltung gut zu stellen.[17] In den Leitungsgremien der Institute sitzen oft Personen mit engen Verbindungen zu Einheitsfrontorganisationen.[18] Auf der Website der Einheitsfrontabteilung wird diskutiert, wie die Konfuzius-Institute für die Einheitsfrontarbeit eingesetzt werden können.[19] Im NAS-Bericht wurde die Schließung dieser Einrichtungen gefordert. Es gibt auch glaubwürdige Berichte darüber, dass sich einige Institute an Spionage beteiligen.[20]

In zahlreichen Ländern sind Eingriffe der Konfuzius-Institute in die Freiheit von Forschung und Lehre, die Meinungsfreiheit und andere persönliche Freiheitsrechte dokumentiert. Einer der eklatantesten Vorfälle ereignete sich auf der Jahreskonferenz der Europäischen Vereinigung für Chinastudien in Portugal. Die Konferenz wurde vom Hanban und der taiwanesischen Chiang Chingkuo-Stiftung finanziert. Verärgert über die Nennung der Stiftung und anderer taiwanesischer Organisationen im Konferenzprogramm, ordnete Hanban-Direktor Xu Lin an, sämtliche Programmhefte zu beschlagnahmen und die anstößige Seite herauszureißen.[21] Die Konferenzteilnehmer waren schockiert über dieses Vorgehen, aber der Zwischenfall hatte keine merklichen Folgen für das Hanban oder die europäischen Konfuzius-Institute.

Zensur ist auch in anderen von den Instituten geförderten Aktivitäten nicht unbekannt. Themen wie die »drei Ts« – Taiwan, Tibet und Tiananmen – sind in den meisten Konfuzius-Instituten tabu.[22] Die Journalistin Isabel Hilton musste feststellen, dass ein Abschnitt in einem Artikel, den sie für ein vom Konfuzius-Institut finanziertes Buch verfasst hatte, gestrichen worden war: Die Passage war inakzeptabel gewesen, weil es darin um einen chinesischen Umweltaktivisten ging.[23]

Einige Institute beteiligen sich auch an Kabalen hinter den Kulissen, um die Absage von in Beijing unerwünschten Veranstaltungen durchzusetzen. So sagte im Jahr 2018 die Victoria University in Melbourne die Vorführung eines Dokumentarfilms in einem eigens für den Anlass vermieteten Saal ab, weil darin die Konfuzius-Institute kritisiert wurden.[24] Die Universität war vom Leiter des auf ihrem Campus untergebrachten Konfuzius-Instituts, Professor Colin Clark, vor drohenden Problemen gewarnt worden, und knickte ein, als sie vom chinesischen Konsulat unter Druck gesetzt wurde. Vom Promoter des Films auf die Absage angesprochen, behauptete die Universität, der Vorführsaal sei doppelt gebucht worden und es stehe kein anderer zur

Verfügung. Am vorgesehenen Tag standen mehrere geeignete Säle leer. Die Ironie war unübersehbar: Ein Dokumentarfilm, in dem die politische Macht der Konfuzius-Institute über ihre Aufnahmeorganisationen behandelt wurde, konnte nicht gezeigt werden, weil das Konfuzius-Institut seine Aufnahmeorganisation unter Druck setzte. Im Verhaltenskodex der Victoria University steht, dass die Hochschule »ein Ort des unabhängigen Lernens und Denkens« sei, »an dem Ideen und Gedanken ungehindert vorgebracht und begründete Meinungen frei zum Ausdruck gebracht werden können, sofern der gegenseitige Respekt gewahrt bleibt«.[25]

Im Jahr 2013 wurde die renommierte University of Sydney beschuldigt, einen Besuch des Dalai Lama abgesagt zu haben, um das chinesische Regime nicht zu verärgern und die Gelder nicht zu verlieren, die sie für ihr Konfuzius-Institut erhielt.[26] Als die Veranstaltung vom Campus verbannt und die Verwendung des Logos der Universität verboten wurde, erklärte der Vizekanzler Michael Spence, dies sei »im besten Interesse der Forscher an der gesamten Universität«.[27] Rund fünf Jahre später bezeichnete Spence die Regierungserklärungen und Medienberichte über die Einflussnahme der KPCh in Australien als »sinophobisches Gequassel«, und im Jahr darauf beschuldigte er jene, die sich besorgt über den Einfluss des chinesischen Regimes äußerten, sie wollten zu einer rassistischen »White Australia-Politik« zurückkehren.[28]

Das Verbot jeglicher Diskussion über die chinesische Politik einschließlich Themen wie den »drei Ts« hat eine bizarre Situation heraufbeschworen, in der australische Universitäten ihre Zentren für Amerika-Studien (die teilweise von Washington finanziert werden) gemäß der neuen Regeln für die Offenlegung ausländischer Einflussnahme anmelden, während sie es nicht für notwendig halten, ihre Konfuzius-Institute zu registrieren, weil diese keine politischen Fragen behandeln – obwohl sie Seminare veranstalten, in denen die Vorzüge der Seidenstraßen-Initiative gepriesen werden, und eine »Kultur« vermitteln, die von der Ideologie der Kommunistischen Partei geprägt und durch sie gefiltert ist.[29]

Wie sich herausgestellt hat, enthalten einige Verträge von Konfuzius-Instituten Bestimmungen, die gegen geltendes Recht der Gastländer verstoßen oder nicht mit den Werten der Aufnahmeuniversitäten vereinbar sind. Beispielsweise ist in diesen Verträgen oft festgehalten, dass die Institute keinen Aktivitäten nachgehen dürfen, die gegen chinesisches Recht verstoßen, und dieses beinhaltet unbestimmte, sehr umfassende Gesetze, die alles verbieten, was »die nationale Einheit gefährdet« und die »nationale Sicherheit bedroht«.[30] Das Konfuzius-Institut an der McMaster University in Kanada verbot seinen Mitarbeitern ausdrücklich, Falun Gong-Praktiken nachzugehen, obwohl diese Art der Diskriminierung in westlichen Demokratien gesetzwidrig ist. Nachdem sich die Universität vergeblich bemüht hatte, eine Streichung dieser Bestimmung durchzusetzen, schloss sie das Institut. Da derartige Vereinbarungen im Normalfall geheim sind, ist es schwer zu beurteilen, wie verbreitet dieses Problem ist. Beispielsweise lehnte die Universität Edinburgh eine Informationsanfrage zu potenziell diskriminierenden Bestimmungen in ihrem Vertrag mit dem Konfuzius-Institut unter Verweis auf ihre Verschwiegenheitspflicht ab.[31]

Die Konfuzius-Institute sind unterschiedlich transparent und greifen in unterschiedlichem Maß in die Aktivitäten ihrer Aufnahmeuniversitäten ein. Größere und einflussreichere Universitäten befinden sich in einer stärkeren Verhandlungsposition als kleinere oder weniger angesehene. Als die chinesische Seite über eine Vereinbarung zur Einrichtung eines Konfuzius-Instituts an der Universität Stanford verhandelte, versuchte sie, sämtlichen Diskussionen über sensible Themen wie Tibet von vornherein einen Riegel vorzuschieben. Als Stanford das ablehnte, gab das Hanban klein bei.[32] Aber renommierte Universitäten, die Konfuzius-Institute aufnehmen, müssen sich der Tatsache bewusst sein, dass sie einem Format Legitimität verleihen, das eingesetzt werden kann, um kleinere Akteure unter Druck zu setzen.

Direkter Druck

Die chinesischen Botschaften und Konsulate versuchen häufig, sich direkt in die Tätigkeit westlicher Universitäten einzumischen. Im Jahr 2018 sagte die Universität Salamanca in Spanien ihre Taiwanesische Kulturwoche ab, nachdem sich die chinesische Botschaft darüber beschwert hatte, dass der Repräsentant Taiwans als »Botschafter« bezeichnet worden war. Die Botschaft stellte klar, dass China der Veranstaltung nicht »zustimme«.[33] In Ungarn wurde die Universität Debrecen von der chinesischen Gesandtschaft gedrängt, taiwanesische Studenten von der Teilnahme am internationalen kulinarischen Tag der Universität auszuschließen, wenige Stunden bevor die Veranstaltung begann.[34] Und als die Abteilung für Sinologie der Freien Universität Brüssel im April 2019 eine Podiumsdiskussion mit einem Kasachen organisierte, der in einem der berüchtigten »Umerziehungslager« in Xinjiang interniert gewesen war, schickte die chinesische Botschaft Briefe an Organisatoren und potentielle Teilnehmer, um sie aufzufordern, der Veranstaltung fernzubleiben. Die Podiumsdiskussion fand wie geplant statt, wenn auch unter erhöhten Sicherheitsvorkehrungen.[35]

Manchmal werden Veranstaltungen mit Begründungen abgelehnt, die eher wie Vorwände klingen. Im Jahr 2014 scheiterte ein Fakultätsmitglied einer amerikanischen Eliteuniversität mit einem Vorschlag für eine Veranstaltung zum Thema der Regenschirm-Bewegung in Hongkong. Die Erklärung für die Ablehnung lautete, dem Vorhaben mangle es an »akademischer Substanz« – obwohl die Hochschule oft Aktivisten zu Gast hatte.[36] Der Verwaltungschef gab der Hoffnung Ausdruck, das Fakultätsmitglied werde »die Komplexität« des Engagements der Universität in Ostasien verstehen.

Ein weiterer Druckpunkt an den Universitäten sind chinesische Studenten. Auf einer folgenreichen Konferenz über Einheitsfrontarbeit im Jahr 2015 bezeichnete Xi Jinping chinesische Auslandsstudenten als einen der »drei neuen Brennpunkte« der Einheitsfront-

arbeit.[37] Aus Furcht, diese jungen Leute könnten mit westlichen Ideen
»infiziert« werden, unternimmt die KPCh große Anstrengungen, um
die Linientreue der Studenten zu gewährleisten. Viele von ihnen sind
in Vereinigungen chinesischer Studenten und Wissenschaftler lose
organisiert. Einige dieser Vereinigungen erklären auf ihren Websites,
dass sie von der jeweiligen chinesischen Botschaft oder vom örtlichen Konsulat anerkannt werden, dort registriert sind oder sogar von
diesen diplomatischen Vertretungen subventioniert werden. Die chinesische Studenten- und Wissenschaftlervereinigung in Großbritannien beschreibt sich selbst als offizielle Organisation »unter der
Anleitung der Bildungsabteilung der chinesischen Botschaft in Großbritannien«.[38] Die Chinese Students and Scholars Association (CSSA)
an der Boston University erklärt, dass sie beim chinesischen Konsulat
in New York registriert ist, und die CSSA an der Vanderbilt University
in Nashville gibt an, »Subventionen und Unterstützung« von der chinesischen Botschaft zu erhalten.[39] An einigen amerikanischen und
britischen Universitäten haben chinesische Studenten sogar Parteizellen gebildet.[40]

Es wird hitzig darüber debattiert, bis zu welchem Grad die Studen-
ten- und Lehrervereinigungen von Beijing kontrolliert werden. Ein
Großteil der Aktivitäten dieser Zusammenschlüsse kreist um unpoli-
tische soziale Veranstaltungen und die Unterstützung von Studenten,
aber sie haben tatsächlich Verbindungen zur Partei und zu chinesischen Staatsorganen. Einige erhalten Geld von chinesischen Botschaften.[41] Ihre Repräsentanten haben normalerweise der KPCh Treue gelobt und pflegen regelmäßige Kontakte zur Botschaft oder zum
örtlichen Konsulat. Durch diese Vereinigungen können chinesische
Studenten mobilisiert werden, damit sie bei Besuchen politischer Führer aus der Heimat »patriotische Unterstützung« signalisieren oder
gegen Aktivitäten protestieren, die in den Augen der KPCh »feindselig« sind. Im Jahr 2016 drängte Beijing chinesische Studenten und
Lehrkräfte in den Niederlanden zu Kundgebungen, um die chinesische Position in der Auseinandersetzung im Südchinesischen Meer zu
vertreten.[42] Im Jahr 2019 suchten regimefreundliche chinesische Stu-

denten in Kanada, Australien und Großbritannien teilweise aggressiv und einschüchternd die Konfrontation mit Studenten, die öffentlich die Demokratiebewegung in Hongkong unterstützten. An der University of Queensland wurde ein Student, der die Proteste in Hongkong unterstützte, körperlich attackiert. Am folgenden Tag gab der chinesische Generalkonsul eine Stellungnahme heraus, in der er die »patriotischen Aktionen« der regimefreundlichen Studenten lobte, was ihm eine Rüge des australischen Außenministeriums einbrachte.[43]

Als Studenten an der Universität Toronto die tibetischstämmige Chemi Lhamo zur Präsidentin des Studentenbundes wählten, wurde die junge Frau von chinesischen Studenten an der Universität mit Mord- und Vergewaltigungsdrohungen überhäuft, die möglicherweise von chinesischen Diplomaten angeregt worden waren.[44] In einer Online-Petition auf Change.org hieß es, Lhamos Einsatz für Tibet verstoße »offenkundig gegen die chinesische Geschichte, die chinesischen Gesetze und die Rechte der chinesischen Studenten«, und das chinesische Anti-Sezessions-Gesetz von 2005 verpflichte alle chinesischen Staatsbürger, gegen Lhamos Aktionen zu protestieren.[45]

Während einige solche Aktionen eigenständig von Studenten organisiert werden, werden andere zweifellos von den chinesischen Botschaften und Konsulaten initiiert oder koordiniert. Beispielsweise nahmen Studenten an der McMaster University in Ontario Kontakt zur chinesischen Botschaft auf, um zu melden, dass an der Universität ein Vortrag der uigurischen Aktivistin Rukiye Turdush geplant sei; später schickten sie Fotos von Turdushs Auftritt. Die *Washington Post* wertete einige WeChat-Mitteilungen zu diesem Vorfall aus und gelangte zu dem Schluss, es handle sich um ein »Anschauungsbeispiel dafür, dass chinesische Studenten an westlichen Universitäten mittlerweile eine lautstarke und koordinierte Kraft sind«.[46] Die McMaster University entzog der Chinese Students and Scholars Association anschließend ihren Status als Studentenvereinigung.[47]

Die chinesischen Studenten an dieser Universität hatten von Botschaftsmitarbeitern die Anweisung erhalten, herauszufinden, ob unter den Organisatoren des Vortrags auch Landsleute waren.[48] Besorgniserregender ist jedoch, wenn Studenten aus der Volksrepublik einander aus eigenen Stücken gegenseitig überwachen, und zwar auch im Unterricht. In neueren Studien berichteten Professoren in den Vereinigten Staaten, dass sie davon ausgingen, ihre chinesischen Studenten erstatteten den heimischen Behörden Bericht übereinander. Einige wurden direkt von chinesischen Studenten angesprochen, die glaubten, bespitzelt zu werden.[49] Vom Leiden Asia Center befragte europäische Lehrkräfte äußerten ähnliche Besorgnis.[50] An der Australian National University wurde ein Kommentar, den eine chinesische Studentin im Unterricht machte, an die Botschaft weitergeleitet, woraufhin ihre Eltern daheim in China Besuch von Mitarbeitern des Ministeriums für Staatssicherheit erhielten und wegen des Verhaltens ihrer Tochter verwarnt wurden. Und die Besucher von der Staatssicherheit kamen, nur zwei Stunden nachdem die Studentin diesen Kommentar abgegeben hatte.[51]

Selbstzensur

In einem viel zitierten Artikel aus dem Jahr 2002 verglich Perry Link (der seit vielen Jahren nicht nach China einreisen darf) die KPCh mit einer »Anakonda im Kronleuchter«: Normalerweise rührt sich die Riesenschlange nicht, denn sie muss nicht. Sie muss nicht klar signalisieren, wo sie die Grenzen des Erlaubten zieht. Vielmehr sendet sie allein mit ihrer Anwesenheit ständig eine stillschweigende Botschaft aus: »Du entscheidest selbst«. Und alle, die unter dem Kronleuchter die Gegenwart des großen Reptils spüren, passen ihr Verhalten in großen und kleinen Dingen an. Es passiert alles ganz »natürlich«.[52]

Link sprach in erster Linie von der Wirkung der Riesenschlange auf die akademische Welt in China, aber er wies darauf hin, dass sich dieser Effekt auch im Ausland bemerkbar machte. In diesen Tagen wird klar, dass die Anakonda auch über den Köpfen der China-Forscher im Westen hängt. Viele von ihnen passen »ganz von allein« an, was sie schreiben und sagen. Einige wollen es sich einfach nicht mit

dem Regime verderben, um weiter zur Forschung nach China einreisen zu dürfen. Andere betrachten ihr Verhalten als Rücksicht-
nahme auf ihre chinesischen Gesprächspartner oder wollen ihre
Kontakte und Quellen schützen.[53] Eine akademische Studie aus dem
Jahr 2018 hat gezeigt, dass 68 Prozent von 500 befragten Personen
glaubten, die Selbstzensur sei ein Problem unter Forschern, die sich
mit China beschäftigen.[54]

Hier haben wir es mit einem sensiblen Thema zu tun, das man
kaum ansprechen kann, ohne leidenschaftliche Reaktionen auszulö-
sen. Die meisten westlichen Wissenschaftler sind sehr stolz auf ihre
intellektuelle Unabhängigkeit, und die wenigsten von ihnen geben zu,
Selbstzensur zu betreiben – obwohl viele sie bei anderen beobachten.
Anastasya Lloyd-Damnjanovic gelangte in einer Studie über den politischen Einfluss Beijings auf amerikanische Universitäten zu folgendem Ergebnis:

> Es ist aufschlussreich, dass Lehrkräfte in einigen Fällen nur zu
> einer inoffiziellen Stellungnahme bereit waren, das heißt nur
> unter der Bedingung sprachen, dass ihre Angaben nicht schrift-
> lich festgehalten würden. Ein Fakultätsmitglied wollte das Inter-
> view nur durchführen, als sie in einem Hotel Zugang zu einem
> Festnetztelefon hatte, weil sie befürchtete, ihr Handy werde ab-
> gehört. Viele Lehrkräfte äußerten sich besorgt über die Möglich-
> keit, in der Studie öffentlich identifiziert zu werden, da sie Angst
> hatten, die Regierung der Volksrepublik China könne Vergel-
> tungsmaßnahmen ergreifen oder Progressive in den Vereinigten
> Staaten könnten Kritik an der Volksrepublik als »rassistisch« be-
> trachten. Das galt sogar für Personen, die behaupteten, keine
> Selbstzensur zu betreiben.[55]

Wenn wir zu sämtlichen Fragen schweigen, auf die die KPCh empfind-
lich reagiert – Tibet, Tiananmen, Taiwan, Xinjiang, die von den Familien der Parteiführer angehäuften Reichtümer –, so »bleibt ein China-
Bild übrig, das nicht nur sehr viel kleiner ist als das vollständige Bild,

sondern auch von ganz anderer Natur«, wie Perry Link erklärt.[56] Besonders verzerrt ist dieses Bild dort, wo es wenige oder keine alternativen Informationsquellen über China gibt.

Bei Journalisten wie bei Forschern ist die Einreiseerlaubnis eines der wirksamsten Mittel, um kritische Stimmen zu unterdrücken. Das gilt insbesondere für alle, deren Lebensunterhalt davon abhängt, dass sie China besuchen können.[57] Ein Einreiseverbot kann Karrieren von Wissenschaftlern zerstören, die Jahrzehnte damit verbracht haben, ihr Wissen über das Land zu vertiefen. Junge Akademiker ohne Lehrstuhl und solche, die Familie in China haben, sind besonders verwundbar, wenn das Regime Druck ausübt.[58]

Häufiger als die Verweigerung eines Visums ist die Verschleppung des Antrags. Wer ein Einreisevisum beantragt, muss das Datum des Flugs nach China im Antragsformular festhalten, und die Konsularbeamten bearbeiten den Antrag einfach nicht bis zu diesem Datum.[59] Neben den wenigen Personen, deren Namen ausdrücklich auf eine schwarze Liste gesetzt wurden, gibt es eine sehr viel größere Gruppe von Forschern, die in ständiger Ungewissheit leben und weder willkommen noch offiziell ausgesperrt sind. Das Problem wird dadurch verschärft, dass kaum jemand über die Verweigerung eines Visums sprechen möchte, weshalb es schwierig ist, das ganze Ausmaß dieser Praxis einzuschätzen.

Als die Debatte über die Einflussnahme der KPCh und ihre Einmischungsversuche in Australien Anfang 2018 einen Höhepunkt erreichte, unterzeichneten rund 70 mit China befasste Wissenschaftler einen offenen Brief, in dem sie die Diskussion als »sensationalistisch« bezeichneten und erklärten, sie sei einfach eine weitere Manifestation des altbekannten antichinesischen Rassismus in Australien.[60] Die Unterzeichner behaupteten, sie könnten »keinen Beleg dafür sehen«, dass sich Beijing in die Angelegenheiten Australiens einmische – und das, obwohl zahlreiche derartige Vorgänge dokumentiert sind. Wie im Fall der amerikanischen Unterzeichner des offenen Briefes, den wir in Kapitel 3 beschrieben haben, sprachen die australischen Akademiker die KPCh von der Verantwortung für ihr Vorgehen frei und suchten den moralischen Fehler bei ihrem eigenen Land. Die Probleme, die sie ansprechen, sind real, aber indem diese Forscher das tatsächliche Verhalten der KPCh ignorieren, verraten sie das Bekenntnis zur Wahrheit, auf dem das akademische Leben im Westen eigentlich beruhen soll. Die *Global Times* begrüßte den offenen Brief jener australischen Wissenschaftler als Beweis dafür, dass die Debatte über die Einflussnahme der KPCh beendet werden müsse, da sie lediglich »die Flammen« ethnischer Animosität »anfache«.[61]

Finanzielle Abhängigkeit

Die Tradition der intellektuellen Erkundung, der Suche nach der Wahrheit, egal, wohin der Weg führt, ist seit jeher von der Korruption durch Geld bedroht. In jüngster Zeit wird ein Teil dieser Korruption von chinesischem Geld verursacht. Ein Problem dabei bezeichnet Christopher Hughes von der London School of Economics als Modell des »Universitätsunternehmens«.[62] Wenn eine Universität gemeinsam mit chinesischen Partnern Forschungsvorhaben mit Gewinnzweck verfolgt oder auf die Studiengebühren chinesischer Studenten angewiesen ist, hat sie strukturelle Anreize, sich mit dem Regime in Beijing gutzustellen. Wenn die Entscheidungsfindung zentralisiert ist, können sich einzelne Forscher nicht gegen Einmischungsversuche zur Wehr setzen; auch können sie eine problematische Kooperation mit chinesischen Einrichtungen nicht beenden.[63] Hughes drückt es so aus: »Wenn du jemand bist, der Fragen stellt oder an einem heiklen Thema arbeitet, ... machst du dich bei den Leuten, die für die Bilanz verantwortlich sind, nicht sehr beliebt. ... Ich spreche aus eigener Erfahrung und der von Kollegen, die den Mund aufgemacht haben, die an den Rand gedrängt oder beiseitegenommen wurden, damit man ihnen bei einer Tasse Tee sagen konnte: ›Hören Sie auf, Staub aufzuwirbeln.‹«[64]

Für viele Universitäten sind Studiengebühren von Studierenden aus China ein sehr gutes Geschäft, auf das sie insbesondere dann nicht verzichten wollen, wenn die öffentliche Hand das Geld für die Bildung kürzt. Im Jahr 2018 hatten US-Universitäten mehr als 360 000 Studierende aus China,[65] und in Kanada waren es mehr als 140 000.[66] In Großbritannien stellen Chinesen mit mehr als 100 000 Eingeschriebenen vermutlich die größte Gruppe von Auslandsstudenten.[67] Australien ist (mit mehr als 150 000 chinesischen Studierenden im Jahr 2018)[68] gemessen an der Gesamtzahl der Studierenden abhängiger von China als jedes andere Land.

Chinesische Eltern wollen ihre Kinder in der Regel auf die besten Universitäten im Ausland schicken und beschäftigen sich intensiv mit den Ranglisten der Hochschulen. Wenn renommierte Universitäten im Westen von den Studiengebühren chinesischer Studenten abhängig werden, sind sie empfänglicher für Druck seitens der chinesischen Botschaft oder der Konsulate. Die Drohung, man werde sie von einer wichtigen Finanzierungsquelle abschneiden, wird von der chinesischen Regierung häufig eingesetzt, um westliche Universitäten zur Räson zu bringen. Die wenigsten dieser Drohungen gelangen je an die Öffentlichkeit. Das würde für eine Universitätsverwaltung einen erheblichen Gesichtsverlust bedeuten. Indem sie den chinesischen Forderungen nachgibt, setzt sie sich harscher Kritik aus, weil sie ihre Prinzipien verrät. Aber einige Fälle sind ans Licht gekommen. Nachdem die University of California in San Diego im Jahr 2017 Besuch vom Dalai Lama bekommen hatte, gab die chinesische Regierung bekannt, chinesischen Forschern kein Studium an dieser Universität mehr zu finanzieren.[69]

Forschungskooperationen, akademische Austauschprogramme und Ausbildungsprogramme in China werden in Verhandlungen ebenfalls als Faustpfand eingesetzt. Einige Universitäten haben eine Vielzahl solcher Vereinbarungen geschlossen, und der Aufbau eines dichten Netzes institutioneller und persönlicher Verbindungen zu China ist mittlerweile ein Maßstab des beruflichen Erfolgs. Ausbildungsprogramme für chinesische Führungskräfte sind ein einträgliches Geschäft für westliche Universitäten. Die Universität Cambridge betreibt das China Executive Leadership Program, das von der mächtigen Organisationsabteilung der KPCh und der Stiftung für Entwicklungsforschung des Staatsrats mitfinanziert wird. In diesem Programm werden von der Partei ausgewählte hochrangige Führungskräfte aus staatlichen Unternehmen ausgebildet, die jeweils drei Wochen in Cambridge verbringen. Solche Programme können sich ebenfalls in einen Machthebel für Beijing verwandeln. Ein Ausbildungsprogramm für Führungskräfte an der University of Maryland wurde Berichten zufolge ausgesetzt, nachdem der Dalai Lama im Jahr 2013 eine Rede an der Universität gehalten und nachdem Yang Shuping im Jahr 2017 die Rede bei der Abschlussfeier gehalten hatte (siehe Kapitel 5).[70]

Viele Universitätsleitungen im Westen haben mit ihren Handlungen gezeigt, dass sie sich der Freiheit von Lehre und Forschung nicht verpflichtet fühlen und in vielen Fällen überhaupt nicht verstehen, worin sie besteht. Es gibt zahlreiche Beispiele für Führungskräfte von Hochschulen, die sich dem Druck Beijings beugen und Erklärungen wie »Wir verstehen die Bedenken, aber die Situation ist komplex« oder »Die Universität muss ein Gleichgewicht zwischen der Freiheit der Lehre und ihren anderen Zielen herstellen« vorbringen. Das Prinzip der Freiheit von Forschung und Lehre ist wertlos, wenn die Universitäten nicht bereit sind, es aktiv zu verteidigen.

Die Umgestaltung der China-Forschung

Im Bemühen der KPCh um eine Umlenkung der globalen Debatte ist die China-Forschung selbst ein wesentliches Ziel. Wie wir gesehen haben, sind Konfuzius-Institute ein Kanal dafür, und dasselbe gilt für das World Forum on China Studies, das im Jahr 2004 von Propagandabehörden ins Leben gerufen wurde, um eine Gemeinschaft ausländischer Forscher aufzubauen, die mit der Partei sympathisieren.[71]

Ein weiterer Kanal ist das dreiwöchige Besuchsprogramm für junge Sinologen des chinesischen Kultur- und Tourismusministeriums, das über ChinaWatch auf der Website des *Daily Telegraph* beworben wird.[72] Im Juni 2019 war der Gastgeber des Programms die Akademie der Sozialwissenschaften in Shanghai; ausländische Forscher sollen »Chinas Geschichte richtig erzählen können«.[73] Die chinesische Regierung bietet auch spezielle Stipendien für Studierende aus Mittel- und Osteuropa an.[74] Sofortige Erträge sind nicht das Ziel; vielmehr will man dafür sorgen, dass die nächste Generation von China-Experten in diesen Ländern eine positive Haltung gegenüber der KPCh einnimmt.

Es ist auch schon vorgekommen, dass der chinesische Staat versucht hat, Sinologen dafür zu bezahlen, Werbung für China zu machen. Beispielsweise berichtete der amerikanische Politikwissenschaftler Edward Friedman, Anfang des Jahrtausends hätten ihm Vertreter des chinesischen Außenministeriums 25 000 Dollar für ein Buch angeboten, in dem er erzählen sollte, wie China seine internationalen Beziehungen erfolgreich gestalte.[75] Friedman lehnte ab. Heute gibt es ein offizielles Programm mit der Bezeichnung »Ausländer schreiben über China«, das Geld für »ausländische Sinologen, Autoren, Medienschaffende, Wissenschaftler und andere wichtige öffentliche Figuren« bereitstellt, die auf Einladung chinesischer Verlage Bücher über China schreiben sollen, um »die Stimme Chinas zu verbreiten«.[76]

Um das Jahr 2011 spendete Wen Ruchun, die Tochter des ehemaligen Ministerpräsidenten Wen Jiabao, durch ihre geheimnisvolle Chong Hua-Stiftung 3,7 Millionen Pfund für die Einrichtung eines Lehrstuhls an der Universität Cambridge. Der erste Chong Hua-Professor, Peter Nolan, war ein ehemaliger Lehrer Wen Ruchuns und hatte gemeinsam mit ihrem Ehemann ein Buch verfasst.[77] Anscheinend wurde der Lehrstuhl nicht öffentlich ausgeschrieben. Tarak Barkawi, ehemals selbst Wissenschaftler in Cambridge, schrieb: »Nolan hat ein Naheverhältnis zur chinesischen Regierung und scheint bei der Organisation der Spende eine zentrale Rolle gespielt zu haben.«[78] Nolan hat den Lehrstuhl nicht länger inne, leitet jedoch immer noch das Center for Development Studies in Cambridge und das China Executive Leadership Program der Universität.[79] Er ist ein Mitglied des 48 Group Club.

Im Jahr 2017 gab die School of Advanced International Studies der Johns Hopkins University die Einrichtung eines C.H. Tung-Lehrstuhls bekannt, benannt nach Tung Chee-hwa, dem früheren Regierungschef Hongkongs. Der Inhaber des neuen Lehrstuhls würde auch ein Forschungsprogramm leiten, die Pacific Community Initiative. Lehrstuhl und Forschungsprogramm werden teilweise von der China-United States Exchange Foundation (CUSEF) finanziert, der im Jahr 2008 von Tung gegründeten und in Hongkong ansässigen Organisation.[80] Wie wir gesehen haben, ist Tung ein stellvertretender Vorsitzender der Politischen Konsultativkonferenz des Chinesischen Volkes (PKKCV), einer wichtigen Beeinflussungsorganisation der Partei. 2018 schlug die University of Texas in Austin eine von der CUSEF angebotene Schenkung für ihr China Public Policy Center aus, weil die Stiftung mit der KPCh verbunden ist, obwohl einige Fakultätsmitglieder den Vorschlag unterstützten.[81]

Im Jahr 2019 berichtete die *Financial Times* über Pläne der London School of Economics, ein neues China-Programm ins Leben zu rufen, das Eric X. Li finanzieren sollte, ein Risikokapitalgeber und unerschütterlicher Anhänger der KPCh. Das Programm hätte von einem Aufsichtsgremium aus China geleitet werden sollen, aber das Vorhaben wurde angesichts des erbitterten Widerstands des Lehrkörpers aufgegeben.[82]

In Deutschland geriet die Freie Universität Berlin in die Schlagzeilen, nachdem sie eine durch den Hanban – die Dachorganisation der Konfuzius-Institute – finanzierte Professur für Didaktik des Chinesischen sowie Sprache und Literatur Chinas eingerichtet hatte. Der Vertrag, den die FU geschlossen hatte, gab der chinesischen Seite Mitspracherechte und sah laut der Berichterstattung im *Tagesspiegel* sogar die Einhaltung chinesischer Gesetze vor.[83] Die Berliner Senatskanzlei forderte die Universität deswegen im Februar 2020 auf, den Vertrag nachzuverhandeln.[84]

Universitätskooperation

Die Eröffnung von Lehrstätten in China ist zu einer beliebten Methode geworden, mit der Universitäten ihre internationalen Aktivitäten ausweiten und neue Einnahmequellen erschließen können. Eine der ersten Gemeinschaftsinitiativen, die lange vor der gegenwärtigen Welle gestartet wurde, war das 1986 von der Johns Hopkins University und der Universität Nanjing gegründete Hopkins-Nanjing Center. Im Jahr 1995 begann die chinesische Regierung Bildungskooperationen zu fördern, und bald darauf gründeten mehrere westliche Universitäten gemeinsame Institute. Diese sind in chinesischen Universitäten untergebracht und funktionieren wie Colleges.[85] Seit 2003 können ausländische Hochschulen eigene Universitäten in China eröffnen, sofern sie ein Gemeinschaftsunternehmen mit einer chinesischen Universität gründen und dieser 51 Prozent der Anteile überlassen.[86] Damit werden sie zu juristischen Personen in China, die chinesischem Recht unterworfen sind, samt allem, was das für die Freiheit der Lehre bedeutet.[87]

Einige bekannte Hochschulen haben sich mit dieser Regelung einverstanden erklärt, darunter die New York University (die die NYU Shanghai gegründet hat), Duke (Duke Kunshan), die University of Nottingham (Nottingham Ningbo), die University of Liverpool (Jiaotong-Liverpool University) und die University of California at Berkeley (Tsinghua-Berkeley Shenzhen Institute). Andere, darunter die Cambridge University, verhandeln noch mit den chinesischen Behörden.[88] In Ausnahmefällen dürfen Universitäten, die zur Gänze in amerikanischem Besitz stehen, in China tätig werden. Ein Beispiel ist die Sias University, die ursprünglich im Jahr 1998 als Gemeinschaftsprojekt der Fort Hayes State University und der Zhengzhou-Universität gegründet wurde.[89] Gegenwärtig gibt es in China mehr als 2000 solche Universitätspartnerschaften unterschiedlicher Form.[90]

Universitäten in ausländischem Besitz und solche, die teilweise ausländische Eigentümer haben, werden von ihren Befürwortern als seltene Refugien der akademischen Freiheit in China dargestellt, aber sie kämpfen mit zahlreichen Problemen, darunter Einschränkungen der Freiheit von Lehre und Forschung. Als ein amerikanischer Student im Jahr 2010 versuchte, die erste akademische Fachzeitschrift am Hopkins-Nanjing Center zu gründen, verhinderte die Hochschulverwaltung, dass die Publikation außerhalb des Campus in Umlauf gebracht werden konnte. Die Begründung lautete, die Freiheit der Lehre müsse auf die Vorlesungssäle beschränkt bleiben. Die meisten chinesischen Studenten, die an der Zeitschrift mitarbeiteten, baten um die Löschung ihrer Namen, und einer der Autoren wurde unter Druck gesetzt, damit er seinen Artikel zurückzog.[91]

Im Jahr 2018 setzte die University of Nottingham Ningbo ihren außerordentlichen Vorsteher Stephen Morgan ab, nachdem er in einem Artikel die Beschlüsse des 19. Parteitags der KPCh im Jahr 2017 kritisiert hatte (er behielt jedoch seine Stelle als Professor).[92] Als im Herbst 2019 das Semester an der NYU Shanghai begann, waren die Proteste in Hongkong an der Universität tabu. »Die meisten von uns sind sogar auf der Hut, wenn sie über das Wetter sprechen«, sagte ein Fakultätsmitglied.[93] Professor Rebecca Karl, die am Sitz der Universität in New York unterrichtet, ist auf dem Campus in Shanghai aufgrund ihrer kritischen Haltung nicht erwünscht. Sie erklärte, zahlreiche Kollegen in New York hätten außerdem Druck auf sie ausgeübt, damit sie »in diesem Semester von der Organisation einer Diskussionsrunde über die Proteste in Hongkong Abstand nahm«, weil die Kollegen die Sorge hegten, das werde »die Gefühle meiner Kollegen in Shanghai verletzen«. Karl vertraute nicht darauf, dass ihre Universität in Shanghai für die Freiheit von Forschung und Lehre einstehen würde: »Es steht zu viel auf dem Spiel für sie.«[94]

Tatsächlich willigen westliche Hochschulleitungen mit der Gründung von Universitäten in China wissentlich ein, das Prinzip der Freiheit von Forschung und Lehre zu opfern. Im Jahr 2011 erklärte John Sexton, der Präsident der New York University, im Gespräch mit Bloomberg News, dass »Studenten und Lehrkräfte an der neuen Universität [in Shanghai] nicht annehmen sollten, sie könnten die Führung ihrer Regierung oder deren Politik folgenlos kritisieren«.

Er fügte hinzu: »Ich habe kein Problem, zwischen dem Recht auf akademische Freiheit und dem Recht auf freie politische Meinungsäußerung zu trennen.«[95]

Neue Vorschriften, die im Jahr 2017 eingeführt wurden und zeigen, wie bei den chinesischen Hochschulen die ideologischen Daumenschrauben angezogen werden, verpflichten chinesisch-ausländische Gemeinschaftsuniversitäten, ein Parteikomitee einzurichten und einen Parteisekretär zu ernennen.[96] Nach Angabe der *Financial Times* erhielten die Hochschulverwaltungen keine schriftliche Kopie dieser neuen Bestimmungen, sondern wurden nur mündlich in Kenntnis gesetzt.[97] Im Jahr 2018 kündigte die Universität Groningen eine Vereinbarung (bei deren Unterzeichnung Xi Jinping und der niederländische König anwesend gewesen waren) über das Angebot vollständiger Studiengänge auf einem Campus in Yantai, nachdem die chinesische Regierung angekündigt hatte, dass im Vorstand jeder mit ausländischen Geldern finanzierten Universität ein Vertreter der KPCh sitzen müsse. Große Teile der Universitätsanlage waren bereits gebaut.[98]

Die Universität Groningen hebt sich mit diesem konsequenten Handeln von anderen westlichen Universitäten ab, die vor dem chinesischen Regime kapituliert haben. Während fast alle Gemeinschaftshochschulen sowohl auf ihrer ausländischen als auch auf der chinesischen Website den Parteisekretär nennen, findet man nur auf den chinesischen Seiten Informationen zum »Aufbau der Parteistruktur« und zu den »Massenbeziehungen der Partei«. Zu den einschlägigen Aktivitäten zählen »theoretische Studiensitzungen« zu den Xi Jinping-Gedanken, zur Disziplin der KPCh und zu den neuesten Parteidokumenten und -slogans.[99] Im chinesischen Ableger der Universität Leeds beinhaltet der »Aufbau der Parteistruktur« Schulungen der chinesischen Mitarbeiter, die lernen müssen, »die ideologische Arbeit richtig zu machen«.[100] Selbst die zur Gänze in amerikanischem Besitz befindliche öffentliche Sias University (der chinesische Ableger der Fort Hays State University) ist nicht von Parteiaktivitäten ausgenommen; an der Sias-Universität erneuerten die chinesischen Mitarbeiter anlässlich des 98. Jahrestags der Gründung der KPCh ihren Treueid gegenüber der Partei.[101] Und solche Verpflichtungen gelten nicht nur für Mitarbeiter und Parteimitglieder: Beispielsweise müssen die chinesischen Studenten an der NYU Shanghai Kurse zu den Mao Zedong-Gedanken oder andere verpflichtende Kurse in »politischen Studien« absolvieren.[102]

Einige chinesisch-ausländische Gemeinschaftsuniversitäten beschäftigen ihre Fakultätsmitglieder lokal, was bedeutet, dass die ausländischen Lehrkräfte nicht mehr bei der ausländischen Universität, sondern beim chinesischen Staat angestellt sind. Die NYU Shanghai und die Duke Kunshan gingen Berichten zufolge vor einigen Jahren stillschweigend zu diesem Modell über.[103] (Aus dem Mission Statement von Duke geht hervor, dass die Universität »ein intellektuelles Umfeld schaffen« wird, das »auf dem Bekenntnis zur freien und offenen Forschung beruht«.[104]) Die Kean State, eine öffentliche amerikanische Universität in New Jersey, löste mit dem Vorhaben, in ihrer chinesischen Niederlassung in Wenzhou zur lokalen Anstellung überzugehen, heftige Proteste aus, als die Gewerkschaft der Universitätsmitarbeiter in den USA Wind davon bekam.[105] Wenzhou-Kean hatte zuvor in Stellenausschreibungen erklärt, dass Bewerber, die KPCh-Mitglieder seien, bevorzugt würden.[106] Wie alle Joint Ventures hat die Wenzhou-Kean University einen Parteisekretär, der auch der Vorsitzende des Direktorengremiums der Universität ist.[107]

In einigen gemeinsamen Bildungseinrichtungen wird offen für politische Initiativen der KPCh wie die Seidenstraßen-Initiative geworben. Im Jahr 2018 gründete die französische EMLYON Business School gemeinsam mit der East China Normal University die Asia Europe Business School in Shanghai. Aus ihrer Website geht hervor, dass sie »Unternehmer für die Neue Seidenstraße« ausbilden soll.[108] Die französische Regierung hat eine Beteiligung an der Seidenstraßen-Initiative abgelehnt, aber die EMLYON Business School hilft dabei, Seidenstraßen-Experten auszubilden, die dann nach Frankreich zurückgeschickt werden sollen.

Ist einmal eine Kooperationsvereinbarung geschlossen, so kommt es nur sehr selten vor, dass eine westliche Universität die Zusammenarbeit wieder beendet. Eine Ausnahme war im Jahr 2018 zu beobachten, als die School of Industrial and Labor Relations der Cornell University ihre Zusammenarbeit mit der School of Labor and Human Resources der Renmin-Universität und mit der Business School dieser Hochschule beendete. Auslöser für diese Entscheidung war die Entführung mehrerer chinesischer Studenten, die sich an der Renmin-Universität als marxistische Aktivisten betätigt hatten (und dem Regime offenbar zu marxistisch waren). Aber schon zuvor waren die Sorgen über die Verschlechterung der akademischen Bedingungen in China gewachsen. Eli Friedman, der Leiter der School of Industrial and Labor Relations, fällte persönlich die Entscheidung, die Zusammenarbeit zu beenden: »Ausländische Einrichtungen hegten lange die Hoffnung, ihr Engagement und die stille Diplomatie in China würden schließlich zu einer Ausweitung der akademischen und möglicherweise der politischen Freiheiten führen. Es wird zusehends klar, dass genau das Gegenteil geschehen ist. Die Maßnahmen, die Cornell ergriffen hat, können sich als wirkungsvoll erweisen oder nicht, aber nichts zu tun war keine Option.«[109]

Der Aufbau von Universitäten im Ausland hat auch in umgekehrter Richtung funktioniert. Im Jahr 2013 richtete die Fudan-Universität das Fudan-European Centre for China Studies an der Universität Kopenhagen ein. Dies ist eine »strategische Initiative der Fudan-Universität, um die wachsende Nachfrage nach einem nuancierteren und ausgewogeneren Verständnis der Entwicklung Chinas zu befriedigen«. In einigen Schlüsselveranstaltungen des Zentrums wurden Positionen der KPCh verbreitet, darunter Thesen wie jene, dass »die jüngste Verschlechterung der Beziehungen zwischen China und Taiwan auf die Wahl von Tsai Ing-wen in Taiwan [im Jahr 2016] zurückzuführen« sei und dass es »ohne die Intervention der Vereinigten Staaten keine taiwanesische Frage gäbe«.[110] (Im Jahr 2016 schloss sich die Universität Kopenhagen der in den USA ansässigen Organisation Scholars at Risk an, die Forschern aus aller Welt Schutz gewährt, die in Gefahr sind oder von Verhaftung bedroht sind. Bisher hat die Universität noch keinem einzigen chinesischen Wissenschaftler Zuflucht gewährt.)

Eine weitere in Europa angesiedelte Hochschule ist die Brüsseler Akademie für chinesisch-europäische Studien, die 2014 als gemeinsame Einrichtung der Renmin-Universität, der Sichuan-Universität, der Fudan-Universität und der Freien Universität Brüssel (VUB) den Betrieb aufnahm. Sie arbeitet eng mit dem Konfuzius-Institut der VUB zusammen.[111] Im Oktober 2019 wurde der Direktor dieses Konfuzius-Instituts, Song Xinning, wegen Spionageverdachts mit einem achtjährigen Einreiseverbot in die Europäische Union belegt. Berichten zufolge hatte die VUB frühere Warnungen des belgischen Nachrichtendienstes in den Wind geschlagen. Song hatte ein dichtes Netz von Kontakten zu Think Tanks in ganz Europa geknüpft, darunter zum College of Europe, der »Eliteschule für Eurokraten« in Brügge.[112]

Im Jahr 2018 eröffnete die Peking University in der Nähe von Oxford einen Ableger ihrer HSBC Business School, der anfänglich von der britischen Bank HSBC unterstützt wurde. Bei der feierlichen Einweihung erklärte der chinesische Botschafter Liu Xiaoming, die Einrichtung solle sich in eine Plattform verwandeln, von der aus »Chinas Geschichte erzählt werden kann«.[113] Später im selben Jahr gab die Universität Coimbra in Portugal bekannt, dass sie ein Zentrum für China-Studien der Chinesischen Akademie der Sozialwissenschaften aufnehmen werde.[114]

Akademische Publikationen

Übersetzungen wissenschaftlicher Arbeiten aus dem Chinesischen werden zentral geplant und im Rahmen verschiedener Programme subventioniert. Im Jahr 2010 rief der Nationale Sozialwissenschaftliche Fonds Chinas ein Übersetzungsprogramm ins Leben, um »den internationalen Einfluss der chinesischen Geistes- und Sozialwissenschaften zu erhöhen«. Um den übersetzten Arbeiten Legitimität zu verleihen, werden sie von »angesehenen Verlagshäusern« veröffentlicht und durch die ausländischen »Massenvertriebskanäle« geschleust.[115] Damit ist gemeint, dass chinesische Verlagshäuser ermutigt werden, Partnerschaften mit namhaften internationalen Verlagen zu schließen. Genau das haben sie mit einigem Erfolg getan.

Im Jahr 2017 beschloss die Cambridge University Press, mehrere Fachzeitschriften, die Artikel enthielten, in denen Kritik an Positionen der KPCh geäußert wurde, aus dem Publikationspaket herauszunehmen, das sie Universitäten in China anbietet. Ein Aufschrei der Empörung in akademischen Kreisen bewegte das Verlagshaus schließlich dazu, von diesem Vorhaben Abstand zu nehmen. Aber andere Verleger haben es geschafft, unauffällig Material zu zensieren, das in China verwendet werden soll. Der große Wissenschaftsverlag Springer Nature in Berlin, der unter anderem die Zeitschriften *Scientific American* und *Nature* verlegt, überließ den chinesischen Behörden die Entscheidung darüber, welche Artikel nicht auf seiner Online-Plattform in China erscheinen sollten. Springer rechtfertigte die Zensur mit der Erklärung, sie betreffe lediglich ein Prozent seiner in China angebotenen Inhalte (nämlich jenes eine Prozent, das der KPCh missfiel).[116] Sieht man von einigen Medienberichten ab, so bekam Springer Nature kaum Gegenwind zu spüren, obwohl eine Petition, in der zu einem Peer-Review-Boykott sämtlicher von Springer Nature und des mit ihm zusammengeschlossenen Verlags Palgrave Macmillan verlegten geistes- und sozialwissenschaftlichen Zeitschriften von 1200 Personen unterzeichnet wurde.[117] Die Herausgeber der Zeitschrift *Transcultural Research* an der Universität Heidelberg beendete die Zusammenarbeit mit Springer Nature aus Protest gegen dessen Entscheidung, die sie als »inakzeptablen Vertrauensbruch« bezeichneten.[118]

Einen etwas anderen Zugang wählte die KPCh in der Zusammenarbeit mit Taylor & Francis, dem Eigentümer des Verlags Routledge. Anstatt einzelne Artikel zu zensieren, schlossen die chinesischen Importbehörden einfach 83 der 1466 Zeitschriften aus, die das Paket der Verlagsgruppe für Bibliotheken bildeten.[119]

Die genaue Zahl der Verlage und Zeitschriften, die der chinesischen Zensur unterliegen, ist unbekannt. Ein häufig zur Rechtfertigung derartiger Zensur vorgebrachtes Argument lautet, dass es nur in China vertriebene Publikationen, nicht jedoch das globale Angebot betreffe. Die Verleger verteidigen sich mit dem Hinweis, sie müssten sich an die örtlichen Gesetze halten. Und einzelne Autoren, die sich mit der Zensur der chinesischen Übersetzung ihrer Werke abgefunden haben, erklären, die inhaltlichen Einbußen würden dadurch aufgewogen, dass der Großteil ihrer Arbeit den chinesischen Lesern zugänglich gemacht werde.[120]

Abgesehen von dieser fragwürdigen Rechtfertigung für die Duldung von Zensur geraten manche Autoren möglicherweise in Versuchung, mit Blick auf die Verkaufszahlen in China selbst die Inhalte einzuschränken, die sie behandeln möchten. Und Verleger können Manuskripte abhängig davon, ob sie in den Augen der chinesischen Zensoren akzeptabel sind, annehmen oder ablehnen. Der PEN International, der die Meinungsfreiheit der Schriftsteller verteidigt, hegt die Sorge, dass das Versprechen hoher Vorschüsse auf Übersetzungen ins Chinesische manche Autoren dazu bewegen kann, sich von potenziell umstrittenen Themen fernzuhalten.[121]

Es gibt jedoch ein weiteres Problem, das noch grundlegender sein dürfte. Im Jahr 2019 übergab ein Agent chinesischer Druckereien australischen Verlagshäusern eine Liste von Wörtern und Themen, die nicht in Büchern auftauchen dürften, die in China gedruckt werden sollten.[122] Die Liste beinhaltete die Namen chinesischer Dissidenten und politischer Figuren, darunter Xi Jinping. Verleger in Neuseeland sehen sich mit ähnlichen Verboten konfrontiert.[123] Die meisten westlichen Verleger haben bisher einen großen Teil ihrer Titel, insbesondere illustrierte Werke und solche mit hohen Auflagenzahlen, in China drucken lassen, weil dort die fortschrittlichsten und billigsten Druckverfahren zum Einsatz kommen. Diese Verleger müssen ihre Bücher jetzt entweder zensieren oder mehr für den Druck in anderen Ländern bezahlen. Wichtig ist dabei, dass dieses Verbot nicht für Bücher gilt, die für den chinesischen Markt bestimmt sind, sondern für Bücher, die an beliebigen Orten in der Welt verkauft werden sollen. Als das australische Verlagshaus Allen & Unwin im Jahr 2017 von der Veröffentlichung eines Buches Abstand nahm, in dem das chinesische Regime kritisiert wurde, hatte dies unter anderem mit der Befürchtung zu tun, der Verlag könne vollkommen von der Zusammenarbeit mit chinesischen Druckereien ausgeschlossen werden.[124] Die Zensurrichtlinien gelten seit geraumer Zeit, werden nach Angabe chinesischer Druckereien jedoch erst seit 2019 durchgesetzt.[125] Bei der Entscheidung, ob sie einem Autor einen Buchvertrag anbieten sollen, werden Verleger diesen Faktor von nun an vermutlich berücksichtigen.

Die Partei nutzt auch Verlagskooperationen, um ihre Botschaft zu verbreiten. Die Universität Yale arbeitet mit dem Fremdsprachenbüro der KPCh zusammen, das mit der Außenwelt unter dem Namen China International Publishing Group interagiert. Als das Projekt im Jahr 2006 in der Großen Halle des Volkes vorgestellt wurde, saßen Führungskräfte der Universität Yale Seite an Seite mit hochrangigen Funktionären aus der Propagandaabteilung der KPCh.[126] Und im Jahr 2017 eröffnete die China Social Sciences Press eine Niederlassung im Institut für politische Studien in Bordeaux (Sciences Po Bordeaux), um eine langfristige, institutionalisierte Partnerschaft mit ausländischen Verlegern zu ermöglichen und »Chinas akademischen Einfluss in den wichtigsten Ländern Europas und in der internationalen Gesellschaft zu vergrößern«.[127]

In Großbritannien verlegt die zweisprachige Global Century Press, eine Tochtergesellschaft der in England ansässigen Global China Academy, Titel wie *China's Role in a Shared Human Future: Towards theory [sic] for global leadership* (2018) des britischen Soziologen Martin Albrow[128] sowie *Walk for Peace: Transcultural experiences in China* (2016), dessen Autoren Lord Michael Bates und seiner Frau Lady Xuelin Bates wir in Kapitel 7 begegnet sind.[129] Beide Bücher sind Beispiele dafür, wie einflussreiche Personen in Großbritannien ihre Namen für zentrale Propagandabotschaften und die Terminologie der KPCh hergeben.

Die meisten großen Verlagshäuser im Westen haben Kooperationsvereinbarungen mit Einrichtungen des Parteistaats geschlossen, um englischsprachige Übersetzungen chinesischer wissenschaftlicher Werke zu vertreiben (sowohl von tatsächlichen Forschungsarbeiten als auch von Darstellungen, die den Zielen der Partei dienen). Das schließt Bücher und Zeitschriften ein, die von chinesischen Institutionen bezahlt werden, etwa von der Chinesischen Akademie der Wissenschaften und der Chinesischen Akademie der Sozialwissenschaften, oder die gemeinsam mit chinesischen Verlagen herausgegeben werden. Springer Nature gibt Dutzende Fachzeitschriften auf diese Art heraus, darunter die *China International Strategy Review*, die vom Institut für Internationale und Strategische Studien an der Universität Peking produziert wird, *Frontiers of Education in China*, eine Gemeinschaftspublikation mit Higher Education Press, und das *Journal of Chinese Sociology*, das unter den Auspizien der Akademie der Sozialwissenschaften veröffentlicht wird und die »erste englischsprachige Zeitschrift für Soziologie in Festlandchina« ist. Springer Nature und der dazugehörige Verlag Palgrave Macmillan geben auch *Belt and Road Initiative* heraus, eine Sammlung von Arbeiten zur Seidenstraßen-Initiative von Autoren aus verschiedenen Disziplinen; viele dieser Arbeiten entstehen im hochgradig politisierten und streng kontrollierten Umfeld der chinesischen Universitäten.[130] Routledge publizierte vor Kurzem das *Routledge Handbook of the Belt and Road* (2019), eine Sammlung von aus dem Chinesischen übersetzten Artikeln; die Herausgeber sind der Vizepräsident der Chinesischen Akademie der Sozialwissenschaften (CASS), Cai Fang, und der Cambridge-Professor Peter Nolan.[131] Der niederländische Verlag Elsevier publiziert von der Chinesischen Akademie der Wissenschaften beaufsichtigte Zeitschriften.[132]

Die Verbreitung chinesischer Forschungsergebnisse in Geistes- und Sozialwissenschaften, die vielfach von hoher Qualität sind, ist grundsätzlich begrüßenswert. Aber nur die wenigsten Leser dürften wissen, dass die Initiative bei den meisten Publikationskooperationen nicht von individuellen chinesischen Instituten oder westlichen Verlagen, sondern vom Parteistaat ausgeht, der das erklärte Ziel verfolgt, Konzepte und Theorien »mit chinesischen Charakteristika« zu verbreiten. Die Reihe *Key Concepts in Chinese Thought and Culture*, die von Palgrave Macmillan in Partnerschaft mit Beijing Foreign Language Research and Teaching Press herausgegeben wird, ist Teil eines hierarchisch strukturierten und vom chinesischen Staatsrat gelenkten »Übersetzungs- und Kommunikationsprojekts«.[133]

Wo die Grenzen zwischen dem chinesischen und dem internationalen Verlagswesen verwischt werden, wird die chinesische Zensur zusehends zur Normalität. Ausländische Leser sehen den Namen eines angesehenen Verlagshauses auf einem Buch über China und wissen nicht, dass sich der Inhalt mit den Vorstellungen Beijings deckt.

Es gibt jedoch Verlage, die nicht kapitulieren. Beispielsweise kündigte der niederländische Verlag Brill eine Vereinbarung zur Veröffentlichung von vier Zeitschriften in Kooperation mit einem Verlagshaus, das dem chinesischen Bildungsministerium gehört.[134] Obwohl die Trennung nicht begründet wurde, erfolgte sie, kurze Zeit nachdem ein Artikel in einer der Zeitschriften auf Ersuchen der chinesischen Zensoren entfernt worden war. Der fragliche Artikel, »Subversive Writing« von Jin Liu, einer Assistenzprofessorin am Georgia Institute of Technology, war für eine Sonderausgabe der Zeitschrift *Frontiers of Literary Studies in China* (FLSC) bestimmt gewesen und im Peer-Review-Prozess akzeptiert worden, bevor er wieder hinausgeworfen wurde. Die Herausgeber der Zeitschrift, die nicht konsultiert worden waren, erfuhren erst von der Entfernung des Artikels, als sie die Fahnen prüften; obendrein war ihre Einleitung bearbeitet worden, um jeden Hinweis auf den zensierten Beitrag zu löschen.

Als die Herausgeber den Chefredakteur Xudong Zhang auf die Vorgänge ansprachen, erklärte er ihnen, die Beseitigung des Artikels dürfe eigentlich »keine Überraschung sein, da *FLSC* ihr Redaktionsbüro in Beijing hat und sich folglich der normalen chinesischen Zensur unterwerfen muss«.[135] Zhang rügte die Herausgeber sogar für ihr Verhalten und erklärte ihnen, sie hätten diesen Artikel überhaupt nie akzeptieren dürfen. Als die Herausgeber ein Mitglied der Redaktionsleitung, einen bekannten Professor an einer angesehenen amerikanischen Universität, um Unterstützung baten, »zuckte er nur mit den Schultern: Was hatten wir erwartet?«[136] Die Herausgeber machten den Fall öffentlich und brachten die Sonderausgabe andernorts heraus. Als sie sich unter Kollegen umhörten, stellten sie fest, dass es in anderen wissenschaftlichen Zeitschriften ebenfalls Zensur gab, die jedoch nicht an die Öffentlichkeit gebracht wurde.[137]

Die Herausgeber der Sonderausgabe schrieben, sie hätten sich selbst beigebracht, »bei in Festlandchina veröffentlichten Arbeiten zwischen den Zeilen zu lesen, die aufschlussreichen Auslassungen zu erkennen und zu kompensieren«.[138] Aber sie fragten sich: »Was geschieht, wenn nicht länger klar ist, wo und entsprechend welchen Regeln etwas veröffentlicht wurde?« Bei Lesern, die keine hauptsächlich mit China befassten Akademiker sind, nimmt das Problem eine noch größere Dimension an: Sie wissen wahrscheinlich nicht, dass von ihnen erwartet wird, zwischen den Zeilen zu lesen.

Chinas rechtswidrige Gebietsansprüche sind ein weiteres Vorhaben des Regimes, das von namhaften westlichen Zeitschriften subtil gutgeheißen und unterstützt wird.[139] Artikel enthalten Karten von China, auf denen sein Territorium mit der Neun-Striche-Linie eingegrenzt wird. Diese Linie, die erstmals im Jahr 1947 gezeichnet wurde, kennzeichnet Chinas Anspruch auf fast das gesamte Südchinesische Meer und die Inseln und Riffe in diesem Gewässer. Als die Philippinen, deren Fischer aus ihren traditionellen Fischgründen vertrieben wurden, Chinas Ansprüche auf diese Gebiete anfochten, wurde nach Maßgabe des Seerechtsabkommens der Vereinten Nationen ein Verfahren beim Internationalen Gerichtshof in Den Haag eingeleitet. Das Gericht gelangte 2016 zu dem Ergebnis, dass die chinesischen Ansprüche »keine rechtliche Grundlage« hätten. Die Karte taucht in Artikeln auf, die nichts mit dem Südchinesischen Meer zu tun haben und sich beispielsweise mit der Verteilung von Schmetterlingen, Bäumen oder Gräsern in China beschäftigen: Ihre Botschaft ist ausschließlich politisch. Wenn westliche Autoren die Aufnahme der Karte in ihre Artikel kritisieren, erklären ihre chinesischen Koautoren, ihnen seien die Hände gebunden, weil die Behörden es verlangten – sofern sie nicht sogar die Behauptung der KPCh wiederholen, das Südchinesische Meer sei Teil ihres Heimatlandes.[140]

13

DER UMBAU DER GLOBALEN ORDNUNG

Der »Vorreiter des Multilateralismus«

Bei der Zentralkonferenz für ausländische Angelegenheiten im Jahr 2018 rief Xi Jinping das Land auf, »die Reform der weltweiten Steuerung anzuführen«.[1] Damit wich er von den vorsichtigen Formulierungen ab, die er vier Jahre früher auf derselben Konferenz gewählt hatte, als noch keine Rede davon gewesen war, dass China eine globale Führungsrolle einnehmen solle.[2] Der Übergang zu einer forscheren Sprache entspricht Chinas zusehends entschlossenen Bemühungen, die internationalen Institutionen und die Weltordnung im Interesse der KPCh umzugestalten.

Gleichzeitig will die KPCh jedoch dafür sorgen, dass China im Ausland als *Beschützer* multilateraler Institutionen gesehen wird, und stellt sich als unverzichtbares Gegengewicht zum »Unilateralismus der USA« dar. Im Jahr 2018 bezeichnete Außenminister Wang Yi China in der Vollversammlung der Vereinten Nationen als »Vorreiter des Multilateralismus«.[3] Im Jahr darauf dirigierte Xi Jinping beim G20-Gipfel in Osaka »einen Chor für die Erhaltung des Multilateralismus«,[4] und im April wiesen die EU und China in einer gemeinsamen Erklärung darauf hin, dass beide Seiten »gemeinsame Positionen zur Erhaltung des Multilateralismus vertreten«.[5]

Dass die KPCh mit der gegenwärtigen Ordnung unzufrieden ist, kann kaum überraschen: Schließlich trug China kaum zur Errichtung dieser Ordnung bei und trat ihr erst in den siebziger Jahren bei. Aber wenn die chinesische Führung davon spricht, die internationale Ordnung »inklusiver« zu machen, will sie damit sagen, dass die Weltgemeinschaft autoritäre Systeme akzeptieren soll, deren Werte denselben Stellenwert erhalten sollen wie die demokratischen.[6] Die KPCh will auch neue internationale Organisationen mit Normen errichten, welche die nationale Souveränität in den Mittelpunkt rücken, womit die Rechenschaftspflicht Chinas gegenüber der internationalen Gemeinschaft auf ein Mindestmaß verringert würde.

Der Modus operandi der Partei sieht vor, ihre Position in großen multilateralen Organisationen wie den Vereinten Nationen zu stärken und jene Mechanismen zu schwächen, die den Bewegungsfreiraum des Regimes in Beijing einschränken. Gleichzeitig sollen Parallelinstitutionen errichtet werden, in denen China die stärkste Macht ist. Wo dies möglich ist, löst China Länder aus multilateralen Organisationen heraus und bindet sie in bilaterale Beziehungen ein, in denen es fast immer der stärkere Partner ist. Vordergründig multilaterale Institutionen (mit denen wir uns später befassen) dienen demselben Zweck. China hat seine Position in den Vereinten Nationen durch eine Erhöhung seiner finanziellen Beiträge gefestigt, während der Anteil der USA am UNO-Haushalt sinkt; dazu kommt, dass das Land zahlreiche Verbündete (im weiten Sinne des Wortes) unter den Entwicklungsländern und generell außerhalb der westlichen Welt hat.

In internationalen Organisationen kann die KPCh technische Normen vorgeben, sich Unterstützung für Vorhaben wie die Seidenstraßen-Initiative sichern, den »Xi-Sprech« – Phrasen wie die von der »Schicksalsgemeinschaft der Menschheit« – in die Debatten einschleusen und ihre alternativen Definitionen von »Menschenrechten«, »Terrorismus« und »Internet-Aufsicht« verbreiten. Das macht diese Einrichtungen zu idealen Plattformen zur Erhöhung der globalen »Diskursmacht« *(huayuquan)* der Partei und zur Verbreitung des »chinesischen Modells«.

Die Sinisierung der Vereinten Nationen

China ist ein ständiges Mitglied des UN-Sicherheitsrats und hat unter Xi Jinping aktiv seinen Einfluss in diesem Gremium vergrößert. Es verfolgt die Strategie »Das Umland einsetzen, um die Stadt zu umzingeln« und fordert das etablierte Machtzentrum heraus, indem es Schritt für Schritt Stützpunkte in der »Peripherie« errichtet. Das bekannteste Beispiel für diese Strategie ist Chinas Zugang zum Menschenrechtsrat der Vereinten Nationen, wo es die »westlichen« Vorstellungen kritisiert, für »Menschenrechte chinesischer Prägung« wirbt und andere Länder dazu bewegt, seine Menschenrechtspraxis zu loben. Mit diesem Punkt werden wir uns später genauer beschäftigen. Sehen wir uns zunächst die Vielzahl anderer Hinweise auf den wachsenden Einfluss Chinas in den Vereinten Nationen an.

Die Gruppe der 77 (G77) wurde im Jahr 1964 ins Leben gerufen, um die Interessen der Entwicklungsländer in der UNO zu vertreten. Obwohl sich China nicht als Mitglied dieser Gruppe betrachtet, arbeitet es oft mit ihr zusammen. Seit der Gründung der G77 ist ihre Mitgliederzahl stetig gestiegen, und mittlerweile besteht sie aus 134 Ländern, die fast 70 Prozent der UNO-Mitgliedsländer stellen, womit China hier eine große Gruppe potenzieller Verbündeter vorfindet, mit denen es sich koordinieren kann.[7] Obwohl die G77-Länder nicht immer als Block abstimmen, kann China oft eine ausreichend große Zahl von ihnen dazu bewegen, in seinem Namen zu sprechen und seine Interessen in den UN-Gremien zu vertreten.

Vier der 15 Sonderbehörden der Vereinten Nationen – die Welternährungsorganisation (FAO), die Internationale Fernmeldeunion (ITU), die Internationale Zivilluftfahrtorganisation (ICAO) und die Organisation der Vereinten Nationen für industrielle Entwicklung (UNIDO) – werden mittlerweile von chinesischen Staatsbürgern geleitet (die Vereinigten Staaten, Großbritannien und Frankreich stellen jeweils den Leiter einer Organisation).[8] Beijing hat sich in der Praxis auch die Kontrolle über große UN-Abteilungen gesichert, die von den westlichen Ländern vernachlässigt wurden. Eine davon ist die Hauptabteilung Wirtschaftliche und Soziale Angelegenheiten (UN DESA), die für eine Vielzahl von Bereichen von den Zielen für die nachhaltige Entwicklung bis zur Nachbetreuung von Aktionen verantwortlich ist, die von UNO-Konferenzen und -Gipfeln beschlossen wurden. Geleitet wird die Abteilung von Liu Zhenmin, dem früheren stellvertretenden Außenminister Chinas, der auch den UN-Generalsekretär in Fragen der Internet-Aufsicht berät.[9] Ein europäischer Diplomat hat diese Abteilung als »chinesischen Betrieb« beschrieben. »Alle Welt weiß es, und alle Welt akzeptiert es.«[10]

Die UN DESA hat eng mit chinesischen Organisationen zusammengearbeitet, um die Seidenstraßen-Initiative auf die Agenda der Vereinten Nationen zu setzen.[11] Ihre wirtschaftliche und politische Abteilung betreut ein großes Projekt, das die Seidenstraßen-Initiative mit den UN-Zielen für nachhaltige Entwicklung verknüpft, die Teil der vorrangigen Agenda für nachhaltige Entwicklung sind.[12] Ein niederländischer Think Tank ist zu dem Schluss gelangt, dass China die Vereinten Nationen einsetzt, um »seine innenpolitischen Interessen zu internationalisieren und zu legitimieren«.[13] Eine Vielzahl von UN-Behörden, darunter die Weltorganisation für Meteorologie (WMO), die Internationale Arbeitsorganisation (IAO), die Internationale Zivilluftfahrtorganisation (ICAO) und die Internationale Fernmeldeunion (ITU) haben BRI-Vereinbarungen unterzeichnet, womit sie die Seidenstraßen-Initiative weiter legitimiert und die Darstellung der KPCh bestätigt haben, dass dies keine chinesische, sondern eine globale Initiative ist.[14]

Das Entwicklungsprogramm der Vereinten Nationen (UNDP) war im September 2016 das erste, das mit China eine Absichtserklärung über die Seidenstraßen-Initiative unterzeichnete.[15] Helen Clark, ehemalige Ministerpräsidentin von Neuseeland und seinerzeitige Administratorin der UNDP, pries die Seidenstraßen-Initiative als »bedeutende Plattform für wirtschaftliches Wachstum« und als »wichtigen Katalysator und Beschleuniger der nachhaltigen Entwicklungsziele«.[16] Im Mai 2017 wurde ein Aktionsplan für die Zusammenarbeit zwi-

schen der UNDP und der chinesischen Regierung beschlossen. Die
UNDP »belobigte« die chinesische Regierung für die Durchführung
dieser Initiative, zollte China Anerkennung dafür, dass es »mit gutem
Beispiel vorangeht«, und äußerte den Wunsch, »China in seinen Bemühungen zu unterstützen«.[17]

Sogar UN-Generalsekretär Antonio Guterres hat sich lobend über
die Seidenstraßen-Initiative geäußert. Er eröffnete im Jahr 2019 das
Belt and Road Forum für internationale Zusammenarbeit in Beijing.
(Begleitet wurde er auf dieser Reise von seinem Untergeneralsekretär
Liu Zhenmin).[18] Guterres lobte China für »seine zentrale Rolle als
Säule der internationalen Zusammenarbeit und des Multilateralis-
mus«.[19]

Beijing nimmt auch Einfluss auf den Wirtschafts- und Sozialrat,
eines der sechs Hauptorgane der Vereinten Nationen, dem China seit
1971 angehört. China hat seine Zugehörigkeit zum für NRO zuständigen Akkreditierungsausschuss des Rats genutzt, um einige Organisationen zu blockieren. Es verhinderte vier Jahre lang, dass das Komitee
zum Schutz von Journalisten als NRO anerkannt wurde. (Die Blockade konnte erst überwunden werden, als die Vereinigten Staaten
eine Abstimmung in der Vollversammlung verlangten.)[20] China versuchte auch durchzusetzen, dass der in Deutschland ansässigen Gesellschaft für bedrohte Völker der Beraterstatus entzogen wurde.[21]
Hingegen wurden Tarnorganisationen der KPCh wie die China Foundation for Peace und Development ohne Verzögerung akkreditiert.[22]

Beijing nutzt das Akkreditierungsverfahren auch regelmäßig, um
NRO zu drängen, Material von ihren Websites zu entfernen, das dem
chinesischen Regime missfällt, und solche Organisationen anzuwei-
sen, Taiwan als »Taiwan, Provinz von China« zu bezeichnen. Derartige Anweisungen werden auch NRO erteilt, die nichts mit China zu
tun haben.[23] Eine NRO informierte Human Rights Watch darüber,
dass sich China über Informationen auf ihrer Website beklagt habe,
die den Dissidenten und Nobelpreisträger Liu Xiaobo betrafen. Obwohl die NRO einen Teil des beanstandeten Materials wie geheißen
entfernte, verschleppte China ihre Akkreditierung weiter, als sie sich

weigerte, Informationen preiszugeben, die ihre Quellen in China in Gefahr gebracht hätten.[24]

Im Jahr 2015 begannen die UNO-Zentralen in New York und Genf, taiwanesischen Staatsbürgern und sogar Diplomaten dieses Landes den Zutritt zu verweigern, wenn sie nur ihren taiwanesischen Reisepass vorlegen konnten.[25] Unabhängig davon, ob das auf Ersuchen Beijings geschah oder vorauseilender Gehorsam war, deutet es darauf hin, dass die Bemühungen Chinas, Taiwan als de facto unabhängiges Land auszulöschen, von Erfolg gekrönt sind. Die Begründung der Vereinten Nationen lautete, sie akzeptiere nur von Mitgliedstaaten ausgestellte Dokumente. (Taiwan gehört der UNO nicht mehr an, seit es im Jahr 1971 durch die Volksrepublik ersetzt wurde. Es ist seitdem mit mehreren Ansuchen um Aufnahme gescheitert.) In der Praxis wurden von Taiwan ausgestellte Dokumente oft akzeptiert, aber die Fälle, in denen sie abgelehnt werden, scheinen sich zu häufen. Im Jahr 2017 wurde einer Gruppe taiwanesischer Studenten, die eine Sitzung des Menschenrechtsausschusses verfolgen wollten, der Zutritt zur UNO-Zentrale in Genf verweigert. Ihnen wurde gesagt, sie könnten nur hineingelassen werden, wenn sie »Reisedokumente taiwanesischer Landsleute« vorweisen könnten, eine Art von Einreiseerlaubnis, die von den chinesischen Behörden für taiwanesische Bürger ausgestellt wird.[26] Und im Jahr 2018 wurde eine taiwanesische Journalistin am Betreten der Genfer Zentrale gehindert, obwohl sie eine solche Erlaubnis vorlegen konnte: Man sagte ihr, sie brauche einen Reisepass der Volksrepublik China, um hineingelassen zu werden.[27]

Andere wurden auf direkte Anweisung chinesischer Mitglieder aus UN-Einrichtungen verbannt. Der ehemalige Untergeneralsekretär Wu Hongbo gab im chinesischen Staatsfernsehen zu, dass er seine Position genutzt hatte, um den Leiter des Weltkongresses der Uiguren, Dolkun Isa, während eines Forums über indigene Fragen im April 2017 aus einem UN-Gebäude entfernen zu lassen, obwohl dieser als NRO-Teilnehmer akkreditiert war. Man gab Dolkun Isa keine Erklärung für den Hinauswurf, und er durfte das Gebäude nicht wieder betreten.[28]

Die Verdrängung Taiwans von der internationalen Bühne

China setzt westliche Unternehmen mit Erfolg unter Druck, damit sie Taiwan, ein Land mit 23 Millionen Einwohnern, so behandeln, als wäre es ein Teil der Volksrepublik China. Im Lauf des Jahres 2019 führte Beijing eine aggressive Kampagne durch, um jene Länder umzustimmen, die Taiwan immer noch anerkennen, was einige von ihnen dazu bewegte, innerhalb kürzester Zeit von der Anerkennung Taiwans zu jener der Volksrepublik überzugehen.[29] China widersetzt sich seit Langem der Aufnahme Taiwans in die Weltgesundheitsorganisation (WHO) und behindert damit den weltweiten Kampf gegen Krankheiten. Im Verlauf der SARS-Epidemie des Jahres 2003 erhielten die taiwanesischen Gesundheitsbehörden nur dank ihrer Kontakte zu den US Centers for Disease Control and Prevention Zugang zu Informationen über diese gefährliche Krankheit. Nachdem in einem taiwanesischen Krankenhaus ein Fall von SARS diagnostiziert worden war, schickte die WHO endlich zum ersten Mal in 31 Jahren einige Experten nach Taiwan.[30] Dieses Debakel hatte zur Folge, dass Taiwan gelegentlich mit chinesischer Duldung an der Arbeit der WHO teilnehmen durfte.[31] (Während der SARS-Krise stufte die Regierung von Guangdong Berichte über einen Ausbruch der Krankheit in dieser Provinz anfänglich als »streng vertraulich« ein und hinderte die WHO mehrere Monate an Untersuchungen am Ort des Ausbruchs.[32])

Während der raschen Ausbreitung des neuartigen Coronavirus Anfang 2020 schloss die WHO Taiwan auf Drängen Pekings von den Treffen der vom Ausbruch betroffenen Länder aus.[33] Chinas Außenministerium behauptete, China werde Taiwan mitteilen, was es über die Epidemie wissen müsse. Das taiwanesische Außenministerium hingegen erklärte, China habe nicht alle Informationen weitergegeben, sodass Taiwan seine Bürger nicht ausreichend schützen konnte.[34] Gleichzeitig behauptete eine Quelle aus diplomatischen Kreisen in Beijing laut Berichten der *Nikkei Asian Review*, dass »China und die WHO enge Beziehungen pflegen«.[35] China ist nach den USA der zweitgrößte Beitragszahler der Vereinten Nationen. Zuvor berichtete *Nature*, dass die Beziehung der WHO zu China während der Amtszeit von Margaret Chan, welche die Organisation von 2006 bis 2017 leitete, besonders eng geworden sei. (In Hongkong wurde gemunkelt, Chan könne nach Ende ihrer Amtszeit bei der WHO bei der Wahl zum Chief Executive von Hongkong kandidieren, ein Amt, das stattdessen an Carrie Lam ging.[36]) Während der Covid-19-Krise wurde der Generaldirektor der WHO, Tedros Adhanom Ghebreyesus, kritisiert, weil er Beijings anfänglichen Widerstand gegen Reisewarnungen anderer Länder unterstützte und Präsident Xis Reaktion auf die Krise über die Maßen lobte.[37] (Xis Frau Peng Liyuan ist eine langjährige Sonderbotschafterin der WHO.)

Bereits seit der Wahl von Tsai Ing-wen zur Präsidentin Taiwans im Jahr 2016 hindert Beijing das Land an der Teilnahme an der Weltgesundheitsversammlung (WHA), vermutlich vor allem, um Taiwan für die Wahl einer Politikerin zu bestrafen, die der KPCh missfällt.[38] (Zuvor hatte das Land für mehrere Jahre als Beobachter teilnehmen können.) Die WHA in Genf weigert sich seit einigen Jahren, taiwanesische Journalisten zu akkreditieren, die über ihre Arbeit berichten wollen.[39] Die kanadische Journalistin Yuli Hu wurde außerdem im Jahr 2016 an der Berichterstattung über die Versammlung der Internationalen Zivilluftfahrtorganisation (ICAO) in Montreal gehindert, weil sie für Taiwans zentrale Nachrichtenagentur (CNA) arbeitete.[40]

Taiwan ist nicht nur aus der WHO ausgeschlossen. Die taiwanesische Gesellschaft vom Roten Kreuz wird auch vom Internationalen Komitee des Roten Kreuzes nicht anerkannt, das sehr um das Wohlwollen des chinesischen Regimes bemüht ist. Im März 2019 unterzeichnete das Rote Kreuz eine Vereinbarung mit einer chinesischen Handelskammer über die Bündelung und gemeinsame Nutzung von Ressourcen, um »im Ausland unter komplexen Bedingungen tätige chinesische Unternehmen« zu unterstützen.[41] Der Sondergesandte des Komitees in China, Jacques Pellet, pries Chinas Beiträge zu humanitären Hilfseinsätzen im internationalen chinesischen Fernsehsender CGTN.[42] In Xinjiang, wo mehr als eine Million Angehörige ethnischer

Minderheiten in Konzentrationslagern verschwunden sind, hat das Internationale Komitee gemeinsam mit der Chinesischen Rotkreuz-Gesellschaft an einem Entwicklungsprojekt gearbeitet.[43] Das Projekt mag manchen Menschen zugutekommen, aber die Anwesenheit einer internationalen Organisation in der Region verleiht Maßnahmen Legitimität, die tatsächlich als kultureller Genozid und Verbrechen gegen die Menschlichkeit bezeichnet werden müssen.

Mit seiner gnadenlosen Kampagne gegen Taiwan sendet Beijing die unmissverständliche Botschaft aus, Taiwan gehöre zu China. Taiwan soll eingeschüchtert werden, indem ihm vor Augen gehalten wird, welchen Preis es dafür zahlen muss, sich den Wünschen der KPCh zu widersetzen. Außerdem soll der internationale Widerstand gegen Beijings Plan geschwächt werden, Taiwan in die Volksrepublik einzugliedern – im schlimmsten Fall durch einen bewaffneten Angriff, wie es die Falken in der Parteiführung seit Langem fordern.

Die Globalisierung des Polizeistaats

Die Einheitsfrontabteilung hat rund um den Erdball die Einrichtung von Betreuungszentren für Auslandschinesen finanziert oder gefördert, die mancherorts als Chinesische Gemeinde- und Polizeikooperationszentren bezeichnet werden.[44] Diese Zentren, deren Zweck es ist, Auslandschinesen und Personen chinesischer Herkunft unabhängig von ihrer Staatsangehörigkeit zu schützen und zusammenzubringen, damit sie »gemeinsam den Traum der nationalen Wiederauferstehung« träumen können, dienen auch dazu, ein Auge auf die Aktivitäten von Dissidenten und Kritikern zu haben.[45] Mit Unterstützung der chinesischen Botschaften operieren in 40 Ländern, darunter die USA, Kanada, Frankreich und Großbritannien, rund 60 solche Zentren, die nach Angabe der amtlichen chinesischen Nachrichtenagentur »Schritt für Schritt in die chinesischen Gemeinden im Ausland vorgedrungen sind«.[46] Die Zentren arbeiten mit der örtlichen Polizei zusammen und bieten unter anderem Verbindungs-

und Übersetzungsdienste an, verbreiten gleichzeitig jedoch auch die Botschaft der KPCh. Beispielsweise wurde bei einer Polizeiwache in einem Melbourner Bezirk mit einem hohen chinesischstämmigen Bevölkerungsanteil am 70. Jahrestag der Gründung der Volksrepublik China die chinesische Flagge gehisst. Die Aktion löste heftige Kritik aus, und ein Radiokommentator sagte: »Eine Polizeiwache ehrt einen Polizeistaat.« Gemeindemitglieder taiwanesischer, uigurischer und tibetischer Herkunft protestierten ebenfalls.[47]

China weitet die Zusammenarbeit mit internationalen Strafverfolgungsbehörden aus. Allein im April 2015 forderten die chinesischen Behörden Interpol auf, 500 »rote Notizen« auszuschreiben, das heißt Aufforderungen an die Strafverfolgungsbehörden in aller Welt, Haftbefehle gegen Personen auszustellen, denen Straftaten vorgeworfen werden. Das waren so viele Meldungen wie in den vorangegangenen 30 Jahren zusammengenommen.[48] Beijing ist bekannt dafür, rote Notizen für politische Dissidenten auszustellen. Im Jahr 2016 wurde Meng Hongwei der erste chinesische Präsident von Interpol, und im April 2017 unterzeichnete Europol eine strategische Vereinbarung mit dem chinesischen Ministerium für Staatssicherheit, das von Meng Honwei vertreten wurde, der zu jenem Zeitpunkt noch stellvertretender Minister für öffentliche Sicherheit war.[49] Seitdem verhandelt Europol (das grenzüberschreitende Einsätze gegen Kriminelle koordiniert) mit Repräsentanten des Staatssicherheitsministeriums über eine engere Zusammenarbeit.[50]

Diese Entwicklungen haben unübersehbare Auswirkungen. Als die italienische Polizei im Jahr 2017 Dolkun Isa verhaftete, den Präsidenten des in München ansässigen Uigurischen Weltkongresses, der deutscher Staatsbürger ist, tat sie dies Berichten zufolge auf Ersuchen chinesischer Behörden, die im Jahr 2006 eine rote Notiz zur Verhaftung Dolkuns ausgestellt hatten. Nach Aussage eines westlichen Diplomaten verlangt die chinesische Regierung regelmäßig von europäischen Staaten die Verhaftung Dolkuns.[51] Interpol widerrief seine rote Notiz im Februar 2018, und sechs Wochen später verlor Meng Hongwei seinen Posten im Parteikomitee des chinesischen Ministeriums für

Öffentliche Sicherheit.[52] Wenige Monate später verschwand Meng bei einem Besuch in Beijing spurlos, was Interpol ratlos zurückließ. Es ist unklar, ob sein Verschwinden mit der Aufhebung der roten Notiz oder einem anderen Verstoß zusammenhing, aber Bethany Allen-Ebrahimian schrieb, die Disziplinarorgane der KPCh sähen in Meng nicht den Leiter einer internationalen Strafverfolgungsbehörde, sondern behandelten ihn »in erster Linie als Parteimitglied, das vom rechten Weg abgekommen ist«.[53] Im Januar 2020 wurde er nach einem Prozess, der nur einen Tag dauerte, wegen Bestechung verurteilt und für dreizehneinhalb Jahre ins Gefängnis geschickt.[54]

Auslieferungsabkommen sind ein weiteres Mittel, mit dem der chinesische Staat seinen langen Arm verlängert. Die Einwohner Hongkongs wissen genau, was es bedeutet, an China ausgeliefert zu werden, weshalb sie im Jahr 2019 so vehement gegen den Vorschlag für ein neues Auslieferungsgesetz protestierten und die Beijing untergebene Regierung zwangen, von dem Vorhaben Abstand zu nehmen. Hingegen haben sieben EU-Länder – Frankreich, Spanien, Italien, Portugal, Rumänien, Bulgarien und Litauen – Auslieferungsabkommen mit China geschlossen.[55]

Spanien war im Jahr 2007 das erste westliche Land, das ein solches Abkommen ratifizierte.[56] Im Dezember 2016 wurden im Rahmen eines gemeinsamen spanisch-chinesischen Polizeieinsatzes 269 Personen verhaftet, denen die Beteiligung an einem auf Telekommunikationsbetrug spezialisierten und aus Spanien operierenden Verbrecherring vorgeworfen wurde. Die meisten von ihnen waren taiwanesische Staatsangehörige, aber da Spanien keine formalen Beziehungen zu Taiwan unterhält, wurden sie von den spanischen Gerichten als »chinesische Staatsbürger« behandelt.[57] Bis Juli 2019 lieferte Spanien 218 dieser taiwanesischen Bürger an China aus, wo sie keine Chance auf einen fairen Prozess haben.[58] Kenia, Malaysia und Vietnam haben ebenfalls taiwanesische Staatsangehörige an China ausgeliefert.

Italien ratifizierte im Jahr 2015 ein Auslieferungsabkommen mit China, und im Rahmen einer 2016 geschlossenen Kooperationsvereinbarung patrouillieren chinesische Polizisten in der Umgebung von Sehenswürdigkeiten in Rom, Venedig und Prato.[59] Die Stadt in der Nähe von Florenz hat eine große chinesischstämmige Gemeinde; viele dieser Menschen arbeiten in den örtlichen Textil- und Bekleidungsfabriken. Der vordergründige Zweck der gemeinsamen Patrouillen besteht darin, chinesische Touristen zu schützen, aber die Präsenz chinesischer Polizisten im Ausland sendet auch eine klare Botschaft an Chinesen im Ausland: Der chinesische Staat folgt ihnen überallhin. Für das chinesische Regime sind diese polizeilichen Kooperationsvereinbarungen jedoch vor allem deshalb wichtig, weil sie den ausländischen Gesetzesvollzug in ein Netz von Verpflichtungen einbinden und dazu bewegen, Informationen auszutauschen und möglicherweise sogar wegzuschauen, wenn sich Beijing rechtswidrig verhält.

Frankreich ratifizierte im Jahr 2015 ein Auslieferungsabkommen mit China, und im September des folgenden Jahres wurde der chinesische Staatsbürger Chen Wenhua als erste Person nach Maßgabe dieser Vereinbarung ausgeliefert.[60] Französische Staatsbürger können nicht an China ausgeliefert werden, aber Bürger anderer europäischer Staaten genießen keinen solchen Schutz.[61] Nachdem Frankreich Grace Meng, der Frau des Interpolchefs Meng Hongwei, Asyl gewährt hatte, setzte China die polizeiliche Zusammenarbeit mit Frankreich aus.[62]

Obwohl es ein Auslieferungsabkommen gibt, haben chinesische Behörden Verdächtige aus Frankreich entführt. Da sie ein Auslieferungsverfahren offenbar nicht abwarten wollten, »repatriierten« die Chinesen im Februar 2017 einen Mann namens Zheng Ning, ohne die französischen Behörden darüber zu informieren.[63] Für Zheng, dem »Wirtschaftsverbrechen« vorgeworfen wurden, war eine rote Notiz ausgestellt worden, aber verdeckte Agenten »überredeten« ihn, nach China zurückzukehren. Der Einsatz war Teil von Xi Jinpings berüchtigter »Operation Fuchsjagd«, der globalen Ausweitung seiner Anti-Korruptionskampagne.[64] Tatsächlich werden sehr viel mehr chinesische Flüchtlinge zur Heimkehr nach China »überredet« als ausgeliefert oder deportiert werden. Die »Überredung« beinhaltet oft Drohungen, die Familie des Beschuldigten in der Heimat zu bestrafen und Fotos sowie seine angeblichen Verbrechen über die Medien zu verbreiten. So gingen die chinesischen Behörden im Fall einer in Melbourne lebenden älteren Frau namens Zhou Shiqin vor, die von der Party der Bestechung beschuldigt wurde und nach China zurückkehrte, nachdem man ihr Foto in den Staatsmedien verbreitet und das Vermögen ihrer Schwester eingefroren hatte.[65]

Diese Vorgehensweise ist nicht ungewöhnlich, und bisher leisten westliche Länder kaum Widerstand dagegen. Chinesische Funktionäre können oft unbehelligt Dissidenten und Angehörige ethnischer Minderheiten schikanieren und bedrohen. Die chinesischen Sicherheitsdienste versuchen, Uiguren einzuschüchtern, die in Belgien, Frankreich, Deutschland, Kanada und anderen Ländern leben.[66] Im Oktober 2017 hinderte das amerikanische Außenministerium das FBI daran, vier Mitarbeiter des Ministeriums für Staatssicherheit zu verhaften, die unter falschem Vorwand in die Vereinigten Staaten eingereist waren und versucht hatten, den wohlhabenden Dissidenten Guo Wengui (alias Miles Kwok) von der Rückkehr nach China zu »überzeugen«.[67]

Als Xi Jinping im Jahr 2015 nach London reiste, verhaftete die Polizei chinesische und tibetische Dissidenten, die gegen seinen Besuch protestierten, und durchsuchte ihre Wohnungen.[68] Im Jahr darauf wurden bei Xis Besuch in Brüssel Kundgebungen verboten und Pro-Tibet-Demonstranten verhaftet.[69] Dasselbe Muster wiederholte sich 2017 in der Schweiz.[70] Westliche Regierungen lassen also zu, dass ihre Polizeikräfte der KPCh dabei helfen, Oppositionelle zu unterdrücken. Der Tiananmen-Überlebende Shao Jiang, dessen Londoner Wohnung zu denen gehörte, die durchsucht wurden, verglich dies mit seinen Erlebnissen in China: »Jedes Mal, wenn ich verhaftet wurde, durchsuchte die chinesische Polizei meine Wohnung und nahm Dinge mit. Das hier erinnerte mich an jene Erfahrungen.«[71]

Aber eine wachsende Zahl von Ländern lehnt die Zusammenarbeit mit den chinesischen Behörden ab. Im Jahr 2017 unterband das aus-

tralische Parlament einen Versuch der Regierung, ein Auslieferungsabkommen mit China durchzudrücken. Die Abgeordneten verwiesen
auf die Korruption im chinesischen Justizsystem, auf die Tatsache,
dass die Verurteilungsquote in den chinesischen Gerichtshöfen über
99 Prozent liegt, und auf die alltäglichen Menschenrechtsverletzungen.
Im Jahr 2019 bejubelten die chinesischen Behörden die Entscheidung
Schwedens, den ehemaligen chinesischen Funktionär Qiao Jianjun
auszuliefern. Schweden hat kein Auslieferungsabkommen mit China;
die Entscheidung beruhte auf der UN-Konvention gegen Korruption.[72]
Aber ein schwedisches Gericht stoppte die Auslieferung mit der Begründung, es bestehe die »reale Gefahr, dass die Person in China aus
politischen Gründen verfolgt wird«, wobei der Richter auf Folter, er-
niedrigende Behandlung und Hinrichtungen verwies.[73] In jüngster
Zeit hat sich Schweden weniger leicht durch das aggressive Auftreten
Beijings einschüchtern lassen als andere Länder. Vielleicht bewegte
das den chinesischen Botschafter in Stockholm zu folgender Aussage:
»Wir verwöhnen unsere Freunde mit gutem Wein, aber für unsere
Feinde haben wir Schrotflinten.«[74]

Der Export der chinesischen Definition von »Terrorismus«

In den von China dominierten regionalen Organisationen findet das
Regime eine ausgezeichnete Gelegenheit vor, durch Kooperationsvereinbarungen Einfluss auf größere internationale Organisationen zu
nehmen, in denen China nicht den Ton angibt. Die Shanghai Cooperation Organization (SCO) und insbesondere ihre Regional Anti-
Terrorism Structure sind ein ausgezeichnetes Beispiel für diese Strategie. Die SCO, die im Jahr 2001 in Shanghai gegründet wurde, ist ein
von China dominiertes politisches, wirtschaftliches und Sicherheits-
bündnis mit Russland, den zentralasiatischen Ländern und seit 2017
Indien und Pakistan.

Die Organisation hat Chinas Doktrin der »Drei Übel« übernommen, die den Terrorismus mit allem vermengt, was die KPCh als

»religiösen Extremismus« oder »Separatismus« betrachtet.[75] Die Uiguren in Xinjiang haben feststellen müssen, dass die gegenwärtige Definition des »religiösen Extremismus« der KPCh das Tragen eines Barts, die Ablehnung von Schweinefleisch und Alkohol, das Beten und andere Praktiken beinhaltet, die allesamt genügen, um Menschen, die ihre Religion praktizieren, in ein Konzentrationslager zu stecken.[76]

Die Regionale Struktur für Terrorbekämpfung strebt eine engere Zusammenarbeit mit dem Terrorbekämpfungskomitee des UN-Sicherheitsrats (Counter Terrorism Committee, CTC) an und hat mit diesem eine Absichtserklärung über einen intensiveren Informationsaustausch unterzeichnet.[77] Die Regionalstruktur nimmt an Interpol-Maßnahmen wie dem Project Kalkan teil, einer Arbeitsgruppe für den Informationsaustausch über terroristische Aktivitäten, in der die Struktur über ihren Kampf gegen die »Drei Übel« berichtet.[78] Im März 2019 unterzeichnete die Regionalstruktur mit dem CTC des Sicherheitsrats eine Absichtserklärung über eine engere Kooperation.[79]

Derartige Kooperationen ermöglichen es dem chinesischen Regime, seine repressive Interpretation des Terrorismuskonzepts zu legitimieren. Und die Bemühungen der KPCh, Dissidenten als Terroristen zu brandmarken, machen sich bezahlt. Der in Deutschland ansässige Weltkongress der Uiguren (WUC) wird in der Datenbank World Check, die von Regierungen und Banken genutzt wird, um Terroristen und mit Finanzkriminalität verbundene Personen aufzuspüren, als terroristische Organisation geführt.[80] Die Folge ist, dass die Deutsche Bank und die Western Union Auslandsüberweisungen von WUC-Präsident Dolkun Isa ohne Begründung blockierten. Dolkun wurde auch am Geldwechseln gehindert, als er in Genf an einer Sitzung der Menschenrechtskommission der Vereinten Nationen teilnahm. Andere Mitglieder des Weltkongresses der Uiguren sind auf ähnliche Hindernisse gestoßen.[81]

Der Aufbau paralleler und pseudo-multilateraler Organisationen

Wie wir gesehen haben, ist die Seidenstraßen-Initiative ein Beispiel dafür, wie die KPCh versucht, die internationale Ordnung umzugestalten und gleichzeitig bestehende Organisationen einzusetzen, um die Initiative zu fördern. Manche Beobachter argumentieren, die Seidenstraßen-Initiative sei eine schlecht definierte, desorganisierte »Anhäufung von allem und nichts«, die einer unbestimmten und verwirrten Innenpolitik entspringe.[82] Natürlich dient die Seidenstraßen-Initiative innenpolitischen Zielen wie dem, zu einem Zeitpunkt, da die inneren Infrastrukturerfordernisse Chinas zu großen Teilen erfüllt sind, das Wirtschaftswachstum anzuregen. Aber sie ist auch Teil der Strategie des Regimes, globale Parallelinstitutionen zu errichten, die es dominieren kann. Die innen- und außenpolitischen Aspekte werden dadurch verknüpft, dass die KPCh trotz anderslautender Bekundungen der Architekt und wichtigste Nutznießer von beiden ist.

Die China-Expertin Alice Ekman erklärt: »China ist unzufrieden mit der gegenwärtigen Sicherheitsarchitektur und ist politisch entschlossen, … ihre Struktur zu verändern …«[83] Beijing lädt alle Welt einschließlich der Sicherheitspartner der Vereinigten Staaten ein, sich seinem »Freundeskreis« anzuschließen.[84] In Ekmans Augen ist China der klare Nutznießer der Ambiguität, die entsteht, wenn formale Bündnisse durch neue, informelle ergänzt werden.[85]

Europa spielt eine zentrale Rolle in der Strategie der KPCh, die bestehende internationale Ordnung Schritt für Schritt zu zersetzen. Das chinesische Regime betrachtete den alten Kontinent lange als irrelevanten Juniorpartner der Vereinigten Staaten, aber mittlerweile sieht es in Europa einen wichtigen Akteur, den es auf seine Seite ziehen will. Beijing möchte die Risse im atlantischen Bündnis vertiefen und gleichzeitig die Unterstützung oder zumindest einen Mangel an öffentlicher Kritik aus den europäischen Ländern nutzen, um seine Legitimität in Entwicklungsländern zu erhöhen. Parallelorganisationen helfen Beijing dabei, die EU-Länder einzeln zu bearbeiten und gegeneinander auszuspielen.

China zeichnet die Grenzen in Europa mit dem 17+1-Gipfel neu, einem vordergründig multilateralen Zusammenschluss, der eher als 17 bilaterale Beziehungen zwischen europäischen Ländern und ihrem sehr viel größeren asiatischen »Partner« betrachtet werden sollte.[86] Die Gruppe wurde im Jahr 2012 in Budapest ins Leben gerufen, um für die Seidenstraßen-Initiative zu werben, und hat ihr Sekretariat in Beijing. Im 17+1-Rahmen treffen sich die Regierungschefs der teilnehmenden Staaten jährlich mit Chinas Ministerpräsident. Der Gipfel ist eine Herausforderung für die EU, da er Mitgliedstaaten der Union mit Beitrittskandidaten und Nicht-Mitgliedstaaten mischt. Seine parallelen Wirtschaftsgipfel stellen attraktive Gelegenheiten für Länder dar, die chinesische Investitionen anlocken möchten und im Gegenzug bereit sind, »für China einzustehen«.[87] Doch die eigentliche Bedeutung der 17+1-Gruppe besteht darin, dass sie als Parallelstruktur eine Herausforderung für die auf der EU beruhende etablierte Ordnung ist.

Es ist China gelungen, eine Reihe von EU-Initiativen zu Fall zu bringen, indem es einzelne Mitgliedstaaten dazu bewegt hat, sie zu boykottieren. Da in der Union bei vielen Entscheidungen das Prinzip der Einstimmigkeit gilt, genügt oft eine einzige Gegenstimme, um eine gemeinsame Erklärung oder eine Maßnahme zu Fall zu bringen. Unter chinesischem Druck verhinderten Ungarn und Griechenland im Juli 2016 eine gemeinsame Stellungnahme der EU zum Konflikt im Südchinesischen Meer, und im März 2017 hinderte Ungarn die EU an der Unterzeichnung eines Briefs, in dem die Folter von Rechtsanwälten in China verurteilt wurde. Im selben Jahr verhinderte Griechenland, dass die EU eine Erklärung abgab, in der die Menschenrechtslage in China kritisiert wurde.[88] Im März 2018 verweigerte der ungarische Botschafter in China als einziger der 28 Gesandten der EU-Staaten die Unterschrift unter einer Erklärung, in der Kritik an der Seidenstraßen-Initiative geübt wurde.[89]

Menschenrechte mit chinesischen Charakteristika

Anfang der neunziger Jahre machte sich die KPCh daran, ihre eigene Vorstellung von den Menschenrechten aggressiv zu verbreiten. Das Argument lautete, das Recht auf Entwicklung habe Vorrang vor allen anderen Rechten. Im Jahr 1991 gab die Partei über ihr neu gegründetes Büro für Auslandspropaganda, das auch als Informationsbüro des Staatsrats bekannt ist, ihr erstes Weißbuch zu den Menschenrechten heraus.[90] Das Büro hat eine gegenwärtig von Li Xiaojun geleitete Menschenrechtsabteilung, deren Aufgabe es ist, die Partei-Definition von Menschenrechten zu verbreiten. Die grundlegende Strategie besteht darin, die individuellen und politischen Freiheitsrechte herunterzuspielen und stattdessen die »sozialen und wirtschaftlichen Rechte« in den Mittelpunkt zu rücken.

Die Chinesische Gesellschaft für Menschenrechtsstudien wurde im Jahr 1993 als eines der öffentlichen Schaufenster des Büros für Auslandspropaganda gegründet. Sie gibt sich als NRO aus und gehört der Konferenz der Nichtregierungsorganisationen der Vereinten Nationen an.[91] Ihr erster Direktor, Zhu Muzhi, leitete auch das Büro für Auslandspropaganda. Ein weiterer Beweis für die institutionelle Bindung an das Propagandabüro ist die Tatsache, dass Cui Yuying, ehemalige stellvertretende Direktorin der Propagandaabteilung und des Büros für Auslandspropaganda, gleichzeitig den Posten der stellvertretenden Direktorin der Chinesischen Gesellschaft für Menschenrechtsstudien bekleidete.[92]

Dass die Gesellschaft eine wichtige strategische Rolle spielt, wurde im Jahr 1998 klar, als sie zu den ersten chinesischen Organisationen zählte, die eine englischsprachige Website einrichteten.[93] Die Gesellschaft veröffentlicht jedes Jahr einen Bericht zur Menschenrechtslage in China und seit 1998 auch einen Menschenrechtsbericht für die Vereinigten Staaten, der eine Retourkutsche für den amerikanischen Jahresbericht über die Menschenrechtssituation in China ist.[94] Die Hauptfunktion der Chinesischen Menschenrechtsgesellschaft

besteht jedoch darin, einen für China vorteilhaften Diskurs zu verbreiten.[95]

Im Jahr 2006 wurde die Menschenrechtskommission der Vereinten Nationen durch den Menschenrechtsrat (UNHRC) ersetzt, der in
der Kritik steht, weil einige seiner Mitglieder Menschenrechtsverstöße begehen und weil er beharrlich Israel kritisiert. China beteiligte
sich aktiv an der Definition der Regeln für den Menschenrechtsrat,
versuchte durchzusetzen, dass für länderspezifische Resolutionen
eine Zweidrittelmehrheit erforderlich sein würde, und setzte sich dafür ein, Prüfungen der Menschenrechtslage in einzelnen Ländern ab-
zuschaffen oder zumindest erheblich einzuschränken.[96] Das Erfordernis der Zweidrittelmehrheit konnte China nicht durchsetzen, aber
länderspezifische Beschlüsse des Menschenrechtsrats werden oft von
den zahlreichen asiatischen und afrikanischen Mitgliedsländern
überstimmt.

Das chinesische Regime hat es auch sehr gut verstanden, Kritik an
seinem Umgang mit den Menschenrechten im UNHRC zu unterdrücken. Jedes Mal, wenn die Vereinten Nationen die Menschenrechtslage
in China untersuchen, tut Beijing alles, damit Länder zu Wort kommen, die bereit sind, sein Verhalten zu loben. Im Jahr 2019 gaben diese
wohlwollenden Länder China unter anderem folgende »Empfehlungen« zur Verbesserung seiner Menschenrechtspolitik: »China sollte
die Seidenstraßen-Initiative fortsetzen, um anderen Entwicklungsländern bei ihren Entwicklungsbemühungen zu helfen« (Pakistan).
»China sollte sich durch [seinen] nationalen Menschenrechtsaktionsplan 2016–2020 um die Stärkung der internationalen Kooperation auf
dem Gebiet der Menschenrechte bemühen« (Turkmenistan). »China
sollte den Kampf gegen Terrorismus, Extremismus und separatisti-
sche Tendenzen fortsetzen, um seine Souveränität und territoriale Integrität zu wahren« (Syrien).[97] Zahlreiche weitere Länder überhäuften
China mit als Empfehlungen getarntem Lob dieser Art. Im Juli 2019
sprach die Hongkonger Aktivistin Denise Ho vor dem UNHRC, ließ
sich von ständigen Unterbrechungen der chinesischen Delegierten
nicht aus dem Konzept bringen und forderte, Chinas Mitgliedschaft

im Menschenrechtsrat auszusetzen.[98] Aber China hat sich derart tief im UN-System festgesetzt, dass eine solche Forderung keine Aussicht auf Erfolg hat.

Um ihre Vorstellung von den Menschenrechten zu verbreiten, hat die KPCh ihre eigenen Foren gegründet, in denen sie ihre repressive Politik als Normalität darstellen kann. Beispielsweise berichtete Xinhua, auf dem 6. Menschenrechtsforum in Beijing hätten »ausländische Experten« ihren chinesischen Kollegen darin zugestimmt, dass das Internet überwacht werden müsse, um die Menschenrechte zu schützen. Damit legitimierten diese Ausländer die chinesische Zensurpraxis.[99] Die Experten – Tom Zwart, der Leiter der Netherlands School of Human Rights Research, und Kate Westgarth, die früher im britischen Außenministerium für China zuständig gewesen war – befürworten möglicherweise nicht die umfassende Zensur, die von der KPCh betrieben wird, aber ihre Teilnahme an solchen Foren und ihre augenscheinliche Zustimmung zu den chinesischen Praktiken verleihen der KPCh Legitimität.

Auch Formate wie der jährliche Europäisch-chinesische Menschenrechtsdialog und der Chinesisch-deutsche Dialog über Menschenrechte legitimieren die Position der Partei, ohne die Menschenrechtslage in China zu verbessern. Im Jahr 2017 forderten zehn Menschenrechtsorganisationen die EU auf, ihren Dialog mit China so lange auszusetzen, bis das Land tatsächliche Reformen in diesem Bereich durchführt.[100] Die westlichen Regierungen sträuben sich dagegen. Im Jahr 2019 sagte China stattdessen den Menschenrechtsdialog mit Deutschland mit der Erklärung ab, auf deutscher Seite habe »eine konstruktive Atmosphäre« gefehlt. Auch der Menschenrechtsdialog mit der Schweiz wurde von Beijing im selben Jahr abgesagt.[101]

Wenn die KPCh mit westlichen Partnern über Themen wie Menschenrechte oder die Medien spricht, sind ihre Äußerungen nicht nur für das westliche Publikum bestimmt. Europa und Nordamerika haben den Druck auf China zur Anerkennung der Menschenrechte verringert, aber der Partei ist durchaus bewusst, dass sie diese Länder in absehbarer Zeit nicht auf seine Seite ziehen wird. Und bis es so weit ist, kann der Westen Beijings Behauptungen in den Augen des Globalen Südens untergraben.

In den letzten Jahren wirbt die KPCh mit größerem Nachdruck für ihr Konzept der Menschenrechte. Die Mittel dazu sind von China organisierte Gespräche, UN-Resolutionen und internationale Versammlungen. Im Jahr 2011 veröffentlichte China seinen ersten Menschenrechtsaktionsplan. Im Juni 2017 brachte es im UNHRC seine erste Resolutionsvorlage ein, die den Titel »Beitrag der Entwicklung zum Genuss umfassender Menschenrechte« trug.[102] Im März 2018 brachte China einen zweiten Resolutionsvorschlag mit dem Titel »Förderung der für alle Seiten vorteilhaften Kooperation auf dem Gebiet der Menschenrechte« ein.[103] Beide Resolutionen wurden problemlos durchgebracht.

Im Dezember 2017 fand in Beijing das »Süd-Süd-Forum für Menschenrechte« statt, das mit der »Erklärung von Beijing« endete, in der Xi Jinpings »Schicksalsgemeinschaft der Menschheit« als unverzichtbar für die Wahrung der Menschenrechte in den Entwicklungsländern eingestuft wurde.[104] Die Chinesische Gesellschaft für Menschenrechtsstudien wirbt in Europa für die chinesische Version der Menschenrechte und versucht, die Kritik am System von Konzentrationslagern zu zerstreuen.[105] Chinas Argument lautet, die Lager, in denen seit 2017 mehr als eine Million Uiguren und Angehörige anderer Minderheiten eingesperrt sind, seien ein unverzichtbarer Bestandteil des Kampfs gegen den Terrorismus.[106] Die Gesellschaft hat auch Veranstaltungen beim UNHRC organisiert, auf denen die Verbesserung der Menschenrechtslage in Xinjiang gefeiert wird.[107] Wenn die gegenwärtige Lage in Xinjiang Hinweise auf die zu erwartende Entwicklung gibt, muss sich jeder, dem die grundlegenden Rechte des Menschen am Herzen liegen, vor Xi Jinpings »Schicksalsgemeinschaft der Menschheit« fürchten.

Der Export von »Internetsouveränität« und Standards für neue Technologien

Im von der KPCh entwickelten Konzept der »Internetsouveränität« wird der Grundsatz eines offenen, grenzenlosen Internets, in dem die Information ungehindert fließen kann, getilgt. Innerhalb Chinas bedeutet das, dass ein in der Menschheitsgeschichte beispielloses Zensurregime errichtet wurde, dass Suchmaschinen manipuliert werden, um bestimmte Begriffe zu blockieren, dass ein Heer von Online-Zensoren eingesetzt und Internetunternehmen streng reguliert werden. Wenn staatliche chinesische Denkfabriken die Errichtung eines »demokratischen« weltweiten Systems für die Internet-Aufsicht fordern, so wollen sie nichts anderes als »Internetsouveränität«, die bedeutet, dass die Normen autokratischer Regimes denselben Status haben sollen wie die demokratischer Länder: Jedes Land soll das Recht haben, das Internet innerhalb seiner Grenzen nach Belieben zu zensieren.[108]

Seit dem Jahr 2014 organisiert China alljährlich die World Internet Conference in Wuzhen. Diese Konferenz ist keineswegs eine Nebenveranstaltung, sondern lockt prominente Teilnehmer wie Tim Cook von Apple und den Google-CEO Sundar Pichai an, die beide öffentliche Vorträge gehalten haben.[109] Cook erklärte, er sei stolz darauf, »zur Errichtung einer Gemeinschaft beizutragen, die eine gemeinsame Zukunft im virtuellen Raum haben wird«.[110] Die chinesische Übersetzung klang sehr nach Xis »Schicksalsgemeinschaft der Menschheit«.

Um der »Internetsouveränität« weltweit zum Durchbruch zu verhelfen, bildet Beijing Beamte aus anderen Ländern aus. Im November 2017 veranstalteten die Chinesen ein »Seminar über das Management des virtuellen Raums für Vertreter von Ländern entlang der Neuen Seidenstraße«. In den Sitzungen wurde den Teilnehmern erklärt, wie man eine ablehnende öffentliche Meinung überwacht und in eine »positive« Richtung lenkt.[111]

Es ist unwahrscheinlich, dass die Partei die ganze Welt für ihre Vorstellungen von der Beaufsichtigung des Internets gewinnen kann, aber sie hat einige Erfolge vorzuweisen. Das extrem restriktive Internetgesetz Vietnams ist dem chinesischen nachempfunden.[112] Russland hat das Konzept der »Internetsouveränität« übernommen und im Jahr 2019 ein Gesetz verabschiedet, das dem Staat umfassende Entscheidungsgewalt darüber einräumt, was die Bürger innerhalb der Landesgrenzen im Internet sehen dürfen.[113] Vielleicht noch bedeutsamer ist, dass China nicht nur die Konzepte und die erforderliche Sachkenntnis, sondern auch die Technologie exportiert, die das Zensur- und Überwachungsregime der KPCh möglich macht. Die rund um den Erdball entstehenden »sicheren Städte« stützen sich auf Überwachungstechnologie, die von Unternehmen wie Huawei bereitgestellt wird.[114] Beispielsweise lieferte Huawei die Infrastruktur für die »sichere Stadt« in Lusaka, wo das Unternehmen Berichten zufolge auch der Regierung Sambias hilft, politische Gegner zu überwachen.[115]

Schließlich beschäftigt sich China eingehend mit der internationalen Normierung, das heißt mit der Festlegung von Erfordernissen, Normen und technischen Spezifizierungen für Produkte oder Abläufe.[116] Im Jahr 2015 richtete das Land eine Führungskleingruppe speziell für die Standardisierung entlang der »Neuen Seidenstraße« ein. Es hat sich auch Führungspositionen in der Internationalen Organisation für Normierung (ISO), der Internationalen Elektrotechnischen Kommission (IEC), der Internationalen Fernmeldeunion (ITU) der Vereinten Nationen und anderen Einrichtungen gesichert.[117] In der Fernmeldeunion haben chinesische Unternehmen, darunter ZTE sowie die staatliche China Telecom, neue Normen für Gesichtserkennungsverfahren vorgeschlagen, wie aus geleakten Dokumenten hervorgeht, über die die *Financial Times* als Erste berichtete.[118] Die Fähigkeit, globale Normen durchzusetzen, die auf ihren eigenen Technologien beruhen, gibt Unternehmen einen klaren Vorteil im Bemühen um Vergrößerung ihres Marktanteils. Im Juni 2019 schlugen ZTE und China Telecom eine Norm vor, um intelligente Ampeln durch eine Videoüberwachungsfunktion zu ergänzen. Genau davor haben die Demonstranten in Hongkong gewarnt. Die Norm wurde akzeptiert.[119]

NACHWORT

Wie sollte der Westen auf die hier beschriebenen Bedrohungen für die individuellen Freiheits- und Menschenrechte reagieren? Wie können die Demokratien widerstandsfähiger werden? Wie können sie sich besser gegen Einmischungsversuche des chinesischen und anderer autoritärer Regime zur Wehr setzen, ohne dadurch diesen Regimen ähnlicher zu werden?

Der Westen muss aktiv eine Verteidigungsstrategie entwickeln, die deutlich über Absichtserklärungen und Wunschdenken hinausgeht. Es wird den Demokratien nicht gelingen, China zu verändern, aber sie können ihre grundlegenden Institutionen verteidigen. Die wirksamen Reaktionen werden von Land zu Land unterschiedlich sein, aber sie müssen in jedem Fall die Stärken offener Gesellschaften nutzen und gleichzeitig ihre Schwächen kompensieren. Staaten werden die kurzfristigen Kosten tragen müssen, die mit einem Ende der uneingeschränkten Öffnung gegenüber China einhergehen werden. Sie müssen sich daher unbedingt besser mit ihren Verbündeten abstimmen.

Die KPCh agiert vorzugsweise im Schatten. Transparenz ist oft das beste Gegenmittel. Die Verantwortung dafür, die Aktivitäten des chinesischen Regimes ans Licht zu bringen, liegt bei Medien, Regierungsbehörden, Wissenschaftlern und Politikern. Eine vorrangige Funktion kommt den Medien zu. Die Meinungsfreiheit und freie Medien sind die Widersacher der Kommunistischen Partei Chinas und müssen um jeden Preis geschützt werden. Eine aggressive chinesische Diplomatie und Furcht vor wirtschaftlichen Vergeltungsmaßnahmen dürfen die Regierungen der freien Welt und andere Akteure nicht davon abhalten, Beijings Einmischungsversuche klar zu benennen.

Auch die akademische Welt muss sich der Herausforderung stellen. Die Grundidee der Universität ist bedroht. Angriffe auf die Freiheit von Forschung und Lehre, sei es in Form von schleichender Selbstzensur oder von Druck auf Mitarbeiter, denen geraten wird, in ihrer Arbeit »Rücksicht« auf die Beziehung zu China zu nehmen, müssen unmissverständlich verurteilt werden. Besonders gefährlich ist das Schweigen angesichts von Einmischung, Zensur und Schikane. Fakultäten und Studierende dürfen solche Angriffe auf die akademische Freiheit nicht hinnehmen. Würde eine ausreichend große Zahl von Universitäten den Dalai Lama zu Vorträgen einladen, so würden Beijings Drohungen jede Wirkung verlieren.

Auch die Zivilgesellschaft muss dazu beitragen, das Vorgehen der KPCh an die Öffentlichkeit zu bringen. Angehörige der politischen, wirtschaftlichen und Bildungseliten, die das chinesische Regime stillschweigend billigen oder aktiv unterstützen, sollten sich der öffentlichen Auseinandersetzung und Kritik stellen müssen. Theater, Filmemacher, Verleger, ja alle kulturellen Einrichtungen sollten bloßgestellt und verurteilt werden, wenn sie unter chinesischem Druck zur Zensur schreiten. Boykotte sind oft wirkungsvoll.

Menschen chinesischer Herkunft kommt eine unverzichtbare Rolle zu, wenn es darum geht, der KPCh die Stirn zu bieten. Es kann nicht nachdrücklich genug betont werden, dass die Antwort auf den Vorstoß der Partei aktiv die chinesische Diaspora einbeziehen muss, auch um den unterschwelligen Vorwurf zu entkräften, der wahre Grund für den Widerstand gegen die schleichende Einflussnahme des Regimes in Beijing seien Rassismus oder eine »antichinesische« Einstellung. Die chinesischstämmigen Gemeinden im Westen und anderswo sind das erste Ziel der Einschüchterungsversuche der KPCh. Sie werden oft unverhohlen mit Strafe bedroht, wenn sie sich den Wünschen des Regimes in Beijing nicht unterordnen. Die Rechte dieser Menschen müssen geschützt werden; diejenigen unter ihnen, die bereit sind, offen ihre Meinung zu sagen, müssen unterstützt werden, und jene, die sie bedrohen, sollten strafrechtlich verfolgt werden.

Beim Widerstand gegen das Einflussprogramm der Partei sollten wir nie den Fehler begehen, das Regime der KPCh mit dem chinesischen Volk gleichzusetzen. Demokratien müssen eine größere Zahl von Menschen chinesischer Herkunft, die sich den demokratischen Werten verpflichtet fühlen, in zivilgesellschaftliche und politische Organisationen einbinden, auch um dem *huaren canzhang*-Programm entgegenzuwirken, mit dem die KPCh versucht, regimefreundliche Personen in einflussreiche Positionen zu hieven. Parteien sollten Bürger chinesischer Herkunft dazu ermutigen, für politische Ämter zu kandidieren, und Politiker müssen aufhören, Organisationen der chinesischen Einheitsfront zu legitimieren, indem sie sich ihnen anschließen oder mit ihnen sympathisieren.

Die Verteidigung der demokratischen Institutionen obliegt den politischen Parteien, öffentlichen Einrichtungen, Gesetzesvollzugsbehörden, Universitäten, Kultureinrichtungen, Medienorganisationen und Unternehmen, die alle klare Regeln für den Umgang mit autoritären Regimes definieren und durchsetzen müssen. In der politischen Sphäre können wir viel bewirken, indem wir Gesetze für ein transparentes Lobbying erlassen und Schlupflöcher in den Bestimmungen über die Wahlkampffinanzierung schließen. So können wir die Strohmänner der KPCh daran hindern, mit Spenden politischen Einfluss zu kaufen, die vom Regime in Beijing bevorzugten Kandidaten zu unterstützen, kritische Stimmen zu unterdrücken und in umkämpften Wahlen Desinformationskampagnen zu starten. Parlamente müssen gegebenenfalls Gesetze gegen ausländische Einmischungsversuche erlassen, um die Demokratie gegen neue Formen der politischen Kriegführung zu verteidigen und den Aktivitäten von Organisationen und Personen, die versuchen, demokratische Institutionen zu untergraben, effektiver entgegenzuwirken. Eine weitere Schwachstelle, die dringend in Angriff genommen werden muss, ist die unzureichende Finanzierung von Universitäten, die mittlerweile in vielen Fällen von gewinnorientierten Managern geleitet werden, die glauben, ihr Erfolg hänge von guten Beziehungen zu China ab. Die Freiheit von Forschung und Lehre zu verteidigen wird schwieriger, wenn dies finanzielle Nachteile nach sich ziehen kann. Die Universitäten brauchen mehr Geld, um unabhängige China-Expertise zu finanzieren, die der Öffentlichkeit auch helfen kann, die Strategien der KPCh zu verstehen.

Größere Investitionen in die öffentlichen Medien würden ein Gegengewicht zur Berichterstattung jener Medien schaffen, die ein finanzielles Interesse daran haben, sich das Wohlwollen des chinesischen Regimes zu sichern. Maßnahmen zur Aufdeckung und Bekämpfung der Kontrolle des Regimes über chinesischsprachige Medien sollten Schritte zur Überwindung von Werbeboykotten beinhalten, die viele unabhängige Medien aus dem Markt gedrängt haben. Neue Medienunternehmen werden möglicherweise finanzielle Unterstützung brauchen.

Jedes Land wird einen Preis dafür bezahlen müssen, seine Anfälligkeit für den Druck des chinesischen Regimes zu verringern, aber langfristig wird es sich lohnen. China setzt seine wirtschaftliche Macht wie eine überwältigende Waffe ein. Die wirtschaftliche Erpressung erweist sich als sehr wirksam, verzerrt die Entscheidungen gewählter Regierungen, schüchtert Bürokraten ein, bringt Kritiker zum Schweigen und macht ungezählte Unternehmen abhängig. Diese Macht wächst weiter, wenn chinesische Unternehmen, die der Partei unterstehen, kritische Infrastrukturen in anderen Ländern besitzen. Der Westen muss sich gegen diesen Druck abschirmen, wo immer das möglich ist. Wo es nicht möglich ist, muss er sich zu schwierigen Entscheidungen durchringen und Verbindungen kappen.

Sämtliche Wirtschaftsbereiche einschließlich Bildungswesen und Tourismus müssen verstehen, welche politischen Gefahren mit der Abhängigkeit von Einnahmeströmen aus China einhergehen. Die kurzfristige Gewinnmaximierung macht diese Sektoren anfällig für langfristige Schäden. Wenn Unternehmen über Partnerschaften mit chinesischen Organisationen nachdenken, sollten sie Personen zurate ziehen, die des Chinesischen mächtig sind und tatsächlich verstehen, wie das System der KPCh funktioniert.

Die Politik sollte den Unternehmen klarmachen, dass sie selbst die Kosten tragen müssen, wenn sie sich den Risiken aussetzen, die mit einer zu großen Abhängigkeit vom chinesischen Markt einhergehen. Unternehmen dürfen nicht von ihrer Regierung erwarten, dass sie die Menschenrechte und bürgerlichen Freiheiten opfert, um das chinesische Regime zu beschwichtigen. Solange in China die KPCh herrscht, ist die Diversifizierung der Märkte ein unverzichtbarer Bestandteil eines vorausschauenden Managements.

Die Vereinigten Staaten können dem weltweit wachsenden Einfluss der KPCh nicht alleine begegnen. Indem sie das versuchen, spielen sie China in die Hände. Gleichzeitig müssen andere westliche Länder erkennen, dass ein von der KPCh beherrschtes China nicht ihr Freund ist und es nie sein wird. Beijing verabscheut alle Bündnisse, die es nicht kontrollieren kann, und tut alles, um sie aufzubrechen. Die demokratischen Länder in aller Welt müssen sich zusammenschließen, um die universellen Menschenrechte zu schützen und die demokratischen Prinzipien zu verteidigen. Bündnisse mit Entwicklungsländern werden hier ebenso wichtig sein wie solche zwischen den Industrieländern.

Obwohl wir in diesem Buch ein düsteres Bild gezeichnet haben, hegen wir die Hoffnung, dass die Demokratie und der Wunsch nach Freiheit die Oberhand behalten werden. In Hongkong und Taiwan wehren sich die Menschen gegen die Versuche der KPCh, sie zu kontrollieren und einzuschüchtern. Es stimmt, dass viele Bürger westlicher Länder ihre eigenen Regierungssysteme mit Zynismus und Resignation betrachten, aber eine wachsende Zahl von ihnen begreift, dass die KPCh eine fundamentale Bedrohung für die Rechte und Freiheiten darstellt, die in großen Teilen der Welt als selbstverständlich betrachtet werden. Und es ist ermutigend, dass sich über die Grenzen der traditionellen politischen Lager hinweg Widerstand gegen Einflussnahme, Einmischung und Einschüchterungsversuche der KPCh regt. Menschen im gesamten politischen Spektrum erkennen zunehmend die von der KPCh ausgehende Gefahr und schließen sich zusammen, nicht zuletzt mit denjenigen, die selber aus China geflohen sind. Die Gegenreaktion gewinnt tagtäglich an Kraft, und die Parteiführung in Beijing ist besorgt.

DANK

Sehr viele Menschen haben uns großzügig ihre Zeit geopfert und ihr Wissen beigesteuert, um dieses Buch besser zu machen.

Besonders großen Dank schulden wir denjenigen, die das gesamte Manuskript oder Teile davon gelesen und kommentiert haben: John Fitzgerald, Helena Legarda, Katja Drinhausen, Alex Joske und Matthew Turpin. Geoff Wade gab uns während der Arbeit unschätzbare Ratschläge. Eine Kollegin, die als Wissenschaftlerin in Melbourne tätig ist und anonym bleiben möchte, leistete große Beiträge zur Forschungsarbeit und las sorgfältig sämtliche Kapitel.

Clive Hamilton möchte insbesondere den Menschen in Kanada und den Vereinigten Staaten danken, die sich mit ihm trafen und ihr Fachwissen mit ihm teilten: David Kilgour, Winnie Ng, Alex Bowe, Matt Southerland, Daniel Peck, Tom Mahnken, Toshi Yoshihara, Ely Ratner, Josh Rogin, Isaac Stone-Fish, Andrew Erikson, Joanna Chiu, Jeremy Nuttall, Ina Mitchell, Jonathan Manthorpe, Perrin Grauer, Calvin Chrustie, John Fraser, Reverend Dominic Tse, Joel Chipcar, Craig Offman, Dick Chan, Dimon Liu, Bob Suettinger, Vincent Chao, Russell Hsiao, Chris Walker, Jessica Ludwig, Orville Schell und Ian Easton.

Besonders dankbar ist er Ivy Li, Fenella Sung und Natalie Hui, die ihm das Geflecht der Einflussnahme der KPCh in Kanada verdeutlicht haben und unerschöpfliche Informationsquellen waren.

In Australien schulden wir neben den bereits erwähnten Personen einer Reihe von Kollegen Dank, die Informationen lieferten und uns ihre Kenntnis der Zusammenhänge zugänglich machten: Charles Edel, Catherine Yeung, Nick McKenzie, Matthew Robertson und John Garnaut. In Großbritannien waren Keith Thomas, Martin Thorley und Charles Parton sehr ergiebige Quellen. Im übrigen Europa leisteten Pradeep Taneja, Lucrezia Poggetti, Thorsten Benner, Roger Faligot und Jichang Lulu wertvolle Beiträge, die ihren Weg in dieses Buch gefunden haben.

Mareike Ohlberg möchte ihren Kollegen am MERICS danken, die ihr wertvolles Feedback und Unterstützung gaben. Die in diesem Buch geäußerten Ansichten entsprechen nicht zwangsläufig denen ihres Arbeitgebers. Sie möchte auch den Teilnehmern an Dutzenden Konferenzen, Workshops und Seminaren zu diesem Thema in ganz Europa danken. Zahlreiche Gespräche am Rand solcher Veranstaltungen halfen ihr, neue Verbindungen herzustellen, neue Einblicke zu gewinnen und ihr Wissen über die Einflussnahme der KPCh zu vertiefen. Schließlich möchte sie ihrer Familie und ihren Freunden danken: Ohne ihre Unterstützung wäre es nicht möglich gewesen, dieses Buch fertigzustellen.

Unsere Arbeit baut auf der Arbeit zahlreicher China-Forscher und Analysten auf. Wir hoffen, dass aus dem Text und den Endnoten klar hervorgeht, wie viel Dank wir ihnen schulden. Wir möchten insbesondere die bahnbrechende Arbeit von Anne-Marie Brady erwähnen, die unser Verständnis der Einheitsfrontarbeit der KPCh nachhaltig beeinflusst hat.

Selbstverständlich sind alle in diesem Buch geäußerten Ansichten unsere eigenen und sollten keiner der zuvor genannten Personen zugeschrieben werden. Für etwaige Fehler sind wir verantwortlich.

ANMERKUNGEN

1 Ein Überblick über die Bestrebungen der KPCh

1 Shaun Rein, China Market Research Group, Shanghai, zitiert in: »Beijing's new weapon in economic war: Chinese tourists«, *Inquirer.net*, 26. Juni 2017.

2 Clive Hamilton, *Silent Invasion: China's influence in Australia* (Melbourne: Hardie Grant Books, 2018), S. 145.

3 Norman Lebrecht, »Eastman dean explains why he dropped Korean students from China tour«, in: *Slipped Disk*, 26. Oktober 2019.

4 Javier Hernández, »Caught in U.S.-China Crossfire, Eastman Orchestra Cancels Tour«, in: *New York Times*, 30. Oktober 2019.

5 James Palmer, »The NBA is China's willing tool«, in: *Foreign Policy*, 7. Oktober 2019.

6 Ben Cohen, Georgia Wells und Tom McGinty, »How one tweet turned pro-China trolls against the NBA«, in: *Wall Street Journal*, 16. Oktober 2019.

7 Sopan Deb, »N.B.A. commissioner defends Daryl Morey as Chinese companies cut ties«, in: *New York Times*, 8. Oktober 2019.

8 Ben Mathis-Lilley, »The NBA forgot that it has American fans too«, in: *Slate*, 7. Oktober 2019.

9 Perry Link, »China: The anaconda in the chandelier«, in: *Chinafile*, 11. April 2002.

10 Jason Thomas, »China's BRI negatively impacting the environment«, in: *Asean Post*, 19. Februar 2019.

11 Devin Thorne und Ben Spevack, »Harbored Ambitions; How China's port investments are strategically reshaping the Indo-Pacific«, C4ADS, 2017, S. 19.

12 Nadège Rolland, »Beijing's Vision for a Reshaped International Order«, *China Brief* (Jamestown Foundation), 26. Februar 2018.

13 Der einflussreiche Intellektuelle Zheng Wang erklärt: »Die Chinesen haben ein ausgeprägtes Gefühl, auserwählt zu sein, und sind extrem stolz auf ihre vergangenen und zeitgenössischen Leistungen.«, Zheng Wang, *Never Forget National Humiliation: Historical memory in Chinese politics and foreign relations* (New York: Columbia University Press, 2012), S. 17.

14 Martin Hála und Jichang Lulu, »Lost in Translation: ›economic diplomacy‹ with Chinese characteristics«, in: *Sinopsis*, 10. März 2019, S. 7.

15 Qiao Liang, »One belt, one road«, in: *Limes (Revista Italiana di geopolitica)*, 17. Juli 2015.

16 Tom Wright und Bradley Hope, »China offered to bail out troubled Malaysian fund in return for deals«, in: *Wall Street Journal*, 7. Januar 2019. Die Projekte mündeten in einen großen Bestechungsskandal.

17 Ben Blanchard und Robin Emmott, »China struggles to ease concerns over ›Belt and Road‹ initiative as summit looms«, in: *Japan Times*, 11. April 2019.

18 Nayan Chanda, »The Silk Road – Old and New«, *YaleGlobal Online*, 26. Oktober 2015.

19 Ariana King, »China is ›champion of multilateralism‹, foreign minister says«, in: *Nikkei Asian Review*, 29. September 2018.

20 Zhonggong zhongyang xuanchuanbu ganbuju (中共中央宣传部干部局) [Kaderbüro der Zentralen Propagandaabteilung des ZK der KPCh] (Hg.), *Xin shiqi xuanchuan sixiang gongzuo* (新时期宣传思想工作) [Propaganda und Gedankenarbeit in der neuen Zeit] (Beijing: Xuexi chubanshe, 2006), S. 2.

21 Melanie Hart und Blaine Johnson, »Mapping China's Global Governance Ambitions«, Center for American Progress, 28. Februar 2019.

22 Anonym, »Why does the Western media hate the GFW so much?«, in: *Global Times*, 11. April 2016. Wie viele andere Leitartikel in der *Global Times*, die als radikal oder Ausdruck einer Minderheitsmeinung in der chinesischen Regierung betrachtet werden, repräsentiert dieser Text tatsächlich eine intellektuelle Hauptströmung in der Führung der KPCh.

23 Die Parteitheoretiker haben Michel Foucault studiert. Vgl. »Guoji huayuquan jianshe zhong ji da jichuxing lilunxing wenti« (国际话语权建设中几大基础性理论问题) [Einige wichtige theoretische Fragen in Zusammenhang mit dem Aufbau der internationalen Diskursmacht], Informationsbüro des Staatsrats, 27. Februar 2017.

2 Eine leninistische Partei zieht in die Welt hinaus

1 »China urges US to abandon zero-sum Cold War mindset«, CGTN, Youtube-Kanal, 19. Dezember 2017, https://www.youtube.com/watch?v=zZ-yPDLJmZE, »China calls on US to ›cast away Cold War mentality‹«, AP Archive, Youtube-Kanal, 6. Februar 2018, https://www.youtube.com/watch?v=ZYdaY8Ptp78. Die amtliche Nachrichtenagentur Xinhua bezeichnete die im Jahr 2018 vorgelegte Nationale Verteidigungsstrategie des amerikanischen Verteidigungsministeriums ebenfalls als Beleg für die »Kalter-Krieg-Mentalität« der USA. Vgl. Anonym, »›Cold War‹ mentality for U.S. to play up ›Chinese military threat‹: spokesperson«, Xinhua, 1. Januar 2018.

2 Anonym, »Huawei victim of high-tech McCarthyism«, in: *Global Times*, 1. Juli 2019.

3 Liu Xiaoming, »›Gunboat diplomacy‹ does not promote peace«, in: *Telegraph*, 20. März 2019. Nicht nur die Vereinigten Staaten leiden unter einer »Kalter-Krieg-Mentalität«; dasselbe gilt auch für Deutschland, wenn man der *Global Times* glauben kann, sowie für Australien. Vgl. Li Chao, »Germany's skepticism of China unfounded«, in: *Global Times*, 14. März 2018. Als Litauen im Jahr 2019 China in sein National Threat Assessment aufnahm, »erinnerte« der chinesische Botschafter die litauische Regierung daran, »chinesische Investitionen nicht durch die Linse des ›Kalten Kriegs‹ zu betrachten«. Joel Gehrke, »China lashes Lithuania for sounding alarm on espionage«, in: *Washington Examiner*, 8. Februar 2019.

4 Anonym, »China rejects U.S. accusations on human rights«, in: *People's Daily Online*, 15. März 2019.

5 Laurie Chen, »Overreaction to China threat could turn into McCarthyite Red Scare, says former US official«, in: *South China Morning Post*, 31. März 2019.

6 Ebd.

7 John Kennedy, »Xi Jinping's opposition to political reforms laid out in leaked internal speech«, in: *South China Morning Post*, 28. Januar 2013; Gao You (高瑜), »Nan'er Xi Jinping« (男儿习近平) [Der wirkliche Mann Xi Jinping], *Deutsche Welle*, 25. Januar 2013.

8 Vgl. z. B. Angus Grigg, »How did we get Chinese leader Xi Jinping so

wrong«, in: *Financial Review*, 18. Januar 2019.

9 Xi Jinping (习近平), »Guanyu jianchi he fazhan Zhongguo tese shehui zhuyi ji ge wenti« (关于坚持和发展中国特色社会主义的几个问题) [Einige Fragen in Zusammenhang mit der Verteidigung und Entwicklung des Sozialismus mit chinesischen Besonderheiten], in: *Qiushi*, Nr. 7, 31. März 2019, http://www.qstheory.cn/dukan/qs/2019-03/31/c_1124302776.htm.

10 Für eine englische Übersetzung vgl. Anonym, »Document 9: A ChinaFile Translation«, in: *ChinaFile*, 8. November 2013, http://www.chinafile.com/document-9-chinafile-translation.

11 Carry Huang, »Paranoia from Soviet Union collapse haunts China's Communist Party, 22 years on«, in: *South China Morning Post*, 8. November 2013. Im selben Jahr wurden die Parteikader angehalten, sich einen vom Zentralen Disziplinären Inspektionskomitee der KPCh gemeinsam mit der Chinesischen Akademie für Sozialwissenschaften produzierten Dokumentarfilm mit dem Titel *Im Gedenken an den Zusammenbruch der Kommunistischen Partei der Sowjetunion* anzusehen. So wie in Xi Jinpings Reden wurde der Zusammenbruch der Sowjetunion damit erklärt, dass die Kommunistische Partei die Kontrolle über die ideologische Sphäre verloren hatte.

12 Vgl. auch Jeremy Goldkorn, »Silent Contest«, in: *The China Story*, 2014.

13 Huang Jingjing, »›Silent Contest‹ silenced«, in: *Global Times*, 17. November 2013.

14 Für Universitäten vgl. Tom Phillips, »›It's getting worse‹: China's liberal academics fear growing censorship«, in: *The Guardian*, 6. August 2015; Tom Phillips, »China universities must become Communist party ›strongholds‹, says Xi Jinping«, in: *The Guardian*, 9. Dezember 2016; Steven Jiang, »Communist Party cracks down on China's famous Beijing University«, CNN, 15. November 2018. Für stärkere Kontrolle von Medien, vgl. David Ban-

durski, »The Spirit of Control«, in: *Medium*, 24. Februar 2016.

15 John Garnaut, »Engineers of the Soul: Ideology in Xi Jinping's China by John Garnaut«, Nachdruck in: *Sinocism*, Newsletter, 17. Januar 2019, https://nb.sinocism.com/p/engineers-of-the-soul-ideology-in.

16 Ebd.

17 Anne-Marie Brady, *Marketing dictatorship: propaganda and thought work in contemporary China* (Lanham: Rowman & Littlefield, 2008), S. 51 ff.

18 Joseph Nye, *Bound to Lead: The changing nature of American power* (New York: Basic Books, 1990).

19 *Meiguo dingneng lingdao shijie ma?* (美国定能领导世界吗?) [Stimmt es, dass Amerika die Welt führen kann?], übersetzt von He Xiaodong (何小东) und Gao Yuyun (盖玉云) (Beijing: Junshi yiwen chubanshe, 1992), S. 4.

20 Ebd., S. 2 f.

21 Sha Qiguang (沙奇光), »Dui shiji chu guoji yulun xingshi ji yingdui cuoshi de ji dian sikao« (对世纪初国际舆论形式及应对措施的几点思考) [Gedanken zur Form der internationalen öffentlichen Meinung und Gegenmaßnahmen zu Beginn des Jahrhunderts], in: *Duiwai xuanchuan cankao*, Nr. 12, 2000, S. 9.

22 Zhang Guofan (张国祚), »Zenme kandai yishi xingtai wenti« (怎样看待意识形态问题) [Wie die Frage der Ideologie zu betrachten ist], in: *Qiushi*, 23. April 2015, Erstveröffentlichung in: *Hongqi wengao*, Nr. 8, 2015, https://web.archive.org/web/20191205120449/http://www.qstheory.cn/dukan/hqwg/2015-04/23/c_1115069696.htm.

23 Vgl. z. B. Kapitel 4, »The Chinese discourse on Communist party-states«, in: David Shambaugh, *China's Communist Party: atrophy and adaptation* (Berkeley: University of California, Press/Washington, D.C.: Woodrow Wilson Center Press, 2008).

24 Bruce Gilley und Heike Holbig, »In search of legitimacy in post-revolutionary China: bringing ideology and governance back«, in: *GIGA Working*

Paper, Nr. 127, 8. März 2010, zugänglich unter: https://ssrn.com/abstract= 1586310 or http://dx.doi.org/10.2139/ ssrn.1586310.

25 »Der Westen ist stark und China ist schwach« ist eine Einschätzung der Lage an der »Front der öffentlichen Meinung« (舆论战线), die von hochrangigen Parteifunktionären und anderen wiederholt geäußert worden ist. Vgl. z. B. Zhang Zhizhou (张志洲), »Qieshi gaibian guoji huayuquan ›Xi qiang wo ruo‹ geju« (切实改变国际话语权'西强我弱'格局) [Wesentliche Änderung des Musters von ›Der Westen ist stark und China ist schwach‹ in der internationalen Diskursmacht], in: *People's Daily Online*, 20. September 2016, http://theory.people.com.cn/ n1/2016/0920/c40531-28725837.html.

26 Yang Jinzhou (杨金洲) und Yang Guoren (杨国仁), »Xingshi, renwu, tiaozhan, jiyu – xie zai xin shiji kaiyuan zhi ji« (形势·任务·挑战·机遇——写在新世纪开元之际) [Die Situation, Verantwortung, Herausforderungen, Chancen – geschrieben anlässlich des Beginns des neuen Jahrhunderts], in: *Duiwai xuanchuan cankao*, Nr. 1, 2001, S. 4.

27 Wang Huning (王沪宁), »Zuowei guojia shili de wenhua: ruanquanli« (作为国家实力的文化：软权力) [Kultur als Teil der Macht eines Landes: *Soft Power*], in: *Fudan xuebai (shehui kexueban)*, Nr. 3, 1993, S. 91.

28 Vgl. Banyan, »The meaning of the man behind China's ideology«, in: *The Economist*, 2. November 2017.

29 Zu Beginn des Jahrtausends warb die KPCh noch für die Vorstellung von »Chinas friedlichem Aufstieg«, ein Konzept, das von Zheng Bijian, dem ehemaligen stellvertretenden Leiter der Zentralen Propagandaabteilung, eingeführt worden war und nicht mit der »friedlichen Evolution« verwechselt werden darf. Der Slogan wurde später zu »Chinas friedliche Entwicklung« abgewandelt, um bedrohliche Konnotationen mit dem Wort »Aufstieg« zu vermeiden, und schließlich wurde das Konzept vollkommen aufgegeben. Vgl. z. B. R. L. Suettinger, »The Rise and Descent of ›Peaceful Rise‹«, in: *China Leadership Monitor*, Nr. 12, 2004.

30 Zhonggong zhongyang xuanchuanbu ganbuju (中共中央宣传部干部局) [Kaderbüro der Zentralen Propagandaabteilung des Zentralkomitees der Kommunistischen Partei Chinas] (Hg.), *Xin shiqi xuanchuan sixiang gongzuo* (新时期宣传思想工作) [Propaganda und Gedankenarbeit in der neuen Zeit] (Beijing: Xuexi, 2006), S. 188. Einige Monate später, im April 2004, wurde die Kleine Arbeitsgruppe für Auslandspropaganda zu einer Führungskleingruppe hinaufgestuft, um die Gestaltung und Durchführung von Maßnahmen besser koordinieren zu können. Vgl. Zhu Muzhi (朱穆之), *Fengyun jidang qishi nian* (风云激荡七十年) [Sieben turbulente Jahrzehnte], Bd. 2 (Beijing: Wuzhou chuanbo chubanshe, 2007), S. 248. Möglicherweise wurde diese Gruppe unter Xi mit der Führungskleingruppe für Propaganda und Gedankenarbeit verschmolzen, aber da über keine der beiden Gruppen öffentlich berichtet wird, ist das unklar.

31 »Quansheng duiwai xuanchuan gongzuo huiyi tichu: jianli da waixuan geju kaichuang waixuan gongzuo xin jumian« (全省对外宣传工作会议提出：建立大外宣格局开创外宣工作新局面) [Arbeitskonferenz zur Außenpropaganda der Provinz schlägt vor: Aufbau einer groß angelegten Außenpropaganda-Struktur und Schaffung einer neuen Situation in der Außenpropaganda-Arbeit], *Jinri Hainan*, Nr. 7, 2004, S. 7.

32 Anne-Marie Brady, »Magic Weapons: China's political influence activities under Xi Jinping« Wilson Center, 18. September 2017, S. 9.

33 Wu Nong (吴农), »Lun duiwai xuanchuan yu jiaqiang dang de zhizheng nengli jianshe« (论对外宣传与加强党的执政能力建设) [Auslandspropaganda und der Aufbau der Fähigkeit der Partei zur Herrschaft], in: *Duiwai xuanchuan cankao*, Nr. 4, 2005, S. 17.

34 Joseph Fewsmith, »Debating ›the China Model‹«, in: *China Leadership Monitor*, Nr. 35, Sommer 2011.

35 Chen Fengying (陈凤英), »Shijiu da baogao quanshi quanqiu zhili zhi Zhongguo fang'an: Zhongguo dui quanqiu zhili de gongxian yu zuoyong« (十九大报 告诠释全 球治理之中国 方 案 —— 中国对全球治 理的贡献 与作 用) [Der Bericht zum 19. Parteitag Report erklärt den chinesischen Ansatz für globale Governance: Chinas Beitrag zur globalen Governance und seine Funktion darin], in *People's Daily Online*, 14. Dezember 2017, https://web.archive.org/web/20191205121135/http://theory.people.com.cn/n1/2017/1214/c40531-29706473.html; »Tegao: Zhongguo fang'an de shijie huixiang – xie zai renlei mingyun gongtongti linian shouci zairu Anlihui jueyi zhi ji« (特稿：中国方案的世 界回响 —— 写在 人类 命运共 同体理念首 次载入 安理 会决 议之际) [Sonderbericht: Die Reaktion der Welt auf den chinesischen Ansatz – anlässlich der ersten Aufnahme des Konzepts der Schicksalsgemeinschaft der Menschheit im Sicherheitsrat], in: Xinhua, 23. März 2017, https://web.archive.org/web/201807 25121415/http://www.xinhuanet.com/ 2017-03/23/c_129516885.htm.

36 »Chinese democracy in the eyes of an American«, New China TV, Youtube-Kanal, 2. März 2019, https://www.youtube.com/watch?v=AUxbZo7q7jo.

37 »Pojie quanqiu zhili 4 da chizi, Xi Jinping zai Bali jichu ›Zhongguo fang'an‹« (破解全球治理4大赤字・习近平在 巴 黎给出'中国方案) [Zur Beseitigung der vier großen Mängel der globalen Governance bietet Xi Jinping in Paris den »chinesischen Fall« an], in: *China Peace Net*, 27. März 2019, https://web.archive.org/web/20190404193447/http://www.chinapeace.gov.cn/2019-03/27/content_11513080.htm.

38 Juan Pablo Cardenal, Jacek Kucharczyk, Grigorij Mesežnikov und Gabriela Pleschová, International Forum for Democratic Studies, *Sharp Power: Rising Authoritarian Influence* (Washing-

ton, D. C.: International Forum for Democratic Studies, 2017).

39 Jasmin Gong, Bertram Lang und Kristin Shi-Kupfer, »European Crises through the lens of Chinese media«, in: *MERICS China Monitor*, 12. Juli 2016.

40 Peter Mattis, »China's ›three warfares‹ in perspective«, in: *War on the Rocks*, 30. Januar 2018.

41 »Zhonggong zhongyang yin ›Shenhua dang he guojia jigou gaige fang'an‹« (中共中央印发《深化 党和国家机 构改 革方案》) [Das Zentralkomitee der Kommunistischen Partei Chinas verabschiedet den »Plan zur Vertiefung der Reform von Partei- und Staatsorganisationen«], Xinhua, 21. März 2018, https://web.archive.org/web/20191130114748/http://www.xinhuanet.com/politics/2018-03/21/c_1122570517.htm.

42 Es ist nicht vollkommen neu, dass ein Parteimitglied beauftragt wird, ein Auge auf chinesische Delegationen zu haben, die ins Ausland reisen, aber unter Xi Jinping wird diese Praxis offenbar strikter gehandhabt.

43 David Shambaugh, »China's ›quiet diplomacy‹: the International Department of the Chinese Communist Party«, in: *China: An International Journal*, 5:1, März 2002, S. 26–54.

44 Larry Diamond und Orville Schell (Hg.), *Chinese influence and American interest: promoting constructive vigilance* (Stanford: Hoover Institution Press, 2018), S. 160 f. Im Rahmen einer umfassenden Umstrukturierung in den Jahren 2017 und 2018 wurde die Abteilung mit dem Büro der Führungsgruppe für Auslandsangelegenheiten verschmolzen. Vgl. Anne-Marie Brady, »Exploit every rift: United Front Work goes global«, in: *Party Watch Annual Report*, Oktober 2018, https://docs.wixstatic.com/ugd/183fcc_5dfb4a9b2dde492db4002f4aa 90f4a25.pdf, S. 35.

45 Julia G. Bowie, »International liaison work for the new era: generating global consensus?«, in: *Party Watch Annual*

Report 2018, S. 42, zitiert aus »Xi Jinping: nuli kaichuang Zhongguo tase dagga waijiao xin jumian« (习近平：努力开创中国特色大国外交新局面) [Xi Jinping: Hart arbeiten, um eine neue Phase großartiger Machtbeziehungen chinesischer Prägung einzuleiten], Xinhua, 23. Juni 2018, https://web. archive.org/web/20191130115541/http:// www.xinhuanet.com/2018-06/23/ c_1123025806.htm.

46 Brady, »Exploit every rift: United Front Work goes global«, S. 35 f.

47 Vgl. Michael Martina, »Exclusive: In China, the Party's push for influence inside foreign firms stirs fears«, Reuters, 24. August 2017.

48 Alex Joske, »The Party speaks for you«, Australian Strategic Policy Institute, Canberra, 2020.

49 Brady, »Exploit every rift: United Front Work goes global«, S. 34. Vgl. auch Charlotte Gao, »The 19th Party Congress: a rare glimpse of the United Front Work Department«, in: *The Diplomat*, 24. Oktober 2017.

50 Gerry Groot, »The expansion of the United Front under Xi Jinping«, in: *The China Story*, Australian Centre on China in the World, ANU, 2015, S. 168. Vgl. auch Gerry Groot, »The long reach of China's United Front Work«, in: *Lowy Interpreter*, 6. November 2017, sowie Gerry Groot, »United Front Work after the 19th Party Congress«, in: *China Brief* (Jamestown Foundation), 22. Dezember 2017.

51 Anonym, »Tongyi zhanxian shi yi men kexue de youlai« (统一战线是一门科学的由来) [Die Ursprünge der Einheitsfront als Wissenschaft], in: *United Front News Net*, 8. Mai 2014, https:// tinyurl.com/uvz6jwe.

52 Anonym, »Woguo shou jie tongzhanxue shuoshi biye – lai kan yixia« (我国首届统战学硕士毕业——来看一下) [Chinas erste Gruppe von Studenten der Einzelheitsfront schließt ihr Masterstudium ab – schaut sie euch an], *Sohu*, 4. Juli 2018, https://web.archive. org/web/20191130134628/http://m.sohu. com/a/239312861_358054.

53 Anne-Marie Brady, »Chinese interference: Anne-Marie Brady's full submission«, *Newsroom*, 8. Mai 2019.

54 Groot, »The expansion of the United Front under Xi Jinping«, S. 168.

55 Gerry Groot, »The United Front in an age of shared destiny«, in: Geremie Barmé u. a. (Hg.), *Shared Destiny: The China Story Yearbook* (Canberra: ANU Press, 2015), S. 130.

56 Brady, »Magic Weapons«, S. 8.

57 Zheng Bijian, »China's ›peaceful rise‹ to great-power status«, *Foreign Affairs*, September/Oktober 2005.

58 »Zheng Bijian: jiefang ›san ge li‹ zhiguan quanju« (郑必坚：解放»三个力«»事关全局) [Zheng Bijian: Freisetzung der »drei Kräfte« ist wichtig für das Gesamtbild], Erstveröffentlichung in: *Tong zhou gong jin*, Nr. 12, 2008, https://tinyurl.com/srcgwy2; »Zheng Bijian«, *Bo'ao Forum for Asia*, 17. Dezember 2013, https://tinyurl.com/ wwt5bmj. In einem Artikel aus dem Jahr 2015 wurden die wechselnden Rollen von sechs ehemaligen Beratern der chinesischen Führung beschrieben, darunter Zheng Bijian, https://tinyurl. com/qoc5uwl.

59 Lü Jianzhong (吕建中), https://tinyurl. com/u3zzbpd. Baidu Baike ist das chinesische Gegenstück zu Wikipedia. Vgl. auch »Xi'an Datang xi shi wenhua chanye touzi youxian gongsi« (西安大唐西市文化产业投资有限公司董事长吕建中) [Lü Jianzhong, Vositzender der Xi'an Tang West Market Culture Industry Investment Co., Ltd.], ifeng.com, 20. März 2013, https://tinyurl. com/qne7n6j, sowie »Lü Jianzhong shou yao danren Zhonguo guoji wenti yanjiu jijinhui teyao fu lishizhang« (吕建中受邀担任中国国际问题研究基金会特邀副理事长) [Lü Jianzhong wurde eingeladen, das Amt des stellvertretenden Vorsitzenden der Chinesischen Stiftung für Internationale Studien zu übernehmen], Jin Merchants Club, 12. August 2016, https://tinyurl. com/surttjk.

60 Vgl. Russell L. C. Hsiao, »Chinese Political Warfare in the 21st Cen-

tury«, in: *Asia Dialogue*, 21. Oktober 2013.

61 Nach Angabe der offiziellen Website der chinesischen Regierung hat das Informationsbüro des Staatsrats mittlerweile ein Namensschild unterhalb der Zentralen Propagandaabteilung. Vgl. »Zhonghua renmin gongheguo guowuyuan« (中华人民共和国国务院) [Staatsrat der Volksrepublik China], Website der chinesischen Regierung, http://www.gov.cn/guowuyuan/zuzhi. htm. David Shambaugh erklärt: »Als Resultat der umfassenden Neuorganisation des Staatsrats auf dem 13. Nationalen Volkskongress im März 2018 wurde die Führungsgruppe für Auslandspropaganda offenbar wieder von der Zentralen Propagandaabteilung absorbiert, womit sie ihren halbautonomen Status eingebüßt hat – aber das ist nicht vollkommen klar.« David Shambaugh, »China's External Propaganda Work: Missions, Messengers, Mediums«, in: *Party Watch Annual Report*, Oktober 2018, S. 29.

62 »Xueyuan jieshao« (学院简介) [Vorstellung des Instituts], Website des Zentralinstituts für den Sozialismus, 25. Juni 2018, https://tinyurl.com/vm5v3h9; Website der Akademie der Chinesischen Kultur, https://tinyurl.com/utzlpha.

63 Zitat: »特别是 与外国合 作以商业面 貌出现«. Benkan teyue jizhe (本刊特 约记者), »Tixian shidaixing, bawo guilüxing, fuyu chuangzaoxing: ji 2003 nian quanguo waixuan gongzuo huiyi« (体现时 代性 把握规 律性 富于 创造 性 - 记 2003 年全国外宣 工作会议) [Verkörpert die Charakteristika der Zeit, versteht die Regeln, seid reich an Innovation – Notizen zur landesweiten Arbeitssitzung für Auslandspropaganda im Jahr 2003], in: *Duiwai xuanchuan cankao*, Nr. 2, 2003, S. 3.

64 Peter Mattis, »Everything we know about China's secretive State Security Bureau«, in: *The National Interest*, 9. Juli 2017.

65 Anonym, »Guo Yezhou: quan fangwei, kuan lingyu, duo cengci de zhengdang waijiao xin geju yijing xingcheng« (郭 业洲：全方位、宽领域、多层次的 政党外交新格局已 经形成) [Guo Yezhou: Ein neues Muster der umfassenden, weitreichenden und mehrschichtigen Diplomatie von Regierung und Partei hat bereits Gestalt angenommen], Xinhua, 21. Oktober 2017, https://tinyurl.com/sownfcg.

66 Anne-Marie Brady, *Making the Foreign Serve China: Managing Foreigners in the People's Republic* (Lanham: Rowman & Littlefield, 2003).

67 Ebd., S. 8.

68 Vgl. Nick Knight, *Marxist Philosophy in China: from Qu Qiubai to Mao Zedong, 1923–1945* (Springer, 2005), S. 149. Der Essay erschien erst 1952, und einige Wissenschaftler sind der Meinung, er sei nicht 1937 geschrieben, sondern rückblickend zur Rechtfertigung des Bündnisses mit der Kuomintang verwendet worden.

69 »Xinhuawang: dangqian yishi xingtai lingyu hongse heise huise san ge didai jiaoshi« (新华网：当前意 识形态领 域红色黑色灰色三个地 带交织) [Xinhuanet: In der ideologischen Sphäre gehen rote, schwarze und graue Zonen ineinander über], *CCTV*, 7. September 2013, https://web.archive.org/web/20191130145054/http://news.cntv.cn/2013/09/07/ARTI1378549535599959. shtml. Vgl. auch Binchun Meng, *The politics of Chinese media: consensus and contestation* (New York: Palgrave Macmillan, 2018), S. 131.

70 Diese Anweisung stammt aus einer Rede, die er Ende 2015 hielt. Vgl. »Xi Jinping: zai quanguo dangxiao gongzuo huiyi shang de jianghua« (习近 平：在全国党校 工作会议上 的 讲 话) [Xi Jinping: Rede auf der nationalen Konferenz der Parteischulen], in: *Qiushi*, Nachdruck in: *CPC News*, 1. Mai 2016, https://tinyurl.com/rd5fckq.

71 Vgl. »Zhonggong zhongyang guanyu jiaqiang he gaijin duiwai xuanchuan gongzuo de tongzhi« (中共中央关于 加 强和改进对外宣传工作的通知) [Hinweis des Zentralkomitees der Kommunistischen Partei Chinas zur

Verstärkung und Verbesserung der externen Propagandaarbeit], Zentrales Rundschreiben Nr. 21 (1990), in: *Dang de xuanchuan gongzuo wenjian xuanbian (1988–1992)*, 1922; sowie »Zeng Jianhui tongzhi tan waixuan gongzuo de ji ge wenti« (曾建徽同志 谈外宣工作的几个问题) [Genosse Zeng Jianhui spricht über eine Reihe von Problemen in der externen Propagandaarbeit], in: *Duiwai baodao cankao*, Nr. 7, 1990, S. 3.

72 Obwohl Parteitheoretiker in den letzten Jahren wieder erklären, einige Positionen, die als akademische Fragen präsentiert werden, seien in Wahrheit politische Fragen. Diese Argumentation ist Teil des Trends, einer wachsenden Zahl von Fragen politische Relevanz beizumessen; damit beschäftigen wir uns später. Vgl. Zhou Liangshu (周良书), »Ruhe qufen zhengzhi yuanze, sixiang renshi he xueshu guandian wenti« (如何区分政治原则、思想认识和学术观点问题?) [Wie zwischen Fragen politischer Prinzipien, ideologischem Verständnis und akademischen Einschätzungen zu unterscheiden ist], in: *Banyuetan*, 12. Dezember 2017, https://tinyurl.com/qmfrswx. *Banyuetan* (»Zweimonatlicher Kommentar«) ist eine Zeitschrift, welche die Nachrichtenagentur Xinhua für die Zentrale Propagandaabteilung veröffentlicht.

73 Ebd.

74 Vgl. Anonym, »Chinese consulate general praises ›patriotism‹ of pro-Beijing students in clash at New Zealand university over extradition bill«, in: *South China Morning Post*, 1. August 2019.

75 Vgl. z. B. Wang Ping (王平), »Jue bu rongxu waiguo shili gaolun Xianggang« (绝不容许外国势力搞乱香港) [Lasst nie zu, dass ausländische Kräfte in Hongkong Chaos auslösen], Xinhua, 24. Juli 2019, Erstveröffentlichung in: *People's Daily Overseas Edition*, https://tinyurl.com/su6xoak.

76 Eine erschütternde Beschreibung des Umgangs mit und der Darstellung von »Volksfeinden« lieferte der Rechtsanwalt Teng Biao, der seine Verhaftung und die Verhöre durch die chinesische Polizei schilderte. Vgl. Teng Biao, »›A hole to bury you‹«, in: *Wall Street Journal*, 28. Dezember 2010. Die Unterscheidung zwischen dem Volk und seinen Feinden taucht auch in Simon Chengs Schilderung seiner Verhaftung auf. Cheng Man Kit, »For the Record: An Enemy of the State«, persönliche Facebook-Seite, 20. November 2019, https://www.facebook.com/notes/cheng-man-kit/for-the-record-an-enemy-of-the-state/2490959950941845/.

77 Ausdrücklich erwähnt ist die Unterscheidung in Artikel 6 der Regelungen der Kommunistischen Partei zur politischen und rechtlichen Arbeit vom Januar 2019. Vgl. (中共中央印发《中国共产党 政法工作条例》), Xinhua, 18. Januar 2019, http://www.xinhuanet.com/politics/2019-01/18/c_1124011592.htm. Wir bedanken uns bei Katja Drinhausen für den Hinweis. Vgl. auch Li Ling, »Analysis of Chinese Communist Party's Political-Legal Work Directive«, *China Law Translate*, 22. Januar 2019, https://www.chinalawtranslate.com/en/ling-li-analysis-of-chinese-communist-partys-political-legal-work-directive/.

78 Vgl. Valerie Strauss und Daniel Southerl, »How many died? New evidence suggests much higher numbers for the victims of Mao Zedong's era«, in: *Washington Post*, 17. Juni 1994.

79 »Mayor Chen Xitong's report on putting down anti-government riot«, *chinadaily.com*, 7. Juli 1989, https://tinyurl.com/u9hvclu.

80 Hua Chunying, »Open letter adds insult to injury in extradition case«, in: *China Daily*, 24. Januar 2019 (Hervorhebung von den Autoren ergänzt).

81 Fan Lingzhi, »Billionaire political donor Huang Xiangmo decries cancelation of his permanent visa by Australia«, in: *Global Times*, 11. Februar 2019 (Hervorhebung von den Autoren ergänzt).

82 »The Chinese Embassy Spokesperson: No Freedom is Beyond the Law«, Web-

site der chinesischen Botschaft in Schweden, 3. Mai 2019, http://www.chinaembassy.se/eng/sgxw/t1660497.htm.

83 »China urges U.S. commission to stop interfering in HK affairs«, Xinhua, 4. Mai 2017, https://tinyurl.com/v6uke89.

84 David Shambaugh, »China's External Propaganda Work: Missions, Messengers, Mediums«, in: *Party Watch Annual Report*, Oktober 2018, S. 28. Für die Bedeutung dieses Punkts vgl. auch Michael Schoenhals, *Doing Things with Words in Chinese Politics*, (Berkeley: Institute of East Asian Studies, University of California, Berkeley, 1992).

85 Dies ist die Wortwahl der Silk Road Think Tank Network Declaration on Joint Action, Website des Silk Road Think Tank Network, 16. Mai 2017, https://web.archive.org/web/20191205130057/http://www.esilks.org/about/declaration.

86 Aufgrund ihrer marxistischen Ursprünge betrachtet die KPCh die Geschichte durch die Linse des teleologischen Determinismus. Die Menschheit strebt einem bestimmten Ziel zu. Wenn die Partei von der Multipolarität als unwiderstehlichem Trend spricht, meint sie damit, dass dies die Bestimmung der Menschheit ist, egal, was sie tut. Doch die menschliche Handlungsmacht existiert und wirkt sich darauf aus, wie schnell und reibungslos sich die Menschheit in die richtige historische Richtung bewegt. Ob die Personen in der KPCh das »wirklich« glauben, ist eine andere Frage, aber dies ist die offizielle Position, die nicht öffentlich in Zweifel gezogen werden kann.

87 Rush Doshi, »Xi Jinping just made it clear where China's foreign policy is headed«, in: *Washington Post*, 25. Oktober 2017.

88 Vgl. »Mao Zedong yong ›tongqian waiyuan neifang‹ miaoyu na xiang gongzuo« (毛泽东用»铜钱外圆内方«妙喻哪项工作) [Für welche Arbeit verwendete Mao Zedong die Metapher der

»Kupfermünze, die außen rund und im Inneren quadratisch ist«], Erstveröffentlichung in: *Zhongguo zuzhi renshi bao*, Wiederveröffentlichung in: *Wenmingwang*, 13. März 2017, https://tinyurl.com/uk4lbjd. Wenminwang (Civilisationnet) ist eine von der Zentralen Propagandaabteilung und dem Zentralamt für Zivilisation betriebene Website.

89 Vgl. auch Xudong Zhang, *Chinese Modernism in the era of reforms* (Durham/London: Duke University Press, 1997), S. 119.

90 Brady, »Chinese interference: Anne-Marie Brady's full submission«.

3 Politische Eliten im Zentrum: Nordamerika

1 Beruhend auf Interviews mit Experten.

2 John Garnaut, »China gets into the business of making friends«, in: *Sydney Morning Herald*, 25. Mai 2013.

3 Richard Baum, *China Watcher: Confessions of a Peking Tom* (Seattle: University of Washington Press, 2010), S. 152 f.

4 Baums Taxonomie ist nicht mehr ganz aktuell. Die Partei glaubt zum Beispiel nicht länger, dass man Geschäftsleuten nie wirklich vertrauen kann. Seine Beschreibung beruht auf Informationen aus den 1980er-Jahren. Das Phänomen der Unterteilung von Ausländern in verschiedene Kategorien besteht allerdings weiterhin.

5 George H. W. Bush und Brent Scowcroft, *A World Transformed* (New York: Knopf Doubleday, 2011), S. 94.

6 Vgl. Clive Hamilton, *Silent Invasion: China's influence in Australia* (Melbourne: Hardie Grant Books, 2018), S. 260 f.

7 Susan Thornton, »Is American diplomacy with China dead?«, in: *The Foreign Service Journal*, Juli/August 2019.

8 M. Taylor Fravel, J. Stapleton Roy, Michael D. Swaine, Susan A. Thornton und Ezra Vogel, »China is not an enemy«, in: *Washington Post*, 3. Juli 2019.

9   Anonym, »Objective, rational voices will prevail in defining China-U.S. ties: FM spokesperson«, Xinhuanet, 4. Juli 2019.

10 Anonym, »Better understanding can lower China-US mistrust«, in: *Global Times*, 9. Juli 2019. Swaine wurde beim World Peace Forum in Beijing interviewt. Das Forum ist eine Frontorganisation der Politischen Abteilung der Volksbefreiungsarmee.

11 John Pomfret, »Why the United States doesn't need to return to a gentler China policy«, in: *Washington Post*, 9. Juli 2019.

12 James Jiann Hua To, »Beijing's policies for managing Han and ethnic-minority Chinese communities abroad«, in: *Journal of Current Chinese Affairs*, 2012, Nr. 4, S. 189.

13 Robert Fife und Steven Chase, »Canada's China envoy John McCallum says Huawei executive has good chance of avoiding US extradition«, in: *The Globe and Mail*, 23. Januar 2019.

14 Ian Young, »Does Canada really have more in common with China than with the US?«, in: *South China Morning Post*, 1. Februar 2018.

15 Limin Zhou und Omid Ghoreishi, »The man behind McCallum's controversial press conference that led to his removal as Canada's ambassador to China«, in: *Epoch Times*, 28. Januar 2019.

16 Anonym, »Resignation reveals political interference«, in: *Global Times*, 27. Januar 2019.

17 Eugene Lang, »John McCallum's China gaffe shouldn't obscure his successes«, in: *Ottawa Citizen*, 31. Januar 2019.

18 David Wertime und James Palmer, »I think that Chinese official really likes me!«, in: *Foreign Policy*, 8. Dezember 2016.

19 Vgl. die ausgezeichnete Analyse in einem Artikel von Perrin Grauer, »John McCallum fell victim to Beijing's ›influence campaign‹, say former ambassadors«, in: *StarMetro Vancouver*, 29. Januar 2019.

20 Ein Wissenschaftler an der Chinesischen Akademie der Sozialwissen-
schaften, Xu Liping, plauderte in einer Stellungnahme gegenüber der *South China Morning Post* unabsichtlich die Wahrheit aus: »Ehemalige australische Regierungsvertreter, die nach ihrer Pensionierung für Denkfabriken arbeiten, können für China sprechen und die Fehleinschätzung der australischen Regierung in Bezug auf China korrigieren.« Martin Choi und Catherine Wong, »China-Australia relations ›will not be helped‹ by foreign influence register«, in: *South China Morning Post*, 21. Februar 2019.

21 Das Folgende ist die Paraphrasierung einer Aussage in einer E-Mail von David Mulroney an Clive Hamilton, 17. Februar 2019.

22 Zitiert von Perrin Grauer, »John McCallum fell victim to Beijing's ›influence campaign‹«.

23 »Jianade zhu Hua dashi ›dao ge‹: Meng Wanzhou you chongfen liyou fandui yindu« (加拿大驻华大使»倒戈«：孟晚舟有充分理由反对引渡) [Kanadas Botschafter in China »läuft über«: Meng Wanzhou hat gute Gründe, sich der Auslieferung zu widersetzen], *Cankao xiaoxi*, 24. Januar 2019, https://web.archive.org/web/20190215161644/http://www.cankaoxiaoxi.com/china/20190124/2369920.shtml.

24 Josh Rogin, »China's interference in US politics is just beginning«, in: *Washington Post*, 20. September 2018.

25 Frühere Bestrebungen behandeln Larry Diamond und Orville Schell (Hg.), *Chinese Influence & American Interests* (The Hoover Institution, 2018), Teil 1.

26 Ebd.

27 Paul Steinhauser, »Biden slams Trump over escalating trade war with China«, *Fox News online*, 13. Mai 2019.

28 David Nakamura, »Biden to attempt damage control in visit with Chinese leader«, in: *Washington Post*, 30. November 2013.

29 William Hawkins, »Biden's embrace of globalism includes waltzing with China«, Blogpost, in: *Journal of Political Risk*, 7:5, Mai 2019, https://global.

upenn.edu/penn-biden-center/
addressing-threats-liberal-
international-order.

30 Peter Schweizer, *Secret Empires* (New
York: Harper Collins, 2019), Kapitel 2.

31 Robert Farley, »Trump's Claims About
Hunter Biden in China«, Blogpost,
Factcheck.org, 10. Oktober 2019.
Schweizer arbeitete die Geschichte in
einem Gastbeitrag für die *New York
Times* aus: »What Hunter Biden did
was legal – and that's the problem«, in:
New York Times, 9. Oktober 2019.

32 Schweizer, »What Hunter Biden did
was legal – and that's the problem«.

33 Farley, »Trump's Claims About Hunter
Biden in China«.

34 Sharon LaFraniere und Michael For-
sythe, »What we know about Hunter
Biden's business in China«, in: *New
York Times*, 3. Oktober 2019.

35 Eric Levitz, »In appeal to hard left,
Bloomberg praises Chinese Communism«, in: *Intelligencer* (*New York Magazine* online), 2. Dezember 2019.

36 Tory Newmyer, »Mike Bloomberg is
likely the most China-friendly 2020
candidate. That could be a liability«, in:
Washington Post, 25. November 2019.

37 Alex Lo, »Follow Mitch McConnell's
money, not his tweets«, in: *South
China Morning Post*, 15. August 2019.

38 Eric Lipton und Michael Forsythe,
»Elaine Chao investigated by House
panel for possible conflicts«, in: *New
York Times*, 16. September 2019.

39 Schweizer, *Secret Empires*, S. 75–79.

40 Lee Fang, »Mitch McConnell's
freighted ties to a shadowy shipping
company«, in: *The Nation*, 30. Oktober
2014.

41 Larry Getlen, »How McConnell and
Chao used political power to make
their family rich«, in: *New York Post*,
17. März 2018.

42 Anonym, »Follow the Money«, Bericht
von Global Trade Watch, Washington,
in: *Public Citizen*, März 2019.

43 Anonym, »Goldman Sachs, China's
CIC to launch up to $5 billion fund:
sources«, Reuters, 6. November 2017.

44 Anonym, »Follow the Money«.

45 Anonym, »White House hawks ratchet
up trade hostilities with China«, in:
Financial Times, 18. September 2018.

46 Edward Helmore, »Jared Kushner's
company under renewed scrutiny over
Chinese and Israeli deals«, in: *The
Guardian*, 8. Januar 2018.

47 Matthew Carney, »Donald Trump
heaps praise on Xi Jinping, makes no
breakthrough on North Korea or
trade«, in: ABC News Online, 10. November 2017.

48 Mo Yu, »Chinese-American businesswoman accused of selling access to
Trump«, in: *Voice of America Online*,
30. März 2019.

49 Lee Fang und Jon Schwarz, »A ›desperate‹ seller: Gary Locke, while Obama's
ambassador to China, got a Chinese
tycoon to buy his house«, in: *The Intercept*, 4. August 2016. Locke wurde als
»erfolgreichster amerikanischer Politiker chinesischer Herkunft in der Geschichte« beschrieben und arbeitet seit
einigen Jahren mit dem Unternehmen
des Paars zusammen.

50 Jon Schwarz und Lee Fang, »Citizens
United Playbook«, in: *The Intercept*,
4. August 2016.

51 Fang und Schwarz, »A ›desperate‹ seller«.

52 Lee Fang, Jon Schwarz und Elaine Yu,
»Power couple«, in: *The Intercept*,
4. August 2016.

53 Dominic Faulder, »George H.W. Bush's
China connection«, in: *Nikkei Asian
Review*, 1. Dezember 2018.

54 Maureen Dowd, »2 US officials went to
Beijing secretly in July«, in: *New York
Times*, 19. Dezember 1989.

55 https://www.aspph.org/texas-am-
dean-named-senior-academic-advisor-
for-the-bush-china-u-s-relations-
foundation/.

56 Ebd.

57 Anne-Marie Brady, *Making the Foreign
Serve China*, S. 7.

58 Zhang Qi, »Ireland willing to help
China reach out to EU – deputy PM«,
Xinhua, 25. Mai 2019.

59 Zhang Mengxu, »China, US have more
in common than what divides them«,
in: *People's Daily*, 24. Juni 2019.

60 CGTN, »Exclusive interview with Neil Bush«, Youtube-Kanal von CGTN, 27. August 2019, https://www.youtube.com/watch?v=DNT7Hth6XzA.

61 Lee Jeong-ho, »US must stop treating China as an enemy, says son of former president George HW Bush«, in: *South China Morning* Post, 10. Juli 2019.

62 CGTN, »Exclusive interview with Neil Bush«.

63 Im Rahmen der Umstrukturierung der Volksbefreiungsarmee im Jahr 2016 wurden die Funktionen der Allgemeinen Politischen Abteilung, zu der die Verbindungsstelle gehört, offenbar von einer neu eingerichteten Abteilung für politische Arbeit der Zentralen Militärkommission übernommen. Vgl. Alexander Bowe, »China's Overseas United Front Work: Background and implications for the United States«, U.S.-China Economic and Security Review Commission, Washington, 24. August 2018, Anm. S. 9.

64 Geoff Wade, »Spying beyond the façade«, in: *The Strategist*, Canberra: Australian Strategic Policy Institute, 13. November 2013.

65 Mark Stokes und Russell Hsiao, »The People's Liberation Army General Political Department: Political Warfare with Chinese Characteristics«, Project 2049 Institute, 14. Oktober 2013, S. 15. Vgl. auch Zheping Huang, »An intricate web ties the woman who paid $16 million for Trump's condo to China's power elite«, in: *Quartz*, 17. März 2017.

66 Stokes und Hsiao, »The People's Liberation Army General Political Department: Political Warfare with Chinese Characteristics«.

67 Angela Chens chinesischer Name ist Chen Xiaoyan aber sie nennt sich auch Chen Yu.

68 Andy Kroll und Russ Choma, »Businesswoman who bought Trump penthouse is connected to Chinese intelligence front group«, in: *Mother Jones*, 15. März 2017.

69 Wade, »Spying beyond the façade«. Vgl. auch Roger Faligot, *Chinese Spies: From Chairman Mao to Xi Jinping*

(London: Hurst & Company, 2019), aktualisiert nach der 2. französischen Auflage (2015), S. 247 f. Er schreibt, dass der chinesische Militärgeheimdienst »zigtausend Agenten beschäftigt – Wissenschaftler, Studenten, Touristen, Ladeninhaber und ausländische Geschäftsleute«.

70 Stokes und Hsiao, »The People's Liberation Army General Political Department: Political Warfare with Chinese Characteristics«, S. 24. Im Jahr 2015 bezeichnete die normalerweise gut informierte *South China Morning Post* den Freundschaftsverband als »eine Behörde des chinesischen Militärgeheimdienstes«. Vgl. Minnie Chan, »Chinese military intelligence chief Xing Yunming held in graft inquiry«, in: *South China Morning Post*, 4. März 2015.

71 John Garnaut, »Chinese military woos big business«, in: *Sydney Morning Herald*, 25. Mai 2013; Bowe, »China's Overseas United Front Work«.

72 Chan, »Chinese military intelligence chief Xing Yunming held in graft inquiry«.

73 Wade, »Spying beyond the façade«.

74 Garnaut, »China gets into the business of making friends«. Für die Biographie von Owens vgl. https://www.eastwest.ngo/node/2032.

75 Garnaut, »China gets into the business of making friends«.

76 Ebd.

77 Bill Gertz, »Chinese communists influence US policy through ex-military officials«, in: *Washington Free Beacon*, 6. Februar 2012; Shirley A. Kan, »US-China Military Contacts: Issues for Congress«, Bericht des Forschungsdienstes des US-Kongresses (US Congressional Research Service), 25. Oktober 2012.

78 Gertz, »Chinese communists influence US policy through ex-military officials«.

79 Kan, »US-China Military Contacts: Issues for Congress«.

80 https://web.archive.org/web/20180508000126/https://red-bison.com/about-us/.

81 Kan, »US-China Military Contacts: Issues for Congress«.

82 Gertz, ›Chinese communists influence US policy through ex-military officials‹.

83 Ralph Hallow, »Republicans fear exchange program put national security at risk«, in: *Washington Times*, 19. April 2012.

84 Jace White, »U.S.-China Sanya Initiative Dialogue: Report from the 10th Anniversary Meeting«, EastWest.ngo, 17. Januar 2019, https://web.archive.org/web/20191208182022/https://www.eastwest.ngo/idea/us-china-sanya-initiative-dialogue-report-10th-anniversary-meeting.

85 Michael Kranish, »Trump's China whisperer: How billionaire Stephen Schwarzman has sought to keep the president close to Beijing«, in: *Washington Post*, 12. März 2018.

86 Ebd.

87 Dasha Afanasieva, »Blackstone sells Logicor to China Investment Corporation for $14 billion«, Reuters, 3. Juni 2017.

88 Zitiert in: Kranish, »Trump's China whisperer«.

89 Anonym, »Stephen Schwarzman's remarks from the Schwarzman Scholars inaugural convocation«, Website von Schwarzman Scholars, 10. September 2016, https://web.archive.org/web/20191208182433/https://www.schwarzmanscholars.org/news-article/stephen-schwarzmans-remarks-at-the-schwarzman-scholars-inaugural-convocation/.

90 Kranish, »Trump's China whisperer«.

91 »Schwarzman College«, Website von Schwarzman Scholars, o.D., https://www.schwarzmanscholars.org/about/schwarzman-college/; https://en.wikipedia.org/wiki/Tsinghua_clique.

92 Sam Dangremond, »Steve Schwarzman Hosted an Epic 70th Birthday Party in Palm Beach«, in: *Town & Country*, 13. Februar 2017.

93 Tony Munroe, »Refinitiv blocks Reuters stories on Tiananmen from its Eikon platform«, Reuters, 4. Juni 2019.

94 Matthew Belvedere, »Blackstone's Schwarzman: China's economic ›miracle‹ came at the expense of the US and the West«, CNBC, 17. September 2019.

95 Jonathan Manthorpe, *Claws of the Panda: Beijing's campaign of influence and intimidation in Canada* (Toronto: Cormorant Books, 2019), S. 157–67.

96 »Founding members«, Website des Canada China Business Council, o.D., https://ccbc.com/about/founding-members/.

97 Nicholas Kristof, »Chinese banks is an anomaly«, in: *New York Times*, 4. Mai 1987.

98 Faligot, *Chinese Spies*, S. 203 f.

99 Faligot, *Chinese Spies*, S. 204, zitiert aus Agnès Andrésy, *Princes Rouge, les nouveaux puissants de Chine* (Paris: L'Harmattan, 2003); Cain Nunns, »China's Poly Group: The most important company you've never heard of«, in: *GlobalPost*, 25. Februar 2013.

100 Mark Mackinnon und Nathan Vanderklippe, »The inglorious exit of Bo Xilai, Canada's closest ally in China's power structure«, in: *Globe and Mail*, 25. Oktober 2013.

101 Sandra Martin, »Behind the scenes, Paul Desmarais was a force in Canadian politics«, in: *Globe and Mail*, 9. Oktober 2013.

102 Li Hede (李禾德), »Bo Guagua zai Jianada dagong qian chu yu Suoluosi de guanxi« (薄瓜瓜在加拿大打工牵出与索罗斯关系) [Bo Guagua arbeitet in Kanada, nutzt Beziehung zu Soros], in: *Next Magazine*, 4. Dezember 2018, https://web.archive.org/web/20191208194657/https://hk.nextmgz.com/article/2_641390_0.

103 Anne Kingston, »Brian Mulroney: From scandal-adjacent elitist to magnanimous statesman«, in: *Macleans*, 19. Februar 2019.

104 Martin, »Behind the scenes, Paul Desmarais was a force in Canadian politics«.

105 Jason Kirby, »Chrétien's sell-out plan to keep China happy«, in: *Macleans*, 14. Juni 2019.

106 Manthorpe, *Claws of the Panda*, S. 127.

107 Geoffrey York, »Chrétien builds links with Chinese conglomerate«, in: *Globe and Mail*, 6. Februar 2004.

108 Manthorpe, *Claws of the Panda*, S. 127.

109 Andrew Mitrovica und Jeff Sallot, »China set up crime web in Canada, report says«, in: *Globe and Mail*, 29. April 2000.

110 Manthorpe, *Claws of the Panda*, S. 157–67.

111 https://www.primetimecrime.com/ Articles/RobertRead/Sidewinder%20 page%201.htm. Dass sich die KPCh in Taiwan und Hongkong der Triaden bedient, ist bekannt, aber die Beziehungen zwischen dem organisierten Verbrechen und den chinesischen Operationen zur politischen Einflussnahme im Westen wurden bisher kaum untersucht.

112 Manthorpe, *Claws of the Panda*, S. 157 ff.

113 Robert Fife und Steven Chase, »Influential Chinese-Canadians paying to attend private fundraisers with Trudeau«, in: *Globe and Mail*, 2. Dezember 2016.

114 Ebd.

115 Jen Gerson, »At Toronto fundraiser, Justin Trudeau seemingly admires China's ›basic dictatorship‹«, in: *National Post*, 8. November 2013.

116 Vgl. die Darstellung in Manthorpe, *Claws of the Panda*, S. 179 ff.

117 Craig Offman, »The making of Michael Chan«, in: *Globe and Mail*, 17. Juni 2015 (aktualisiert am 15. Mai 2018).

118 Zu dem Zeitpunkt, da dieses Buch entstand, war der Rechtsstreit noch nicht beendet.

119 Craig Offman, »Ontario minister Michael Chan defends China's human-rights record«, in: *Globe and Mail*, 8. Juni 2016.

120 Tom Blackwell, »Former Ontario Liberal cabinet minister headlines pro-Beijing rally near Toronto«, in: *National Post*, 20. August 2019; Xiao Xu, »Former Ontario minister sides with Beijing, pins Hong Kong protests on ›outside‹ forces«, in: *Globe and Mail*,

15. September 2019. In einem Interview mit *China News* im September 2019 bezeichnete Chan das Vorgehen der Hongkonger Polizei als »die am wenigsten gewalttätige Gewalt« (最不暴 力的暴力), https://tinyurl.com/uot4t9p.

121 Walt Bogdanich und Michael Forsythe, »How McKinsey has helped raise the stature of authoritarian governments«, in: *New York Times*, 15. Dezember 2018.

122 Ebd.

123 Geoff Zochodne und Naomi Powell, »Will Dominic Barton's experience in China help or hurt him as Canada's new man in Beijing?«, in: *Leader Post*, 6. September 2019.

124 Jeremy Nuttall, »Chinese politician's role on Teck board worries watchdog«, in: *The Tyee*, 7. Juli 2016; https://tinyurl. com/wdqtk7n; für Quans Biographie vgl. https://tinyurl.com/yx6cdjfk.

125 Matthew Fisher, »Canada's new foreign minister must figure out how to deal with China«, in: *Global News*, 24. November 2019.

126 Steve Chase, »François-Philippe Champagne takes helm at Department of Global Affairs during critical period in Canada-China relations«, in: *Globe and Mail*, 20. November 2019.

4 Politische Eliten im Zentrum: Europa

1 Einen guten Überblick über die Internationale Verbindungsabteilung gibt David Shambaugh, »China's ›Quiet Diplomacy‹: The International Department of the Chinese Communist Party«, in: *China: An International Journal*, 5:1, März 2007, S. 26–54.

2 Vgl. Anonym, »Guo Yezhou: hanwei guojia liyi shi suoyou duiwai jiaowang gongzuo de yingyou zhi yi« (郭业洲： 捍卫国家利益是所有对外交往工作的 应有之义), Xinhua, 21. Oktober 2017, http://www.xinhuanet.com/politics/19cpcnc/zb/zb7/index.htm. Nach Angabe einer Redakteurin der Party Watch Initiative, Julia Bowie, hat die Internationale Verbindungsabteilung die Aufgabe, »ausländische politische Parteien, Politiker und politische Organisationen dazu zu bewegen, Chinas

Wertvorstellungen und Interesse zu verstehen und zu respektieren«. Julia Bowie, »International liaison work for the new era: Generating global consensus?«, in: Julia Bowie und David Gitter (Hg.), *Party Watch Annual Report 2018*, Washington, D. C.: Center for Advanced China Research, 19. Oktober 2018, S. 43.

3 Bowie, »International liaison work for the new era«, S. 43. Auf dem 19. Parteitag im Jahr 2017 erklärte der stellvertretende Leiter der Verbindungsabteilung, Guo Yezhou, die KPCh unterhalte regelmäßige Kontakte zu mehr als 400 politischen Parteien in über 160 Ländern. http://www.xinhuanet.com/politics/19cpcnc/zb/zb7/index.htm.

4 Bowie, »International liaison work for the new era«, S. 44.

5 Ebd.

6 Hu Ping, »Do ›we‹, the world's political parties, know that ›we‹ have issued an initiative extolling the CCP's global leadership for a better world?«, in: *China Change*, 5. Dezember 2017.

7 http://language.chinadaily.com.cn/2017-12/04/content_35199254.htm

8 Bowie, »International liaison work for the new era«, S. 48.

9 Vgl. Webseiten-Header auf http://www.idcpc.org.cn/english/.

10 Aufzeichnungen (in englischer Sprache) zu den Treffen finden sich unter folgender Adresse: http://www.idcpc.org.cn/english/news/. Über einige Treffen wird nur in chinesischer Sprache berichtet, aber die meisten findet man auch auf Englisch.

11 http://www.idcpc.org.cn/english/news/201905/t20190523_100451.html.

12 Manfred Grund, E-Mail an die Autoren, 6. Mai 2019.

13 http://www.idcpc.org.cn/english/news/201812/t20181211_99054.html.

14 http://www.idcpc.org.cn/english/news/201905/t20190505_100353.html.

15 Zu den Beispielen zählen Hans-Peter Friedrich, Vizepräsident des Deutschen Bundestages (http://www.idcpc.org.cn/english/news/201904/

t20190420_100067.html), Lars Klingbeil, Generalsekretär der SPD (http://www.idcpc.org.cn/english/news/201812/t20181221_99149.html) und Morten Wold, Vizepräsident des norwegischen Parlaments (http://www.idcpc.org.cn/english/news/201812/t20181211_99051.html).

16 Bowie, »International liaison work for the new era«, S. 47.

17 http://www.gbcc.org.uk/about-us/our-board.

18 http://www.idcpc.org.cn/english/news/201905/t20190515_100405.html. Das sind die Worte der Verbindungsabteilung, die vermutlich paraphrasieren, was Mandelson gesagt hat.

19 Peter Mandelson, »Trump is wrong on China, and we must tell him«, in: *Sunday Times*, 16. Juni 2019.

20 Peter Mandelson ist Gründungsmitglied und Vorsitzender der Beratungsfirma Global Counsel (https://tinyurl.com/qvhl94a). Am 7. Mai 2019 traf er sich in Beijing mit hochrangigen Mitgliedern des China Council for International Investment Promotion (das dem Handelsministerium untersteht). Ebenfalls anwesend waren Jin Ligang, ein Teilhaber der Consultingfirma Albright Stonebridge Group (deren Vorsitzende die ehemalige US-Außenministerin Madeleine Albright ist) und der Vorsitzende von ASG China.

21 Angela Gui, »Damned if you do, damned if you don't? I won't«, in: *Medium*, 13. Februar 2019.

22 Ebd.

23 Ebd.

24 Kris Cheng, »›Threats, verbal abuse, bribes, flattery‹ won't silence me: Sweden probes unauthorised meeting with daughter of bookseller detained in China«, in: *Hong Kong Free Press*, 14. Februar 2019.

25 Anonym, »Ex-Swedish envoy to China Anna Lindstedt suspected of crime after setting up ›unofficial‹ meetings over detained bookseller«, in: *Hong Kong Free Press*, 10. Mai 2019; Iliana Magra und Chris Buckley, »Sweden charges ex-ambassador to China over secret

meetings«, in: *New York Times*, 9. Dezember 2019.

26 Vgl. »Hongkonger Buchhändler in China zu zehn Jahren Haft verurteilt«, in: *Zeit Online*, 25. Februar 2020.

27 »Ola Wong: ›Sverige har varit som en sömngångare om Kina‹«, in: *Expressen*, 23. Februar 2019; Anonym, »Tung diplomat byter sida – hjälper Ericssons ärkerival«, in: *Dagens SP*, 7. November 2012.

28 »Serge Abou«, *Corporate Europe Observatory*, https://corporateeurope.org/revolvingdoorwatch/cases/serge-abou.

29 Ebd.

30 Ren Ke, »Interview: BRI to become model for culture exchanges: former German ambassador to China«, Xinhua, 22. März 2019.

31 »Advisory Board«, Deutsch-Chinesische Wirtschaftsvereinigung e.V., https://www.dcw-ev.de/en/about-dcw/advisory-board.html.

32 »Dr. Michael Schaefer«, MERICS, https://www.merics.org/de/team/dr-michael-schaefer.

33 Michael Schaefer, »Co-driving the new silk road«, in: *Berlin Policy Journal*, 12. Januar 2016.

34 Philip Bilsky, »Schaefer: ›Man tut sich sehr schwer‹«, *Deutsche Welle*, 17. Februar 2015.

35 Ebd.

36 David Bandurski, »China's new science of sycophantology«, in: *China Media Project*, 21. Juni 2018.

37 Peter Martin und Alan Crawford, »China's influence digs deep into Europe's political landscape«, *Bloomberg*, 4. April 2019.

38 Ebd.; Anonym, »Außenhandelsverband warnt vor ›China-Phobie‹ in Europa«, Börse Online, 28. März 2019, https://www.boerse-online.de/nachrichten/aktien/aussenhandelsverband-warnt-vor-china-phobie-in-europa-1028066189.

39 Ebd.

40 Ebd.

41 Vgl. z. B., »International Conference: ›EU-China 2020 Strategic Agenda for Cooperation‹«, https://www.coleurope.eu/events/international-conference-eu-china-2020-strategic-agenda-cooperation.

42 https://www.vsse.be/nl/wat-we-doen/dreigingen/spionage.

43 Christoph B. Schiltz, »Hunderte Spione in Brüssel – Vor dem Betreten einiger Lokale wird gewarnt«, in: *Die Welt*, 9. Februar 2019.

44 http://www.chinamission.be/eng/fyrjh/t1636626.htm.

45 Jörg Diehl und Fidelius Schmidt, »Ex-Diplomat soll für China spioniert haben«, in: *Der Spiegel*, 15. Januar 2020.

46 Alan Crawford und Peter Martin, »How Belgium became Europe's den of spies and a gateway for China«, *Bloomberg*, 29. November 2019.

47 »Ouzhou Huiyi Ou Zhong youhao« (欧洲议会欧中友好小组) [EU-China-Freundschaftsgruppe des Europäischen Parlaments], Website der EU-China Friendship Association, o.D., https://web.archive.org/web/20190616092022/http://www.eu-cfa.com/lists/OZYHOZYHXH.html; Zhang Jie (张杰), »Ouzhou yihui yiyuan zhuli Gai Lin jiangshu ta de gongzuo gushi« (欧洲议会议员助理盖琳讲述他的工作故事), in: *People's Daily Online*, 27. März 2014, https://web.archive.org/web/20191208211535/http://world.people.com.cn/n/2014/0327/c1002-24756505.html.

48 Jichang Lulu, »Repurposing democracy: The European Parliament China friendship group«, in: *Sinopsis*, 26. November 2019.

49 »Ouzhou Huiyi Ou Zhong youhao xiaozu zhuxi: ceng dangmian bochi Rebiya« (欧洲议会欧中友好小组主席：曾当面驳斥热比娅) [Vorsitzender der EU-China-Freundschaftsgruppe des Europäischen Parlaments: Ich widersprach Rebiya einmal persönlich], Website der EU-China Friendship Association, 17. Oktober 2016, https://web.archive.org/web/20191020051201/http://www.eu-cfa.com/detail/218.html; Darren Ennis, »EU assembly to consider Beijing Olympics boycott«, Reuters, 21. März 2008.

50 »EU-China Friendship Groups visits Tibet«, in: China.org.cn, 27. August 2016, https://web.archive.org/web/20191208211327/http://www.china.org.cn/china/2016-08/27/content_39179710.htm.

51 Daqiong und Palden Nyima, »Friendship group praises Tibet after 3-day field trip«, in: *China Daily*, 27. August 2016.

52 Der verwendete Ausdruck ist 著名的对华友好人士. Zhang Xiaofang (张晓芳), »Ouzhou Huiyi Ou Zhong youhao xiaozu zhuxi: ceng dangmian bochi Rebiya« (欧洲议会欧中友好小组主席：曾当面驳斥热比娅) [Vorsitzender der EU-China-Freundschaftsgruppe des Europäischen Parlaments: Ich widersprach Rebiya einmal persönlich], in: *Huanqiuwang*, 17. März 2014, http://world.huanqiu.com/exclusive/2014-03/4909357.html?agt=622.

53 Anonym, »Český europoslanec na Hedvábné stezce«, in: *Sinopsis*, 17. Mai 2019.

54 Gai Lin (盖琳), in: Li Xia, »Spotlight: Two-year mark of global community towards a shared future«, Xinhuanet, 20. Januar 2019; http://www.europarl.europa.eu/meps/en/4556/NIRJ_DEVA/assistants#mep-card-content. Für die Behauptung, er sei der erste offiziell vom Europäischen Parlament angestellte Chinese (im Original: »EU-Beamter chinesischer Nationalität«, »他成为了第一个在欧盟正式工作的中国籍公务员«), vgl. »Ouzhou yihui Ou Zhong youhao xiaozu zhuxi: ceng dangmian bochi Rebiya« (欧洲议会欧中友好小组主席：曾当面驳斥热比娅), Huanqiuwang, 17. März 2014, http://world.huanqiu.com/exclusive/2014-03/4909357.html?agt=622; https://tinyurl.com/selw4g3.

55 »Ouzhou huiyi li de Zhongguo miankong« (欧洲议会里的中国面孔) [Das chinesische Gesicht im Europäischen Parlament], in: CRI Online, 19. Oktober 2014, https://web.archive.org/web/20191208205839/http://news.cri.cn/gb/42071/2014/10/19/6891s4732552.htm. »最后，盖琳被聘为›议员顾问‹，开始了他在欧洲议会的职业生涯。«.

56 Zhang Jie, »Ouzhou yihui yiyuan zhuli Gai Lin jiangshu ta de gongzuo gushi«.

57 Ebd.

58 Die Internationale Verbindungsabteilung und die Abteilung für Einheitsfrontarbeit werden auf der chinesischen Website der Friendship Association als »Partner« genannt, während diese Verbindung auf der englischsprachigen Site verschwiegen wird. Die Friendship Association ist offiziell von der weniger transparenten Freundschaftsgruppe getrennt, wird jedoch von denselben Personen geleitet, darunter Gai Lin. https://web.archive.org/web/20180824075929/http://eu-cfa.com/lists/HZZZ-01.html.

59 Martin und Crawford, »China's influence digs deep into Europe's political landscape«.

60 Xinjiang, https://www.youtube.com/watch?v=AdWGS-_UHM8; Zhang Xiaofang, »Ouzhou Huiyi Ou Zhong youhao xiaozu zhuxi: ceng dangmian bochi Rebiya«.

61 Zhang Xiaofang, »Ouzhou Huiyi Ou Zhong youhao xiaozu zhuxi: ceng dangmian bochi Rebiya«.

62 Yang Yi, »Chinese NPC Tibetan delegation visits European Parliament«, in: Xinhuanet, 12. Dezember 2018.

63 Martin und Crawford, »China's influence digs deep into Europe's political landscape«.

64 Beziehungen zwischen der EU und China: https://www.youtube.com/watch?v=IhLXWznZts4; Handel mit China: https://www.youtube.com/watch?v=rTwvtA3ym_o. Im März 2019 rief Nirj Devas Organisation das Policy Coordination Committee of the Belt and Road Initiative in Europe ins Leben. https://tinyurl.com/yx4tgt25.

65 New China TV (Fernsehkanal der staatlichen Nachrichtenagentur Xinhua), https://www.youtube.com/watch?v=aaAW1RVE9mM.

66 Martin und Crawford, »China's influence digs deep into Europe's political landscape«.

67 »About«, Blog der EU-China Friendship Association, o.D., https://web.

archive.org/web/20191208215049/
https://euchinafa.wordpress.com/
about/; Zhang Xiaofang, »Ouzhou
Huiyi Ou Zhong youhao xiaozu zhuxi:
ceng dangmian bochi Rebiya«.

68 Zhang Xiaofang, »Ouzhou Huiyi Ou
Zhong youhao xiaozu zhuxi: ceng
dangmian bochi Rebiya«.

69 Derek Vaughan hat verschiedene Funktionen in China-freundlichen Gruppen; beispielsweise ist er Ehrenpräsident des EU-China Joint Innovation
Centre. »Derek Vaughan zhuxi daibiao
Oumeng Zhongguo lianhe chuangxin
zhongxin wei 2019 Zhong Ou chengshi
keyan chuangxin chanye fazhan luntan
kaimu zhici« (主席代表欧盟中国联合
创新中心为2019中欧城市科研创新产
业发展论坛开幕致辞) [Vorsitzender
Derek Vaughan hält die Eröffnungs-
rede im Namen des EU-China Joint
Innovation Center bei der Eröffnung
des China-EU Urban Scientific Innovation Industry Development Forum
2019], Website des EU-China Joint Innovation Center, 18. Mai 2019, https://
web.archive.org/web/
20190827184202/http://cn.eucjic.org/
index.php?id=81.

70 Anonym, »Český europoslanec na
Hedvábné stezce«. Der chinesische Bericht, den *Sinopsis* zitiert, findet sich
hier: https://web.archive.org/
web/20190827184202/http://cn.eucijc.
org/index.php?id=81.

71 Jichang Lulu, »Repurposing democracy«, S. 2.

72 Ebd., S. 13.

73 Screenshot einer E-Mail, die Deva an
potentielle Abgeordnete zum Europäischen Parlament schickte. Das Komitee wird auch hier erwähnt: https://
tinyurl.com/yx4tgt25.

74 Europäische Kommission, »Mitgliedstaaten veröffentlichen Bericht über
EU-weit koordinierte Risikobewertung
von 5G-Netzen«, 9. Oktober 2019,
https://ec.europa.eu/commission/
presscorner/detail/de/IP_19_6049.

75 »A public debate: Sustaining an open
global digital ecosystem with Huawei:
a European perspective«, Huawei,

15. Oktober 2019, https://web.archive.
org/web/20191016153007/https://huawei.
eu/events/public-debate-huawei.

76 In Belgien hat die entsprechende Parlamentsgruppe Chinareisen für Abgeordnete organisiert. Vgl. »Qian Hongshan Meets with Belgian Multi-party
Parliamentarian Delegation«, Website
der Internationalen Verbindungsabteilung, 18. März 2019, https://web.archive.
org/web/20191208220359/http://www.
idcpc.org.cn/english/news/201903/
t20190322_99883.html.

77 Alexei Chikhachev, »From apprehensions to ambitions: the French approach
to China«, Russian International Affairs Council, 11. April 2019.

78 »Abous us«, Website der All Party Parliamentary China Group, o.D., https://
web.archive.org/web/20191208220625/
https://appcg.org.uk/about-us/.

79 Für die Mitglieder siehe https://www.
the48groupclub.com/ und für die
Geschichte siehe https://tinyurl.com/
uu3wu4d.

80 Ji Chaozhu war ein Dolmetscher Mao
Zedongs, Zhou Enlais und Deng Xiaopings. Er ist der jüngere Bruder des an
anderer Stelle erwähnten Ji Chaoding.
Zu Ji Chaozhu vgl. David Barboza,
»The Man on Mao's Right«, at the Center of History«, in: *New York Times*,
17. Februar 2012; http://www.chinese-
embassy.org.uk/eng/ambassador/lrds/
trans1/t229791.htm; Geoffrey Fowler,
»Reunion in Beijing«, in: *Harvard
Magazine*, aktualisiert auf: https://
harvardmagazine.com/2000/01/
reunion-in-beijing-html.

81 https://www.the48groupclub.com/
about-the-club/; Lord Davidson wird
im Board von CBBC von Katie Lee von
Ensis Strategic vertreten.

82 Anonym, »Lord Mayor of London
leads fintech delegation to China to
promote trade and investment«, Pressemitteilung, City of London Corporation, 18. März 2019.

83 »Belt and Road Report: A Guide to UK
Services (April 2019)«, Website des
China-Britain Business Council
(CBBC), http://www.cbbc.org/belt-and-

road-publications-2019/; https://appcg.
org.uk/about-us/. Das CBBC veranstaltet weiterhin Treffen mit dem Chinesischen Rat für die Förderung des internationalen Handels (CCPIT), vgl.
»Roundtable Meeting with CCPIT Xiamen (London)«, http://www.cbbc.org/
events/2019/july/roundtable-meeting-with-ccpit-xiamen-(london)/.

84 »Xi reiterates China's commitment to free trade, globalization«, in: Xinhuanet, 16. Oktober 2018, https://web.
archive.org/save/http://www.xinhuanet.
com/english/2018-10/16/c_137537109.
htm. Vgl. auch An Baijie und Cao Desheng, »10 foreigners given medals for roles in reform, opening-up«, in:
China Daily, 19. Dezember 2018.

85 Stephen Perry, »China and the World«, Website von China Global Impact,
11. Juni 2019, https://web.archive.org/
web/20191208221526/https://china
globalimpact.com/2019/06/11/china-and-the-world-2/; Stephen Perry, »New China«, Website von China Global Impact, 30. Mai 2019, https://web.archive.
org/web/20191208221648/https://
chinaglobalimpact.com/2019/05/30/
new-china/.

86 Stephen Perry, »Stephen Perry, Chairman of the 48 Group Club, honoured as one of ten foreigners who have supported and helped China's reform and opening up over the past 40 years«,
Website von China Global Impact,
24. Dezember 2018, https://tinyurl.
com/tac8to6.

87 http://www.chinaabroad.com/en/
expert/dr-robert-lawrence-kuhn;
https://en.wikipedia.org/wiki/Robert_
Lawrence_Kuhn. Als Xinhua im
August 2019 berichtete, Kuhn habe zur Niederschlagung der Protestkundgebungen in Hongkong aufgerufen, beschrieb die Parteizeitung Robert Kuhn als »einen amerikanischen Investmentbanker und Autor eines Propagandabuchs über den ehemaligen Vorsitzenden der Kommunistischen Partei Chinas, Jiang Zemin«. http://www.xinhuanet.
com/world/2019-08/14/c_1124876756.
htm.

88 https://chinaglobalimpact.com/.

89 Ebd.

90 https://www.youtube.com/watch?v=
PJl507uI1Qw.

91 Die Hinweise findet man in: Tom Buchanan, *East Wind: China and the British Left, 1925–1976* (Oxford: Oxford University Press, 2012), S. 156 ff. Vgl.
auch Wen-guang Shao, *China, Britain and Businessmen: Political and Commercial Relations, 1949–57* (Basingstoke: Macmillan, 1991), S. 148 f.

92 Aus einer in *People's Daily* erschienenen detaillierten Beschreibung der Einrichtung und der frühen Jahre des CCPIT. »Maoyi xian xing yi min cu guan – Zhou Enlai zhidao Maocuhui duiwai gongzuo de sixiang yu shijian«
(贸易先行 以民促官——周恩来指导贸促会对外工作的思想和实践)
[Zuerst Fortschritte im Handel, unter Einsatz des Volkes, um die Funktionäre anzutreiben – Denken und Praxis von Zhou Enlais Führung der externen Arbeit des CCPIT], in: *People's Daily Online*, o.D., https://web.archive.org/
web/20191208222236/http://www.
people.cn/GB/shizheng/8198/
9405/34150/2543935.html.

93 https://www.cia.gov/library/
readingroom/docs/CIA-RDP78-00915
R000600210003-9.pdf.

94 https://www.cia.gov/library/
readingroom/docs/CIA-RDP78-00915
R000600210003-9.pdf, S. 63; Chi Chaʾo-ting und Nan Hanchʾen werden als Ausschussmitglieder genannt.
»Ji Chaoding« ist die Pinyin-Version von »Chi Chaʾo-ting« (冀朝鼎).

95 Nan Hanchen (南汉宸) (1895–1967).
Diese Darstellung beruht teilweise auf Jiang Mengying (蒋梦莹), »Huode guojia lingdaoren huijian, Yingguo 48 Jia jituan julebu you he lai tou« (获得国家领导人会见，英国48家集团俱乐部有何来头?) [Welches ist der Ursprung des 48 Group Club, dem ein Treffen mit nationalen Führern gewährt wurde?], in: *The Paper*, 17. Oktober 2018, https://tinyurl.com/s4keutp.

96 »Nan Hanchen«, in: Wolfgang Bartke,
Who Was Who in the People's Repu-

blic of China (München: Saur, 1997), S. 347.

97 Joseph Needham zitiert in Buchanan, *East Wind: China and the British Left, 1925–1976*, S. 96. Vgl. auch diesen Nachruf in der *New York Times* vom 10. August 1963: https://tinyurl.com/yxwsky35.

98 Ch'en Li-fu, *The Storm Clouds Clear over China: The memoir of Ch'en Li-fu, 1900–1993*, Hg. von Sidney Chang und Ramon Myers (Stanford: Hoover Institution Press, 1994), S. 181 f.

99 Peter Mattis und Matthew Brazil, *Chinese Communist Espionage: An intelligence primer* (Annapolis: Naval Institute Press, 2019).

100 Buchanan, *East Wind*, S. 155 ff.; https://www.cia.gov/library/readingroom/docs/CIA-RDP78-00915R00060021 0003-9.pdf, S. 63. In einem mittlerweile freigegebenen Telegramm vom Mai 1952 an die britische Botschaft in Paris, in dem es um die Moskauer Konferenz ging, schrieb das Foreign Office: »Wir müssen verhindern, dass die kommunistische Propaganda die Bevölkerung davon überzeugt, die Wirtschaft von der Politik zu trennen, und dass es ihr auf diese Art gelingt, die wahren Gründe für die Einschränkungen des Handels zwischen Ost und West zu verdecken.« Telegramm des UK Foreign Office Northern Department an die Handelsabteilung der britischen Botschaft, Paris, 14. Mai 1952.

101 Buchanan, *East Wind*, S. 155 ff.

102 Zu Roland Berger vgl. https://discovery.nationalarchives.gov.uk/details/r/C16282412. Zu Bernard Buckman vgl. Alan Campbell und John Mcilroy, »'The Trojan Horse': Communist entrism in the British Labour Party, 1933–43«, in: *Labor History*, März 2018.

103 Ming Liu, »Buckman collection in spotlight at London auction«, in: *China Daily*, 14. November 2016. SOAS bietet ein Bernard Buckman Fellowship an. https://www.soas.ac.uk/registry/scholarships/bernard-buckman-scholarship.html.

104 https://hansard.parliament.uk/commons/1953-02-05/debates/c06a 6587-b990-4157-a4ef-69ee2efbc909/CouncilForPromotionOfInternational Trade.

105 Dave Renton, *Fascism, Anti-Fascism and Britain in the 1940s* (Basingstoke: Macmillan, 2000), S. 96. Jack Perry, der Jude war, hatte in den dreißiger Jahren im East End gegen Mosleys Schwarzhemden gekämpft und blieb ein antifaschistischer Aktivist. Nach seinem Tod wurde er in der *China Daily* in einem Nachruf gewürdigt: Zhang Haizhou, »Father-and-son team bridged Chinese business with West«, in: *China Daily*, 3. Dezember 2010.

106 Vgl. Anonym, »The rise & fall of Maoism: The English experience«, zugänglich unter: https://www.marxists.org/history/erol/uk.firstwave/uk-maoism. pdf, S. 35; Buchanan, *East Wind*, S. 202.

107 https://www.the48groupclub.com/about-the-club/.

108 Jin Jing und Gu Zhenqiu, »The 'icebreaker' who helps bond China with West«, in: Xinhuanet, 23. Oktober 2018.

109 http://en.ccpit.org/info/info_402881176 0d8d5d401668610b98301d2.html.

110 Stephen Perry, »President Xi and Stephen Perry Meeting – Xi reiterates China's commitment to free trade, globalization«, Blog von Stephen Perry, 22. Oktober 2018, https://chinaglobalimpact.com/2018/10/22/president-xi-and-stephen-perry-meeting-xi-reiterates-chinas-commitment-to-free-trade-globalization/.

111 Anonym, »Three generations of British family play important role in warming China-UK trade relations«, in: *Global Times*, 20. Oktober 2015.

112 https://web.archive.org/web/20191020112028/http://europe.chinadaily.com.cn/epaper/2010-12/03/content_11993942.htm.

113 http://www.chinese-embassy.org.uk/eng/EmbassyNews/t1655714.htm.

114 https://web.archive.org/web/20191020113023/http://www.chinese-embassy.org.uk/eng/EmbassyNews/t1652772.htm.

115 Vgl. z. B. Cecily Liu, »New book explains role China is playing in global development«, in: *China Daily*, 11. April 2018.

116 https://www.amazon.com/Chinas-Role-Shared-Human-Future/dp/1910334340.

117 Anonym, »China Daily Global Edition wins admiration from across the world«, in: *China Daily*, 11. Januar 2019.

118 http://www.martinjacques.com/articles/no-time-for-wishful-thinking/.

119 Interview mit Martin Jacques, »How to make sense of the Hong Kong protests?«, in: CGTN Online 5. Juli 2019.

120 Ian McGregor organisiert Besuche chinesischer Diplomaten in den Büros der *Telegraph*-Gruppe, damit sie ihren Standpunkt darlegen können; vgl. z. B. https://www.fmprc.gov.cn/ce/ceuk/eng/EmbassyNews/t1677779.htm. Bei einem Treffen im Januar 2019 lobte Botschafter Liu den *Daily Telegraph* und den *Sunday Telegraph* für ihre »positive Rolle im Bemühen um ein besseres wechselseitiges Verständnis zwischen China und den westlichen Ländern«. In Reaktion darauf hat Allister Heath, der Herausgeber des *Sunday Telegraph*, erklärt, die beiden Zeitungen mäßen »der Berichterstattung über China große Bedeutung bei und bekennen sich zu einer umfassenden Berichterstattung über die Entwicklung Chinas, um zum Verständnis und zur Kooperation zwischen China und Großbritannien beizutragen«. http://www.chinese-embassy.org.uk/eng/ambassador/dshd/t1633606.htm. Die *Telegraph*-Gruppe hat eine Vereinbarung mit Beijing geschlossen, der zufolge sie jährlich 750 000 Pfund für die Veröffentlichung von Propagandaartikeln im *Daily Telegraph* erhält; bereitgestellt werden diese Artikel von der chinesischen Parteizeitung *China Daily*. Vgl. Louise Lim und Julia Bergin, »Inside China's audacious global propaganda campaign«, in: *The Guardian*, 7. Dezember 2018.

121 Wir danken Lucrezia Poggetti für hilfreiche Kommentare zu diesem Abschnitt.

122 Andre Tartar, Mira Rojanasakul und Jeremy Scott Diamond, »How China is buying its way into Europe«, *Bloomberg*, 23. April 2018.

123 Anonym, »China, Italy sign BRI MoU to advance connectivity«, in: *China Daily*, 23. März 2019.

124 John Follain und Rosalind Mathieson, »Italy pivots to China in blow to EU efforts to keep its distance«, *Bloomberg*, 5. Oktober 2018.

125 Ebd. Geracis Vorgesetzter Luigi Di Maio, zu jener Zeit Minister für wirtschaftliche Entwicklung und zweiter stellvertretender Ministerpräsident, führt die Fünf-Sterne-Bewegung. Er ist ein Befürworter enger Beziehungen zu China. Hingegen lehnten Außenminister Enzo Moavero Milanesi und seine Beamten die BRI ab.

126 Stuart Lau, »Italian PM Giuseppe Conte ignores US warnings and pushes for closer cooperation with China's belt and road plan«, in: *South China Morning Post*, 12. März 2019.

127 Stuart Lau, »Italian PM Giuseppe Conte ignores US warnings«.

128 Lucrezia Poggetti, »Italy's BRI Blunder«, Project Syndicate, 21. März 2019.

129 Philippe Le Corre erklärt: »Es ist sehr wahrscheinlich, dass Südeuropa in Zukunft eine chinesische Einflusszone wird. In einer wirtschaftlich geschwächten Region, in der die Ablehnung gegenüber Europa wächst, werden die Bürger möglicherweise nach alternativen Optionen Ausschau halten.« https://carnegieendowment.org/2018/10/30/this-is-china-s-plan-to-dominate-southern-europe-pub-77621.

130 François Godement und Abigaël Vasselier, *China at the gates: A new power audit of EU-China relations*, London: European Council on Foreign Relations, 2017, S. 112.

131 François Godement, »Hand-outs and bail-outs: China's lobbyists in Italy«, Blogpost, European Council on Foreign Relations, 12. Oktober 2018.

132 Lucrezia Poggetti, »Italy charts risky course with China-friendly policy«, Blogpost, Mercator Institute of China Studies, 11. Oktober 2018.

133 Vgl. https://data.consilium.europa.eu/doc/document/ST-6551-2019-ADD-2/en/pdf.

134 Godement, »Hand-outs and bail-outs: China's lobbyists in Italy«; Crispian Balmer, »Italy's drive to join China's Belt and Road hits potholes«, Reuters, 15. März 2019.

135 Giulia Pompili, »Chi Mise la Cina al governo«, in: Il Foglio, 7. März 2019.

136 Stuart Lau, »The Sinophile driving Italy's hopes of a New Silk Road deal with China«, in: South China Morning Post, 16. März 2019.

137 John Follain, »Trump's Huawei threats dismissed in Italian pivot toward China«, Bloomberg, 19. Februar 2019.

138 Giulia Pompili, »Chi Mise la Cina al governo«.

139 http://www.beppegrillo.it/la-cina-e-il-governo-del-cambiamento/.

140 Editors, »The Chinese Panacea?«, in: Made in China, 19. März 2019.

141 Nicht alle China-Experten an der Universität Nottingham sympathisieren mit der KPCh. Der wissenschaftliche Mitarbeiter Rian Thum schrieb zum Beispiel zur Verfolgung der Uiguren, die von Xi geführte Kommunistische Partei sei »eine Organisation, die bereit ist, die Repression weiter zu treiben, als jeder außenstehende Beobachter erwartet hatte«; Peter Martin, »Inside Xinjiang: A 10-day tour of China's most repressed state«, Bloomberg, 25. Januar 2019.

142 https://web.archive.org/web/201906 20130525/http://www.globalthinktank.org.cn/Director/View.aspx?Id=4964. Vgl. auch Jonas Parello-Plesner, »The Curious Case of Mr. Wang and the United Front«, Blogpost, Hoover Institute, 11. Mai 2018.

143 Lau, »The Sinophile driving Italy's hopes of a New Silk Road deal with China«.

144 https://tinyurl.com/rulzryq; https://www.linkedin.com/pulse/italy-china-link-ecco-come-porteremo-investimenti-cinesi-maria-moreni.

145 Anonym, »Italy aims to develop closer trade ties with China through Belt and Road«, in: China Daily, 16. Mai 2019.

146 Eine hohe Konzentration von Auslandschinesen weist die Industriestadt Prato auf, wo etwa 50 000 Einwanderer aus China leben, die überwiegend in Textilfabriken arbeiten. Im Juli 2019 besuchte eine Delegation hochrangiger Einheitsfrontfunktionäre Prato, um »für die Einheit der Auslandschinesen zu werben«. Vgl. http://italiapratohua shanghui.com/a/info/2019/0718/424.html.

147 https://tinyurl.com/tzxe4wl.

148 Ebd.

149 https://web.archive.org/web/2018081904260/http://agcci.com/trend/info/772?cid=19; https://web.archive.org/web/20190406012753/http://agcci.com/style/info/742.

150 https://web.archive.org/web/201708 29042923/http://www.chinaqw.com/sqjg/2017/08-29/159363.shtml.

151 https://web.archive.org/web/201809 03040709/http://oborit.org/about-us.html.

152 Europäische Kommission, »EU-China – Strategische Perspektiven«, Gemeinsame Mitteilung an das Europäische Parlament, den Europäischen Rat und den Rat, 12. März 2019, S. 1, https://eur-lex.europa.eu/legal-content/DE/TXT/HTML/?uri=CELEX:52019JC0005&from=EN.

153 Diese sind hier zu finden: https://tinyurl.com/w220e57; sowie https://tinyurl.com/ur7bnkx.

154 Stuart Lau, »Italy may be ready to open up four ports to Chinese investment under ›Belt and Road Initiative‹«, in: South China Morning Post, 19. März 2019.

155 Erwähnenswert ist auch die Kooperationsvereinbarung zwischen dem privaten Medienkonglomerat Class Editori und der China Media Group (CMG). Class Editori wird gemeinsame Veranstaltungen mit CMG organisieren und von der chinesischen Gruppe pro-

duzierte Programme ausstrahlen. Vgl. https://tinyurl.com/totz9nz.

156 Die Lega ist Teil von Bannons Koalition rechter europäischer Parteien. Anfang März 2019 traf sich Bannon mit Spitzenpolitikern der Lega und warnte vor Chinas »räuberischem Kapitalismus«, zu dessen Instrumenten er auch die BRI zählte. Vgl. Jason Horowitz, »Defying Allies, Italy Signs On to New Silk Road With China«, in: *New York Times*, 23. März 2019.

157 Elvira Pollina, »Huawei to invest $3.1 billion in Italy but calls for fair policy on 5G: country CEO«, Reuters, 15. Juli 2019.

158 Juan Pedro Tomás, »Italy will not push emergency legislation on 5G ›golden power‹: Report«, *RCRWireless News*, 19. Juli 2019. Es gab jedoch Berichte darüber, dass Regierungschef Conte die Beziehung zu China abzukühlen versuchte und Kommentare über die Stabilität der Bindung Italiens an Europa abgab. Stuart Lau, »Is Italy experiencing buyer's remorse after signing up to China's belt and road scheme?«, in: *South China Morning Post*, 30. Juli 2019.

159 Anonym, »Cai Mingpo: the financier helping to build bridges between France and China«, in: *Intelligence Online*, 20. Mai 2019.

160 Bezards Eintritt bei Cathay Capital hat einiges an Kontroversen ausgelöst, weil er Mitglied des Aufsichtsgremiums einer in Staatsbesitz befindlichen Finanzinstitution gewesen war, die der Firma einen Kredit eingeräumt hatte. Laurent Mauduit, »Direction du Trésor. Le sulfureux pantouflage de Bruno Bézard«, *Mediapart*, 25. Mai 2016.

161 Anonym, »Cai Mingpo: the financier helping to build bridges between France and China«.

162 Ebd.

163 Ebd.

164 Für die Verbindungen zur Einheitsfront siehe »Hubei Shengwei tongzhan fubuzhang Chen Changhong dao Changjiang Guoji Changhui diaoyan« (湖北省委统战部 副部长陈昌宏到长

江国际商会调研) [Chen Changhong, stellvertretender Vorsitzender der vereinigten Arbeitsfront des Komitees der Provinz Hubei inspiziert die Yangtze River International Chamber of Commerce], *Sina*, 1. November 2019, https://tinyurl.com/uqkjct6. Siehe auch deren Website https://tinyurl.com/uortmoz. Cai Mingpo ist ein Freund des bekannten New Yorker Künstlers Cai Guo-Qiang und hat die französische Ausgabe des Buches des Künstlers finanziert. Cai Guo-Qiang steht Rupert Murdochs Exfrau Wendi Deng nahe, die vom amerikanischen Geheimdienst – und von ihrem Exmann – verdächtigt wird, für das chinesische Ministerium für Staatssicherheit zu spionieren. Vgl. Graham Ruddick und Nicola Slawson, »US officials ›briefed Jared Kushner on concerns about Wendi Deng Murdoch‹«, in: *The Guardian*, 17. Januar 2018.

165 Anonym »Cai Mingpo: the financier helping to build bridges between France and China«.

166 Clive Hamilton, *Silent Invasion: China's influence in Australia* (Melbourne: Hardie Grant Book, 2018), S. 201.

167 http://www.ceibs.edu/media/news/events-visits/14535. Die Universität hat einen europäischen und einen chinesischen Präsidenten.

168 Der russische Politikwissenschaftler Alexei Tschichatschew schreibt: »Eine Reihe von ehemaligen Politikern unterschiedlicher Parteizugehörigkeit, darunter ehemalige Minister, sind mittlerweile Angestellte chinesischer Unternehmen, darunter Jean-Louis Borloo, der für Huawei arbeitet, und Bruno Le Roux, der für CRRC tätig ist. In beiden Kammern der französischen Nationalversammlung gibt es französisch-chinesische Freundschaftsgruppen. […] Doch was China anbelangt, sind die wichtigsten Vigilanten nicht einzelne Politiker, sondern einige sehr angesehene internationale Experten. Der Präsident des Französischen Instituts für Internationale Beziehungen

(IFRI), Thierry de Montbrial, erklärt, China nutze im Rahmen einer »quasi-imperialen« Strategie »die innereuropäischen Kontroversen« zur Durchsetzung der »Neuen Seidenstraße« und im Streben um die globale Führungsrolle in den nächsten Jahrzehnten. [...] Frankreich beobachtet die chinesische Spionage (die nicht auf Industriespionage beschränkt ist) mit großer Sorge.« Alexei Chikhachev, »From apprehensions to ambitions: The French approach to China«, Russian International Affairs Council, 11. April 2019. Für CEIBS siehe deren Website, wo alle drei als Professoren gelistet sind.

169 Steven Chase, »New Chinese ambassador praises Canadian communist supporter Isabel Crook, jailed during Cultural Revolution«, in: Globe and Mail, 24. Oktober 2019.

170 Anonym, »Xi confers highest state honors on individuals ahead of National Day«, Xinhuanet, 29. September 2019.

171 Anonym, »France backs China on Taiwan«, Deutsche Welle, 21. April 2005.

172 Pierre Tiessen und Régis Soubrouillard, La France Made in China: La France peut-elle résister à la puissance chinoise? (Paris: Michel Lafon, 2019); Philippe Grangereau, »Le petit livre rouge de Raffarin«, in: Libération, 27. Oktober 2011.

173 Andrew Moody, »Raffarin supports ideas of president«, in: China Daily, 30. Juli 2018.

174 Philippe Branche, »Comprendre La Chine: Questions/Réponses À Jean-Pierre Raffarin«, in: Forbes, 19. Juni 2018.

175 »France's Former Prime Minister Jean-Pierre Raffarin joins CEIBS«, Website des CEIBS, 23. Februar 2018, https://tinyurl.com/uxot3vy.

176 Anonym, »Cai Mingpo: the financier helping to build bridges between France and China«.

177 Anonym, »Patrice Cristofini, fondateur du club Paris Shanghai: ›Rapprocher la France et la Chine va permettre d'apaiser les tentations protectionnistes‹«, in: Opinion Internationale, 13. Juni 2018.

178 Zu Raffarins Rolle in der France China Foundation vgl. Anonym, »China-France meeting of minds calls for continued globalization«, in: Chinawatch, 19. Oktober 2018; Bruna Bisini, »Qui sont les relais de l'influence chinoise en France?«, in: Le Journal du Dimanche, 30. Oktober 2017. Raffarin ist auch Vorsitzender der Fondation Prospective et Innovation, die zahlreiche chinafreundliche Bücher und sonstige Publikationen herausgibt und in Seminaren und Workshops für die BRI wirbt. Ein Bericht in China Daily aus dem Jahr 2018 über eine von der France China Foundation und CPIFA organisierte Reise im Rahmen des »Programms für junge Führungskräfte«, der eine mühevolle Lektüre ist, zeigt, wie leicht die KPCh mit ihren Einheitsfrontoperationen »junge Führungskräfte« von der Weltanschauung der Partei überzeugt: Junge französische Führungskräfte schwärmen darin vom »Austausch zwischen den Völkern« und »den gemeinsamen Werten der Menschheit«. Anonym, »China-France meeting of minds calls for continued globalization«.

179 Larry Diamond und Orville Schell (Hg.), Chinese Influence and American Interests (Hoover Institute, 2018), S. 12. Vgl. auch Robert Fife, Steven Chase und Xiao Xu, »Beijing foots bill for Canadian senators, MPs to visit China«, in: Globe and Mail, 1. Dezember 2017; Andrew Tillett, »The new diplomatic dance with Beijing«, in: Australian Financial Review, 4. November 2018. Der Twitter-Hashtag #cpifa liefert nützliche Hinweise auf die globalen Beeinflussungsoperationen des CPIFA: https://twitter.com/hashtag/CPIFA?src=hashtag_click.

180 Vgl. »Partners«, Webseite der France China Foundation, archivierte Version vom 26. Januar 2018, https://tinyurl.com/wseqw28.

181 »Strategic Committee«, Website der Französisch-Chinesischen Stiftung, o.D., https://tinyurl.com/up8xvwo.

182 Anonym, »In wolves' clothing«, in: The Economist, 12. Februar 2015.

183 Zu Everbrights Verbindung zur Volksbefreiungsarmee vgl. U.S-China Security Review Commission, Dokumenta-
rischer Anhang zum *Report to Congress
of the U.S.-China Security Review*, Washington, D. C., Juli 2002, S. 26.

184 Véroniques Groussa, »Emmanuel Macron, membre du club des Young Leaders China«, in: *Le Nouvel Observa-
teur*, 4. August 2018.

185 CPIFA fördert auch ein Young Leaders
Program in Australien, vgl. https://
twitter.com/EichtingerM/status/
983464348671758336.

186 https://tinyurl.com/wa8by6z. Zu den
finanziellen Unterstützern zählen der
Einzelhandelsriese Carrefour, der Ju-
welier Chaumet und Alain Ducasse
von der Restaurantkette Alain Ducasse
Group.

187 Diamond und Schell, *Chinese Influence and American Interests*, S. 14.

188 Als Gründer der Organisation gilt der
chinesisch-französische Geschäftsmann Gérard Houa (Hua Bin 华宾),
(https://tinyurl.com/wa8by6z). Houa
ist ein Partner der HNA Group. Vgl.
Anonym, »Aigle Azur: l'actionnaire à
l'origine du coup de force se dit sou-
tenu par les deux autres«, in: *Le Figaro*,
1. September 2019.

189 Eines der fünf Ehrenmitglieder ist der
ehemalige französische Botschafter in
China, der angesehene Diplomat Jean-
Pierre Lafon. Vgl. http://fondation-
france-chine.com/?page_id=112 (Directeur du Centre de R&D du Conseil
des Affaires d'Etat).

190 https://tinyurl.com/wa8by6z. Um die
Dinge noch undurchschaubarer zu machen, gründete Cathay Capital im Jahr
2011 eine dritte Stiftung mit einem
ganz ähnlichen Namen, die France
Chine Entreprendre Fondation. Vorsitzender ist Paul-Henri Moinet, Publizistikprofessor und Bruder von Cathay
Capitals Mitgründer Edouard Moinet.
Paul-Henri Moinet ist auch Herausgeber einer französischen Website namens *Sinocle*, die für eine engere sino-
französische Zusammenarbeit wirbt
und es sich zum Ziel gemacht hat, jene

»Unwissenheit, Vorurteile und ideologische Ansichten zu überwinden, die
das Chinabild der Europäer verzerren«.
Sinocle veröffentlicht reihenweise auf-
gebauschte Artikel über die Segnungen
der »Neuen Seidenstraße«, in denen
sich die Website oft auf Experten des
Peterson Institute for International
Economics beruft. Die Hauptaufgabe
von *Sinocle* scheint zu sein, für die
»Neue Seidenstraße« zu werben. Vgl.
http://sinocle.info/en/2019/01/23/.

191 Johnny Ehrling, »China trauert um
den ›alten Freund‹ Helmut Schmidt«,
in: *Die Welt*, 11. November 2015.

192 Anonym, »Helmut Schmidt: ›Wir sehen China ganz falsch‹«, in: *Westdeut-
sche Zeitung*, 13. April 2008.

193 Helmut Schmidt, *Nachbar China: Helmut Schmidt im Gespräch mit Frank
Sieren* (Berlin: Ullstein, 2006).

194 Anonym, »Altkanzler Schmidt verteidigt Tian'anmen-Massaker«, in: *Die
Welt*, 13. September 2012.

195 Helmut Schmidt, »Xi Jinping: The Governance of China book review«, Informationsbüro des Staatsrats, 25. April
2017.

196 Anonym, »Fuß gefaßt«, in: *Der Spiegel*,
11. Juni 1984.

197 Sabine Pamperrien, »Die China-Versteher und ihre demokratischen
Freunde«, *Deutschlandfunk*, 3. Oktober
2013.

198 David Charter, »Angela Merkel benefits as Gerhard Schröder joins Rosneft
board«, in: *The Times*, 17. August 2017.

199 Andreas Lorenz, »Hugging the Panda
Gerhard Schröder Opens Doors for
German Companies in China«, in: *Der
Spiegel*, 6. November 2009; Andreas
Lorenz, »Der kluge Herr Shiluode«, in:
Der Spiegel, Nr. 45, 2009, S. 113 f.

200 Nina Trentmann, »Ex-Politiker als gut
bezahlte Türöffner nach China«, in:
Die Welt, 12. April 2012.

201 Lorenz, »Hugging the Panda«.

202 Anonym, »Keine bohrenden Nachfra-
gen«, *Deutsche Welle*, 8. April 2002.

203 Anonym, »Schröder Calls For End To
Arms Embargo Against China«, *Deutsche Welle*, 2. Dezember 2003.

204 Lorenz, »Hugging the Panda«.

205 Trentmann, »Ex-Politiker als gut bezahlte Türöffner nach China«; Lorenz, »Hugging the Panda«.

206 Matthias Kamp, »Altkanzler Schröder verteidigt Seidenstraßen-Initiative«, in: *Wiwo*, 26. November 2018; https://www.wiwo.de/politik/deutschland/china-altkanzler-schroeder-verteidigt-seidenstrassen-initiative/23683974.html.

207 Anonym, »Hamburger China-Konferenz mit Steinmeier und Ex-Kanzler Schröder«, in: *Business Insider*, 20. November 2016.

208 »Die Laudatio der Verleihung des ›China-Europe Friendship Awards 2016‹ an Gerhard Schröder«, Gesellschaft für Deutsch-Chinesische Verständigung e. V., 30. März 2017.

209 Kamp, »Altkanzler Schröder verteidigt Seidenstraßen-Initiative«.

210 Anonym, »Scharping: Sachsen müssen in China ihre Nischen suchen«, *RND*, 27. November 2017.

211 Trentmann, »Ex-Politiker als gut bezahlte Türöffner nach China«.

212 Anonym, »Ludaofu Shaerping – Deguo zhengzhijia, Zhong De hezuo jiaolicu tuidongzhe« (鲁道夫·沙尔平——德国政治家、中德合作交流推动者) [Rudolf Scharping – deutscher Politiker und Fürsprecher der chinesisch-deutschen Kooperation und des Austauschs], in: *Sohu*, 27. Januar 2018, https://www.sohu.com/a/219447838_99901145; Zhu Dianyong (朱殿勇): »Wang Guosheng huijian Ludaofu Shaerping« (王国生会见鲁道夫·沙尔平) [Wang Guosheng trifft Rudolf Scharping], in: *Henan ribao*, 29. September 2018, https://baijiahao.baidu.com/s?id=1612940937639689321&wfr=spider&for=pc.

213 Z.B. »One Belt, One Road: die Neue Seidenstrasse«, https://www.bhv-bremen.de/tiding/one-belt-one-road-die-neue-seidenstrasse/.

214 »Chinas neue Rolle in der Welt – die ›Road and Belt Initiative‹«, 11. Juli 2018, https://www.spdhessensued.de/2018/07/11/chinas-neue-rolle-in-der-welt-die-road-and-belt-initiative/.

215 »Introduction to China Economic Cooperation Center«, CECC, 6. Juni 2014, http://en.cecc.net.cn/Detail.aspx?newsId=1026&TId=44.

216 Vgl. die Programme auf: https://brirsbk.de/de/.

217 Cathrin Shaer, »Huawei can work on German 5G networks: here's why critics say that's a very bad idea«, *ZDNet*, 16. Oktober 2019.

218 Matthew Miller, »China's HNA charity turns to former German official for leadership«, Reuters, 14. Dezember 2017: »Hainan Cihang hat erklärt, in den nächsten fünf Jahren bis zu 200 Millionen Dollar in gemeinnützige Projekte investieren zu wollen, darunter 30 Millionen Dollar in die Universität Harvard, das Massachusetts Institute of Technology und das Calvary Hospital in New York.« Vgl. auch Anonym, »Who owns HNA, China's most aggressive dealmaker?«, in: *Financial Times*, 2. Juni 2017.

219 Anonym, »Zeichen gegen US-Eskalation setzen – Rüstungsexporte für Taiwan stoppen«, *Die Linke*, 21. August 2019, https://www.linksfraktion.de/presse/pressemitteilungen/detail/zeichen-gegen-us-eskalation-setzen-ruestungsexporte-fuer-taiwan-stoppen/.

220 Anonym, »Trumps Treibjagd nicht unterstützen«, *Die Linke*, 11. Dezember 2018, https://www.linksfraktion.de/presse/pressemitteilungen/detail/trumps-treibjagd-nicht-unterstuetzen/.

221 Anonym, »Was ist für Dich links, Norbert?«, *Disput*, 9. Juli 2019, https://www.die-linke.de/fileadmin/download/disput/2019/disput_juli2019.pdf.

222 »Besorgt über die Lage religiöser Minderheiten in China«, Bundestag, 8. Mai 2019, https://www.bundestag.de/dokumente/textarchiv/2019/kw19-pa-menschenrechte-634964.

223 Andreas Rinke, »Annäherung statt Abgrenzung – Neues Netzwerk China-Brücke«, Reuters, 15. Januar 2020, https://de.reuters.com/article/deutschland-china-idDEKBN1ZE0ON. Siehe auch Torsten Rieke, »CSU-Politiker Hans-Peter Friedrich schlägt

Brücke zu China«, in: *Handelsblatt*, 15. Januar 2020.

224 »Qian Hongshan Meets with Vice-President of the German Bundestag«, Website der Internationalen Verbindungsabteilung der KPCh, 16. April 2019, https://web.archive.org/web/20200227011351/http://www.idcpc.org.cn/english/news/201904/t20190420_100067.html; »Zhongguo Haihang zongjingli Zhang Zhen yingyao chuxi di er Zhong De keji luntan« (中国海航总经理张振应邀出席第二届中德科技论坛) [Zhang Zhen, General Manager von HNA, nimmt auf Einladung am 2. chinesisch-deutschen Wissenschafts- und Technologieforum teil], Website der China Ocean Aviation Group Limited, 22. November 2019, https://web.archive.org/web/20200227012204/http://www.coagi.com.cn/xwzx/gsdt/201911/t20191128_239939.html.

225 Rinke, »Annäherung statt Abgrenzung – Neues Netzwerk China-Brücke«; Cordula Tutt und Sophie Crocoll, »Der Club der Chinaversteher«, in: *Wirtschaftswoche*, 24. Januar 2020.

226 Georg Mascolo, Stella Peters und Benedikt Strunz, »Gescheitertes Projekt: Gute China-Nachrichten gegen Geld?«, tagesschau.de, 15. Januar 2020.

227 Lyndon LaRouche gilt als Urheber der »üppigsten Verschwörungstheorien, die jemals in Umlauf gebracht wurden«. Vgl. Scott McLemee, »The LaRouche Youth Movement«, in: *Inside Higher Ed*, 1. Juli 2007.

228 Anonym, »Foreign experts applaud China's development concepts«, CCTV Plus, 16. März 2019; Chen Weihua, »Identifying with China«, in: *China Daily*, 18. August 2017.

229 Bethany Allen-Ebrahimina, »Lyndon LaRouche is running a pro-China party in Germany«, in: *Foreign Policy*, 18. September 2017.

230 »Movisol conference on BRI in Milan«, https://tinyurl.com/uo8xxvp; Anonym, »Michele Geraci from professor to Belt and Road player«, in: *Belt & Road News*, 18. April 2019; Stuart Lau, »The Sinophile driving Italy's hopes of a New Silk Road deal with China«, in: *South China Morning Post*, 16. März 2019.

231 »Ambassador Gui Congyou Meets with Head of the Schiller Institute in Sweden«, Chinesische Botschaft in Schweden, 26. Juli 2018, http://www.chinaembassy.se/eng/sgxw/t1580316.htm.

232 »About us«, http://brixsweden.com/what-is-the-brix/?lang=en; Ulf Sandmark, »Hysterie in Schweden über das wachsende Interesse an Belt & Road«, Webseite des Schiller-Instituts, https://web.archive.org/web/20200227010242/https://www.schiller-institut.de/seiten/2019/brix.html.

5 Politische Eliten in der Peripherie

1 Jichang Lulu, »Confined discourse management and localised interactions in the Nordics«, in: *Sinopsis*, 22. Oktober 2018. Vgl. auch Jichang Lulus aufschlussreichen Twitter-Thread: https://twitter.com/jichanglulu/status/1059542849291726850.

2 Anonym, »Prime Minister Scott Morrison, Victorian Premier Daniel Andrews clash over China deal«, in: ABC News online, 7. November 2018.

3 Gay Alcorn, »Victorian opposition will make Belt and Road deal with China public if elected«, in: *The Guardian*, 7. November 2018.

4 Nanette Asimov und Rachel Swan, »Amid protests, SF board names Chinatown subway station after Rose Pak«, in: *San Francisco Chronicle*, 21. August 2019; Mark Eades, »Beijing-by-the-Bay: China's Hidden influence in San Francisco«, Foreign Policy Association, 9. Juni 2016.

5 Asimov und Swan, »Amid protests, SF board names Chinatown subway station after Rose Pak«.

6 Ebd.

7 Jichang Lulu, »Confined discourse management«.

8 »U.S. state and local officials are seeking to enhance cooperation with China despite simmering trade tensions between the world's two largest

economies«, China Xinhua News Twitter, 19. August 2019, https://twitter.com/XHNews/status/1163352605420130310. Vgl. auch den Anschlussbericht von Xinhua: Anonym, »U.S. state, local officials still eye China opportunities despite trade tensions«, Xinhua, 17. August 2019.

9   https://twitter.com/XHNews/status/1163352605420130310.

10   Phila Siu, »US-China trade war may cut Los Angeles' economic growth to zero, mayor Eric Garcetti warns during Hong Kong trip«, in: *South China Morning Post*, 1. August 2018.

11   https://twitter.com/XHNews/status/1163352605420130310.

12   May Zhou, »Ex-Missouri governor: American heartland seeks China relations«, in: *China Daily*, 15. Februar 2019. Im Gespräch mit *China Daily* lobte Holden die von der KPCh angewandte Taktik »Setze das Land ein, um die Stadt zu umzingeln«: »Wir arbeiten mit Städten und Staaten, um sie aktiv einzubinden. Ich bin überzeugt, dass die wirklichen Veränderungen nicht von oben, sondern von unten kommen. Letzten Endes ist jegliche Politik lokal.« Kong Wenzheng, »Ex-governor is working to connect US heartland, China«, in: *China Daily*, 7. August 2019.

13   May Zhou, »Ex-Missouri governor«.

14   https://usheartlandchina.org/about; https://web.archive.org/web/20200219184100/https://www.cusef.org.hk/en/what-we-do/in-country-programs/engaging-with-american-leaders/the-inaugural-us-heartland-mayor-delegation-trip-to-china.

15   Tung ist stellvertretender Vorsitzender der PKKCV. Jeffie Lam und Peace Chiu, »Former Hong Kong leader Tung Chee-hwa blames liberal studies at secondary schools for encouraging violent protests among young people«, in: *South China Morning Post*, 3. Juli 2019.

16   https://drive.google.com/file/d/1vwkDkznV3dInH8ULSOdBickOMpWW3xF/view.

17   https://efile.fara.gov/ords/f?p=181:130:6416909505612::NO::P130_CNTRY:CH;

Elizabeth Redden, »Thanks, but no, thanks: UT Austin says it will not accept funding from a foundation«, in: *Inside Higher Ed*, 16. Januar 2018. Der Sondergesandte von CUSEF ist Fred Teng, »der auch der Präsident des America China Public Affairs Institute (ACPAI) ist, dessen ausdrückliches Ziel es ist, gute Beziehungen zu den Gouverneuren einzelner Bundesstaaten zu knüpfen, um alle 50 Staaten zu ermutigen, sich für gute bilaterale Handelsbeziehungen zu China einzusetzen«, America China Public Affairs Institute, chinesischsprachige Selbstbeschreibung, https://tinyurl.com/rybn978. Diese Aussage findet sich nur auf der chinesischsprachigen Version der Website. Teng gehört auch dem Beirat einer mit der Einheitsfront verbundenen Denkfabrik an, des Centre for China and Globalization (https://tinyurl.com/sbg84zy), und wurde als eines von nur 35 ausländischen Mitgliedern geehrt, die an der PKKCV im Jahr 2018 teilnahmen (https://tinyurl.com/vvwnqy6).

18   Anne-Marie Brady, »Magic Weapons«.

19   Jichang Lulu, »Repurposing democracy«.

20   Anne-Marie Brady beschreibt, wie mehrere Bürgermeister in Neuseeland von der CPAFFC kooptiert wurden. Vgl. Brady, »Magic Weapons«, S. 33 f.

21   Ebd., S. 34.

22   Vgl. https://tinyurl.com/um34hkm, wo die USPCPFA erklärt, gemeinsam mit der CPAFFC Bildungsreisen nach China zu organisieren. Vgl. auch May Zhou, »Bilateral relationship's benefits celebrated in Houston«, in: *China Daily*, 29. Oktober 2018.

23   http://mnchinagarden.org/board-members/. Im Jahr 2018 veranstaltete die Ortsgruppe Houston der USCPFA eine Gala, bei der Ed Gonzales, der Sheriff des Harris County (dessen Verwaltungszentrum Houston ist), zum Freundschaftsbotschafter der CPAFFC ernannt wurde. Gonzales leitet die drittgrößte Polizeitruppe der Vereinigten Staaten und war ein prominentes Mitglied des Stadtrats von Houston.

24 https://www.cgccusa.org/en/us-china-governors-collab-summit/.

25 John Dotson, »China explores economic outreach to U.S. states via united front entities«, Blogpost, Jamestown Foundation, 26. Juni 2019.

26 Zitiert in: Dotson, »China explores economic outreach«.

27 Owen Churchill und John Power, »For US and Chinese regional officials, economic summit was a chance to heal frayed ties. For the White House, it rang alarm bells«, in: *South China Morning Post*, 9. August 2019.

28 Anonym, »U.S. state, local officials still eye China opportunities despite trade tensions«.

29 Ebd.

30 Dotson, »China explores economic outreach to U.S. states via united front entities«.

31 Churchill und Power, »For US and Chinese regional officials, economic summit was a chance to heal frayed ties«.

32 Zitiert in: Bill Bishop, *Sinocism Newsletter*, 30. Juli 2019. Der Originalartikel ist Huang Renwei (黄仁伟), »Zhong Mei jinru zhanlüe xiangchi jieduan, jiang chong su daguo pingheng« (中美进入战略相持阶段，将重塑大国平衡), [China und die Vereinigten Staaten treten in eine strategische Pattsituation ein, die das Kräfteverhältnis verändern wird], *Guancha*, 1. März 2019.

33 Bethany Allen-Ebrahimian, »How a Chinese think tank rates all 50 U.S. governors«, Axios China, 19. Februar 2020. Der Bericht ist auch im Original auf Chinesisch abrufbar: https://www.documentcloud.org/documents/6779094-PRC-Think-Tank-Study-on-US-Governors-Attitudes.html.

34 Kong Wenzheng und May Zhou, »China, US city leaders gather«, in: *China Daily*, 18. Juli 2019.

35 Ebd.

36 Kyle Munson, »Glad in Muscatine: What one Chinese businessman and his millions mean to this Iowa river town«, in: *Des Moines Register*, 1. März 2018.

37 Kyle Munson, »The rise of the ›Iowa mafia‹ in China, from a governor to Xi's ›old friends‹«, in: *Des Moines Register*, 9. November 2017.

38 Ebd.

39 Die CPAFFC stellt seit 1992 die Trägerschaft für die China International Friendship Cities Association (CIFCA), eine nationale zivile Organisation der Volksrepublik China mit dem Status einer juristischen Person, https://tinyurl.com/wx2w33e. Vgl. den Abschnitt mit der Überschrift »Sister cities seeking«, https://tinyurl.com/yx5zwtej.

40 Mike Ferguson, »Muscatine woman a friend of China«, in: *Globe Gazette*, 21. Oktober 2013. Gary Dvorchak, der im Jahr 1985 als Teenager sein Schlafzimmer für Xi zur Verfügung stellte, war einer von nur zwölf Ausländern, die zur Militärparade angesichts des 70. Jahrestags der Gründung der Volksrepublik nach Beijing eingeladen wurden. Vgl. Cate Cadell, »A dozen hand-picked foreigners join China's parade of soldiers and tanks«, Reuters, 1. Oktober 2019.

41 Rusty Schrader, »Lande resigns as director of Iowa Department of Natural Resources«, in: *Muscatine Gazette*, 25. Mai 2012.

42 Cynthia Beaudette, »Water under the bridge: Chinese students visit Muscatine and put their finger on the pulse of one of America's main arteries«, in: *Muscatine Gazette*, 23. Juli 2012.

43 Beimeng Fu, »A Chinese Businessman Wants To Turn A Small Iowa Town Into The Midwest's China Hub«, *Buzzfeed News*, 3. Januar 2017.

44 Brady, »Magic Weapons«, S. 34.

45 Melissa Nightingale, »$100k banquet in Wellington for Chinese Mayoral Form«, in: *New Zealand Herald*, 5. April 2018.

46 Jeremy Nuttall, »Chinese government woos local politicians with UBCM event«, in: *The Tyee*, 13. September 2017.

47 Im Gespräch mit dem Autor.

48 Renee Bernard, »Delta mayor to boycott reception hosted by Chinese government«, in: *Citynews*, 28. Juni 2019.

49 Anonym, »Carried away by communism«, in: *The Globe and Mail*, 14. September 2010.

50 https://tinyurl.com/uvxxkpc.

51 https://www.youtube.com/watch?v=xR9287AdGV4.

52 Anonym, »Nanjing Massacre Victims Monument launched in Canada«, Xinhuanet, 10. Dezember 2018.

53 https://tinyurl.com/rwxzymz.

54 Paul Robinson und Emilia Terzon, »Taiwan flag design painted over by council ahead of beef industry event«, in: ABC News online, 9. Mai 2018.

55 Didi Kirsten Tatlow, »Mapping China-in-Germany«, in: *Sinopsis*, 2. Oktober 2019.

56 Ebd.

57 https://www.dcw-ev.de/de/partner/ccpit.html. Die Einheitsfrontverbindungen der CCPIT sind in Neuseeland besonders auffällig; vgl. https://tinyurl.com/qlpffrl.

58 Tatlow, »Mapping China-in-Germany«.

59 Ebd.

60 Ebd. Die Vereinbarung kann hier eingesehen werden: https://tinyurl.com/ro84czp.

61 »One Belt One Road Forum 14.5.2017«, https://tinyurl.com/rugjfwb.

62 Zum ehemaligen Vorsitz der Deutsch-Chinesischen Parlamentariergruppe siehe: https://tinyurl.com/we39krd. Zur China-Brücke siehe Andreas Rinke, »Annäherung statt Abgrenzung – Neues Netzwerk China-Brücke«, Reuters, 15. Januar 2020, https://de.reuters.com/article/deutschland-china-idDEKBN1ZE0ON.

63 »Johannes Pflug wird China-Beauftragter der Stadt«, 22. April 2016, https://tinyurl.com/uf8zev2.

64 »One Belt One Road – Die neue Seidenstraße«, Rheinmaintv, 29. März 2018, https://www.youtube.com/watch?v=z6Cg_LMrlas.

65 Jeffrey Möller, »Johannes Pflug: China hat mich frühzeitig eingenommen«, in: *german.people.cn*, 28. Juni 2018, https://tinyurl.com/u58owqp.

66 »CBND-China Business Network Duisburg«, http://www.cbnd.de/de/ueber-uns.

67 »Chinesische Unternehmen setzen weiter auf Nordrhein-Westfalen und Düsseldorf«, Chinesisches Generalkonsulat in Düsseldorf, 18. Januar 2019, http://dusseldorf.china-consulate.org/det/xwdt_6/t1630608.htm.

68 Annika Schulz, »Huawei soll Duisburg digitalisieren«, in: *Der Tagesspiegel*, 6. Dezember 2018.

69 »Huawei vertieft Kooperation mit Duisburg, um den deutschen Industriestandort in eine neue Smart City zu verwandeln«, Presseportal, 3. September 2018, https://www.presseportal.de/pm/100745/4051263. Sowohl Link als auch Pflug wurden für die März-Ausgabe 2019 der Zeitschrift des Chinesischen Industrie- und Handelsverbands in Deutschland (CIHD) interviewt. Vgl. https://www.cihd.de/de/leistungen/download/Magazin39-D.PDF.

70 Anonym, »Was vom Tage übrig blieb: Huawei mauschelt mit Duisburg und Cambridge Analytica rettet sich in die Pleite«, in: *Netzpolitik*, 18. April 2019.

71 Anonym, »Chinese Chamber of Commerce opens office in Hamburg«, in: *Hamburg News*, 20. März 2017.

72 »40 Jahre Öffnungspolitik in China: Präsidentin Veit lobt Beziehungen zur Volksrepublik«, Website des chinesischen Konsulats in Hamburg, 29. Januar 2019, https://tinyurl.com/v2ovou8.

73 »Chinesischer Vize-Ministerpräsident Liu He im Rathaus – Chancen für Hamburg durch ›Neue Seidenstraße‹ von Asien nach Europa«, Website des chinesischen Konsulats in Hamburg, 27. November 2018, http://hamburg.china-consulate.org/det/lgxwldhd/t1632457.htm.

74 Zumindest wird das in einem von deutscher Seite nicht dementierten Bericht behauptet, den das chinesische Konsulat ins Netz gestellt hat: https://tinyurl.com/yxy5z203.

75 Jichang Lulu, »Repurposing democracy«, S. 21. Vgl. auch Olga Lomová, Jichang Lulu und Martin Hala, »Bilateral dialogue with the PRC at both ends: Czech-Chinese ›friendship‹ extends to social credit«, in: *Sinopsis*, 28. Juli 2019.

76 Z.B. in Prag. Vgl. Manuel Eckert und Richard Turcsányi, »Prague vs. Beijing: Estranged sister cities«, in: *The Diplomat*, 8. Oktober 2019.

77 Brady, »Magic Weapons«.

78 Diamond und Schell, *Chinese Influence and American Interests*, S. 20 f.

79 https://en.wikipedia.org/wiki/List_of_federal_installations_in_Maryland.

80 Nach Beschwerden chinesischer Diplomaten widerrief der Gouverneur von Maryland im Jahr 1999 eine Bekanntmachung, mit der Li Hongzhi, der exilierte Führer von Falun Gong, geehrt wurde. Vgl. Steven Mufson, »Falun Gong Honors Rescinded«, in: *Washington Post*, 11. Dezember 1999. Die Bürgermeister von Seattle, Baltimore und San Francisco folgten dem Beispiel des Gouverneurs.

81 Len Lazarick, »Chinese sister state promoting more trade with Maryland«, in: *Maryland Reporter*, o.D.

82 Ebd.

83 https://montgomerycountymd.galaxydigital.com/agency/detail/?agency_id=76841#toggle-sidebar.

84 https://globalmaryland.umd.edu/offices/confucius-institute-maryland/frequently-asked-questions. Für gegensätzliche Einschätzungen des Confucius Institute der UM vgl. Don Lee, »Confucius Institutes: Do they improve U.S.-China ties or harbor spies?«, in: *Los Angeles Times*, 23. Januar 2019.

85 Bethany Allen-Ebrahimian, »China's long arm reaches into American campuses«, in: *Foreign Policy*, 7. März 2018.

86 Simon Denyer und Congcong Zhang, »A Chinese student praises the fresh air of free speech at a U.S. college, then came the backlash«, in: *Washington Post*, 23. Mai 2017.

87 https://www.umdrightnow.umd.edu/news/university-statement-regarding-2017-student-commencement-speaker.

88 Elizabeth Redden, »›A flood to a trickle?‹ Pence on Maryland's China Programs«, in: *Inside Higher Ed*, 8. Oktober 2018. Die Zahl chinesischer Studenten war in den vorhergehenden Jahren deutlich gestiegen: Im Jahr 2017 lag sie bei 2511, was 48% aller ausländischen Studenten und 6,2% der gesamten Studentenschaft der Universität entsprach. Vgl. https://tinyurl.com/ro5n4le.

89 Obwohl sie Columbia nicht namentlich nennen, behandeln Diamond und Schell den Fall im 2. Abschnitt von *Chinese Influence and American Interests*.

90 https://tinyurl.com/r3eb7ow.

91 https://www.sohu.com/a/212396602_246081; https://tinyurl.com/vqfmo5r.

92 https://tinyurl.com/sw7qe29.

93 https://tinyurl.com/r3eb7ow.

94 Janene Holzberg, »Columbia poised to add China's Liyang as sister city«, in: *Baltimore Sun*, 15. Juni 2018.

95 https://tinyurl.com/vqfmo5r. Han (韩军) hat zahlreiche Verbindungen zu Einheitsfrontorganisationen. Sie ist stellvertretende Vorsitzende der Chinese Alumni Associations of Greater Washington (2018–2020) (https://web.archive.org/web/20180902104155/http://caagw.org/node/227), die sehr aktiv im Talenttransfer ist (https://tinyurl.com/ufgobj3). Sie ist auch stellvertretende Generalsekretärin des Coordination Council of Chinese America Associations (http://archive.today/2019.10.23-094929/http://www.chinaqw.com/hqhr/hd2011/2016/11-09/1132.shtml), der an *huaren canzheng*-Ereignissen beteiligt ist (https://tinyurl.com/t8l4vru; https://tinyurl.com/v7yo9lp).

96 http://archive.today/upzHG. Im Januar 2018 wurde Sun Diantao, der Chefredakteur von ACM, zum stellvertretenden Generalsekretär der National Association for China's Peaceful Unification in Washington gewählt, einer führenden Einheitsfrontorganisation (http://archive.today/CauBc; http://archive.today/YQP6H). Sun war Präsident der Hebei Association of Greater Washington. ACMs Präsident Wei Dahang arbeitete früher als Redakteur/Produzent für das Chinesische Zentralfernsehen CCTV, vgl. http://archive.today/EwV9k.

97 https://tinyurl.com/rejmmex.

98 https://web.archive.org/web/
20190311223717/https://chaowu.org/
meet-chao-wu/.

99 Die Information stammt von chinesisch-amerikanischen Einwohnern
Marylands.

100 He Xiaohui (何晓慧), https://tinyurl.
com/so8sppc. Vgl. auch Bethany
Allen-Ebrahimian, »China built an
army of influence agents in the U.S.«,
in: *Daily Beast*, 18. Juli 2018.

101 https://tinyurl.com/y5yhs9ky.

102 Allen-Ebrahimian schreibt: »Lily Qi,
eine demokratische Kandidaten für
den Kongress von Maryland, beschrieb
He als ›eines dieser ausgezeichneten
Bindeglieder, die der lokalen Ebene
Aufmerksamkeit schenkt‹«. (Allen-
Ebrahimian, »China built an army of
influence agents in the U.S.«.)

103 Vgl. diesen Artikel auf der Website der
PKKCV: https://tinyurl.com/so8sppc.

104 Eckert und Turcsányi, »Prague vs. Beijing: Estranged sister cities«; Stuart Lau,
»Prague cuts sister-city ties with Beijing amid ›tangible anger‹ over pro-
China policies«, in: *South China Morning Post*, 8. Oktober 2019; Lenka Poni-
kelska, »Beijing tales aim at Prague
after ›One-China‹ dispute deepens«,
Bloomberg, 9. Oktober 2019.

105 Holmes Chan, »Prague ditches Beijing
for Taipei in new sister city deal«, in:
Hong Kong Free Press, 5. Dezember
2019.

6 Das Wirtschaftskonglomerat der Partei

1 Bonnie Girard, »The real danger of
China's national intelligence law«, in:
The Diplomat, 23. Februar 2019.

2 George C. Chen, »Le droit, c'est moi:
Xi Jinping's new rule-by-law approach«,
Oxford Human Rights Hub, 26. Juli
2017.

3 Jennifer Duggan, »China targets law-
yers in new human rights crackdown«,
in: *The Guardian*, 13. Juli 2015.

4 Anonym, »Xi stresses CPC leadership
of state-owned enterprises«, in: *China
Daily*, 12. Oktober 2016.

5 Zhang Lin, »Chinese Communist Party
needs to curtail its presence in private
businesses«, in: *South China Morning
Post*, 26. November 2018; »China says
foreign firms welcome benefits from
internal Communist Party cells«, Reuters, 19. Oktober 2017. Privatunternehmen sind nach chinesischem Recht seit
Langem zur Einrichtung von Parteizellen verpflichtet, aber diese Vorschrift
wird seit 2017 sehr viel strenger durchgesetzt.

6 Im Jahr 2016 berichtete die angesehene
Finanznachrichtengruppe Caixin, dass
eine wachsende Zahl chinesischer
Staatsbetriebe die Funktion des Vorsitzenden des Leitungsgremiums mit der
des Parteisekretärs verschmilzt. Lu
Bingyang und Teng Jing Xuan, »Train
manufacturer merges jobs of chairman,
party secretary«, in: *Caixin*, 28. November 2016.

7 Wang Jiamei und Huang Ge, »SOEs to
unify Party, board chairman posts«, in:
Global Times, 18. Dezember 2016. Vgl.
auch Lu und Teng, »Train manufacturer merges jobs of chairman, party secretary«.

8 Patricia Adversario, »China's Communist
party writes itself into company law«,
in: *Financial Times*, 14. August 2017.

9 Alexandra Stevenson, »China's Communists Rewrite the Rules for Foreign
Businesses«, in: *New York Times*,
13. April 2018.

10 Yi-Zheng Lian, »China, the party-cor-
porate complex«, in: *New York Times*,
12. Februar 2017.

11 John Garnaut, »Chinese leader's family
worth a billion«, in: *Sydney Morning
Herald*, 30. Juni 2012; Anonym, »Pa-
nama Papers: Family of China's President Xi implicated«, in: *Straits Times*,
4. April 2016.

12 David Barboza und Michael Forsythe,
»Behind the Rise of China's HNA: The
Chairman's Brother«, in: *New York
Times*, 27. März 2018.

13 Ting Chen und James Kai-sing Kung,
»Busting the ›Princelings‹: The Cam-
paign Against Corruption in China's
Primary Land Marketing«, in: *The
Quarterly Journal of Economics*, 134:1,
Februar 2019, S. 185–226.

14 Minxin Pei, *China's Crony Capitalism: The dynamics of regime decay* (Cambridge: Harvard University Press, 2016).

15 Chua Kong Ho, »Huawei founder Ren Zhengfei on why he joined China's Communist Party and the People's Liberation Army«, in: *South China Morning Post*, 16. Januar 2016.

16 Huawei hat diesen Vorwurf in einem rechtlichen Gutachten angefochten, aber Samantha Hoffmann und Elsa Kania haben gezeigt, dass die Verpflichtung der Unternehmen zur Unterstützung geheimdienstlicher Aktivitäten ein Bestandteil mehrerer Rechtsvorschriften ist. Vgl. Samantha Hoffmann und Elsa Kania, »Huawei and the ambiguity of China's intelligence and counter-espionage laws«, ASPI Strategist, 12. September 2018.

17 Zhang Lin, »Chinese Communist Party needs to curtail its presence in private businesses«.

18 Ebd.

19 Gwynne Guilford, »Jack Ma: Mowing down demonstrators in Tiananmen Square was the ›correct decision‹«, in: *Quartz*, 17. Juli 2013. Zu Jack Mas Vermögen vgl. https://www.forbes.com/profile/jack-ma/#58d5da4f1ee4.

20 Josh Horwitz, »China's annual Communist Party shindig is welcoming a handful of new tech tycoons«, in: *Quartz*, 5. März 2018.

21 Arjun Kharpal, »Alibaba's Jack Ma has been a Communist Party member since the 1980s«, in: CNBC online, 27. November 2018.

22 Horwitz, »China's annual Communist Party shindig is welcoming a handful of new tech tycoons«.

23 Zitiert in: Elsa Kania, »Much ado about Huawei (part 2)«, *The Strategist*, 28. März 2018 (Hervorhebung durch die Autoren).

24 Greg Levesque, »China's evolving economic statecraft«, in: *The Diplomat*, 12. April 2017.

25 Anonym, »Civil-Military Fusion: The Missing Link Between China's Technological and Military Rise«, Council on Foreign Relations, Blogpost, 29. Januar 2018.

26 Doug Palmer, »Navarro tells Wall Street ›globalist billionaires‹ to end ›shuttle diplomacy‹ in U.S.-China trade war«, in: *Politico*, 9. November 2018. Vgl. auch https://www.youtube.com/watch?v=PROpS3U_FIY.

27 Alexandra Stevenson, Kate Kelly und Keith Bradsher, »As Trump's Trade War Mounts, China's Wall Street Allies Lose Clout«, in: *New York Times*, 16. September 2018.

28 Joseph Kahn, »China Leader Concentrates on Capitalism in New York«, in: *New York Times*, 14. April 1999.

29 Stevenson, Kelly und Bradsher, »As Trump's Trade War Mounts, China's Wall Street Allies Lose Clout«.

30 Kahn, »China Leader Concentrates on Capitalism in New York«.

31 Stevenson, Kelly und Bradsher, »As Trade War Rages, China's Sway Over the U.S. Fades«, in: *New York Times*, 17. Mai 2019.

32 Josh Rogin, »China's infiltration of U.S. capital markets is a national security concern«, in: *Washington Post*, 13. Juni 2019.

33 Stevenson, Kelly und Bradsher, »As Trump's Trade War Mounts, China's Wall Street Allies Lose Clout«.

34 Persönliche Mitteilung, April 2019.

35 Zum Einfluss von Goldman Sachs auf die Regierung Obama vgl. Michael Sainato, »Trump continues White House's Goldman Sachs revolving door tradition«, in: *thehill.com*, 12. Dezember 2016, https://thehill.com/blogs/pundits-blog/the-administration/309966-trump-continues-white-houses-goldman-sachs-revolving.

36 William Stanton, »Another PRC sharp power: Foreign ›friends‹«, in: *Global Taiwan Brief*, 3:24, 12. Dezember 2018.

37 Paul Blustein, »The untold story of how George W. Bush lost China«, in: *Foreign Policy*, 2. Oktober 2019.

38 Ebd.

39 »Professor John L. Thornton Honored Friendship Award«, Tsinghua SEM, 13. Oktober 2008, https://web.archive.

org/web/20190824184433/http://cms.
sem.tsinghua.edu.cn/semcms/News1/
36101.htm?tempContent=full.

40 Yun Li, »Larry Fink just revealed how
BlackRock is going to keep growing at
its torrid pace: China«, CNBC, 8. April
2019

41 James Hatton, »Canadian ambassador's
marriage to BlackRock APAC boss raises conflict of interest converns«, in:
Mingtiandi, 25. September 2019.

42 Anonym, »BlackRock moves to hire GF
Securities boss for China operations«,
in: *Financial Times*, 15. April 2019.

43 Tony Tang Xiaodong, LinkedIn; Anonym, »Larry Fink says BlackRock focu-
sed on onshore presence in China«,
Reuters, 8. April 2019.

44 https://citywireasia.com/manager/
helen-zhu/d26476.

45 Barbara Demick, »In China, ›red nobility‹ trumps egalitarian ideals«, in: *Los
Angeles Times*, 4. März 2013.

46 David Lynch, Jennifer Hughes und
Martin Arnold, »JPMorgan to pay
$264m in penalty for hiring ›prince-
lings‹«, in: *Financial Times*, 18. November 2016.

47 Jessica Silver-Greenberg und Ben Pro-
tess, »Chinese official made job plea to
JPMorgan Chase chief«, in: *New York
Times*, 9. Februar 2014.

48 Anonym, »JPMorgan under scrutiny
over hiring of Chinese minister's son:
Wall Street Journal«, Reuters, 7. Februar
2005.

49 Gwynn Guilford, »JP Morgan isn't the
only big financial firm to have hired
Chinese Communist Party scions«, in:
Quartz, 20. August 2013.

50 Kris Cheng, »Little darlings summer
camp‹: CY Leung faces fresh questions
over his daughter's JP Morgan internship«, in: *Hong Kong Free Press*,
24. November 2016.

51 Neil Gough, »Former Top China
JPMorgan Banker Said to Be Arrested
in Hong Kong«, in: *New York Times*,
22. Mai 2014; Wang Duan, »Former
JPMorgan Executive Arrested by HK's
Graft Fighter«, in: *Caixin*, 24. Mai 2014;
Cendrowski, »J.P. Morgan's dealmaker

in China steps down«; https://huecri.
wordpress.com/tag/fang-fang/. Im
Nachgang wurde Fang Fang 2014 von
der Korruptionsbekämpfungsbehörde
Hongkongs verhaftet. Einige Beobachter erklärten, er habe sich als Zeuge zur
Verfügung gestellt und über J.P. Morgans Praktiken bei der Einstellung von
Prinzlingen ausgesagt, aber eine plausiblere Erklärung dürfte sein, dass er in
eine Auseinandersetzung zwischen
Fraktionen der KPCh geriet. (So wird
behauptet, der sei ein Gefolgsmann
des früheren Parteichefs Zeng Qing-
hong, der mit Jiang Zemin verbündet
war und später Xi Jinping unterstützte.) Was auch immer der Grund
für die Verhaftung war, die Affäre
dürfte ihm kaum geschadet haben.
Nach seinem Ausscheiden bei J.P. Morgan gründete er eine Investmentgesellschaft. Er hat weiterhin seinen prestigeträchtigen Posten in der PKKCV
und ist wie gehabt stellvertretender
Vorsitzender des Beirats des Center for
China and Globalization.

52 Ebd.

53 Scott Cendrowski, »J.P. Morgan's dealmaker in China steps down. Who's
next?« in: *Fortune*, 25. März 2014.

54 Cheng, »Little darlings summer
camp‹«. Zur Hua Jing Society vgl.
http://www.hua-jing.org/default.php.

55 Z. B. https://www.ntdtv.com/gb/2014/
05/26/a1111869.html.

56 Cendrowski, »J.P. Morgan's dealmaker
in China steps down«.

57 https://archive.fo/2019.05.01-014840/
http:/english.ccg.org.cn/Director/
Member.aspx?Id=1806. Der Präsident
des Centre for China and Globalization (CCG) ist Wang Huiyao, ein Mitglied des Lehrkörpers der Harvard
Kennedy School und Funktionär der
KPCh (vgl. Diamond und Schell, *Chinese Influence and American Interests*,
S. 64). Das CCG wird von Ronnie Chan
finanziert, der auch ein wichtiger Spender der Universität Harvard ist. Zu den
engen Verbindungen des CCG zur
KPCh vgl. Tony Cheung, »New main-
land think tank hopes to take ›objective‹

view on Hong Kong issues«, in: *South China Morning Post*, 12. November 2017.

58 Matt Levine, »JP Morgan's mistake was not hiring princelings fast enough«, *Bloomberg*, 30. Dezember 2013.

59 Gwynn Guilford, »JP Morgan isn't the only big financial firm to have hired Chinese Communist Party scions«, in: *Quartz*, 20. August 2013.

60 Es ist vielleicht erwähnenswert, dass der ehemalige australische Finanzminister und Premierminister Paul Keating in den internationalen Beirat der CDB berufen wurde (dem auch Kissinger und Dominic Barton angehörten). Keating war derart begeistert von Chen Yuan, dass er das Vorwort zu Chens Buch schrieb.

61 Im Jahr 2011 hofierte Chen Xiaodan Li Wangzhi, den Sohn von Bo Xilai, und es bahnte sich eine »königliche Hochzeit« an (Peter Foster, »Photos leaked online fuel rumours of romance between China's red royals«, in: *The Telegraph*, 21. Februar 2011). Die beiden jungen Leute studierten in Harvard. Bo Guagua ging von Harrow nach Oxford und anschließend nach Harvard und fuhr einen roten Ferrari.

62 James Follows, »Internship at a Chinese Bank? Only If You Go to Harvard or MIT«, in: *The Atlantic*, 20. Februar 2011.

63 Anonym, »Heirs of Mao's comrades rise as new capitalist nobility«, *Bloomberg*, 27. Dezember 2012.

64 »Headhunter Tan erklärt, Marktkenntnis und Kommunikationsfähigkeiten hätten mittlerweile Vorrang vor familiären Verbindungen, wenn sich junge Absolventen vom Festland bei globalen Banken bewerben.« Simon Mortlock, »Where you can still get a finance job as a ›princeling‹ in Asia«, in: *efinancialcareers.com*, https://news.efinancialcareers.com/au-en/318785/finance-job-princeling-asia.

65 Michael Forsythe, David Enrich und Alexandra Stevenson, »Inside a brazen scheme to woo China: gifts, golf and a

$4,254 wine«, in: *New York Times*, 14. Oktober 2019.

66 Levine, »JP Morgan's mistake was not hiring princelings fast enough«.

67 Forsythe, Enrich und Stevenson, »Inside a brazen scheme to woo China«.

68 Ebd.; Anonym, »Wang Xisha, daughter of Chinese vice premier Wang Yang; the couple's extravagant lifestyle has frequently caught the attention of Hong Kong's paparazzi and tabloids«, in: *Bamboo Innovator*, 23. Juni 2014.

69 Matt Robinson und Patricia Hurtado, »Credit Suisse to pay $77 million to settle princeling probes«, *Bloomberg*, 6. Juli 2018.

70 Ebd.

71 Alexandra Rogers, »City Corporation slammed for decision to ban Taiwan float from Lord Mayor's show«, in: *City A.M.*, 14. Mai 2019.

72 Wieland Wagner, »Exchange rates and reserve currencies: China plans path to economic hegemony«, in: *Der Spiegel*, 26. Januar 2011.

73 Martin Thorley, »Shadow play: elite Chinese state influence strategies and the case of Renminbi internationalisation«, Teil 1 und 2, in: *Asia Dialogue*, 19. Juli 2018.

74 »Gaining currency: the rise of the Renminbi«, Brookings, Website, Veranstaltung am 3. November 2016, https://www.brookings.edu/events/gaining-currency-the-rise-of-the-renminbi-2/.

75 Anonym, *Currency Internationalization and Macro Financial Risk Control*, International Monetary Institute (London: Palgrave, 2018).

76 Vgl. https://tinyurl.com/u4e2be3 sowie https://tinyurl.com/vn4wqn3.

77 https://twitter.com/OMFIF/status/1012246109413134336.

78 https://hansard.parliament.uk/Lords/2014-05-07/debates/14050796000304/ChinaInvestmentIntoTheUnitedKingdom.

79 Zitiert in: Thorley, »Shadow play«.

80 Nikou Asgari, »City of London cements dominance of renminbi trading«, in: *Financial Times*, 17. April 2019.

81 Anne Peters, »Human rights à la Chinoise: impressions from the 6th Human Rights Forum in Beijing on the eve of the second UPR of China, Part II«, Blog des *European Journal of International Law*, 24. September 2013, https://tinyurl.com/w49glem.

82 Anonym, »British Labour MP criticized for role in China's Tibet propaganda«, in: *Tibetan Review*, 16. August 2014.

83 https://www.theyworkforyou.com/lords/?id=2018-11-01b.1428.2.

84 Lord Woolf of Barnes, ehemaliger Lord Chief Justice und Vorsitzender des Ausschusses der Bank of England für Finanzmarktregulierung, ist auch Mitglied des 48 Group Club.

85 https://www.parliament.uk/biographies/lords/lord-davidson-of-glen-clova/3781/register-of-interests.

86 https://www.berggruen.org/work/berggruen-china-center/.

87 Anonym, »Lord Mayor of London leads fintech delegation to China to promote trade and investment«, Pressemitteilung, City of London Corporation, 18. März 2019.

88 https://www.youtube.com/watch?v=IrAz-lQDrAo, Minuten 2:00 und 19:30.

89 Anonym, »Lord Mayor of London leads fintech delegation to China to promote trade and investment«.

90 Anonym, »China Daily Global Edition wins admiration from across the world«, in: *China Daily*, 11. Januar 2019.

91 https://sgc.frankfurt-school.de/; Zhou Wa, »Giving currency to yuan's spread«, in: *China Daily*, 2. Oktober 2015.

92 Mark Sobel schreibt für die von Shenglin herausgegebene *International Monetary Review* (siehe die Januar-Ausgabe 2019).

93 Ben Moshinsky, »Terrifying highlights from Ray Dalio's note on the China bubble«, in: *Business Insider*, 24. Juli 2015.

94 Alicia Gonzales, »›China is dealing with a heart transplant‹, says Bridgewater head«, in: *El Pais*, 26. August 2015.

95 Alan Cheng, »How Ray Dalio broke into China«, in: *Institutional Investor*, 18. Dezember 2017.

96 Amanda Cantrell, »Ray Dalio is worried about markets – but bullish on China«, in: *Institutional Investor*, 15. November 2018.

97 Linette Lopez, »It's time to stop listening to Ray Dalio on China«, in: *Institutional Investor*, 4. Januar 2019.

98 Cheng, »How Ray Dalio broke into China«.

99 Samuel Wade, »Minitrue: rules on stock-market reporting«, in: *China Digital Times*, 9. Juli 2015.

100 Amie Tsang, »Caijing journalist's shaming signals China's growing control over news media«, in: *New York Times*, 6. September 2015.

101 PEN America, »Darkened screen: constraints on foreign journalists in China«, PEN America, 22. September 2016.

102 Auf der Grundlage von Gesprächen mit Finanzmarktexperten.

103 Anonym, »UBS is curbing some China travel after banker detained«, *Bloomberg*, 20. Oktober 2018.

104 Ebd.

105 Anonym, »Lone analyst who cut Cathay to sell says he faces huge pressure«, in: *Straits Times*, 23. August 2019.

106 Ebd.

107 John Pomfret, »What America didn't anticipate about China«, in: *The Atlantic*, 16. Oktober 2019.

108 Brian Stelter, »ESPN faces criticism over its coverage of Hong Kong tweet and the NBA«, CNN Business, 9. Oktober 2019; Alex Lindner, »ESPN uses map of China complete with nine-dash line, Taiwan, and Arunachal Pradesh«, in: *Shanghaiist*, 10. Oktober 2019.

109 Anonym, »China takes a bite out of Apple privacy claims«, *Deutsche Welle*, 28. Februar 2018.

110 Frank Tang, »Apple CEO Tim Cook joins influential Beijing university board as company's China woes continue«, in: *South China Morning Post*, 21. Oktober 2019.

111 Martin Hala und Jichang Lulu, »The CCP's model of social control goes global«, in: *Sinopsis*, 20. Dezember 2018.

112 https://tariffshurt.com/.

113 Scott Reeves, »Tariffs hurt ›heartland‹ companies, letter says«, in: *China Daily*, 15. Juni 2019.

114 https://tinyurl.com/w7hjs87; Bethany Allen-Ebrahimian, »Meet the U.S. Officials Now in China's Sphere of Influence«, in: *Daily Beast*, 23. Juli 2018.

115 Moritz Koch, Dietmar Neuerer und Stephan Scheuer, »Merkel öffnet 5G-Netz für Huawei«, in: *Handelsblatt*, 14. Oktober 2019, https://www.handelsblatt.com/politik/deutschland/netzausbau-merkel-oeffnet-5g-netz-fuer-huawei/25107766.html?ticket=ST-2834503-9hyLimYqTPIV10YfHwVH-ap3.

116 »The People's Republic of China is again Germany's main trading partner«, German Federal Office of Statistics, https://tinyurl.com/rco2uvo; Mu Xueqian, »China remains Germany's most important trading partner«, Xinhua, 18. Februar 2019.

117 Elisa Simantke, Harald Schumann und Nico Schmidt, »Wie gefährlich China für Europa wirklich ist«, in: *Tagesspiegel*, 15. September 2019, https://www.tagesspiegel.de/gesellschaft/investor-partner-konkurrent-wie-gefaehrlich-china-fuer-europa-wirklich-ist/25014924.html. Vgl. auch https://www.euronews.com/2019/04/09/bei-ching-the-figures-behind-the-eu-s-trade-with-china.

118 Vgl. z. B. Matthias Breitinger und Zacharias Zacharakis, »Auto Macht Deutschland«, in: *Die Zeit*, 24. Juli 2017, https://www.zeit.de/wirtschaft/2017-07/kartelle-autoindustrie-deutsche-wirtschaft-daimler-vw; Martin Seiwert und Stefan Reccius, »So abhängig ist Deutschland von der Autoindustrie«, *Wirtschaftswoche*, 27. Juli 2017, https://www.wiwo.de/unternehmen/auto/diesel-skandal-und-kartellverdacht-so-abhaengig-ist-deutschland-von-der-autoindustrie/20114646.html.

119 Anonym, »VW, BMW und Daimler wachsen in China gegen den Trend«, in: *Manager Magazin*, 10. Februar, 2019, https://www.manager-magazin.de/unternehmen/autoindustrie/bmw-daimler-volkswagen-wachsen-in-china-gegen-den-trend-a-1252561.html.

120 »Weekly brief: BMW's latest kowtow chasing Chinese driverless cash«, TU-Automotive, 22. Juli 2019, https://www.tu-auto.com/weekly-brief-bmws-latest-kowtow-chasing-chinese-driverless-cash/.

121 Tim Bartz u. a., »China pressures foreign companies to fall in line on protests«, in: *Der Spiegel online*, 28. August 2019, und »Die Feigheit deutscher Firmen«, in: *Der Spiegel*, 23. August 2019.

122 Anonym, »Streit um 5G und Huawei: China droht Deutschland – und der Autoindustrie«, in: *Business Insider*, 15. Dezember 2019.

123 Anonym, »Gabriel zum 5G-Streit: ›Verbieten wir Huawei, verliert die Autoindustrie den Markt in China‹«, in: *Business Insider*, 16. Januar 2020.

124 Herbert Diess, Interview mit Robin Brant, »VW boss ›not aware‹ of China's detention camps«, in: BBC News online (Video), 16. April 2019.

125 Joe McDonald, »Mercedes-Benz apologises to China for quoting Dalai Lama on Instagram«, in: *The Independent*, 6. Februar 2018.

126 Anonym, »Audi apologizes for inaccurate China map«, in: *Global Times*, 16. März 2017.

127 Gerhard Hegmann, »Siemens-Chef warnt davor, Chinas Führung zu kritisieren«, in: *Die Welt*, 8. September 2019.

128 »Siemens embraces Belt and Road Initiative«, Siemens Website, 6. Juni 2018, https://tinyurl.com/tfsw8ff.

129 Anonym, »Merkel will friedliche Lösung für Hongkong«, in: *Frankfurter Rundschau*, 8. September 2019, https://www.fr.de/politik/merkel-will-friedliche-loesung-hongkong-12982910.html.

130 »About APA«, https://www.asien-pazifik-ausschuss.de/en/about-apa.

131 Julian Röpcke, »China-Lobbyisten fordern Ende deutscher Werte-Politik«, in: *Bild*, 19. März 2019.

132 Persönliche Erfahrung der Autorin.

133 Andrew Chatzky und James McBride, »China's Massive Belt and Road Initiative«, Backgrounder, Council on Foreign Relations, 21. Mai 2019; vgl. auch https://tinyurl.com/r9ygvx2.

134 Ebd.

135 Raissa Robles, »China can turn off the Philippine national power grid, officials say«, in: *South China Morning Post*, 20. November 2019.

136 Hamilton, *Silent Invasion*, S. 121, 159; Jochen Faget, »Chinese eyeing of Portuguese assets raises some hackles«, *Deutsche Welle*, 1. August 2018.

137 Anonym, »As Trump bashed China, he sought deals with its government-owned energy firm State Grid«, in: *South China Morning Post*, 18. Oktober 2016.

138 Andre Tartar, Mira Rojanasakul und Jeremy Scott Diamond, »How China is buying its way into Europe«, *Bloomberg*, 23. April 2018.

139 Ronald Linden, »The new sea people: China in the Mediterranean«, IAI Papers 18, Istituto Affari Internazionali, Juli 2018.

140 Tartar, Rojanasakul und Scott Diamond, »How China is buying its way into Europe«.

141 Devin Thorne und Ben Spevack, »Harbored ambitions: how China's port investments are strategically reshaping the Indo-Pacific«, C4ADS, 2017, S. 4.

142 Zitiert in: Thorne und Spevack, »Harbored ambitions«, S. 19.

143 https://iias.asia/the-newsletter/article/one-belt-one-road-chinas-reconstruction-global-communication-international.

144 Vgl. Nadège Rolland, »Beijing's Vision for a Reshaped International Order«, in: *China Brief*, 18:3 (Jamestown Foundation), 26. Februar 2018.

145 Jing Xin und Donald Matheson, »One Belt, competing metaphors: the struggle over strategic narrative in English-language news media«, in: *International Journal of Communication*, 12 (2018), S. 4248–68. Die Strategie »Globalisierte Kultur« der KPCh ist auch mit der Seidenstraßen-Initiative verknüpft. Wie Parteitheoretiker im Jahr

2015 erklärten: »Der Konsens in Bezug auf die Kultur [das heißt die globale Anerkennung der Werte der KPCh] ist die Grundlage der Seidenstraßen-Initiative.« Anonym, »Direction and aspects of the culture industry's development in BRI«, in: *China Economy*, 28. März 2015.

146 Haoguang Liang und Yaojun Zhang, »International discourse power: Belt and Road is not starting from ›scratch‹«, in: Anonym (Hg.), *The Theoretical System of Belt and Road Initiative* (Singapur: Springer, 2019), S. 52 (Hervorhebung durch die Autoren).

147 In einer Untersuchung zur Berichterstattung ausländischer Medien über die Seidenstraßen-Initiative stellten Jing Xin und Donald Matheson fest, dass oft die Metaphern der »Vision« und des »Traums« verwendet werden, um die Bedeutung der »Neuen Seidenstraße« für die Welt zu beschreiben. Während pakistanische Medien häufig Phrasen wie »Wendepunkt«, »wirtschaftlicher Katalysator« und »neue Globalisierungswelle« verwenden, werden in indischen Medien mit Begriffen wie »Kolonialismus« und ›trojanisches Pferd‹ eher negative Vorstellungen heraufbeschworen. Die internationalen Medien reproduzieren also den Diskurs der KPCh, untergraben ihn jedoch zugleich auch. Die chinesischsprachigen Medien im Ausland halten sich zumeist an drei von der Partei vorgegebene Skripte: China ist ein historisches Opfer, das sich der friedlichen Entwicklung verschrieben hat; das Land träumt den »chinesischen Traum« von einer Rückkehr zu Stärke und Selbstvertrauen; es bemüht sich um »neue, kooperativere Beziehungen zwischen den Großmächten und eine Abkehr vom Denken des Kalten Kriegs«. Vgl. Xin und Matheson, »One Belt, competing metaphors«.

148 Sowie zur Ausweitung der Städtepartnerschaften und des »Austauschs zwischen den Völkern«. (»Belt and Road, here is the Italy and China memoran-

dum of understanding«, in: *Affaritaliani.it*, 12. März 2019), »https://tinyurl.com/qm8yeno«. Italiens Beitritt zur Seidenstraßen-Initiative wurde vom Schiller-Institut begeistert aufgenommen. »In einem Interview mit chinesischen Journalisten sprach der italienische Staatspräsident Mattarella ausführlich über die jahrhundertelangen Beziehungen zwischen Italien und China und die Aussichten für die zukünftige Kooperation«. https://tinyurl.com/s3zh398.

149 Dan Harrison, »Victorian government releases agreement with China on Belt and Road Initiative«, in: ABC News online, 12. November 2018.

150 »Joint communique of the leaders' roundtable of the 2nd Belt and Road Forum for International Cooperation«, 27. April 2019, https://tinyurl.com/qmn2fm8.

7 Die Mobilisierung der chinesischen Diaspora

1 James Jiann Hua To, *Qiaowu: Extraterritorial policies for the overseas Chinese* (Leiden: Koninklijke Brill, 2014), S. 115, 184. Seit der Veröffentlichung dieses Buches wurden Strukturen und Vorgehensweise der Einheitsfront wesentlich verändert.

2 Marcel Angliviel de la Beaumelle, »The United Front Work Department: ›magic weapon‹ at home and abroad«, in: *China Brief* (Jamestown Foundation), 16. Juli 2017.

3 To, *Qiaowu*.

4 James Kynge, Lucy Hornby und Jamil Anderlini, »Inside China's secret ›magic weapon‹ for worldwide influence«, in: *Financial Times*, 26. Oktober 2017.

5 To, *Qiaowu*, S. 188.

6 James To, »Beijing's policies for managing Han and ethnic-minority Chinese communities abroad«, in: *Journal of Current Chinese Affairs*, 2012, Nr. 4, S. 186 f.

7 Groot, »The expansion of the United Front under Xi Jinping«, S. 169.

8 Beispielsweise werden Unternehmen mit dem Verlust ihres Chinageschäfts und offizieller Ungnade bedroht, wenn sie nicht Werbung von chinesischsprachigen Medien zurückziehen, die sich Beijings Willen nicht fügen.

9 To, *Qiaowu*, S. 189.

10 https://tinyurl.com/u24p6ud.

11 http://www.upholdjustice.org/node/181#report181_24; »Quan guo Qiaoban zhuren huiyi jingshen chuanda tigang« (全国侨办主任会议精神传达提纲) [Zentrale Botschaft der Direktoren des Büros für die Auslandschinesen], Chongqing Overseas Chinese Affairs, Website, 5. April 2007, https://tinyurl.com/tfz5zfa.

12 »Quan guo Qiaoban zhuren huiyi jingshen chuanda tigang« (Absatz 7).

13 Wir danken Alex Joske für seine Beiträge zum Diagramm.

14 Joske, »The Party speaks for you«.

15 https://web.archive.org/web/20110801030857/http://www.gdsy.com.cn/new7.htm.

16 Zitiert in: http://www.upholdjustice.org/sites/default/files/201709/record/2008/181-report_a4_report.pdf. Vgl. auch Anne-Marie Brady, »On the correct use of terms«, in: *China Brief*, 19:9, 9. Mai 2019.

17 Jichang Lulu, »Repurposing democracy: the European Parliament China friendship cluster«, in: *Sinopsis*, 26. November 2019, S. 21, Anm. 105.

18 »The children of two other CCP grandees, Chen Yi and Chen Yun, have also held CPAFFC posts«. Lulu, »Repurposing democracy«, Anm. 104.

19 To, *Qiaowu*, S. 76. *Qiaowu*-Arbeit ist ein Teilbereich der Tätigkeit der Einheitsfrontabteilung, weil sie auf die Beeinflussung ethnischer Chinesen beschränkt ist, während die Zielgruppe für die Einheitsfrontarbeit sehr viel größer ist. Offiziell ist das Büro für auslandschinesische Angelegenheiten des Staatsrats die Quelle von *qiaowu*-Maßnahmen und Richtlinien.

20 Alex Joske, »Reorganizing the United Front Work Department: new structures for a new era of diaspora and religious affairs work«, in: *China Brief*, (Jamestown Foundation), 9. Mai 2019.

Joske merkt an, dass einige Mitarbeiter des OCAO zum ACFROC oder in die PKKCV versetzt wurden.

21 Für eine genaue Aufschlüsselung für Australien vgl. Clive Hamilton und Alex Joske, »Submission to the Parliamentary Joint Committee on Intelligence and Security«, Submission Nr. 20, 22. Januar 2018, zugänglich unter: https://tinyurl.com/yd922bwz.

22 »Wei qiao fuwu xingdong nian quanmian luoshi ba xiang huiqiao jihua« (为侨服务行动年 全面落实八项惠侨计划) [Aktionsjahr für die Betreuung der Auslandschinesen: Vollständige Umsetzung der acht Pläne zum Nutzen der Auslandschinesen], Website der chinesischen Regierung, 2. März 2015, https://tinyurl.com/yx554pfv.

23 Joske, »Reorganizing the United Front Work Department«.

24 https://twitter.com/geoff_p_wade/status/1116480563613851648.

25 https://tinyurl.com/s2ccyp6.

26 http://www.ejinsight.com/20140805-chinese-french-citizenship/. Rund 500 Personen chinesischer Herkunft haben auf diese Art die französische Staatsbürgerschaft erlangt. Besonders beliebt ist dieses Vorgehen bei jungen Leuten aus Wenzhou. Der Erste, der diesen Weg wählte, war ein Student aus Wenzhou, dem ein Professor an der Universität Paris 3 Sorbonne Nouvelle im Jahr 1979 dazu riet.

27 https://www.youtube.com/watch?v=NoWc3tEGuu4.

28 http://news.66wz.com/system/2015/04/02/104404281.shtml.

29 »Yingguo huaren laobing lianyihui Lundun ›ba yi‹ da juhui« (英国华人老兵联谊会伦敦»八一«大聚会), Huashangbao, 1 August 2016, http://archive.today/BKouo. Vgl. auch https://tinyurl.com/racdqwu.

30 Tom Blackwell, »Canadian veterans of People's Liberation Army form association, sing of China's martial glory«, in: National Post, 30. Oktober 2019.

31 https://archive.today/wwuhs 聚澳现场 | 军歌嘹亮唱响八一，澳中退役老兵

俱乐; https://tinyurl.com/qom8evp. Vgl. auch Clive Hamilton, Silent Invasion, S. 248.

32 https://twitter.com/Anne_MarieBrady/status/1116473692345786370; https://twitter.com/xmyhm/status/1115504141999022080; https://twitter.com/geoff_p_wade/status/1116480563613851648?lang=en.

33 Cary Huang, »83 Chinese billionaires members of NPC and CPPCC: Hurun«, in: South China Morning Post, 8. März 2013. Eine aktuellere Zahl ist nicht verfügbar.

34 Diamond und Schell, China's Influence & American Interests, S. 34.

35 中国强大是侨胞心中最殷切的期盼; vgl. »Liexi jinnian quango zhengxie huiyi de 35 ming haiwai qiaobao dou you shei?« (列席今年全国政协会议的35名海外侨胞都有谁?), Website des Büros für auslandschinesische Angelegenheiten, 3. März 2018, http://web.archive.org/web/20190803225827/http://www.gqb.gov.cn/news/2018/0303/44447.shtml.

36 John Dotson, »The United Front Work Department goes global: the worldwide expansion of the Council for the Promotion of the Peaceful Reunification of China«, in: China Brief, (Jamestown Foundation), 9. Mai 2019.

37 Die deutsche Website der Vereinigung, ein-china.de, wird nicht mehr gepflegt. Chinesischen Medienberichten kann man jedoch entnehmen, dass die Vereinigung zumindest sporadisch aktiv ist und sich mit Parteifunktionären trifft. Vgl. »Tan Tianxing zoufang Deguo huaqiao huaren Zhongguo heping tongyi cujinhui« (谭天星走访德国华侨华人中国和平统一促进会) [Tan Tianxing besucht die deutsche Vereinigung zur Förderung der friedlichen Wiedervereinigung Chinas], Zhongguo qiaowang, 21. Februar 2018, https://web.archive.org/web/20200227222148/http://www.chinaqw.cn/sqjg/2018/02-21/179299.shtml.

38 Dan Conifer und Stephanie Borys, »Australia denies citizenship to Chinese political donor Huang Xiangmo

and strips his permanent residency«, in: ABC News online, 6. April 2019.

39 Vgl. z. B. Yang Wentian vom CCPPNR in Phoenix und Ma Ao vom CCPPNR in New York. Vgl. 列席全国政协会议海外侨胞期望助力新时代, http://web.archive.org/web/20190803232811/https://news.sina.com.cn/c/2019-03-02/doc-ihrfqzkc0514609.shtml, sowie 新机遇 海外侨胞展宏图, https://tinyurl.com/vo9y8nm.

40 »Ouzhou Zhongguo heping tongyi cujinhui zhi quanti lü'Ou qiaobao de huyushu« (欧洲中国和平统一促进会致全体旅欧侨胞的呼吁书) [Ein Appell der European Association for the Peaceful Reunification of China an alle chinesischen Landsleute in Europa], *Qiaowang*, 14. Mai 2019, http://www.chinaqw.com/hqhr/2019/05-14/222686.shtml.

41 Mark Eades, »Chinese government front groups act in violation of U.S. law«, Blogpost, Foreign Policy Association, 9. Mai 2016, https://tinyurl.com/qrhw5et.

42 Ebd.

43 Benjamin Haas, »›Think of your family‹: China threatens European citizens over Xinjiang protests«, in: *The Guardian*, 18. Oktober 2019.

44 Bethany Allen-Ebrahimian, »Chinese police are demanding personal information from Uighurs in France«, in: *Foreign Policy*, 2. März 2018. Für Belgien vgl. Tim Nicholas Rühlig, Björn Jerdén, Frans-Paul van der Putten, John Seaman, Miguel Otero-Iglesias und Alice Ekman (Hg.), »Political values in Europe-China relations«, Bericht des European Think Tank Network on China (ETNC), Dezember 2018, S. 25 f.

45 https://www.rfa.org/english/news/uyghur/threats-02272018150624.html.

46 Paul Mooney und David Lague, »The price of dissent: holding the fate of families in its hands, China controls refugees abroad«, Reuters, 30. Dezember 2015.

47 Steve Chao und Liz Gooch, »No escape: the fearful life of China's exi-

led dissidents«, Al Jazeera, 9. April 2018.

48 Ebd.

49 https://www.aljazeera.com/programmes/101east/2018/04/china-spies-lies-blackmail-180404145244034.html.

50 https://www.rfa.org/english/news/china/germany-agents-09132019142817.html.

51 Didi Kirsten Tatlow, »Datenkolonialismus. Chinas Angriff auf die offene Gesellschaft«, Zentrum Liberale Moderne, 25. September 2018, https://libmod.de/didi-kirsten-tatlow-datenkolonialismus-wie-europa-die-offene-gesellschaft-gegen-china-verteidigt/.

52 Camron Slessor, Claire Campbell und Daniel Keane, »Fake Chinese police cars spotted in Perth and Adelaide amid pro-Hong Kong rallies«, in: ABC News online, 19. August 2019.

53 Im August 2004 postete das chinesische Konsulat in New York einen Artikel über *huaren canzheng* in den Vereinigten Staaten: http://archive.today/2019.09.21-073907/https://www.fmprc.gov.cn/ce/cgny/chn/lsyw/qwgz/t147027.htm. Im selben Jahr erschien in Kanada ein Artikel über diese Politik: http://archive.today/2019.09.21-074432/http://goabroad.xdf.cn/200406/18502.html.

54 Zu Kanada vgl. z. B. Tom Blackwell, »MPP's ties to China raise questions about how close Canadian politicians should get to foreign powers«, in: *National Post*, 6. September 2019. Zu Neuseeland vgl. z. B. Tom Phillips, »China-born New Zealand MP denies being a spy«, in: *The Guardian*, 13. September 2017. Zu Australien vgl. Anonym, »ASIO identifies political candidates with links to China«, SBS News, 9. Dezember 2017; Wai Ling Yeung und Clive Hamilton, »How Beijing is shaping politics in Western Australia«, in: *China Brief*, 19:9, 9. Mai 2019; Clive Hamilton, »Why Gladys Liu must answer to parliament about alleged links to the Chinese government«, in: *The Conversation*, 11. September 2019. In den Vereinigten Staaten hat der Coor-

dination Council of Chinese America Associations zahlreiche Veranstaltungen zum Thema *huaren canzheng* organisiert. Für ein Beispiel vgl. https://web.archive.org/web/20171111051835/http://www.cccaa.org/ch/inusa/election_5.aspx.

55 https://tzb.jnu.edu.cn/f4/18/c5573a128024/page.htm, Einheitsfrontabteilung der Jinan-Universität, 5. Mai 2010.

56 Xue Qingchao (薛庆超), »Di jiu zhang: Mao Zedong ›shuai shitou‹, ›can shazi‹, ›wa qiangjiao‹« (第九章：毛泽东»甩石头«,»掺沙子«,»挖墙脚«), in: *People's Daily Online*, 29. Oktober 2013, Teil 1, https://tinyurl.com/vgufwzw, und Teil 3, https://tinyurl.com/tdac338.

57 Die These, dass das Programm in Kanada am weitesten fortgeschritten ist, ist unsere Einschätzung, die auf unserer Untersuchung beruht.

58 Tom Igguldon, »Questions raised about Liberal MP Gladys Liu amid claims of links to Chinese political influence operations«, in: ABC News online, 9. September 2019; Hamilton, »Why Gladys Liu must answer to parliament about alleged links to the Chinese government«.

59 Dan Oakes, »Gladys Liu's Liberal Party branch called to relax foreign investment laws before she became federal MP«, in: ABC News online, 14. September 2019.

60 Rob Harris, »Morrison defends ›great Australian‹ Gladys Liu against ›smear‹«, in: *Sydney Morning Herald*, 12. September 2019.

61 Nick McKenzie, Paul Sakkal und Grace Tobin, »China tried to plant its candidate in federal parliament, authorities believe«, in: *The Age*, 24. November 2019.

62 Ebd.

63 Yeung und Hamilton, »How Beijing is shaping politics in Western Australia«.

64 https://web.archive.org/web/20190921222515/https://world.huanqiu.com/article/9CaKrnK5dp9, Association Chinois Residants en France (法国华侨华人会主席任俐敏).

65 http://archive.today/2019.09.21-225007/http://news.66wz.com/system/2018/09/06/105111657.shtml.

66 Die Mitgliedsorganisationen/Provinzbüros des COEA sind auf der Website der Organisation aufgelistet: https://web.archive.org/web/20190115003915/http://www.coea.org.cn/xhgg/xhgg.d.html?nid=19.

67 http://archive.today/2019.04.06-004152/http://www.gqb.gov.cn/news/2018/0504/44842.shtml.

68 https://web.archive.org/web/20161203100337/http://www.bcproject.org/about/#history.

69 Hamilton and Joske, »Submission to the Parliamentary Joint Committee on Intelligence and Security«, S. 27.

70 Lees Website: https://tinyurl.com/s5neovh. Vgl. auch die Biographie auf https://tinyurl.com/vcze470. Christine Lee bei YouTube: https://www.youtube.com/watch?v=piezUzwS3Hk.

71 https://web.archive.org/web/20171009000710/http://uk.people.com.cn/GB/370630/370680/index.html.

72 Hannah McGrath und Oliver Wright, »Money, influence and the Beijing connection«, in: *The Times*, 4. Februar 2017.

73 https://web.archive.org/web/20190405083748/http://www.bcproject.org/michael-wilkes/. Michael Wilkes auf Youtube: https://www.youtube.com/watch?v=GEDeOioavdE. Im folgenden Bericht wird Michael Wilkes' Beteiligung am British Chinese Project erklärt: http://qwgzyj.gqb.gov.cn/qjxy/187/2742.shtml.

74 McGrath und Wright, »Money, influence and the Beijing connection«.

75 https://web.archive.org/web/20181211111940/https://www.chineseforlabour.org/executive_committee.

76 Hu Yang, »UK law firm opens office in Beijing«, in: *China Daily*, 19. November 2011. In *China Daily* heißt es: »Lee, eine einflussreiche und aktive Figur in der chinesischen Gemeinschaft Großbritanniens, ist die Justiziarin der chinesischen Botschaft in Großbritannien. Sie arbeitet mit chinesischen Ministerien

zusammen und setzt sich für die Rechte der Chinesen in Großbritannien ein.« Lees Firma zählt auch zu den Rechtsberatern, welche die britische Regierungsbehörde UK Trade ausländischen Unternehmen empfiehlt. Im Jahr 2001 berichtete *China Daily* über die Eröffnung einer Niederlassung von Lees Anwaltsfirma in Beijing. Zu Lees Beratungsdiensten für das OCAO und ihrem Treffen mit hochrangigen OCAO-Beamten vgl. http://archive.today/MMJSa sowie https://tinyurl.com/v8tvjss.

77 http://archive.today/2019.09.21-113520/http://www.ihuawen.com/article/index/id/42470/cid/45.

78 https://web.archive.org/web/20190921124029/http://paper.people.com.cn/rmrbhwb/html/2016-02/19/content_1654994.htm.

79 https://web.archive.org/web/20190711081020/http://www.christine-lee.com.cn/nd.jsp?id=108.

80 http://archive.today/iowS8; https://tinyurl.com/wqbutsq.

81 https://tinyurl.com/w86f3e8. »Das British Chinese Project wird die Tür zur politischen Teilhabe junger Briten chinesischer Herkunft aufstoßen. Es wird ihnen zeigen, dass die Politik mit den kleinen Dingen rund um sie beginnen kann. Es wird ihnen helfen, die Spielregeln zu erlernen, um ihre Rechte und Interessen besser verteidigen zu können.«

82 http://archive.today/dYWvh. Zu den Points of Light Awards vgl. https://www.pointsoflight.gov.uk/ sowie die Begründung für Lees Auszeichnung unter https://www.pointsoflight.gov.uk/british-chinese-project/.

83 https://tinyurl.com/vqquzjo; https://tinyurl.com/vy3wmvm; https://tinyurl.com/sm8huhk. Weitere Gründungsmitglieder waren Dr. Stephen Ng MBE (Mitglied des Ordens des Britischen Empire) und Dr. Mee Ling Ng OBE (Offizier des Ordens des Britischen Empire).

84 https://tinyurl.com/ue37f89.

85 Ebd.

86 https://tinyurl.com/tkdjx23.

87 https://tinyurl.com/qk2vbrp.

88 https://tinyurl.com/tp3cxsd.

89 https://tinyurl.com/uj2oenu; https://tinyurl.com/s57cyu3.

90 https://tinyurl.com/v6as2v2; https://tinyurl.com/uggbtwg; https://tinyurl.com/rzzc96s.

91 http://archive.today/2019.07.07-113849/http://zjuka.blogspot.com/2009/12/.

92 http://archive.today/2019.07.07-113529/http://zjuka.org.uk/old/Visiting%20Qiao%20Lian%2002-07-10.pdf.

93 https://web.archive.org/web/20160421042133/http://qwgzyj.gqb.gov.cn/qjxy/181/2568.shtml.

94 Anonym, »China, Britain to benefit from ›golden era‹ in ties – Cameron«, Reuters, 18. Oktober 2015.

95 https://tinyurl.com/scpdaf7.

96 https://tinyurl.com/squysp4.

97 https://web.archive.org/web/20190630233450/http://wemedia.ifeng.com/89034940/wemedia.shtml.

98 https://tinyurl.com/t2yfcxr.

99 https://www.youtube.com/watch?v=sUgrj2r6FR8.

100 https://tinyurl.com/ts03r7x.

101 https://tinyurl.com/sbbxhbx.

102 http://www.channel4.com/news/boris-johnson-london-propery-deal-china-albert-dock; https://tinyurl.com/seffc8z; http://archive.today/qTqfr.

103 http://powerbase.info/index.php/Xuelin_Bates#Political_donations.

104 Anonym, »Tory peer Bates failed to declare ZRG interests, paper reports«, in: *Inside Croyden*, 12. April 2015.

105 Christian Eriksson und Tim Rayment, »Minister faces quiz over link to new Crystal Palace«, in: *Sunday Times*, 12. April 2015.

106 http://powerbase.info/index.php/Xuelin_Bates#Political_donations; http://powerbase.info/index.php/The_Leader%27s_Group.

107 https://tinyurl.com/seffc8z.

108 https://tinyurl.com/wdcpdye.

109 https://tinyurl.com/uvomjuz.

110 https://tinyurl.com/vwcb6vj.

111 https://tinyurl.com/wlaunsu, 6. Februar 2019.

112 https://tinyurl.com/tfwtu9u.
113 https://tinyurl.com/rgqmdw6; https://mp.weixin.qq.com/s/G5XojgHiRyjn1G8A30GSJQ.
114 https://tinyurl.com/vqavhj8.
115 Wang Yisan und Bai Tianxing, »Lord Bates walks China: China contributes peace and prosperity to the world«, in: *People's Daily*, 26. September 2019.
116 https://tinyurl.com/tqljhn7.
117 Anonym, »China interaction: stories of Zhejiang premiers in Beijing«, in: *Beijing Review*, 11. Oktober 2019.
118 https://tinyurl.com/u46q5x7; https://tinyurl.com/yxytr5sj; https://www.walkforpeace.eu/mission-possible/. Die UK China Friendship Association wurde im November 2019 registriert, vgl. https://beta.companieshouse.gov.uk/company/12295975/officers. Im Jahr 1949 entstand eine britisch-chinesische Freundschaftsgesellschaft, die jedoch 1965 aufgelöst wurde, als sich die Maoisten abspalteten und die Society for Anglo-Chinese Understanding gründeten. Vgl. https://tinyurl.com/yjqroghc.
119 https://tinyurl.com/t3b8t8m.

8 Die Ökologie der Spionage

1 Für Berichte über den Skandal vgl. z. B. John Pomfret, »China denies contribution charges«, in: *Washington Post*, 20. Mai 1998; David Jackson und Lena Sun, »Liu's deals with Chung: an intercontinental puzzle«, in: *Washington Post*, 24. Mai 1998.
2 Agnès Andrésy, zitiert in Faligot, *Chinese Spies* (Melbourne: Scribe, 2019), S. 204, 255 ff.
3 Wie im Fall des ehemaligen australischen Verteidigungsministers Joel Fitzgibbon. Vor seiner Wahl ins Parlament schloss Fitzgibbon eine enge Beziehung zu einer chinesischen Geschäftsfrau namens Helen Liu, die auch hohe Geldbeträge für seinen Wahlkampffonds und für die Labor Party spendete. Wie sich herausstellte, hatte Helen Liu enge Verbindungen zu chinesischen Geheimdiensten und führenden Einheitsfrontfiguren. Sie war mit Oberstleutnant Liu Chaoying befreundet, der Tochter des chinesischen Generals, der 300 000 Dollar für den Clinton-Wahlkampf spendete. Außerdem war sie eine enge Freundin von Bob Carr, dem ehemaligen Premierminister von New South Wales, früheren Außenminister und Leiter einer Denkfabrik, deren Gründer ein chinesischer Geschäftsmann war, der mittlerweile mit einem australischen Einreiseverbot belegt ist, weil er nach Einschätzung des australischen Nachrichtendienstes ein Einflussagent ist. Vgl. Hamilton, *Silent Invasion*, S. 163 ff. Zu Huang Xiangmos Ausschluss vgl. Nick McKenzie und Chris Uhlmann, »Canberra strands Beijing's man offshore, denies passport«, in: *Sydney Morning Herald*, 5. Februar 2019.
4 Dustin Volz und Aruna Viswanatha, »FBI says Chinese espionage poses ›most severe‹ threat to American security«, in: *Wall Street Journal*, 12. Dezember 2018.
5 Cristina Maza, »China involved in 90 percent of espionage and industrial secrets theft, Department of Justice reveals«, in: *Newsweek*, 12. Dezember 2018.
6 William Hannas, James Mulvenon und Anna Puglisi, *Chinese Industrial Espionage* (London: Routledge, 2013), S. 204–7.
7 To, *Qiaowu*, S. 43.
8 Anonym, »China is top espionage risk to Canada: CSIS«, CTV News, 30. April 2007.
9 »Der ideale Spion ist ein Bürger oder Einwohner des Ziellandes, hat Zugang zu wichtigen Entscheidungszentren und/oder ist Teil seines Regierungs- oder Industrieapparats.« Sreeram Chaulia, »The age of the immigrant spy«, in: *Asia Times*, 3. April 2008. »Statt der von den Geheimdiensten anderer Großmächte eingesetzten klassischen Methoden, die darauf beruhen, dass eine kleine Zahl gut platzierter und wertvoller Agenten sorgfältig gesteuert wird, nutzt Beijing eine Vielzahl dezentralisierter Netze, die sich in der chinesischen Diaspora ausbreiten.«

10 Peter Mattis, »Beyond spy versus spy: clarifying the analytic challenge of the Chinese intelligence services«, in: *Studies in Intelligence*, 56:4, September 2012, S. 47–57; Hannas, Mulvenon und Puglisi, *Chinese Industrial Espionage*, Kapitel 5.

11 Mattis, »Beyond spy versus spy«.

12 Hannas, Mulvenon und Puglisi, *Chinese Industrial Espionage*, Kapitel 8.

13 Robert Burnson, »Accused Chinese spy pleads guilty in U.S.›dead-drop‹ sting«, in: *Bloomberg*, 25. November 2019.

14 Faligot, *Chinese Spies*, S. 2.

15 Peter Mattis und Matthew Brazil, *Chinese Communist Espionage: An intelligence primer* (Annapolis: Naval Institute Press, 2019), S. 55 f.

16 Ebd., S. 55.

17 Ebd., S. 239. Nach Angabe von Roger Faligot, dessen Informationen möglicherweise weniger aktuell sind, ist das Staatssicherheitsbüro in Shanghai für die Vereinigten Staaten und ihre wichtigsten westlichen Verbündeten – Kanada, Australien und Westeuropa – verantwortlich; das Büro in Zhejiang ist für Nordeuropa, das Büro in Qingdao für Japan und die beiden koreanischen Staaten und das Beijinger Büro für Osteuropa und Russland zuständig. Faligot, *Chinese Spies*, S. 230 f.

18 Jay Solomon, »FBI sees big threat from Chinese spies«, in: *Wall Street Journal*, 10. August 2005.

19 Faligot, *Chinese Spies*, S. 275. In den neunziger Jahren erweiterte das Staatssicherheitsministerium seine »Sonderabteilung für die Verbreitung von Falschmeldungen« (S. 396). Faligot erwähnt auch von der Nachrichtenagentur Xinhua produzierte vertrauliche Wirtschaftsberichte (S. 279).

20 Hannas, Mulvenon und Puglisi, *Chinese Industrial Espionage*, S. 116 f.

21 Peter Mattis, »China reorients strategic military intelligence«, in: *Janes*, 2017. Vgl. das Diagramm auf S. 6.

22 Mattis und Brazil, *Chinese Communist Espionage*, S. 52.

23 James Scott und Drew Spaniel, *China's Espionage Dynasty* (Washington, D. C.: Institute for Critical Infrastructure Technology, 2016), S. 10. Die Quelle dieser Zahlen wird nicht angegeben, weshalb sie mit Vorsicht betrachtet werden sollten.

24 Mattis, »China reorients strategic military intelligence«, S. 8, Tabelle. Vgl. auch Faligot, *Chinese Spies*, S. 248.

25 Mattis, »China reorients strategic military intelligence«, S. 3.

26 Ebd.

27 Faligot, *Chinese Spies*, S. 206, 247. SASTIND ist die Nachfolgebehörde der Kommission für Wissenschaft, Technologie und Industrie in der Landesverteidigung (COSTIND).

28 http://www.xinhuanet.com//politics/2017-08/26/c_1121545221.htm.

29 Anonym, »Survey of Chinese-linked espionage in the United States since 2000«, Center for Strategic and International Studies, 2019, https://www.csis.org/programs/technology-policy-program/survey-chinese-linked-espionage-united-states-2000.

30 Zumindest hatten sie chinesische Namen. Vgl. Andrew Chongseh Kim, »Prosecuting Chinese ›spies‹: an empirical analysis of the Economic Espionage Act«, in: *Cardozo Law Review*, 40:2, 2019.

31 Antichinesischer, aber nicht antiasiatischer Rassismus, denn der Anteil der Anklagen gegen »andere Asiaten« blieb konstant bei 9 Prozent.

32 Nate Rayond und Brendan Pierson, »FBI employee gets two years in prison for acting as Chinese agent«, Reuters, 20. Januar 2017.

33 Zach Dorfman, »How Silicon Valley became a den of spies«, in: *Politico*, 27. Juli 2018; Trevor Loudon, »Feinstein's spy: Russell Lowe and San Francisco's pro-China left«, in: *Epoch Times*, 20. August 2018.

34 Gegründet wurde die Gruppe von der Chinese Progressive Association, einer bekannten Einheitsfrontgruppe (Loudon, »Feinstein's spy«).

35 Glenn Bunting, »Feinstein, husband

hold strong China connections«, in: *Los Angeles Times*, 28. März 1997. Feinstein sympathisierte anscheinend früh mit dem chinesischen Regime und war zu dem Zeitpunkt, als sie Bürgermeisterin von San Francisco war, eine Freundin Chinas. Ihre Wahl in den US-Senat im Jahr 1992 könnte als Erfolg der Taktik »Die Stadt umzingeln« betrachtet werden.

36 https://www.justice.gov/opa/press-release/file/953321/download.

37 Faligot, *Chinese Spies*, S. 273.

38 Garrett Graff, »China's 5 steps for recruiting spies«, in: *Wired*, 31. Oktober 2018.

39 https://www.justice.gov/opa/pr/chinese-national-arrested-allegedly-acting-within-united-states-illegal-agent-people-s.

40 Kate Mansey, »Boris Johnson's deputy: ›I had sex with a Chinese spy‹: Beauty lures politician to bed then drugs him to take secrets«, in: *The Mirror*, 29. November 2009.

41 Andrew Porter, »Downing Street aide in Chinese ›honeytrap‹ sting«, in: *The Telegraph*, 20. Juli 2008.

42 Mattis und Brazil, *Chinese Communist Espionage*, S. 255. Für nützliche Hinweise siehe das Glossar zur chinesischen Spionage und zur Sicherheitsterminologie im Anhang.

43 Vgl. Quellennachweise 65–69 im Glossar von Mattis und Brazil, *Chinese Communist Espionage*.

44 Nigel Inkster, »China's draft intelligence law«, International Institute for Strategic Studies, Blogpost, 26. Mai 2017.

45 Peter Cluskey, »Dutch ambassador to Beijing suspended over affair amid honeytrap fears«, in: *Irish Times*, 17. Oktober 2016.

46 Faligot, *China's Spies*, S. 267.

47 Mike Giglio, »China's spies are on the offensive«, in: *The Atlantic*, 26. August 2019.

48 Anonym, »German spy agency warns of Chinese LinkedIn espionage«, in: *BBC News online*, 10. Dezember 2017; Jeff Stone, »LinkedIn is becoming China's go-to platform for recruiting foreign spies«, in: *Cyberscoop*, 26. März 2019.

49 Christoph Giesen und Ronen Steinke, »Wie chinesische Agenten den Bundestag ausspionieren«, in: *Süddeutsche Zeitung*, 6. Juli 2018; Anonym, »Chinese spy on Bundestag through social media info purchased from German politicians: report«, The Local.de, 6. Juli 2018.

50 Jodi Xu Klein, »Fear mounts that Chinese-American scientists are being targeted amid US national security crackdown«, in: *South China Morning Post*, 3. Juli 2019.

51 William Evanina, der Leiter der amerikanischen Spionageabwehr, erklärte, die Geheimdienste der Volksrepublik verfügten über »ungeheure Ressourcen, denen wir gegenwärtig nichts entgegenzusetzen haben«. Zitiert in: Olivia Gazis, »U.S. top spy-catcher: China brings ›ungodly resources‹ to espionage«, in: CBS News online, 5. September 2018.

52 Faligot, *China's Spies*, S. 215.

53 CICIR wird auf einer amtlichen chinesischen Website als eine der führenden Denkfabriken des Landes bezeichnet: https://web.archive.org/web/201901 06155604/http://www.china.org.cn/top10/2011-09/26/content_23491278_5.htm. Eine gute, wenn auch nicht datierte Quelle zu CICIR ist Anonym, »Profile of MSS-affiliated PRC foreign policy think tank«, Open Source Center, 25. August 2011. Vgl. auch Peter Mattis, »Five ways China spies«, in: *The National Interest*, 6. März 2014.

54 Anonym, »Profile of MSS-affiliated PRC foreign policy think tank«, Open Source Center, 25. August 2011. Zum Büro Nr. 11 vgl. Mattis und Brazil, *Chinese Communist Espionage*, S. 56. Vgl. auch Anonym, »China's Ministry of State Security«, *StratFor*, 1. Juni 2012, https://worldview.stratfor.com/article/chinas-ministry-state-security.

55 Peter Mattis, »Assessing the foreign policy influence of the Ministry of State Security«, in: *China Brief*, (Jamestown Foundation), 14. Januar

2011; http://www.chinavitae.com/biography/3969.

56 David Shambaugh, »China's international relations think tanks: evolving structure and process«, in: *China Quarterly*, Nr. 171, September 2002, S. 575–96.

57 Anonym, »Profile of MSS-affiliated PRC foreign policy think tank«, Open Source Center, 25. August 2011.

58 Faligot, *Chinese Spies*, S. 218.

59 »EU-China Strategic Dialogue 2015«, Website des Instituts der Europäischen Union für Sicherheitsstudien (EUISS), 13. März 2015, https://www.iss.europa.eu/content/eu-china-strategic-dialogue-2015; »9th Meeting of the CSIS-CICIR Cybersecurity Dialogue«, CSIS Website, 2.–3. Februar 2015, https://www.csis.org/events/9th-meeting-csis-cicir-cybersecurity-dialogue.

60 Ein Beispiel dafür, wie chinesische Intellektuelle die Schwachpunkte in Demokratien nutzen, um den Einparteienstaat zu rechtfertigen, ist die Reaktion von CICIR-Experten auf die russische Einmischung in die amerikanische Präsidentschaftswahl: Sie erklärten, der stetige Zufluss von Falschmeldungen, die sich auf die US-Wahl auswirkten, zeige deutlich, warum die chinesische Regierung das Internet reguliere: Sie wolle »gewährleisten, dass die im Internet verbreitete Information der Wahrheit entspricht«. Vgl. https://tinyurl.com/vvjkp79.

61 https://www.twai.it/journals/orizzonte-cina/; https://tinyurl.com/rwpwzbt.

62 Für die Verbindung zwischen dem CIISS und dem Geheimdienst der Volksbefreiungsarmee vgl. Peter Mattis, »China's military intelligence system is changing«, in: *War on the Rocks*, 29. Dezember 2015.

63 Faligot, *Chinese Spies*, S. 218 f.

64 Die eidesstattliche Versicherung ist zugänglich unter https://www.justice.gov/opa/press-release/file/975671/download, S. 5.

65 Nate Thayer, »How the Chinese recruit American journalists as spies«, in: *Asia Sentinel*, 4. Juli 2017.

66 https://www.justice.gov/opa/press-release/file/975671/download; Brandi Buchman, »Bond revoked for ex-CIA agent charged with spying for China«, in: *Courthouse News*, 10. Juli 2017.

67 Garrett Graff, »China's 5 steps for recruiting spies«.

68 Ebd.

69 To, *Qiaowu*, S. 42.

70 Ebd., S. 45 f.

71 Ebd., S. 46.

72 Anonym, »Threats to the U.S. research enterprise: China's talent recruitment plans«, Stabsbericht, United States Senate Permanent Subcommittee on Investigations, 2019.

73 Stephen Chen, »America's hidden role in Chinese weapons research«, in: *South China Morning Post*, 29. März 2017.

74 To, *Qiaowu*, S. 43 f.

75 Jeffrey Mervis, »NIH letters asking about undisclosed foreign ties rattle U.S. universities«, in: *Science Mag*, 1. März 2019; Jocelyn Kaiser, David Malakoff, »NIH investigating whether U.S. scientists are sharing ideas with foreign governments«, in: *Science Mag*, 27. August 2018.

76 Todd Ackerman, »MD Anderson ousts 3 scientists over concerns about Chinese conflicts of interest«, in: *Houston Chronicle*, 19. April 2019.

77 Mara Hvistendahl, »Major U.S. cancer center ousts ›Asian‹ researchers after NIH flags their foreign ties«, in: *Sciene Mag*, 19. April 2019.

78 https://www.justice.gov/opa/press-release/file/1239796/download.

79 Douglas Belkin, »Harvard chemistry chairman under investigation is a giant of his field«, in: *Wall Street Journal*, 29. Januar 2020.

80 https://archive.fo/7Htz#selection-2341.363-2341.497.

81 Bill Wallace, »Cox Report links S.F. association to spy network / Chinese exchange group accused of stealing U.S. weapons secrets«, in: *SFGate*, 28. Mai 1999.

82 https://www.justice.gov/usao-sdny/press-release/file/1203021/download.

83　Hannas, Mulvenon und Puglisi, *Chinese Industrial Espionage*, S. 78 ff.

84　Ebd., S. 96.

85　Für den Fall Noshir Gowadia vgl. web.archive.org/web/20070523175209/; honolulu.fbi.gov/dojpressrel/pressrel06/defensesecrets110906.htm; www.justice.gov/opa/pr/hawaii-man-sentenced-32-years-prison-providing-defense-information-and-services-people-s.

86　Im Jahr 2015 informierte der chinesische Botschafter Luo Zhaohui den Chefrepräsentanten der CAIEP in Kanada, Lyu Ge, über die neuesten Entwicklungen in den Beziehungen zwischen Kanada und China. »Er ermutigte CAIEP Canada Ltd., neues Terrain zu erkunden und kanadische Talente mit China bekannt zu machen.« Vgl. http://ca.china-embassy.org/eng/gdxw/t1325872.htm. Im Jahr 2007 unterzeichnete die kanadische Regierung mit der CAIEP und anderen Behörden eine Vereinbarung über die Kooperation in Wissenschaft und Technologie. Die kanadische Regierung fördert gemeinsame Projekte, Workshops usw. und beseitigt Schranken für den Austausch von Talenten. Vgl. http://www.ec.gc.ca/international/default.asp?lang=En&n=BF139207-1&pedisable=true.

87　Hannas, Mulvenon und Puglisi, *Chinese Industrial Espionage*, S. 79 f.

88　Ebd., S. 110.

89　http://www.cast-usa.net/, vgl. Nachrichtensektion. Für eine eingehendere Beschreibung von Ursprüngen, Organisationsstruktur und Tätigkeit der CAST-USA vgl. https://books.openedition.org/irdeditions/2642?lang=en.

90　http://www.cast-usa.net/.

91　Ebd., vgl. Nachrichtensektion.

92　Hannas, Mulvenon und Puglisi, *Chinese Industrial Espionage*, S. 113; http://www.castdc.org/cast_web_2006/network.htm.

93　Ebd., S. 107

94　Ebd., Kapitel 5.

95　Der folgende Text ist ein abgewandelter Auszug aus Hamilton, *Silent Invasion*, S. 184 ff.

96　»Quan Ao Huaren zhuanjia xuezhe lianhehui chengli« (全澳华人专家学者联合会成立) [Allchinesische Vereinigung chinesischer Experten und Wissenschaftler gegründet], in: *People's Daily Online*, 11. Oktober 2004, https://tinyurl.com/r4cd9qj.

97　www.chinaql.org/c/2015-12-14/485805.shtml. Vgl. auch https://tinyurl.com/rjkes3v.

98　Interview vom 1. Februar 2017 mit dem chinesischen Überläufer Chen Yonglin, der erklärt, dass einige Wissenschaftler sehr hohe Bonuszahlungen dafür erhalten, dass sie Informationen an die Volksrepublik weitergeben.

99　Hannas, Mulvenon und Puglisi, *Chinese Industrial Espionage*, S. 114.

100　Ebd., S. 122 f.

101　Zitiert in: Diamond und Schell, *China's Influence & American Interests*, S. 124.

102　Zitiert in: Hannas, Mulvenon und Puglisi, *Chinese Industrial Espionage*, S. 126.

103　»Xiehui jianjie« (协会简介) [Vorstellung des Verbands], Webseite des TeCAC e.V., o.D., https://web.archive.org/web/20200301160124/https://tecac.de/; https://web.archive.org/web/20200301165823/https://tecac.de/?p=430.

104　Connie Gu, »Deguo Huaren Huaqiao keji gongshang xiehui huizhang Gao Peng yi xing lilin Sanhua« (德国华人华侨科技工商协会高鹏会长一行莅临三花) [Gao Peng, der Vorsitzende des TeCAC e.V., besucht Sanhua], Webseite des TeCAC e.V., 13. Juni 2019, https://web.archive.org/web/20200301161209/https://tecac.de/?author=2.

105　Hong Xiao, »It's all about the people's exchanges: official«, in: *China Daily*, 16. Dezember 2017.

106　Es sei auf eine weitere ähnliche Organisation hingewiesen, die mit der CAIEP verwandt ist und ebenfalls der SAFEA untersteht: China Society for Research on International Exchange and Personnel Development: https://web.archive.org/web/20190917013413/http://yjh.caiep.net/index_en.php.

107 http://ianharvey-ip.com/china/safea-caiep-china-and-ip-myth-and-reality/.

108 Hong Xiao, »Academia feeling heat of trade conflict«, in: *China Daily*, 1. Juli 2019.

109 Bill Bishop, *Sinocism*, Newsletter, 12. Juni 2019.

110 Alex Joske, *Picking Flowers, Making Honey*, Bericht des Australian Strategic Policy Institute, Canberra, 2019. Vgl. auch Alex Joske, »The China defence universities tracker«, Australian Strategic Policy Institute, Canberra, 2019.

111 Die PLAIEU wurde im Jahr 2017 mit einigen anderen Institutionen und Universitäten verschmolzen. Die gegenwärtige vollständige Bezeichnung ist 中国人民解放军战略支援部队信息工程大学. Sie wurde der Aufsicht der neuen Strategischen Unterstützungseinheit der Volksbefreiungsarmee unterstellt.

112 Clive Hamilton und Alex Joske, »China's ghost university haunts U.S. campuses«, unveröffentlichtes Papier, November 2017. Vgl. auch Joske, *Picking Flowers*.

113 Clive Hamilton und Alex Joske, »Australian universities are helping China's military surpass the United States«, in: *Sydney Morning Herald*, 27. Oktober 2017. Der folgende Text beruht auf diesem Artikel von Joske und einem der Autoren dieses Buches.

114 Er war von 2012 bis 2017 nichtständiges ZK-Mitglied.

115 Ben Packham, »Professor, Chinese generals co-authored defence research«, in: *The Australian*, 31. Juli 2019.

116 Clive Hamilton und Alex Joske, »Australian taxes may help finance Chinese military capability«, in: *The Australian*, 10. Juni 2017. Mit Dank an Alex Joske für die Erlaubnis, Sätze aus diesem Artikel wiederzugeben und zu paraphrasieren. Der Investmentarm von CETC hält auch einen Mehrheitsanteil an Hikvision; vgl. https://ipvm.com/reports/cetc-increase.

117 Matthew Luce, »A model company: CETC celebrates 10 years of civil-military integration«, in: *China Brief*, (Jamestown Foundation), 2012.

118 Anonym, »Woman sentenced for U.S. military sales to China«, Reuters, 29. Januar 2011.

119 Matthew Godsey und Valerie Lincy, »Gradual signs of change: proliferation to and from China over decades«, in: *Strategic Trade Review*, 5:8, Winter/ Frühjahr 2019.

120 Anonym, »Threats to the U.S. research enterprise«, S. 44.

121 Laurens Cerulus, »Europe raises flags on China's cyber espionage«, in: *Politico*, 10. April 2018; Natalia Drozdiak, Nikos Chrysoloras und Kitty Donaldson, »EU Considers Response to China Hacking After U.K. Evidence, Sources Say«, in: *Bloomberg*, 11. Februar 2019.

122 Stephanie Borys, »Inside a massive cyber hack that risks compromising leaders across the globe«, in: ABC News online, 2. Oktober 2019.

123 Anonym, »Singapore health database hack steals personal information of 1.5 million people, including PM«, in: ABC News online, 20. Juli 2018.

124 Einige Monate früher wurde berichtet, dass chinesische Hacker, die wahrscheinlich der berüchtigten Gruppe APT10 angehörten, japanische Unternehmen im Gesundheitssektor attackiert hatten, wobei in diesem Fall offenbar geschützte Informationen zu den Produkten dieser Unternehmen gestohlen werden sollten. Vgl. Anonym, »China hackers accused of attacking Japanese defence firms«, in: *South China Morning Post*, 23. April 2013.

125 https://www.cnet.com/news/justice-department-indicts-chinese-hackers-allegedly-behind-anthem-breach/.

126 Scott und Spaniel, *China's Espionage Dynasty*, S. 15.

127 Nicole Perlroth, »Hack of community health systems affects 4.5 million patients«, in: *New York Times*, 18. August 2014.

128 David Wroe, »Defence medical records sent to China in security breach«, in: *Sydney Morning Herald*, 7. Juli 2015.

129 In Australien ist es möglicherweise nicht nötig, medizinische Akten zu

hacken: Chinesische Unternehmen haben hohe Summen in das Gesundheitswesen investiert, was trotz der Sicherheitsrisiken anscheinend nicht das Interesse der Behörden geweckt hat. In den drei Jahren zwischen 2015 und 2017 fanden in diesem Sektor Fusionen und Übernahmen im Umfang von 5,5 Milliarden Dollar statt, was dem Betrag auf dem sehr viel größeren US-Markt entspricht. Anonym, *Demystifying Chinese Investment in Australian Healthcare*, Bericht von KPMG und der University of Sydney, Januar 2018.

130 US House of Representatives Permanent Select Committee of Intelligence, »Investigative report on the US national security issues posed by Chinese telecommunications companies Huawei and ZTE«, 8. Oktober 2012, https://tinyurl.com/yyp5muou, S. 13f.; https://www.wsj.com/articles/chinas-spy-agency-has-broad-reach-1404781324; aber vgl. Elsa Kania, »Much ado about Huawei (part 1)«, in: *The Strategist*, 27. März 2018.

131 Evan S. Medeiros, Roger Cliff, Keith Crane und James C. Mulvenon, »A new direction for China's defense industry«, RAND Corporation, 2005, S. 218.

132 Bryan Krekel, Patton Adams und George Bakos, *Occupying the Information High Ground: Chinese capabilities for computer network operations and cyber espionage*, Bericht für die U.S.-China Economic and Security Review Commission von Northrop Grumman Corp., 2012, S. 75.

133 John Aglionby, Emily Feng und Yuan Yang, »African Union accuses China of hacking headquarters«, in: *Financial Times*, 30. Januar 2018; Danielle Cave, »The African Union headquarters hack and Australia's 5G network«, in: *The Strategist* (Australian Strategic Policy Institute), 13. Juli 2018.

134 Norman Pearlstine u. a., »The man behind Huawei«, in: *Los Angeles Times*, 10. April 2019. Im Mai 2019 tauchten Berichte darüber auf, dass der niederländische Nachrichtendienst AIVD glaubt, dass in der in einem großen niederländischen Telekommunikationsnetz verwendeten Ausrüstung von Huawei eine »Hintertür« eingebaut sei, die den Zugang zu Kundendaten ermögliche. Anonym, »Dutch spy agency investigating alleged Huawei ›backdoor‹: *Volkskrant*«, Reuters, 16. Mai 2019.

135 Pearlstine u. a., »The man behind Huawei«.

136 Joanna Plucinska, Koh Gui Qing, Alicja Ptak und Steve Strecklow, »How Poland became a front in the cold war between the U.S. and China«, Reuters, 2. Juli 2019.

137 Vgl. z. B. Wayne Ma, »How Huawei targets Apple trade secrets«, in: *The Information*, 18. Februar 2019.

138 Tripto Lahiri, »The US says Huawei had a bonus program for employees who stole trade secrets«, in: *Quartz*, 30. Januar 2019.

139 Elsa Kania, »Much ado about Huawei (part 1)«, in: *The Strategist*, 27. März 2018, (part 2), 28. März 2018.

140 David Shepardson und Karen Freifeld, »China's Huawei, 70 affiliates on U.S. trade blacklist«, Reuters, 16. Mai 2019.

141 Dan Sabbagh und Jon Henley, »Huawei poses security threat to UK, says former MI6 chief«, in: *The Guardian*, 16. Mai 2019.

142 Christopher Hope, »Chinese firm Huawei spends tens of thousands lobbying British politicians«, in: *The Telegraph*, 30. November 2012.

143 Ebd.

144 Adam Satariano und Raymond Zhong, »How Huawei wooed Europe with sponsorships, investments and promises«, in: *New York Times*, 22. Januar 2019.

145 Robert Fife und Stephen Chase, »Goodale says decision on Huawei 5G network to come before election«, in: *Globe and Mail*, 1. Mai 2019; Erin Dunne, »Huawei's latest advocate? An Obama cybersecurity official«, in: *Washington Examiner*, 12. April 2019.

Donald Trump schrieb in einem
Tweet: »Das ist weder gut noch akzeptabel.«

146 »Huawei Deutschland – Deutschland
besser verbinden«, Website von Huawei, o.D., https://web.archive.org/web/
20200112210508/http://huawei-dialog.
de/mission-statement/.

147 Satariano und Zhong, »How Huawei
wooed Europe with sponsorships, investments and promises«.

148 Limin Zhou und Omid Ghoreishi,
»The man behind McCallum's controversial press conference that led to his
removal as Canada's ambassador to
China«, in: *Epoch Times*, 28. Januar
2019.

149 Tom Blackwell, »A curious mirroring
of Beijing's official line«, in: *Windsor
Star*, 23. Februar 2019.

150 Anonym, »Chinese-Canadian group
defends detained Huawei CFO«, CBC,
11. Dezember 2018.

151 Bob Mackin, »Richmond mayoral candidate says ›there is no human rights
abuse in China‹«, in: *The Breaker*,
3. Oktober 2018.

152 Hamilton, *Silent Invasion*, S. 158 f.

153 Harrison Christian, »Huawei piles
pressure on Govt with ads and sponsorship, security experts say«, in: *Stuff.
com*, 18. April 2019.

154 Kelvin Chan und Rob Gillies, »Huawei
night in Canada: inside tech giant's
push to burnish its brand«, in: *Toronto
Star*, 13. Februar 2019.

155 Elizabeth Gibney, »Berkeley bans new
research funding from Huaweiq«, in:
Nature, Nr. 566, 7. Februar 2019, S. 16 f.

156 Satariano und Zhong, »How Huawei
wooed Europe with sponsorships, investments and promises«.

157 Robert Delaney, »Shutting the gates of
academia: American universities cut
ties to Huawei and Confucius Institute«, in: *South China Morning Post*,
19. März 2019.

158 Ilaria Maria Sala, »Chinese tech firm
Huawei's bullying attitude fails to win
over hearts and minds«, in: *Hong Kong
Free Press*, 15. Dezember 2019.

9 Medien: »Unser Nachname ist Partei«

1 Anonym, »China's Xi urges state media
to boost global influence«, Reuters,
19. Februar 2016; »Xi Jinping: jianchi
zhengque fangxiang chuangxin fangfa
shouduan tigao xinwen yulun chuanboli yindaoli« (习近平:坚持正确方向
创新方法手段 提高新闻舆论传播力
引导力) [An der richtigen Richtung
festhalten und Methoden erneuern,
um die Kommunikationsmacht zu erhöhen und Nachrichten und öffentliche Meinung besser zu steuern], in:
People's Daily Online, 19. Februar 2016;
https://tinyurl.com/u7utsnr.

2 David Shambaugh, »China's soft power
push: the search for respect«, in:
Foreign Affairs, Juli/August 2015.

3 Li Congjun, »Toward a new world media order«, in: *Wall Street Journal*,
1. Juni 2011.

4 Didi Kirsten Tatlow, »Mapping Chinain-Germany«, in: *Sinopsis*, 2. Oktober
2019.

5 Vgl. z. B. David Bandurski, »Journalism denied: how China views the
news«, China Media Project, 1. Februar
2018.

6 Anonym, »Document 9: a ChinaFile
translation«, in: *ChinaFile.com*, 8. November 2013, http://www.chinafile.
com/document-9-chinafile-translation.

7 David Bandurski, »The Spirit of Control«, in: *Medium*, 25. Februar 2016.
Wir danken John Fitzgerald für den
Hinweis auf die unterschiedlichen
Konnotationen von »xing« und »Nachname«.

8 Für ein praktisches Beispiel vgl.
»Chengdu wanbao yin kandeng you
yanzhong zhengzhi cuowo de zhaopian
shoudao weigui weiji jinggao« (成都晚
报》因刊 登有严重政治错误的照片
受到违规违纪警告) [*Chengdu Evening Times* erhält eine Warnung wegen
Verstoßes gegen Vorschriften und Disziplin durch die Veröffentlichung eines
Fotos, das einen gravierenden politischen Fehler enthält], in: *Neibu tongxin* Nr. 7, 2000, S. 12.

9 Lizzie Dearden, »Chinese journalists
punished for wrongly reporting Xi Jin-

ping's ›resignation‹ in state media spelling mistake«, in: *The Independent*, 7. Dezember 2015.

10 Tom Phillips, »Chinese reporter makes on-air ›confession‹ after market chaos«, in: *The Guardian*, 31. August 2015.

11 Vgl. Stellenausschreibungen in *China Daily*: »Zhongguo ribao she gongkai zhaopin gangwei xuqiu« (中国日报社公开招聘岗位需求) [*China Daily* öffentliche Stellenausschreibungen], in: *China Daily Online*, 27. November 2017, https://tinyurl.com/yx7a6hzj.

12 Lily Kuo, »Chinese journalists to be tested on loyalty to Xi Jinping«, in: *The Guardian*, 20. September 2019.

13 Beispielsweise bietet die China Public Diplomacy Association zehnmonatige Kurse für Journalisten aus Afrika, Südasien und Südostasien an. Vgl. Ros Chanveasna, »China training journalists from 44 countries«, in: *Khmer Times*, 6. März 2018.

14 Anonym, »China's pursuit of a new world media order«, Reporters Without Borders, 22. März 2019, https://rsf.org/en/reports/rsf-report-chinas-pursuit-new-world-media-order.

15 Anonym, »China's pursuit of a new world media order«; Anonym, »New York Times hosts 3rd World Media Summit«, in: *China Daily*, 10. Oktober 2013.

16 Nadège Rolland, »Mapping the footprint of Belt and Road influence operations«, in: *Sinopsis*, 12. August 2019.

17 »Media Cooperation Forum on B&R; held in Hainan«, in: Xinhua Silk Road Information Service, 31. Oktober 2018, https://tinyurl.com/rzoju5j.

18 Vgl. z. B. »Jointly build a bridge of friendship and mutual understanding – address by HE Ambassador Ma Zhaoxu at the 3rd China-Australia Forum«, Website der chinesischen Botschaft in Australien, 26. August 2014, https://web.archive.org/web/20191130181921/http://au.china-embassy.org/eng/sgjs/Topics123/t1185770.htm.

19 »Xinhuashe juxing jinian Yingyu duiwai xinwen kaibo liushi zhounian zuotanhui« (新华社举行纪念英语对外新闻传播六十周年座谈会) [Nachrichtenagentur Xinhua veranstaltet Symposium anlässlich des 60. Jahrestags der externen Nachrichtenverbreitung], in: *Duiwai xuanchuan cankao*, Nr. 10, 2004, S. 6.

20 Xi Shaoying (习少颖), *1949–1966 nian Zhongguo duiwai xuanchuan shi yanjiu* (1949–1966 年中国对外宣传史研究) [Forschung zur Geschichte der chinesischen Auslandspropaganda von 1949 bis 1966] (Wuhan: Huazhong keji daxue chubanshe, 2010), S. 28.

21 Louisa Lim und Julia Bergin, »Inside China's audacious global propaganda campaign«, in: *The Guardian*, 7. Dezember 2018.

22 Vivian Wu und Adam Chen, »Beijing in 45b yuan global media drive«, in: *South China Morning Post*, 13. Januar 2009. Nach Angaben von Reporter ohne Grenzen war der Betrag für einen Zeitraum von zehn Jahren bestimmt und wurde später auf 10 Milliarden RMB pro Jahr erhöht. Reporters without Borders, »China's pursuit of a new world media order«, S. 29.

23 Wang Guoqing (王国庆), »Jianchi ›ruan‹, ›ying‹ liang shou qi shua, nuli tigao woguo meiti guoji chuanbo nengli« (坚持"软"、"硬"两手齐抓 努力提高我国媒体国际传播能力) [Mit »weichen« und »harten« Händen zupacken und Anstrengungen unternehmen, die internationalen Verbreitungsfähigkeiten der chinesischen Medien zu erhöhen], in: *Zhongguo guangbo dianshi xuekan*, Nr. 10, 2010, S. 1.

24 Vgl. die Grafik in »Dang ›Xinwen lianbo‹ you shang ›Zhongguo zhi sheng‹« (当"新闻联播"遇上"中国之声"), 1. April 2018, Website der *Nordic Chinese Times*, https://web.archive.org/web/20191018121009/http://nordicapd.com/content.asp?pid=31&cid=4162. Der verwendete Begriff ist 业务领导, »professionelle Führung«, womit ein Arrangement gemeint ist, in dem eine Einrichtung der chinesischen Bürokratie einer anderen bindende Anweisungen geben kann.

25 »Who we are«, Website von CGTN, o.D., https://tinyurl.com/vc3d6ev.

26 Reporters without Borders, »China's pursuit of a new world media order«, S. 4.

27 »About China Radio International«, Website von CRI, o.D., http://english.cri.cn/11114/2012/09/20/1261s723239.htm.

28 Vgl. auch David Bandurski, »Xinhua News Agency steps out into the world«, China Media Project, 22. Oktober 2009, http://chinamediaproject.org/2009/10/22/xinhua-news-agency-steps-out-into-the-world/.

29 »Guanyu Xinhuashe« (关于新华社) [Über die Nachrichtenagentur Xinhua], Website von Xinhua, o.D., https://web.archive.org/web/20190827153150/http://203.192.6.89/xhs/.

30 »About CNC«, Website von CNC, o.D., https://web.archive.org/web/20190827153236/http://en.cncnews.cn/e_about_cnc/about.html.

31 Kirsty Needham, »How Australians set up Communist China's official propaganda tool«, in: Sydney Morning Herald, 5. Dezember 2018.

32 Jahresbericht von China Daily für 2018 über Service Units Online (gjsy.gov.cn), die offizielle Website der chinesischen »Serviceeinheiten« (事业单位).

33 »About China Daily Group«, Website von China Daily, o.D., https://web.archive.org/web/20190827153657/http://www.chinadaily.com.cn/static_e/2011about.html.

34 Jahresbericht von China Daily für 2018 über Service Units Online (gjsy.gov.cn).

35 Chinesische Beobachter bewundern die Vereinigten Staaten seit Langem dafür, dass diese in ihren Augen die Fähigkeit haben, »verschiedene Stimmen dieselbe Melodie singen« zu lassen. Damit meinen sie, dass verschiedene Akteure unterschiedliche Rollen spielen, wenn sie China kritisieren, unterschiedlich streng urteilen und unterschiedliche Worte wählen, jedoch dieselbe Botschaft vermitteln. Vgl. Liu Yaming (刘雅鸣) und Li Pei (李珮), »Quanqiu chuanbo shidai wo guo duiwai xuanchuan xin chulu (er) – Di yi shijian fachu shengyin waixuan bixu xian fa zhi ren« (全球传播时代我国对外宣传新出路（二—第一次发出声音外宣必须先发制人) [Ein neuer Weg für Chinas Auslandspropaganda in der Ära der globalen Kommunikation – Vom ersten Ton an muss die Auslandspropaganda die Oberhand gewinnen, indem sie Nachrichten als Erste sendet], in: Duiwai xuanchuan cankao, Nr. 12, 2003, S. 18.

36 特别是与外国合作以商业面貌出现 Benkan teyue jizhe 本刊特约记者, »Tixian shidaixing, bawo guilüxing, fuyu chuangzaoxing: Ji 2003 nian quanguo waixuan gongzuo huiyi« (体现时代性 把握规律性 富于创造性 – 记 2003 年全国外宣工作会议) [Verkörpert die Merkmale der Zeit, versteht die Regeln, seid reich an Innovation – Schlüsse aus der nationalen Arbeitssitzung für Auslandspropaganda im Jahr 2003], in: Duiwai xuanchuan cankao, Nr. 2, 2003, S. 3.

37 Paul Mozur, »Live from America's capital, a TV station run by China's Communist Party«, in: New York Times, 28. Februar 2019.

38 Ebd.

39 Lim und Bergin, »Inside China's audacious global propaganda campaign«.

40 Ebd.

41 He Qinglian, »The fog of censorship: media control in China«, Human Rights in China, 2008, https://www.hrichina.org/sites/default/files/PDFs/Reports/HRIC-Fog-of-Censorship.pdf, S. 71 ff.

42 Im Chinesischen als 本土化 bezeichnet. Vgl. Brady, »Magic weapons«, S. 10.

43 Vgl. z. B. Sean Callebs, https://tinyurl.com/tj3l5yw; Jeff Moody, https://tinyurl.com/wd8vlqb; Elaine Reyes, https://tinyurl.com/r6ft56m; Jim Spellman, https://tinyurl.com/u4sf7ga; Brian Salter, https://tinyurl.com/uyv2qkx.

44 »Hiring Chinese citizens to do auxiliary work«, International Press Center, o.D., https://web.archive.org/web/20191130184313/http://ipc.fmprc.gov.cn/eng/wgjzzhzn/t716850.htm.

45 Nachdruck in: Henansheng geming weiyuanhui banshizu (河南省革命委员会办事组) [Büro des Revolutionskomitees der Provinz Henan], »Mao Zedong guanyu duiwai xuanchuan de zhishi« (毛泽东关于对外宣传的指示) [Anweisungen des Vorsitzenden Mao zur externen Propagandaarbeit], 1. August 1972.

46 John F. Copper, »Western media reveal China bias«, in: *China Daily*, 5. Februar 2018, https://web.archive.org/web/2019 1018124935/http://www.chinadaily.com. cn/a/201802/05/WS5a779716a3106e7d cc13aa92.html.

47 New China TV (von Xinhua betriebener Fernsehkanal), https://www. youtube.com/watch?v=aaAW1RVE 9mM.

48 CGTN America, »The heat: author Martin Jacques discusses China & global issues Pt 1«, Youtube-Kanal von CGTN, 19. Oktober 2017, https:// www.youtube.com/watch?v=cOs4T omEzAo.

49 Diamond und Schell, *China's Influence & American Interests*, S. 70. Die Wissenschaftlerin berichtete, sie habe pro Interview 150 USD erhalten.

50 »History and milestones«, Website von CRI, o.D., https://archive.is/2013 1116074500/http://english.cri.cn/about/ history.htm.

51 »CWI and Xinhuanet sign cooperation agreement«, Website von CWI, 4. November 2014, https://web.archive.org/ web/20190829153344/https://www.cwi. nl/news/2014/cwi-and-xinhuanet-sign-cooperation-agreement.

52 »China Media Centre (CMC) hosts roundtable discussions with leading UK specialists on China and senior Chinese officials«, 6. November 2018, https://tinyurl.com/snc5hqv.

53 https://www.westminster.ac.uk/ research/groups-and-centres/china-media-centre; »China Media Centre (CMC) hosts roundtable discussions with leading UK specialists on China and senior Chinese officials«, 6. November 2018, https://tinyurl.com/ snc5hqv.

54 »Professional exchange: the China Professional Leadership Programme«, Website der University of Westminster, https://tinyurl.com/vfnbu08.

55 »Professor Hugo de Burgh«, Website der University of Westminster, https:// tinyurl.com/td22euk.

56 Bill Kenber, »Hugo de Burgh, professor who has pushed for closer ties with China«, in: *The Times*, 24. August 2019.

57 »Professional exchange: the China Professional Leadership Programme«, Website der University of Westminster, https://tinyurl.com/vfnbu08.

58 »China's international relations and economic strategies: perceptions of the UK and China«, China Media Center, 31. Oktober 2018, https://tinyurl.com/ uw74p93.

59 https://tinyurl.com/r9vdl72.

60 Ebd.

61 »CMC's courses for media handlers: the practical elements«, Website von China Media Centre, 16. Oktober 2019, https://tinyurl.com/tktfph7.

62 »Professional exchange: the China Professional Leadership Programme«, Website der University of Westminster, https://tinyurl.com/vfnbu08.

63 Viola Zhou, »Why is LinkedIn so big in China? Because it censors«, in: *Inkstone*, 4. Januar 2019.

64 Erin Dunne, »LinkedIn's China compromise shows price of market access«, in: *Washington Examiner*, 3. Januar 2019.

65 Megha Rajagopalan, »LinkedIn censored the profile of another critic of the Chinese government«, *Buzzfeed News*, 8. Januar 2019.

66 »Xinhuashe haiwai shejiao meiti tongyi zhanghao ›New China‹ zhengshi yunxing« (新华社海外社交媒体统一账号 ›New China‹ 正式运行) [Xinhuas einheitlicher Account für ausländische soziale Medien »New China« offiziell eingeführt], in: *People's Daily Online*, 1. März 2015, https://tinyurl.com/ yx4w76sx.

67 Steven Jiang, »Taiwan furious after China attempts to take credit for LGBT marriage win«, CNN, 20. Mai 2019.

68 Ben Blanchard, »China's parliament rules out allowing same-sex marriage«, Reuters, 21. August 2019.

69 Layla Mashkoor und Kassy Cho, »Chinese state media and others are spreading false information about the protests in Hong Kong«, *Buzzfeed News*, 14. Juni 2019.

70 »Zui ›zhencheng‹ de daoqian« (最真诚的道歉) [Die »aufrichtigste« Entschuldigung], Xinhua Xianggang auf Facebook, 15. August 2019, https://tinyurl.com/s4fjktr.

71 Chen Weihua, Twitter, 1. September 2019, https://tinyurl.com/sahdtnm.

72 Die Autoren haben Screenshots solcher Anzeigen gespeichert.

73 Twitter Inc., »Updating our advertising policies on state media«, Twitter-Blog, 19. August 2019, https://blog.twitter.com/en_us/topics/company/2019/advertising_policies_on_state_media.html.

74 CCTV, »Lingdaoren shi zenme liancheng de?« (领导人是怎样炼成的?) [Wie Führer gemacht werden], YouTube-Kanal von CCTV, https://www.youtube.com/watch?v=eGX2kMUW-vIo. Für eine englischsprachige Version desselben Clips vgl. https://www.youtube.com/watch?v=M7340_17H_A. »How leaders are made« wurde von Studio on Fuxing Road produziert, einem Filmstudio, das in Medienberichten mit der Internationalen Verbindungsabteilung der KPCh in Zusammenhang gebracht worden ist. Vgl. Chun Han Wong, »Chinese president Xi Jinping's extreme makeover«, in: *Wall Street Journal*, 12. Mai 2016.

75 Vgl. z. B. Agence France-Presse in Beijing, »China turns to psychedelic David Bowie lookalike to push ›five-year plan‹«, in: *The Guardian*, 27. Oktober 2015.

76 Julia Hollingsworth, »Australian politicians are targeting voters on WeChat. But fake content could end up costing them«, CNN, 15. Mai 2019.

77 Joel Harding, »The Chinese government fakes nearly 450 million social media comments a year. This is why«, in: *Washington Post*, 19. Mai 2019.

78 Vgl. Zheping Huang, »Chinese trolls jumped the firewall to attack Taiwan's president and military on Facebook«, in: *Quartz*, 3. Januar 2017.

79 Zhang Han, »Patriotic posts flood East Turkestan pages to fight untrue reports on Xinjiang«, in: *Global Times*, 10. April 2019.

80 Maggie Miller, »Twitter, Facebook accuse China of misinformation targeting Hong Kong protests«, in: *The Hill*, 19. August 2019.

81 Jake Wallis, »China's information warfare darkens the doorstep of Twitter and Facebook«, in: *ASPI Strategist*, 21. August 2019, https://www.aspistrategist.org.au/chinas-information-warfare-darkens-the-doorstep-of-twitter-and-facebook/.

82 Amar Toor, »Zuckerberg meets with China's propaganda chief«, in: *The Verge*, 21. März 2016; Loulla-Mae Eleftheriou-Smith, »China's President Xi Jinping ›turns down Mark Zuckerberg's request to name his unborn child‹ at White House dinner«, in: *The Independent*, 4. Oktober 2015.

83 Will Oremus, »Why YouTube Keeps Demonetizing Videos of the Hong Kong Protests«, in: *OneZero*, 8. Juli 2019, https://onezero.medium.com/why-youtube-keeps-demonetizing-videos-of-the-hong-kong-protests-460da6b6cb2b.

84 Persönliche, von anderen Benutzern bestätigte Beobachtung bei der Beschäftigung mit den Protesten auf Twitter.

85 借船出海; vgl. Brady, »Magic weapons«, S. 10.

86 Vgl. z. B. »Für eine bessere Welt – Ein Gastbeitrag des Staatspräsidenten Xi Jinping anlässlich seines Besuches in Deutschland«, Website der chinesischen Botschaft in Deutschland, 4. Juli 2017, https://web.archive.org/web/20191130192124/http://de.china-embassy.org/det/sgyw/t1475300.htm.

87 Jichang Lulu, »China's state media and the outsourcing of soft power«, in:

Asia Dialogue, 15. Juli 2015, https://theasiadialogue.com/2015/07/15/chinas-state-media-and-the-outsourcing-of-soft-power/.

88 Koh Gui Qing und John Shiffman, »Beijing's covert radio network airs China-friendly news across Washington, and the world«, Reuters, 2. November 2015.

89 Diamond und Schell, *China's Influence & American Interests*, S. 82. Vgl. auch »Gongsi gaikuang« (公司概况) [Firmenüberblick], Website von EDI Media, o.D., https://web.archive.org/web/20190827155315/http://www.edimediainc.com/zh/%e5%85%ac%e5%8f%b8%e6%a6%82%e6%b3%81/. EDI Media Inc. 鹰龙传媒有限公司 Koh Gui Qing und John Schiffman, »Beijing's covert radio network airs China-friendly news across Washington, and the world«, Reuters, 2. November 2015.

90 James Su (Su Yantao 苏彦韬), »Team«, Website of EDI Media, o.D., https://web.archive.org/web/20190827155537/https://www.edimediainc.com/en/team/.

91 »About us«, Website von GBTimes, o.D., https://web.archive.org/web/20190827155713/https://gbtimes.com/page/about-us.

92 »GBTimes«, Media Bias/Fact Check, o.D., https://mediabiasfactcheck.com/gbtimes/. Nach eigener Angabe gehört das Unternehmen Guoguang und dem finnischen Unternehmen FutuVision. Vgl. https://tinyurl.com/sbmpgkk. FutuVision ist jedoch einfach ein früherer Name von Zhaos Unternehmen GBTimes. Vgl. »About us«, Website von GBTimes; Koh Gui Qing und Jane Wardell, »Chinese radio broadcaster taps front men in Finland and Australia«, Reuters, 2. November 2015.

93 Zhao Yinong bestreitet nicht, Geld von CRI erhalten zu haben. Vgl. Gui Qing und Shiffman, »Beijing's covert radio network airs China-friendly news across Washington, and the world«.

94 »Zhongxinshe daibiaotuan canfang Fenlan Huanqiu shidai chuanmei gongsi« (中新社代表团参访芬兰环球时代传媒公司) [Delegation von China News Service besucht das Medienunternehmen GBTimes in Finnland], *China News Service*, 6. September 2016, https://tinyurl.com/urszvmz.

95 Jichang Lulu, »China's state media and the outsourcing of soft power«, in: *Asia Dialogue*, 15. Juli 2015, https://theasiadialogue.com/2015/07/15/chinas-state-media-and-the-outsourcing-of-soft-power/.

96 Lim und Bergin, »Inside China's audacious global propaganda campaign«.

97 »About us«, Website von ChinaWatch, o.D., https://tinyurl.com/thlo2xh; Vanessa Steinmetz, »Anmerkung: Dieser Ausgabe kann Propaganda beiliegen«, in: *Der Spiegel*, 25. August 2016; https://www.nytimes.com/paidpost/china-daily/china-watch.html; https://tinyurl.com/vwg3ac6.

98 Jack Hazlewood, »China spends big on propaganda in Britain … but returns are low«, in: *Hong Kong Free Press*, 3. April 2016. Nach Schätzungen, die im Bericht des Hoover Institute über die chinesische Einflussnahme veröffentlicht worden sind, kosten die Beilagen in US-Medien rund 250 000 USD pro Jahr. Vgl. Diamond und Schell, *China's Influence & American Interests*, S. 83 f.

99 »Ambassador Liu Xiaoming holds talks with the Daily Telegraph editors and gives an interview«, Website der chinesischen Botschaft in Großbritannien, 23. Januar 2019, https://tinyurl.com/yx5f4vtp.

100 »Minister Ma Hui visits Telegraph Media Group and holds talks with the editors«, Website des chinesischen Außenministeriums, 21. Juni 2019, http://archive.is/20egn.

101 »The Chinese embassy holds symposium on ›Xi Jinping Thought on Diplomacy‹«, Website des chinesischen Außenministeriums, 10. April 2019, http://archive.is/5Pud6.

102 Lim und Bergin, »Inside China's audacious global propaganda campaign«.

103 Georg Mascolo, Stella Peters und Benedikt Strunz, »Gute China-Nachrichten gegen Geld?«, tagesschau.de, 15. Januar 2020.

104 »Xinhua, AP sign MOU to enhance cooperation«, Xinhua, 25. November 2018, https://web.archive.org/web/20190827160133/http://www.xinhuanet.com/english/2018-11/25/c_137630583.htm; Josh Rogin, »Congress demands answers on AP's relationship with Chinese state media«, in: *Washington Post*, 24. Dezember 2018.

105 Zuvor hatten AP und Xinhua im Jahr 2011 eine gemeinsame Absichtserklärung unterzeichnet. 李从军同美联社社长签署合作谅解备忘录, Xinhua, 19. Dezember 2011, https://web.archive.org/web/20191130194357/http://www.xinhuanet.com//ziliao/xhsld/2011-12/19/c_122447652.htm.

106 »Xinhuashe yu Lutoushe qingzhu hezuo 60 zhounian« (新华社与路透社庆祝合作60周年) [Xinhua und Reuters feiern 60 Jahre der Zusammenarbeit], Xinhua, 30. Juni 2017, http://www.xinhuanet.com/xhsld/2017-06/30/c_1121241072.htm.

107 »Fu Ying visited headquarters of Reuters Group«, Website der chinesischen Botschaft in Großbritannien, 4. Juli 2007, https://tinyurl.com/wrpmqwa. Aus einem von der chinesischen Botschaft veröffentlichten Bericht geht hervor, dass sich »die beiden Seiten auch über die Machbarkeit einer Notierung von Reuters an der Börse Shanghai und die Möglichkeiten zur Stärkung der Kommunikation zwischen chinesischen und britischen Online-Nachrichtenmedien ausgetauscht haben«.

108 Anonym, »Exclusive Q&A with Chinese President Xi Jinping«, Reuters, 18. Oktober 2015.

109 Anonym, »Xinhua launches Belt and Road info partnership with European media, think-tanks«, Xinhua, 2. Dezember 2017, https://tinyurl.com/rwrh5bn.

110 »China, Portugal ink cooperation agreement on media exchange under BRI«, Xinhua Silk Road Information Service, 27. Februar 2019, https://tinyurl.com/v3rwv3f.

111 »Xinhua CEIS, DPA ink agreement« to promote information exchanges«, Xinhua Silk Road Information Service, 15. Mai 2018, https://tinyurl.com/s79wj2d; »Athens Macedonian News Agency: News in English«, Hellenic Resources Institute, 17. Mai 2012, http://www.hri.org/news/greek/apeen/2017/12_1.apeen.html; »Xinhua, AAP new agreement for closer cooperation«, 12. September 2018, https://tinyurl.com/swndpot; »Italy-China: cooperation agreement between ANSA and Xinhua«, Ansamed, 17. Mai 2016, https://tinyurl.com/tt48dm5.

112 »Cooperation agreement between Class Editori and China Media Group«, Xinhua Silk Road Information Service, 2. Juli 2019, https://tinyurl.com/r3kovfm.

113 »Xinhua, AP sign MOU to enhance cooperation«, Xinhua, 25. November 2018, https://web.archive.org/web/20190827160133/http://www.xinhuanet.com/english/2018-11/25/c_137630583.htm; Josh Rogin, »Congress demands answers on AP's relationship with Chinese state media«, in: *Washington Post*, 24. Dezember 2018.

114 Ruptly, »Australia: Chinese protesters rally against South China Sea ruling in Melbourne«, YouTube-Kanal von Ruptly, 23. Juli 2016, https://www.youtube.com/watch?v=jSeaPFxRyxA.

115 To, *Qiaowu*, S. 179 f.

116 Alex Joske, »Reorganizing the United Front Work Department: new structures for a new era of diaspora and religious affairs work«, in: *China Brief* (Jamestown Foundation), 19: 9, 9. Mai 2019, https://jamestown.org/program/reorganizing-the-united-front-work-department-new-structures-for-a-new-era-of-diaspora-and-religious-affairs-work/. Nick McKenzie, Richard Baker, Sashka Koloff und Chris Uhlmann, »The Chinese Communist Party's power and influence in Australia«, in: ABC News online, 29. März 2018.

117 To, *Qiaowu*, S. 176 ff.

118 Diamond und Schell, *China's Influence & American Interests*, S. 85.

119 John Fitzgerald, »Beijing's *guoqing* versus Australia's way of life«, in: *Inside Story*, 27. September 2016.

120 Hamilton, *Silent Invasion*, S. 41.

121 Dan Levin, »Chinese-Canadians fear China's rising clout is muzzling them«, in: *New York Times*, 27. August 2016.

122 Tom Blackwell, »Host on Chinese-language station in Toronto says he was fired for criticizing Beijing«, in: *The County Weekly News*, 8. Oktober 2019.

123 »›Jiang hao Zhongguo gushi, chuanbo hao Zhongguo shengyin‹ luntan Beijing juxing« (›讲好中国故事、传播好中国声音›论坛北京举行) [»Erzählt Chinas Geschichte richtig, verbreitet Chinas Stimme richtig«, Forum in Beijing], in: *Ouzhou Shibao*, 28. September 2016, https://web.archive.org/web/20191130195737/http://www.oushinet.com/qj/qjnews/20160928/243581.html. Vgl. auch Hamilton, *Silent Invasion*, S. 42 f.

124 »Xiehui jianjie« (协会简介) [Vorstellung der Vereinigung], Website der Association of Overseas Chinese Media in Europe, o. D., https://tinyurl.com/uuwrom9.

125 »Ouzhou shibao wenhua chuanmei jituan« (欧洲时报文化传媒集团) [Guang Hua Cultures et Media], Website von *Ouzhou Shibao*, o. D., https://tinyurl.com/rqucaen.

126 »Ouzhou shibao wenhua chuanmei jituan«, https://tinyurl.com/rqucaen.

127 »›Oushidai‹ shequ yonghu xieyi« (»欧时代«›社区用户协议) [Nouvelles d'Europe, Nutzungsbedingungen der Community], Website von *Ouzhou Shibao*, o. D., https://web.archive.org/web/20190818202416/http://www.oushidai.com/intro/agreement?local=eu.

128 Siehe am Fuß ihrer Homepage: https://web.archive.org/web/20190801163031/http://www.eztvnet.com/.

129 »Guanyu women: gongsi jianjie« (关于我们：公司简介) [Über uns: Vorstellung des Unternehmens], Website der

130 »Shanghui jieshao« (商会简介) [Vorstellung der Handelskammer], http://web.archive.org/web/20190801204004/http://acec.org.es/language/zh/about-4/.

131 »Zhengxie gongzuo baogao jiedu: yi fen yangyi minzhu fazhi jingshen de baogao« (政协工作报告解读：一份洋溢民主法制精神的报告) [Interpretation des Arbeitsberichts der PKKCV: ein vom Geist der Demokratie und der Rechtsstaatlichkeit erfüllter Bericht], China.org.cn, 4. März 2008, https://tinyurl.com/sso2uxu.

132 »Xibanya Ouhua chuanmei jituan jianjie« (西班牙欧华传媒集团简介) [Vorstellung der Spanish Ouhua Media Group], https://web.archive.org/web/20190801150949/http://www.ouhua.info/2016/0527/7269.html.

133 Vgl. z. B. Wu Zuolai (吴祚来), »Duiwai chuanbo yu wenhua jiaolü« (对外传播与文化焦虑) [Externe Kommunikation und kulturelle Verängstigung], in: *Duiwai chuanbo*, Nr. 9 (2009), S. 14 f.

134 Andre Tartar, Mira Rojanasakul und Jeremy Scott Diamond, »How China is buying its way into Europe«, Bloomberg, 23. April 2018.

135 Philippe Le Corre, »This is China's plan to dominate Southern Europe«, Carnegie Endowment for International Peace, 30. Oktober 2018, https://carnegieendowment.org/2018/10/30/this-is-china-s-plan-to-dominate-southern-europe-pub-77621.

136 Website von Propeller TV, https://web.archive.org/web/20190827155110/https://www.propellertv.co.uk/.

137 »China-UK media roundtable held in London«, CRIEnglish, 24. November 2015, https://web.archive.org/web/20191130200506/http://english.cri.cn/12394/2015/11/24/53s905534.htm.

138 Ben Kwok, »Meet Yam Tak-cheung, the new Forbes owner«, in: *ejinsight*, 21. Juli 2014, http://www.ejinsight.com/20140721-yam-tak-cheung-new-forbes-owner/.

Nordic Chinese Times, http://archive.today/2019.10.18-162821/http://nordicapd.com/content.asp?pid=22.

139 Kris Cheng, »Forbes terminates contract with writer after deleting article critical of Asia Society tycoon«, in: *Hong Kong Free Press*, 30. Juli 2017.

140 Adam Jourdan und John Ruwitch, »Alibaba's Jack Ma is a Communist Party member, China state paper reveals«, Reuters, 27. November 2018.

141 https://tinyurl.com/s69hmq2.

142 Phila Siu, »Sweden ›using me as chess piece‹ says detained Hong Kong bookseller Gui Minhai in government-arranged interview«, in: *South China Morning Post*, 9. Februar 2018.

143 PEN America, *Darkened Screen: Constraints on foreign journalists in China*, PEN America, 22. September 2016, S. 7.

144 Joshua Keating, »Bloomberg suspends China reporter amid censorship scandal«, in: *Slate*, 18. November 2013.

145 Diamond und Schell, *China's Influence & American Interests*, S. 93; PEN America, *Darkened Screen*, S. 13 f.

146 »US Journalists' visit to China in October 2018«, Website von CUSEF, 2. November 2018, https://tinyurl.com/vwvdr35.

147 Hamilton, *Silent Invasion*, S. 104–7.

148 »Sverige har varit som en sömngångare om Kina« [Schweden hat sich gegenüber China wie ein Schlafwandler verhalten], in: *Expressen*, 23. Februar 2019, https://www.expressen.se/ledare/ledarsnack/sverige-har-varit-som-en-somngangare-om-kina/.

149 Melissa Chan, »Goodbye to China, country of contradictions«, Al Jazeera, 13. Mai 2012, https://tinyurl.com/ckko84e; Tom Phillips, »French journalist accuses China of intimidating foreign press«, in: *The Guardian*, 26. Dezember 2015; Foreign Correspondents Club of China, *Under watch: reporting in China's surveillance state*, Foreign Correspondents Club of China, 2018, S. 10; Anonym, »China denies credentials to Wall Street Journal reporter«, Reuters, 30. August 2019.

150 Foreign Correspondents Club of China, *Under Watch*, S. 12. Im FCCC-Bericht ist lediglich von »französischen Medien« die Rede.

151 Alvin Lum, »Financial Times journalist Victor Mallet about to leave Hong Kong after visa denial«, in: *South China Morning Post*, 12. Oktober 2018.

152 *Darkened Screen*, S. 11.

153 Anonym, »China seeks to shape Hong Kong narrative with letter to media«, Bloomberg, 21. August 2019; Catherine Wong, »China urges foreign media to ›help right public opinion wrongs‹ on Hong Kong protests«, in: *South China Morning Post*, 22. August 2019.

154 *Darkened Screen*, S. 7.

155 Persönliches Gespräch, 25. Februar 2019, Berlin; E-Mail-Korrespondenz, 10. Januar 2020.

156 *Darkened Screen*, S. 16.

10 Die Kultur als Schlachtfeld

1 Janette Jaiwen Ai, »The political use of China's traditions in contemporary China«, Doktorarbeit, School of Social and Political Sciences der Universität Melbourne, 2012.

2 Anonym, »The CCP's ›Cultural Leadership‹ history since the founding of the PRC«, in: *People's Daily*, 10. November 2009.

3 Liu Runwei (刘润为), »Hongse wenhua yu wenhua zixin« (红色文化与文化自信) [Rote Kultur und kulturelles Selbstvertrauen], in: *Qiushi*, 23. Juni 2017, http://www.qstheory.cn/dukan/hqwg/2017-06/23/c_1121197124.htm. Für Lius Biographie vgl. https://web.archive.org/web/20191004045738/http://m.hswh.org.cn/column/120.html.

4 Yang Lin (杨林), »Yi wenhua rentong shixian tongyi zhanxian de zui da dongyuan« (以文化认同实现统一战线的最大动员) [Die größte Mobilisierung der Einheitsfront dank der kulturellen Identität], in: *Qiushi*, 17. Januar 2017, https://tinyurl.com/rlkgzjl; Anonym, »Xi's article on dialectical materialism to be published«, in: *China Daily*, 2. Januar 2019.

5 Lin Jian (林坚), »Zhonghua wenhua haiwai chuanbo ren zhong dao yuan« (中华文化海外传播任重道远), ursprünglich veröffentlicht in: *Huanqiu Shibao*, 20. April 2019, erneut veröf-

fentlicht auf der Website des Jiangsu-Instituts für Sozialismus, 23. April 2019, https://tinyurl.com/vcuhhx3.

6 https://tinyurl.com/tc2uzjx.

7 https://tinyurl.com/vk3yman.

8 https://www.londondesignbiennale.com/supporters.

9 »Jituan jianjie« (集团简介) [Vorstellung der Gruppe], Website der China Poly Group (中国保利集团公司), https://tinyurl.com/rxez766.

10 https://www.globalsecurity.org/military/world/china/poly.htm; Barbara Demick, »In China, ›red nobility‹ trumps egalitarian ideals«, in: Los Angeles Times, 4. März 2013.

11 »Jituan jianjie« (集团简介) [Vorstellung der Gruppe], Website der China Poly Group, https://tinyurl.com/rxez766.

12 https://fortune.com/global500/2018/china-poly-group/. Für die Unternehmensstruktur vgl. https://www.globalsecurity.org/military/world/china/poly.htm.

13 »About us: introduction«, https://tinyurl.com/rjlgvuu.

14 »Clifford Chance advises Poly Culture Group on HK$2.57 billion IPO«, Website von Clifford Chance, 7. März 2014, https://tinyurl.com/wvqpyz9.

15 https://www.globalsecurity.org/military/world/china/poly.htm. Cain Nunns, »China's Poly Group: the most important company you've never heard of«, Public Radio International, 25. Februar 2013.

16 He Pings (贺平) Biographie auf der Website der CAIFC, http://archive.today/2019.10.04-080431/http://www.caifc.org.cn/content.aspx?id=4267. Vgl. auch Bo Zhiyue, »Who are China's princelings?«, in: The Diplomat, 24. November 2015.

17 Anonym, »Mapping China's red nobility«, Bloomberg, 26. Dezember 2012.

18 Sam Cooper und Doug Quan, »How a murky company with ties to the People's Liberation Army set up shop in B.C.«, in: Vancouver Sun, 26. August 2017. Vgl. auch https://www.weforum.org/people/xu-niansha.

19 »Chairman XU Niansha was awarded Great Officials of Star of Italy«, Website der Poly Culture Group, 28. Juli 2017, https://tinyurl.com/qk6httf.

20 Jiang Yingchun (蒋迎春), in: China Daily, 12. September 2018, https://tinyurl.com/uxkjh4k.

21 Zheng Xin, »Poly Group set to boost ties with global partners«, in: China Daily, 21. September 2018.

22 Zheng Xin, »Poly Group set to boost ties with global partners«.

23 »China-Germany friendship concert successfully held in Cologne Cathedral by Poly WeDo«, Website der Poly Culture Group, 19. Juli 2017, https://tinyurl.com/s257rzn.

24 »About us: introduction«, https://tinyurl.com/rjlgvuu; Cooper und Quan, »How a murky company with ties to the People's Liberation Army set up shop in B.C.«.

25 http://beijing.lps-china.com/partners/poly-art/.

26 Cooper und Quan, »How a murky company with ties to the People's Liberation Army set up shop in B.C.«.

27 Anonym, »U.S. lists new Iran sanctions on several Chinese firms«, Reuters, 12. Februar 2013.

28 Bob Mackin, »Hard currency, soft power: Poly Culture rolls into British Columbia«, in: South China Morning Post, 7. Dezember 2016.

29 https://tinyurl.com/ttvf3kf; vgl. auch https://twitter.com/geoff_p_wade/status/1084683664380768256. Im Zwischenbericht 2018 der Poly Culture North America wurde erwähnt, dass das Unternehmen »drei erstklassige thematische Ausstellungen und 32 Kulturaustauschveranstaltungen« durchgeführt hatte: https://tinyurl.com/yx3t3xhp.

30 »Wengehua Zhonghua wenhua cujinhui jiepai chengli« (温哥华中华文化促进会揭牌成立) [Feierliche Eröffnung des Chinesischen Vereins für Kulturförderung in Vancouver], in: Dahuawang, 17. Juli 2019, http://dawanews.com/dawa/node3/n5/n18/u1ai26835.html.

31 Sam Cooper und Brian Hill, »Alleged gang kingpin may have used Liberal MP's law firm to launder money through B.C. condo deal«, in: *Global News*, 11. Juni 2019.

32 https://tinyurl.com/r2ceb84.

33 Zak Vescera, »Local Chinese groups take out pro-Communist Party ads amidst Hong Kong protests«, in: *Vancouver Sun*, 26. Juni 2019. Zu beachten ist auch, dass George Chow im Jahr 2016 zum Berater ehrenhalber der Teo Chew Society of Vancouver ernannt wurde: https://tinyurl.com/vydwptb. Der gegenwärtige Präsident der Gesellschaft ist Feng Rujie (冯汝洁), der im Jahr 2018 zum Mitglied des Auslandsrats des 10. Komitees des Allchinesischen Bunds für repatriierte Auslandschinesen ernannt wurde: https://tinyurl.com/tn9obxe.

34 Douglas Quan, »Defence minister ripped for attending gala honouring Chinese Communist Party anniversary«, in: *National Post*, 30. September 2019.

35 Bob Mackin, »B.C.'s Premier and L-G to skip Communist China's 70th birthday parties«, in: *The Breaker*, 28. August 2019. Über Chows Reise nach Guangzhou berichtete auch die OCAO Guangzhou, vgl. https://tinyurl.com/sbh8kxq.

36 Sean Brady, »Kamloops' Chinese community provides input on museum project«, in: *Kamloops This Week*, 19. Januar 2019.

37 Ebd.

38 Geoff Wade, »Spying beyond the façade«, in: *The Strategist*, Australian Strategic Policy Institute, 13. November 2013. Wade verwendete andere Namen, weil dieser Bericht vor der großen Militärumstrukturierung Chinas von 2015/2016 verfasst wurde.

39 http://www.caifc.org.cn/en/jgsz_l.aspx?cid=28; http://www.caifc.org.cn/en/content.aspx?id=1083.

40 Mark Stokes und Russell Hsiao, »The People's Liberation Army General Political Department: political warfare with Chinese characteristics«, Project 2049 Institute, 14. Oktober 2013.

41 Stokes und Hsiao, »The People's Liberation Army General Political Department«, S. 25.

42 Wade, »Spying beyond the façade«.

43 Ebd.

44 Andy Kroll und Russ Choma, »Businesswoman who bought Trump penthouse is connected to Chinese Intelligence Front Group«, in: *Mother Jones*, 15. März 2017.

45 China Arts Foundation (中国艺术基金会), https://tinyurl.com/stlxdro; https://tinyurl.com/tz5tm43.

46 Zheping Huang, »An intricate web ties the woman who paid $16 million for Trump's condo to China's power elite«, in: *Quartz*, 17. März 2017.

47 Anthony Tommasini, »Let it rain! (After the music, of course)«, in: *New York Times*, 14. Juli 2010. Fotos vom Konzert sind auf der Facebook-Seite der *New York Times* zu sehen. Chinesische Websites, auf denen es angekündigt wird: http://ent.sina.com.cn/y/2011-08-08/11063380366.shtml, sowie https://tinyurl.com/sb8f6bv.

48 Anonym, »Was Lang Lang's propaganda song a jab at White House?«, CBS News, 24. Januar 2011.

49 https://tinyurl.com/rol7pdp.

50 http://blacktiemagazine.com/International_Society/Shanghai.htm.

51 https://tinyurl.com/uxs4tor.

52 https://www.guidestar.org/profile/33-1156962.

53 http://gaa.lucita.org/about_who_angela.shtml; Anonym, »New York Philharmonic forms international advisory board«, in: *Broadway World*, 29. Oktober 2014.

54 Anonym, »New York Philharmonic forms international advisory board«.

55 Vgl. https://www.bloomberg.com/profile/company/1558063D:US und https://web.archive.org/web/20150102025353/http://www.chinaartsfoundation.org/c/cnontactus.html. Der Sitz von CAFI ist in der 555 Madison Avenue in New York registriert. Vgl. https://www.chamber.nyc/directory_detail.php?b=62063&catid=772.

56 Andy Kroll und Russ Choma, »Trump just sold a $15.8 million condo to a consultant who peddles access to powerful people«, in: *Mother Jones*, 27. Februar 2017.

57 Kroll und Choma, »Businesswoman who bought Trump penthouse is connected to Chinese intelligence front group«.

58 https://twitter.com/chinaartsintl/ status/604404511197827072/photo/1; https://twitter.com/chinaartsintl/ status/604405504643862529/photo/1.

59 Anonym, »New York Philharmonic forms international advisory board«.

60 Kroll und Choma, »Businesswoman who bought Trump penthouse is connected to Chinese intelligence front group«.

61 https://www.thequestforit.com/photos/ it_charity_invites-china-arts- foundation_ballet_tiffany-event.html.

62 https://tinyurl.com/tl8j59j; https:// tinyurl.com/revjsda; https://twitter. com/chinaartsintl?lang=en; https:// tinyurl.com/wmm2bwl.

63 Zheping Huang, »An intricate web ties the woman who paid $16 million for Trump's condo to China's power elite«.

64 https://tinyurl.com/vqwt2bb, Huaxing Art Troupe (华星艺术团).

65 Ein weiteres Projekt sind die Chinese Mutual Aid Centers. Vgl. »Qiu Yuanping wei xin yi pi ›Huaxing yishutuan‹ jie pai« (裘援平为新一批›华星艺术团‹揭牌) [Qiu Yuanping enthüllt Tafeln für die neue Charge von Huaxing Arts Troupes], in: *Qiaowang*, 28. September 2016, https://tinyurl.com/ stwvanl.

66 https://tinyurl.com/wb3wzrj; Chongyi Feng, »How the Chinese Communist Party exerts its influence in Australia: detained professor«, in: ABC News online, 6. Juni 2017.

67 »Deguo Falankefu Huaxing yishutuan chenggong ban chunwan« (德国法兰克福 华星艺术团成功办春晚) [Frankfurt Huaxing Arts Troupe organisiert erfolgreiche Gala des Frühlingsfestivals], in: *Global Times online*, 7. Februar 2018; https://tinyurl.com/t7zahaj.

68 http://www.chinaconsulatechicago.org/ eng/lghd/t1547374.htm.

69 https://tinyurl.com/yxq9zxgx. »建立了与政要、主要华人社团、社会名流以及艺术家联系资料档案库«.

70 Nick McKenzie, Nick Toscano und Grace Tobin, »Crown's unsavoury business links: how Australia's casino got tied up with criminals«, in: *The Age*, 28. Juli 2019.

71 https://tinyurl.com/uhz76hf.

72 Jeff Yang, »The shocking viral reaction to a prom dress«, in: CNN online, 3. Mai 2018.

73 Joyce Siu, »Vintage in vogue: patriotic ladies revive ›Qipao‹ dress«, in: *Sixth Tone*, 4. Januar 2018.

74 Anonym, »Qipao fans step out worldwide«, in: *China Daily*, 18. Mai 2015.

75 Ebd.

76 https://tinyurl.com/r8qxjbj; https:// tinyurl.com/u3sd4ww.

77 https://tinyurl.com/uqhdt7k.

78 https://tinyurl.com/ru889ws.

79 https://tinyurl.com/sogu336.

80 https://tinyurl.com/vlseqh5. Offenbar kam es im Jahr 2017 zu einer internen Auseinandersetzung. Seit dem 28. April 2017 ist Wang Quan nicht länger »Vorsitzender« der Chinesischen Cheongsam-Vereinigung. Im selben Jahr rief Wang die China Qipao Society Global Alliance ins Leben, https://tinyurl.com/ s5ywoe6; https://tinyurl.com/r4gwmy8. Die Chinesische Qipao-Vereinigung nennt sich seit Kurzem Chinesische Cheongsam-Vereinigung. Es gibt eine Reihe weiterer Gesellschaften, die das *qipao* feiern: https://tinyurl.com/ uxz6lbo.

81 https://tinyurl.com/wbvgofd.

82 Anonym, »Chinese Qipao Federation lands in Germany«, in: *People's Daily*, 23. Januar 2018.

83 https://tinyurl.com/ujhwanb; https:// tinyurl.com/sfcdb3s.

84 https://tinyurl.com/wp69pyc.

85 https://tinyurl.com/uz2f5mz.

86 https://tinyurl.com/unz5f7c; https:// tinyurl.com/tw2xk5m.

87 Wie es Shen Yan ausdrückt, der Leiter der Abteilung für Einheitsfronttheorie

an der Parteihochschule Liaoning: »Setzt die Kultur für die kulturelle Einheitsfrontarbeit in der neuen Ära ein« (以文化之做好新时代文化统战工作), https://tinyurl.com/sb3nbt5.

88 Shan Renping, »Canadian Miss World contestant misguided by her values«, in: *Global Times*, 29. November 2015.

89 Anonym, »Canada's Miss World finalist Anastasia Lin comes out as a Falun Gong practitioner«, in: *South China Morning Post*, 28. August 2015.

90 Ebd.

91 Tom Blackwell, »Ottawa man says Dragon-boat festival CEO ordered him to remove Falun Gong shirt, citing Chinese sponsorship«, in: *National Post*, 16. Juli 2019.

92 Anonym, »US town arts center removes paintings depicting President Xi Jinping«, Radio Free Asia, 4. Februar 2019.

93 Anonym, »US town arts center removes paintings depicting President Xi Jinping«.

94 Anonym, »Zhang Yimou's ›One Second‹ abruptly pulled from Berlinale«, in: *Asia in Cinema*, 11. Februar 2019.

95 Patrick Frater, »Banned in Berlin: why China said no go to Zhang Yimou«, in: *Variety*, 11. Februar 2019.

96 Anonym, »Ai Weiwei hits out at self-censorship by Western organizations after film is cut«, *Radio Free Asia*, 21. Februar 2019.

97 https://audi-konfuzius-institut-ingolstadt.de/en/institut/ueber-uns.html.

98 Anonym, »Ai Weiwei hits out«.

99 Amy Qin, »Dissident artist Ai Weiwei is cut from film; producer cites ›fear of China‹«, in: *New York Times*, 19. Februar 2019.

100 Anonym, »Ai Weiwei hits out«.

101 Qin, »Dissident artist Ai Weiwei is cut from film«.

102 Tim Winter, »One Belt, One Road, One Heritage: cultural diplomacy and the Silk Road«, in: *The Diplomat*, 29. März 2016; Zhang Xinjiang, »›Belt and Road‹ boosts Chinese cultural industry«, in: *China Daily*, 2. Mai 2018.

103 http://www.xinhuanet.com/ent/2016-11/17/c_1119928799.htm. Vollständiger chinesischer Text unter: http://archive.today/2019.10.05-001738/https://www.scio.gov.cn/xwfbh/xwbfbh/wqfbh/37601/38866/xgzc38872/Document/1636159/1636159.htm.

104 Zumindest laut Angabe in diesem Artikel: http://archive.today/2019.10.05-002647/https://www.yidaiyilu.gov.cn/xwzx/gnxw/13841.htm. In anderen Quellen findet man andere Zahlen.

105 Diana Yeh, »The cultural politics of invisibility«, in: Ashley Thorpe und Diana Yeh (Hg.), *Contesting British Chinese Culture* (London: Palgrave, 2018), S. 49.

106 Yeh, »The cultural politics of invisibility«.

107 Der Sitz des Theaterbunds befindet sich in Beijing im Bezirk Xicheng. Die *People's Daily* schreibt, dass die Entscheidung zur Gründung der Silk Road International League of Theatres eine Erweiterung der strategischen Partnerschaft zwischen der China Arts and Entertainment Group, der Bezirksverwaltung von Xicheng und der Beijing Tianqiao Zenith Investment Group war (dies ist ein 2014 gegründeter lokaler Staatsbetrieb, der sich auf Kulturveranstaltungen spezialisiert hat). Vgl. https://web.archive.org/web/20190208040104/http://ydyl.people.com.cn/n1/2018/0402/c411837-29901477.html. Die Beijing Tianqiao Zenith Investment Group ist ein großes Unternehmen, das seine Aufgabe darin sieht, »eine umfassende Produktionskette von Kultur und darstellender Kunst aufzubauen«, https://web.archive.org/web/201902 08041156/http:/www.bjtqss.com/index.php?m=content&c=index&a=lists&catid=7.

108 http://www.xinhuanet.com/ent/2016-11/17/c_1119928799.htm. »Chinas Kulturminister Luo Shugang erklärte, dass die Gründung der Silk Road International League of Theatres eine schöpferische Leistung im Rahmen der Seidenstraßen-Initiative war«. Anonym,

»Silk Road International League of Theatres launched in Beijing«, in: *China Daily*, 24. Oktober 2016.

109 Nationale Entwicklungs- und Reformkommission, »Ministry of Culture ›One Belt, One Road‹ Cultural Development Action Plan (2016–2020)«, Website 2016, http://www.ndrc.gov.cn/fzgggz/fzgh/ghwb/gjjgh/201707/t20170720_855005.html.

110 https://web.archive.org/web/20180822192043/http://srilt.org/en/members/; http://www.xinhuanet.com/ent/2016-11/17/c_1119928799.htm.

111 Jia Tolentino, »Stepping into the uncanny, unsettling world of Shen Yun«, in: *The New Yorker*, 19. März 2019.

112 http://leeshailemish.com/on-shen-yun/whos-afraid-of-shen-yun/.

113 Frank Fang, »Document reveals Beijing pressured UN diplomats to boycott Shen Yun performances«, in: *Epoch Times*, 21. Februar 2019.

114 Juan Pablo Cardenal und Heriberto Araujo, »China quiso prohibir el estreno de una obra de teatro en Barcelona«, in: *El Mundo*, 6. April 2014.

115 http://leeshailemish.com/on-shen-yun/2014/03/30/chinese-embassy-epic-fail-in-berlin/.

116 Kopie einer E-Mail, die sich im Besitz der Autoren befindet. Am 20. Juli 2019 wurde Stacy Lyon per E-Mail angeschrieben, um ihr Gelegenheit zu geben, dies zu kommentieren oder zu erklären. Sie antwortete nicht.

117 Andreas Bøje Forsby, »Diplomacy with Chinese characteristics: the case of Denmark«, in: *Asia Dialogue*, 18. Dezember 2018. Im Jahr 2012 hinderte die dänische Polizei »systematisch friedliche Pro-Tibet-Demonstranten an der Wahrnehmung ihres verfassungsmäßig garantierten Rechts auf Redefreiheit, als Hus Motorradkorso durch die Straßen von Kopenhagen fuhr«.

118 Anonym, »Xi urges Spanish enterprises to make best use of CIIE platform«, in: *China Daily*, 29. November 2018.

119 Janita Kan, »Chinese embassy pressured theatre to cancel Shen Yun perfor-mances in Spain, investigation reveals«, in: *Epoch Times*, 29. Januar 2019.

120 Anonym, »El Teatro Real acercará al público chino su contenido a través de la plataforma cultural online Palco Digital«, *Europa Press*, 1. April 2019. Bei dem Bericht handelt es sich offenbar nicht um einen Aprilscherz.

121 Amy Qin und Audrey Carlsen, »How China is rewriting its own script«, in: *New York Times*, 18. November 2018.

122 Qin und Carlsen, »How China is rewriting its own script«.

123 https://twitter.com/markmackinnon/status/1152241649893945346.

124 Pradeep Taneja, »China-India bilateral economic relations«, in: Kanti Bajpai, Selina Ho und Manjari Chatterjee (Hg.), *Routledge Handbook on China–India Relations* (London: Routledge, o. J.).

125 Anonym, »Xi sends letter to congratulate 70th anniversary of national writer, artist groups«, in: *China Daily*, 16. Juli 2019.

126 Patrick Boehler und Vanessa Piao, »Xi Jinping's speech on the arts is released, one year later«, in: *New York Times*, 15. Oktober 2015.

127 Joel Martinsen, »The Chinese Writers' Association: what good is it?«, Blogpost, in: *Danwei*, 17. November 2006. In seiner Geschichte der chinesischen Literatur schreibt Hong Zicheng, die wichtigeren Funktionen des Autorenverbands bestünden darin, »politische und künstlerische Führung und Kontrolle über die literarischen Aktivitäten auszuüben und zu gewährleisten, dass die literarischen Normen angewandt werden«. Hong, Zicheng, *A History of Contemporary Chinese Literature* (Leiden: Brill, 2007), S. 27. Deng Xiaopings Tochter Deng Rong ist ein Mitglied des Chinesischen Autorenverbands, vgl. https://web.archive.org/web/20150322033230/http://www.chinaartsfoundation.org/cn/leadership.html.

128 Oiwan Lam, »Two writers publicly resign amid the Chinese Communist Party's tightening grip on culture«, in: *Hong Kong Free Press*, 20. März 2016.

129 Zur Universität Waterloo vgl. Anonym, »Our quilts: one world same dream«, in: *China Daily*, 2. Mai 2014; https://www.writersunion.ca/member/yan-li. Zum Melbourne Writers Festival vgl. Hamilton, *Silent Invasion*, S. 239–42. Zur University of Iowa vgl. https://iwp.uiowa.edu/programs/life-of-discovery/2012.

130 Alex Joske, »Reorganizing the United Front Work Department: new structures for a new era of diaspora and religious affairs work«, in: *China Brief*, 19:9, 9. Mai 2019.

131 Adrian Zenz, »You can't force people to assimilate. So why is China at it again?«, in: *New York Times*, 16. Juli 2019.

132 Anonym, »Chinese Catholic bishop ordained with Pope's approval«, in: *BBC News online*, 28. August 2019.

133 Vgl. Hamilton, *Silent Invasion*, S. 243 f.

134 Julia Bowie und David Gitter, »The CCP's plan to ›Sinicize‹ religions«, in: *The Diplomat*, 14. Juni 2018; Laurie Chen, »Red flag for Buddhists? Shaolin Temple ›takes the lead‹ in Chinese patriotism push«, in: *South China Morning Post*, 28. August 2018.

135 Geoff Wade, Tweet, 2. August 2018, https://twitter.com/geoff_p_wade/status/1024960867778093056.

136 https://www.dpmchina.org/directors-blog/chinas-plan-to-sinicize-religions.

137 Rhiana Whitson, »Communist Party-linked group holds event at Hobart's Parliament House, Tasmanian politicians attend«, in: *ABC News online*, 5. Dezember 2017.

138 https://tinyurl.com/qsup4cp.

139 https://twitter.com/alexjoske/status/1161052811334828032?lang=en.

140 Beschrieben in David Gitter u. a., *Party Watch*, Centre for Advanced China Research, Wochenbericht 3/1, 28. September 2019.

141 Lauren Teixeira, »He never intended to become a political dissident, but then he started beating up Tai Chi masters«, in: *Deadspin*, 3. Oktober 2019.

11 Denkfabriken und Meinungsführer

1 Zitiert in: Bethany Allen-Ebrahimian, »This Beijing-linked billionaire is funding policy research at Washington's most influential institutions«, in: *Foreign Policy*, 28. November 2017.

2 绝对不允许吃共产党的饭，砸共产党的锅。Zitiert「绝不容吃饭砸锅」习近平批示讲硬话, Mingpao, 27. Oktober 2014, https://www.mingpaocanada.com/van/htm/News/20141027/tcbf1_r.htm.

3 Guo Yezhou, der stellvertretende Leiter der Internationalen Verbindungsabteilung der KPCh, spricht sogar von 100 Mitgliedern allein im Ausland. Vgl. »Guo Yezhou: quan fangwei, kuan lingyu, duo cenci de zhengdang waijiao xin geju yi xingcheng« (郭业洲：全方位、宽领域、多层次的政党外交新格局已经形成) [Guo Yezhou: Ein neues Muster umfassender, weitreichender und mehrschichtiger Diplomatie von Regierung und Partei nimmt bereits Form an], Xinhua, 21. Oktober 2017, https://web.archive.org/web/201901 03043807/http://www.xinhuanet.com/politics/19cpcnc/2017-10/21/c_129724182.htm. An anderer Stelle ist von über 100 Mitgliedern im In- und Ausland die Rede. Vgl. https://tinyurl.com/wy8bj7x.

4 »Professor John L. Thornton Honored Friendship Award«, Tsinghua SEM, 13. Oktober 2008, https://tinyurl.com/v3zb7yf.

5 »About us«, http://www.silkroad-finance.com/en/about/; »John Thornton: Chairman of the Board«, http://www.silkroad-finance.com/en/our-team/. SRFC hat eine eigene Denkfabrik, das Silk Road Research Center, dessen geschäftsführende Vizepräsidentin Li Xiaolin ist, die Tochter des ehemaligen Ministerpräsidenten Li Peng, https://twitter.com/geoff_p_wade/status/1067775094875799562?lang=en. Vor Partnern an der Renmin-Universität erklärte Li Xiaolin, das Zentrum sei eine »neuartige Denkfabrik chinesischer Prägung, die der Seidenstraßen-Initiative dienen soll«. Vgl.

»Executive Vice Chairman of the Silk Road Planning Research Center Li Xiaolin visits RUC«, Website der Renmin-Universität, 7. Mai 2018, https://www.ruc.edu.cn/archives/32079.

6 »John Thornton: Chairman of the Board«, Website der Silk Road Finance Corporation, o.D., https://web.archive.org/web/20190606092335/http://www.silkroad-finance.com/en/our-team/; »Li Shan: huiguo chuangye bi zheng qian geng you xingfu gan« (李山：回国创业比挣钱更有幸福感) [Li Shan: Nach China zurückzukehren und ein Unternehmen zu gründen, macht mich glücklicher als Geld zu verdienen], in: Sina, 1. November 2011, https://web.archive.org/web/20150921232843/http://news.sina.com.cn/c/2006-11-01/102911389539.shtml.

7 Rachelle Younglai, »The man with the key to China: Barrick Gold's quest to open new doors«, in: The Globe and Mail, 6. Dezember 2013, https://tinyurl.com/whrndx6.

8 »Professor John L. Thornton Honored Friendship Award«, Tsinghua SEM, 13. Oktober 2008, https://tinyurl.com/v3zb7yf.

9 »About the Brookings-Tsinghua Center for Public Policy«, Website der Brookings Institution, o.D., https://www.brookings.edu/about-the-brookings-tsinghua-center-for-public-policy/.

10 »Brookings China Council launches on the eve of Obama-Xi Summit«, Website der Brookings Institution, 22. September 2015, https://www.brookings.edu/news-releases/brookings-china-council-launches-on-the-eve-of-obama-xi-summit/.

11 https://twitter.com/PekingMike/status/1071441574528192512; https://threadreaderapp.com/thread/1084191340232142849.html; Edward Wong und Michael Forsythe, »China's tactic to catch a fugitive official: hold his two American children«, in: New York Times, 25. November 2018.

12 Isaac Stone-Fish, »Huawei's surprising ties to the Brookings Institution«, in: Washington Post, 7. Dezember 2018.

13 »Donors to Chatham House«, Website von Chatham House, https://www.chathamhouse.org/about/our-funding/donors-chatham-house.

14 »H.E. Ambassador Liu Xiaoming meets with director of Chatham House Dr Robin Niblett CMG«, Website der chinesischen Botschaft in Großbritannien, 6. Januar 2017, https://web.archive.org/web/20190823174422/http://www.chinese-embassy.org.uk/eng/tpxw/t1429999.htm.

15 Robin Niblett, »What the world can expect from the Boris Johnson government«, in: The Hill, 30. Juli 2019.

16 Yu Jie, »Britain needs to decide what it wants from China«, Chatham House, 26. Februar 2019, https://www.chathamhouse.org/expert/comment/britain-needs-decide-what-it-wants-china.

17 »Spotlight: overseas experts laud Xi's speech on China's foreign policy«, Xinhua, 24. Juni 2018, https://tinyurl.com/vdpkss5.

18 »Ambassador Liu Xiaoming attends ›Vision China‹ hosted by China Daily and delivers a keynote speech«, Website der chinesischen Botschaft in Großbritannien, 15. September 2018, https://tinyurl.com/u2qmg8e; https://tinyurl.com/v72jauj.

19 »Interview: consumers to underpin Chinese growth in coming years, says Jim O'Neill«, Xinhua, 13. September 2019, https://tinyurl.com/woj965n.

20 Lei Xiaoxun und Wang Minglei, »Analysts agree that vision puts China on right track«, in: China Daily, 21. Oktober 2017.

21 »Lord Browne of Madingley«, Website von Chatham House, o.D., https://www.chathamhouse.org/about/governance/panel-senior-advisers.

22 »EU–China economic relations to 2025: building a common future, a joint report by Bruegel, Chatham House, China Center for International Economic Exchanges, and the Chinese University of Hong Kong«, September 2017, https://www.chathamhouse.org/publication/eu-china-economic-relations-2025-building-common-future.

23 »Next steps in renminbi internationalization«, Chatham House, o.D., https://
tinyurl.com/umd56fr.

24 »About the Paulson Institute«, Website
des Paulson Institute, o.D., http://www.
paulsoninstitute.org/about/about-
overview/.

25 »A first gathering for implementation
of the Green Investment Principles for
the Belt and Road«, 26. September 2019,
https://tinyurl.com/vgtbxyu.

26 Vgl. z. B. unter Macro Outlook abge-
legte Artikel, https://macropolo.org/
analysis_category/macro-outlook/.
Neil Thomas, »Matters of record: reliti-
gating engagement with China«, Macro Polo, 3. September 2018.

27 »Vice-premier meets former US trea-
sury secretary Henry Paulson«, Website der chinesischen Regierung, 11. April 2019, https://tinyurl.com/tuknw6a.

28 »Chen Jining meets with Chairman of
Paulson Institute«, Website der Stadtregierung von Beijing, 15. April 2019,
http://www.ebeijing.gov.cn/Govern
ment/Mayor_office/OfficialActivities/
t1583250.htm.

29 »Chen Jining meets with Chairman of
Paulson Institute«, Website der Stadtregierung von Beijing, 15. April 2019,
http://www.ebeijing.gov.cn/Government/
Mayor_office/OfficialActivities/
t1583250.htm. In dem Bericht wird
nicht erwähnt, welches der Gegen-
stand der Absichtserklärung war, geschweige denn, dass der Text des Dokuments veröffentlicht worden wäre.
Ausgehend von der früheren Arbeit
des Paulson Institute mit chinesischen
Partnern könnte man vermuten, dass
es sich um grüne Finanzierung handelte.

30 »China issues first certificates for overseas NGOs«, in: China Daily, 21. Januar
2017, https://web.archive.org/web/2019
1201150112/http://www.chinadaily.
cn/china/2017-01/24/content_28041563.
htm.

31 CGTN America, »Authors say Western-
style democracy won't work in Hong
Kong«, YouTube-Kanal von CGTN
America, 17. Oktober 2014, https://www.

youtube.com/watch?v=nrhANAmPOxg.
Vgl. auch CGTN America, »Nicolas
Berggruen on ›Giving Pledge‹ and
think tanks«, YouTube-Kanal von CGTN
America, 21. April 2015, https://www.
youtube.com/watch?v=FAUNOL_d8YM.

32 CGTN America, »Authors say Western-
style democracy won't work in Hong
Kong«.

33 Zhang Weiwei, »For China's one-party
rulers, legitimacy flows from prosperity and competence«, Berggruen Institute, 1. März 2017, https://www.berg-
gruen.org/ideas/articles/for-china-s-
one-party-rulers-legitimacy-flows-
from-prosperity-and-competence/.

34 Zu Zheng Bijian vgl. https://web.
archive.org/web/20191029020838/
http://www.ciids.cn/content/2016-04
/19/content_12581303.htm. Zur Understanding China-Konferenz vgl. https://
web.archive.org/web/20190821155415/
https://www.berggruen.org/people/
group/21st-century-council/; Rachel
S. Bauch, »Berggruen Institute and Peking University announce new hub for
research and dialogue on global trans-
formations affecting humanity«, Berggruen Institute, 6. Juni 2018, https://
tinyurl.com/vxglz3t. Vgl. auch Nathan
Gardels, »Chinese President Xi Jinping
meets the 21st Century Council in Beijing«, Berggruen Institute, 3. November
2015, https://tinyurl.com/s5frygq.

35 »CIIDS Chairman Zheng Bijian met
with Berggruen Institute co-founder
Nathan Gardels last weekend to dis-
cuss globalization and China«, Berggruen Institute auf Twitter, 18. Juli 2017,
https://twitter.com/berggruenInst/
status/887342354700541952.

36 »The 3rd ›Understanding China‹ conference«, https://web.archive.org/web/
20190921003945/http://img.cyol.com/
img/news/ddzg.pdf.

37 »The Washington Post and Berggruen
Institute partner to publish The World-
Post«, in: Washington Post, 6. Februar
2018, https://www.washingtonpost.
com/pr/wp/2018/02/06/the-washington-
post-and-the-berggruen-institute-
partner-to-publish-the-worldpost/.

38 Die *Huffington Post* veröffentlicht zahlreiche Artikel unter dem Label *World-
Post* und druckte Zhang Weiweis Lob
für das politische Modell Chinas nach.
Vgl. »In China, unlike Trump's America, political legitimacy is built on
competence and experience«, in: *Huffington Post*, 3. März 2017.

39 Tiffany Li, »China's influence on digital
privacy could be global«, in: *Washington Post*, 7. August 2018.

40 Song Bing, »China's social credit system may be misunderstood«, in: *Washington Post*, 29. November 2018;
»Song Bing«, https://www.berggruen.
org/people/bing-song/. Entdeckt von
Mike Forsythe auf Twitter. Das Argument, das Sozialpunktesystem sei
in den Medien nicht richtig dargestellt worden, hat etwas für sich, aber
Song Bing rückt das System in seinem Artikel in ein viel zu vorteilhaftes
Licht.

41 »Daniel Bell«, https://www.berggruen.
org/people/daniel-bell/; https://china
matters.blogspot.com/2012/11/its-not-
freedom-vs-truth-its-daniel.html.

42 Mark Mackinnon, »Canadian icono-
clast Daniel A. Bell praises China's one-
party system as a meritocracy«, in:
Globe and Mail, 24. November 2012.

43 Andrew Nathan liefert in »The problem with the China model« eine bril-
lante Dekonstruktion Bells, in: *Chinafile*, 5. November 2015.

44 »Gaoju dangmei qizhi, lüxing zhize
shiming« (高举党媒旗帜 履行职责使
命) [Das Banner der Parteimedien
hochhalten und die Pflichten der Mission erfüllen], Website der chinesischen Internetaufsichtsbehörde
(Cyberspace Administration), 26. April
2017, https://tinyurl.com/vn39gs8.

45 Ebd.

46 Mark Stokes und Russell Hsiao, *The
People's Liberation Army General Political Department: Political warfare
with Chinese characteristics*, Project
2049 Institute, Oktober 2013, S. 25; Bethany Allen-Ebrahimian, »This Beijing-linked billionaire is funding policy
research at Washington's most influential institutions«, in: *Foreign Policy*,
28. November 2017.

47 Vgl. z. B. https://web.archive.org/web/
20190914172232/https://www.eastwest.
ngo/sites/default/files/us-china-sanya-
initiative-dialogue-10th-meeting.pdf:
»Das EastWest Institute (EWI) organisierte eine Veranstaltung anlässlich des
10. Jahrestags der U.S.-China Sanya
Initiative vom 27. bis 29. Oktober 2018.
Das Gespräch wurde durch die großzügige Unterstützung der China-
United States Exchange Foundation
(CUSEF) und anderer privater Geldgeber ermöglicht und in enger Zusammenarbeit mit der Chinesischen
Vereinigung für internationale Freundschaftskontakte (China Association for
International Friendly Contact,
CAIFC) organisiert.« Vgl. auch Michael Raska, »China and the ›three
warfares‹«.

48 Tony Cheung, »Former Hong Kong
leader Tung Chee-hwa accuses the
United States and Taiwan of orchestra-
ting ›well-organised‹ recent protests«,
in: *South China Morning Post*, 31. Juli
2019.

49 »Our founders«, https://www.fung-
foundation.org/our-founders/;
https://www.cusef.org.hk/dr-victor-
k-fung/.

50 Der vollständige Name dieser Stiftung
lautet »The Victor and William Fung
Foundation«. Vgl. https://www.fung-
scholars.org/about/.

51 »Mission«, AmericaChina Public Affairs Institute, o.D., https://www.
americachina.us/mission.

52 »Goals«, AmericaChina Public Affairs
Institute, o.D., https://www.america
china.us/goals.

53 https://efile.fara.gov/docs/5875-Short-
Form-20150204-162.pdf; »About«,
Website von BLJ Worldwide, o.D.,
http://www.bljworldwide.com/about-
us/.

54 »Podesta, Tony, lobbyist profile: sum-
mary 2017«, Center for responsive Politics, https://www.opensecrets.org/
lobby/lobbyist.php?id=Y0000046505
L&year=2017.

55 Richard Pollock, »Tony Podesta made $500k lobbying for Chinese firm convicted of illegal sales to Iran«, in: *Daily Caller*, 27. März 2017.

56 »Center For American Progress Visit 2016«, Website von CUSEF, 23. Juni 2016, https://www.cusef.org.hk/high-level-dialogues/center-for-american-progress-visit-2016/.

57 Robert Henderson, »China: Great power rising«, in B. McKercher (Hg.), *Routledge Handbook of Diplomacy and Statecraft* (London: Routledge, 2012), S. 70.

58 Center for American Progress, »U.S.-China high level dialogue«, https://wikileaks.org/podesta-emails/fileid/9612/2554.

59 Bethany Allen-Ebrahimian, »This Beijing-linked billionaire is funding policy research at Washington's most influential institutions«.

60 François Godement und Abigaël Vasselier, *China at the Gates. A new power audit of EU-China relations* (London: European Council on Foreign Relations, 2017), S. 78.

61 Jonathan Oliver, »Which way will Nick Clegg turn?«, in: *Sunday Times*, 25. April 2010.

62 Pierre Defraigne, Brief an *Politico* in Reaktion auf den Artikel »China-backed think tank exits Brussels«, https://www.coleurope.eu/system/tdf/uploads/page/madariagapoliticoen.pdf?file=1&type=node&id=9804&force.

63 James Panichi, »China-backed think tank exits Brussels«, in: *Politico*, 23. Juli 2015.

64 »Dewinter werkte voor Chinese ›spion‹: ›Als hij een spion was, was ik James Bond‹«, in: *Gazet van Antwerpen*, 12. November 2018, https://www.gva.be/cnt/dmf20181112_03935995/filip-dewinter-werkte-voor-chinese-spion.

65 Anonym, »Sichou zhi lu hepingjiang jijinhui zhuxi, heping zhi lü lishizhang Shao Changchun kan sichou zhi lu renwen hezuojiang huodezhe Weikeduo Youxianke boshi« (丝绸之路和平奖基金会主席、和平之旅理事长邵常淳看望丝绸之路人文合作奖获得者维克多尤先科博士) [Shao Changchun, Vorsitzender der Silk Road Peace Prize Foundation und Vorsitzender von Peace Journey, besucht Dr. Wiktor Juschtschenko, Gewinner des Silk Road Humanities Cooperation Award], Website des Beijing Peace Tour Cultural Exchange Center, 21. März 2018, https://web.archive.org/web/201908 23180811/http://www.peace-art.org/detail/602.html.

66 Pierre Defraigne, Brief an *Politico* in Reaktion auf den Artikel »China-backed think tank exits Brussels«.

67 Z.B. »EU-China relations seminar for the students of the College of Europe (17/01)«, College of Europe, https://web.archive.org/web/20190920155437/https://www.coleurope.eu/news/eu-china-relations-seminar-students-college-europe-17/01; »International conference: ›a new order or no order? continuity and discontinuity in the EU-China-US relationship‹«, College of Europe, https://tinyurl.com/see2o4w.

68 »China-EU human rights seminar emphasizes diversity«, in: *China Daily*, 29. Juni 2018, https://tinyurl.com/wbdu6s6.

69 Euractiv, »EU-China: mending differences«, Sonderbericht, 29. Mai – 2. Juni 2017.

70 »Luigi Gambardella: Eu-China should move beyond stereotypes«, in: Euractiv, »EU-China: mending differences«, S. 10 ff.

71 »Mission«, ChinaEU, http://www.chinaeu.eu/mission/.

72 Nicholas Hirst, »Europe's Mr. China«, in: *Politico*, 31. Mai 2017.

73 Es gibt Berichte über Treffen mit Federica Mogherini, Andrus Ansip, Jyrki Katainen, Eric Peters, Mariya Gabriel, Edward Bannerman, Carlos Moedas, Aare Järvan und Hanna Hinrikus, https://www.integritywatch.eu/.

74 Chen Yingqun, »ChinaEU chief responds to Xi speech«, in: *China Daily*, 16. November 2016.

75 »Europe-China forum: cooperation, competition and the search for common ground«, Veranstaltung am

28. November 2018, https://web.archive.
org/web/20190914160202/https://www.
friendsofeurope.org/events/europe-
china-forum-cooperation-competi-
tion-and-the-search-for-common-
ground/; »Europe-China policy &
practice roundtable«, Veranstaltung
am 18. November 2019, https://web.
archive.org/web/20190914160854/
https://www.friendsofeurope.org/
events/europe-china-policy-practice-
roundtable-2/.

76 »Zhu Oumeng shituan tuanzhang
Zhang Ming dashi chuxi di ershiyi ci
Zhong Ou lingdaoren huiwu zhengce
chuifenghui bing fabian zhuzhi yan-
jiang« (驻欧盟使团团长张明大使出席
第二十一次中欧领导人会晤政策吹风
会并发表主旨演讲), Außenministe-
rium der Volksrepublik China,
20. März 2019, https://www.fmprc.gov.
cn/web/wjdt_674879/zwbd_674895/
t1647463.shtml.

77 Vgl. z. B. Federico Grandesso, »Interview: China will remain top priority
for EU foreign policy, says EU expert«,
Xinhua, 25. Juli 2019, http://www.
xinhuanet.com/english/2019-07/25/
c_138256727.htm; »G20 summit dis-
plays China's ability in chairing global
governance forum«, Xinhua, 1. September 2016, http://m.chinadaily.com.cn/
en/2016-09/01/content_26666969.htm.

78 »Partners«, Website des EU-Asia Center, o.D., https://web.archive.org/
web/20200103170646/http://www.eu-
asiacentre.eu/sponsors.php?cat_id=3.

79 Fraser Cameron, »EU can now move
forward with China«, in: China Daily,
9. Mai 2017.

80 Vincent Metten, »The ambivalent attitude of the Brussels based European
Institute for Asian Studies on Tibet«,
Save Tibet, 8. Dezember 2015, https://
weblog.savetibet.org/2015/12/the-
ambivalent-attitude-of-the-brussels-
based-european-institute-for-asian-
studies-on-tibet/.

81 Chen Jia, »Associating the ›Davos Spi-
rit‹ with China's rising economy«,
Werbeanzeige von China Daily, in:
New York Times, o.D., https://web.

archive.org/web/20191201130912/https://
www.nytimes.com/paidpost/china-
daily/associating-the-davos-spirit-
with-chinas-rising-economy.html.

82 Ebd.

83 Isaac Stone-Fish, »What China experts
have to do to get on Beijing's visa
›whitelist‹«, in: Washington Post,
5. September 2019.

84 Diamond und Schell, China's Influence
& American Interests, S. 68.

85 Jennifer Duke, »Huawei heaps pressure
on Telstra, Google over think tank funding«, in: Sydney Morning Herald,
14. Februar 2019.

86 David Bandurski, »The ›misguided academics‹ of Europe«, China Media Project, 6. Februar 2018; vgl. auch Matthias
Müller und Nina Belz, »Wie China seinen Einfluss in Europa ausbaut«, in:
NZZ, 5. Februar 2018.

87 Frank Pieke, »Why the West should
stop projecting its fears onto China
and cultivate a more mature relationship«, in: South China Morning Post,
30. September 2019.

88 Frank Pieke, »How misconceptions
brought China-West relations to the
breaking point«, in: The Diplomat,
22. August 2019.

89 »Hanxuejia Peng Ke: wo de gongzuo
shi jiekai renmen dui Zhongguo keban
yinxiang de miansha« (汉学家彭轲 :
我的工作是揭开人们对中国刻板印象
的面纱) [Sinologe Pieke: Meine Aufgabe ist es, den Schleier der stereoty-
pen Vorstellungen von China zu lüf-
ten], in: Jiemian, 14. August 2018,
https://www.jiemian.com/article/
2383387.html.

90 »Open letter by MERICS director and
CEO Frank N. Pieke«, MERICS, 1. Oktober 2019, https://web.archive.org/
web/20191201153357/https://www.
merics.org/en/china-flash/open-letter-
merics-director-and-ceo-frank-n-
pieke.

91 »Press release: leadership change at
MERICS«, Website von MERICS, 22. Januar 2020, https://www.merics.org/en/
china-flash/press-release-leadership-
change-merics.

92 Tom Plate, »The world can think its way out of a US-China deadlock, starting by reading Singapore's Kishore Mahbubani«, in: *South China Morning Post*, 22. April 2019.

93 »Remarks by Ambassador Lu Shaye at the Seminar on China-Canada Relations«, Website der chinesischen Botschaft in Kanada, 24. Mai 2019, https://web.archive.org/web/20191201161606/http://ca.china-embassy.org/eng/gdxw/t1666127.htm.

94 Jeffrey Sachs, »The war on Huawei«, in: *Project Syndicate*, 11. Dezember 2018.

95 Für einen Kommentar zu der Affäre vgl. Jichang Lulu, »Huawei's Christmas battle for Central Europe«, in: *Sinopsis*, 28. Dezember 2018.

96 »Digital nation: stronger economy, better society, adept governance«, Huawei, Thesenpapier, November 2018, S. 2, https://tinyurl.com/ubatdru.

97 Sachs hat auch Sorgen bezüglich des Technologiediebstahls zurückgewiesen. Vgl. Cristina Maza, »China is using cyberespionage against U.S. to gain military and technology advantages, report reveals«, *Newsweek*, 9. Mai 2018.

98 Matthew Russel Lee, »UN @JeffDSachs fled Twitter after shown as CEFC adviser by Inner City Press Now Roanoke Cyprusq«, Inner City Press, 20. Februar 2019.

99 Jichang Lulu deckte einige dieser Funktionen auf Twitter auf und dokumentierte sie: https://web.archive.org/web/20191201163721/https://twitter.com/jichanglulu/status/1076864146707283968.

100 Kristie Lu Stout, »Jeffrey Sachs: Trump's war on Huawei is ›a danger to the world‹«, YouTube, 12. Dezember 2018, https://www.youtube.com/watch?v=N5Ta_RhsXYY; CBC News, »Canada doing U.S. bidding in Huawei case, economist says«, YouTube, 15. Dezember 2018, https://www.youtube.com/watch?v=NKXotGG8oSU.

101 Li Qingqing, »Is neo-McCarthyism what US elites want to see?«, in: *Global Times*, 17. Dezember 2018.

102 Yen Nee Lee, »Trump's ›economic illiteracy‹ caused the US-China trade war, says professor«, CNBC, 23. März 2019.

103 »Mission & History«, Website des Committee of 100, https://web.archive.org/web/20190921013849/https://www.committee100.org/mission-history/. In einem mittlerweile entfernten Mission Statement aus dem Jahr 2013 wurde erklärt, die Position des C100 decke sich nicht »mit der irgendeiner politischen Partei in den Vereinigten Staaten oder irgendeiner Regierung in Asien«. »Mission & History«, Website des Committee of 100, archivierte Version vom 30. Dezember 2013, https://web.archive.org/web/20190921013849/https://www.committee100.org/mission-history/.

104 »Mission & History«, Website des Committee of 100, archivierte Version vom 30. Dezember 2013.

105 Ebd.

106 Vgl. z. B. Deirdre Shesgreen, »Trapped, alone and ›desperate to come home‹. American siblings barred from leaving China«, in: *USA Today*, 14. September 2019.

107 Vgl. Mark Simon, »How the ›Committee of 100‹ is doing Beijing's bidding in the US«, in: *Hong Kong Free Press*, 1. Mai 2019. »Das Committee of 100 ist eine regimefreundliche Einrichtung, die sich fast ausschließlich mit Themen befasst, die den Interessen der Kommunistischen Partei Chinas entsprechen.«

108 https://tinyurl.com/spehtk9.

109 Z. B. »Guowuyuan Qiaoban zhuren Qiu Yuanping huijian Meiguo ›Bairenhui‹ huizhang« (国务院侨办主任裘援平会见美国»百人会«会长) [Qiu Yuanping, Leiter des Amts für Auslandschinesische Angelegenheiten beim Staatsrat, trifft sich mit dem Präsident des amerikanischen Committee of 100], Website der chinesischen Regierung, 16. April 2013, https://web.archive.org/web/20190907233857/http://www.gov.cn/govweb/gzdt/2013-04/16/content_2379247.htm.

110 »Liu Yandong huijian Meiguo ›Bairenhui‹ daibiaotuan« (刘延东会见美国
»百人会《代表团) [Liu Yandong trifft
Delegation des amerikanischen »Komitees der 100«], in: *Hangzhou tongyi
zhanxian*, 30. November 2007, https://
web.archive.org/web/20191201180958/
http://www.hztyzx.org.cn/article/132.
html.

111 »Tongzhanbu fubuzhang pilu Dalai
siren daibiao tijiao wenjian neirong«
(统战部副部长披露达赖私人代表提
交文件内容) [Stellvertretender Leiter
der Abteilung für Einheitsfrontarbeit
enthüllt Inhalt von Dokumenten, die
der persönliche Repräsentant des Dalai
Lama bereitgestellt hat], in: *Sohu*,
7. Dezember 2008, https://web.archive.
org/web/20190907230715/http://news.
sohu.com/20081207/n261060735.shtml.

112 »Mr. Ronnie C. Chan: governors«,
Website von CUSEF, o.D., https://www.
cusef.org.hk/en/who-we-are/our-
leadership/mr-ronnie-c-chan; »Chen
Qizong« [Ronnie Chan], Website des
Center for China and Globalization,
o.D., https://web.archive.org/
web/20190824171418/http://www.ccg.
org.cn/Director/Member.aspx?Id=969.

113 Kris Cheng, »›Disappointed‹: Joshua
Wong's party accuses Asia Society of
self-censorship following ›ban'‹«, in:
Hong Kong Free Press, 7. Juli 2017; Anonym, »Forbes deletes article on Asia
Society billionaire Chairman Ronnie
Chan«, in: *BC Magazine*, 20. Juli 2017;
Tom Grundy, »Deleted Forbes article
criticising Asia Society tycoon resurfa-
ces online amid accusations of censorship«, in: *Hong Kong Free Press*, 20. Juli
2017.

114 Denise Tang, »Ronnie Chan: philan-
thropist taking charity through the
roof«, in: *South China Morning Post*,
22. September 2014.

115 »Zhonghua Renmin Gongheguo guo-
min jingji he shehui fazhan di shisan
ge wu nian (2016-2020 nian) guihua
gangyao« (中华人民共和国国民经 济
和社会发展第十三个五年 (2016–2020
年) 规划纲要) [Überblick über den
13. Fünfjahresplan für die wirtschaftli-

che und soziale Entwicklung der
Volksrepublik China (2016–2020)],
Website der chinesischen Regierung,
17. März 2016, http://www.gov.cn/
xinwen/2016-03/17/content_5054992.
htm.

116 »Zhonggong Zhongyang Bangongting,
Guowuyuan Bangongting yin fa ›Guanyu jiaqiang Zhongguo tese xinxing
zhiku jianshe de yijian‹« (中共中央办
公厅、国务院办公厅印发《关于加强
中国特色新型智库建设的意见》) [Das
Büro des Zentralkomittes der KPCh
und das Büro des Staatsrats geben eine
»Stellungnahme zur Stärkung des Auf-
baus neuartiger Denkfabriken chinesischer Prägung« heraus], Website der
chinesischen Regierung, 20. Januar
2015, https://web.archive.org/web/
20190824162259/http://www.gov.cn/
xinwen/2015-01/20/content_2807126.
htm. Vgl. auch »Liu Qibao zap guojia
gaoduan zhiku lishihui kuoda huiyi
shang qiangdiao tuidong gaoduan
zhiku jianshe shixian lianghao kaiju«
(刘奇葆在国家高端智库理事会扩大
会议上强调 推动高端智库建设实现
良好开局), Xinhua, 22. Januar 2016,
http://www.xinhuanet.com/politics/
2016-01/22/c_1117867512.htm.

117 »Huang Kunming: dazao shiying xin
shidai xin yaoqiu de gao shuiping
zhiku« (黄坤明：打造适应新时代新
要求的高水平智库) [Huang Kunming:
Aufbau erstklassiger Denkfabriken, die
den Erfordernissen der neuen Ära ge-
nügen], in: *People's Daily Online*,
21. März 2019, http://politics.people.com.
cn/n1/2019/0321/c1001-30988496.html.

118 »About us: who we are«, Website des
Charhar-Instituts, o.D., https://web.
archive.org/web/20191201184548/http://
en.charhar.org.cn/index.php?a=lists
&catid=9.

119 »Dr. Han Fangming, founding chairman«, Website des Charhar-Instituts,
https://web.archive.org/web/201912
01184657/http://en.charhar.org.cn/
index.php?a=lists&catid=11.

120 坚持党的领导，把握正确导向。坚
持党管智库，坚持中国特色社会主
义方向。

121 Anonym, »China to introduce dual-management on think tanks«, Xinhuanet, 4. Mai 2017.

122 Chun Han Wong, »A rare champion of pro-market policies to close in China«, in: *Wall Street Journal*, 27. August 2019; Nectar Gan, »Chinese government pressured property agent into welding iron gates to liberal think tank office doors, penning in workers, director says«, in: *South China Morning Post*, 11. Juli 2018.

123 »Geren jianjie« (个人简介) [Selbstvorstellung], persönliche Website von Wang Huiyao, https://web.archive.org/web/20190825160957/http://scgti.org/wanghuiyao/plus/list.php?tid=11.

124 »2019 Munihei Anquan Huiyi zhuanti yantaohui chenggong juban, chongjian xin duobian zhixu cheng guoji jiaodian« (2019 慕尼黑安全会议专题研讨会成功举办 重建新多边秩序成国际焦点) [Erfolgreiche Sicherheitskonferenz 2019 in München: Errichtung einer neuen multilateralen Ordnung rückt international in den Mittelpunkt], persönliche Website von Wang Huiyao, 18. Februar 2019, https://web.archive.org/web/20190825161859/http://scgti.org/wanghuiyao/a/dongtai/2019/0218/1899.html.

125 »Zhongguo zhiku shouci zai Munihei Anquan Huiyi juban guanfang bianhui huiju guoji shengyin gongyi ›yi dai yi lu‹ xin juhui« (中国智库首次在慕尼黑安全会议举办官方边会 汇聚国际声音共议»一带一路«新机遇) [Chinesische Denkfabrik bringt auf der Münchner Sicherheitskonferenz in einer offiziellen Nebenveranstaltung erstmals internationale Stimmen zusammen, um über neue Chancen für die ›Neue Seidenstraße‹ zu sprechen], persönliche Website von Wang Huiyao, 18. Februar 2019, https://web.archive.org/web/20190825162042/http://scgti.org/wanghuiyao/a/dongtai/2019/0218/1901.html.

126 »Huiyao (Henry) WANG«, Paris Peace Forum, https://parispeaceforum.org/place/huiyao-henry-wang/.

127 Hou Lei, »Top level think tank set up for policymaking«, Website der Ständigen Mission der Volksrepublik China bei den Vereinten Nationen, 3. April 2009, www.china-un.org/eng/gyzg/t555926.htm.

128 »Zhongguo guoji jingji jiaoliu zhongxin jianjie« (中国国际经济交流中心简介) [Vorstellung des China Center for International Economic Exchanges], Website des CCIEE, o.D., https://web.archive.org/web/20190803152321/http://www.cciee.org.cn/list.aspx?clmId=18.

129 »Zhongguo guoji jingji jiaoliu zhongxin neishe jigou zhuyao yewu jigou shezhi ji zhuyao zhize« (中国国际经济交流中心内设机构主要业务机构设置及主要职责) [Wichtigste professionelle institutionelle Regelungen und wichtigste Zuständigkeiten der Institutionen innerhalb des CCIEE], Website des CCIEE, o.D., https://web.archive.org/web/20190803153132/http://www.cciee.org.cn/list.aspx?clmId=635.

130 Für Beispiele von hochrangigen Kadern in Think Tanks vgl. Cheng Li und Lucy Xu, »Chinese think tanks: A new ›revolving door‹ for elite recruitment«, Brookings Institution, 10. Februar 2017.

131 https://tinyurl.com/yd92dkhp.

132 https://tinyurl.com/yd92dkhp.

133 East Asian Bureau of Economic Research und China Center for International Economic Exchanges, *Partnership for Change*, Australisch-chinesischer Gemeinschaftsbericht (Canberra: ANU Press, 2016).

134 »EU–China economic relations to 2025: building a common future«, gemeinsamer Bericht von Bruegel, Chatham House, dem China Center for International Economic Exchanges und der Chinesischen Universität von Hongkong, September 2017, http://bruegel.org/wp-content/uploads/2017/09/CHHJ5627_China_EU_Report_170913_WEB.pdf.

135 »About us«, Website des Taihe-Instituts, o.D., https://web.archive.org/web/20181109140630/http://www.taiheglobal.org/en/gywm/index.html.

136 Nadège Rolland, »Mapping the footprint of Belt and Road influence operations«; »›Yi dai yi lu‹ guoji zhiku

luntan jijiang zai Dunhuang juban«
(»一带一路«国际智库论坛即将在敦
煌举办«), Center for China and Contemporary World Studies, 14. September 2018), https://web.archive.org/
web/20190825154017/http://www.cccws.
org.cn/Detail.aspx?new-
sId=4800&TId=103; »Belt and Road
Studies Network inaugurated«, Belt
and Road Studies Network, 24. April
2019, https://tinyurl.com/vplnujy.

137 Nadège Rolland, »Mapping the footprint of Belt and Road influence operations«.

138 »Silk Road Think Tank Network declaration on joint action«, Website des
Silk Road Think Tank Network, 16. Mai
2017, https://web.archive.org/web/
20190920203610/http://www.esilks.org/
about/declaration.

139 Isaac Stone Fish, »Beijing establishes a
D.C. think tank, and no one notices«,
in: Foreign Policy, 7. Juli 2016.

140 Vgl. Jonas Parello-Plesner und Belinda
Li, »The Chinese Communist Party's
foreign interference operations: how
the U.S. and other democracies should
respond«, Hudson Institute, Juni 2018,
S. 38.

141 Anonym, »Making waves: China tries
to strengthen its hand in a dangerous
dispute«, in: The Economist, 2. Mai
2015.

142 Interviews der Autoren, April 2019.

143 »Advisory board«, Website des ICAS,
o.D., http://chinaus-icas.org/about-
icas/advisory-board/; Myron Nord-
quist, »UNCLOS Article 121 and Itu
Aba in the South China Sea Final
Award: a correct interpretation?«, in:
S. Jayakumar, T. Koh, R. Beckman,
T. Davenport und Hao Duy Phan (Hg.),
The South China Sea Arbitration: The
legal dimension (Edward Elgar, 2018).

144 »Bateman, Sam S.«, Website der University of Wollongong, Australien, o.D.,
https://scholars.uow.edu.au/display/
sam_bateman.

145 Sam Bateman, »Rethinking Australia's
plan B«, in: The Strategist, 29. Oktober
2018.

146 Sam Bateman, »The South China Sea

arbitration ruling – two months on«,
in: The Strategist, 21. September 2016.
Er wies nicht auf seine Verbindung
zum ICAS hin.

147 Gordon Houlden, »Opinion: why the
South China Sea decision matters to
Canada«, in: Edmonton Journal, 15. Juli
2016.

148 ICAS, »Panel 1: risk of U.S.-China strategic competition«, YouTube-Kanal
von ICAS, 28. Mai 2019, https://www.
youtube.com/watch?v=F1LNEyzeHzA;
ICAS, »Luncheon speech: Ms. Susan
Thornton«, YouTube-Kanal von ICAS,
28. Mai 2019, https://www.youtube.
com/watch?v=z8_K5Im_Hm8; ICAS,
»Panel 1: China-U.S. relations at a time
of flux«, YouTube-Kanal von ICAS,
8. Juli 2018, https://www.youtube.com/
watch?v=NrgRvMACpxk; ICAS, »ICAS
Interview with Michael Swaine«, You-
Tube-Kanal des ICAS, 1. August 2016,
https://www.youtube.com/watch?v=
Yx3OnYKPr7M&t=551s; Duncan
DeAeth, »›China's actions consistent
with status-quo in Taiwan Strait‹ says
ex-US State Dept. official«, in: Taiwan-
news, 26. April 2019.

149 China-CEE Institute, Website des
China-CEE Institute, o.D., https://web.
archive.org/web/20190419075129/
https://china-cee.eu/structure/.

150 »News and events«, Website des China-
CEE Institute, o.D., https://archive.is/
EB8MN.

151 »Introduction of the World Forum on
China Studies«, Website des China-
CEE Institute, o.D., https://web.archive.
org/web/20190921182720/http://www.
chinastudies.org.cn/zgxlte1/1.htm.

152 »China's reforms help deepen common
interests of US, China«, in: World Forum on China Studies, 25. Mai 2015,
https://web.archive.org/web/201909
21183120/http://www.chinastudies.org.
cn/e/967.htm.

153 »European symposium of World Forum on China Studies held in Berlin«,
World Forum on China Studies, 13. Juli
2017, https://web.archive.org/web/2019
0921183615/http://www.chinastudies.
org.cn/e/1517.htm.

12 Gedankenmanagement: Der Einfluss der KPCh auf die westliche akademische Welt

1 Dies sind drei der vier Arten von Selbstvertrauen, für die unter Xi Jinping geworben wird. Die vierte ist das kulturelle Selbstvertrauen.

2 Liu Jianming (刘建明), *Deng Xiaoping xuanchuan sixiang yanjiu* (邓小平宣传思想研究) [Forschung zum Propagandadenken von Deng Xiaoping] (Shenyang: Liaoning renmin chubanshe, 1990), S. 164 f.

3 Ebd.

4 Hao Yongping (郝永平) und Huang Xianghuai (黄相怀), »Renmin Ribao renmin yaolun: zengqiang xueshu zixin jiangqing Zhongguo daolu« (人民日报人民要论：增强学术自信 讲清中国道路) [Die essentielle Theorie des Volkes von *People's Daily*: Das akademische Selbstvertrauen erhöhen, um den chinesischen Weg klar zu erklären], in: *People's Daily Online*, 23. Februar 2018.

5 »Jigou zhineng« (机构职能) [Institutionelle Funktionen], Website des Nationalen Büros für Philosophie und Sozialwissenschaften, 19. September 2018, https://web.archive.org/web/20190802154705/http://www.npopss-cn.gov.cn/n1/2018/0919/c220819-30302949.html.

6 Chen Zhuanghai (沈壮海), »Jianshe juyou ziti tese he youshi de xueshu huayu tixi« (建设具有自己特色和优势的学术话语体系) [Errichtung eines akademischen Diskurssystems mit unseren eigenen Charakteristika und Stärken], in: *People's Daily Online,* 23. Mai 2016, http://theory.people.com.cn/n1/2016/0523/c49157-28370464.html.

7 Vgl. »Putong gaozhong Yingyu kecheng biaozhun (2017)« (普通高中英语课程标准 [2017]). »Putong gaozhong Deyu kecheng biaozhun (2017)« (普通高中德语课程标准 [2017]). Wir danken Katja Drinhausen dafür, dass sie uns darauf aufmerksam gemacht hat.

8 Ingrid d'Hooghe, Annemarie Montulet, Marijn de Wolff und Frank N. Pieke, *Assessing Europe – China Collaboration in Higher Education and Research* (Leiden: LeidenAsiaCentre, 2018), S. 11.

9 Die Redaktion, »A professor at China's premier university questioned Xi Jinping. Then he was suspended«, in: *Washington Post*, 28. März 2019; Didi Tang, »Professor Zheng Wenfeng suspended for saying Chinese history is overrated«, in: *The Times*, 22. August 2019.

10 Zitiert in: Anonym, »A message from Confucius«, in: *The Economist*, 22. Oktober 2009.

11 David Shambaugh, »China's propaganda system: institutions, processes and efficacy«, in: *China Journal*, Nr. 57, Januar 2007, S. 50.

12 »How many Confucius Institutes are in the United States?« National Association of Scholars, 9. April 2018, zuletzt aktualisiert am 15. Juli 2019, https://www.nas.org/blogs/dicta/how_many_confucius_institutes_are_in_the_united_states.

13 Benedict Rogers, »How China's overseas Confucius Institutes pose a powerful threat to academic freedom«, in: *Hong Kong Free Press*, 5. Mai 2019.

14 Das ist nicht immer so gewesen, aber einige Einrichtungen, die sich nicht an diese Regelungen halten, haben aus ebendiesem Grund Probleme bekommen. Beispielsweise wurde das Konfuzius-Institut Lyon im Jahr 2009 als unabhängige, gemeinnützige Einrichtung gegründet. Doch drei Jahre später begann Hanban zu fordern, das Institut müsse in die Universität Lyon integriert werden, und setzte den jährlichen Zuschuss für die Einrichtung ohne Vorwarnung aus. Das Institut wurde 2013 geschlossen, da die beiden Seiten keine Lösung fanden. Vgl. »Lyon Confucius Institute closure«, persönliche Website von Gregory Lee, dem ehemaligen Direktor, https://www.gregorylee.net.

15 Alexander Bowe, »China's Overseas United Front Work: Background and implications for the United States«, U.S.-China Economic and Security Review Commission, August 2018, S. 13.

16 Rachelle Petersen, *Outsourced to China: Confucius Institutes and soft power in American higher education* (New York: National Association of Scholars, 2017).

17 Petersen, *Outsourced to China*, S. 88.

18 Geoff Wade, »Confucius Institutes and Chinese soft power in Australia«, Canberra, Parliamentary Library, 24. November 2014; Hamilton, *Silent Invasion*, S. 218.

19 Anonym, »Dalian Waiguoyu Xueyuan fahui waiyu yuanxiao youshi tuidong Gang Ao Tai haiwai tongzhan gongzuo ›wu xin‹ fazhan« (大连外国语学院发挥外语院校优势 推动港澳台海外统战工作»五新«发展) [Die Dalian-Universität für Auslandsstudien nutzt die Vorteile der Fremdsprachenschulen umfassend und wirbt für »fünf neue« Entwicklungen in der Einheitsfrontarbeit in Hongkong, Macao, Taiwan und anderen Ländern], Website der Einheitsfrontabteilung, 12. Juli 2018, http://archive.ph/2019.03.18-053516/ http://www.zytzb.gov.cn/tzcx/291691.jhtml#selection-217.0-226.0.

20 Robert Burton-Bradley, »China's Confucius Institutes have spy agencies and governments increasingly alarmed«, in: ABC News Online, 10. März 2019.

21 »Letter of protest at interference in EACS Conference in Portugal, July 2014«, European Association of Chinese Studies, https://web.archive.org/web/20140809004832/http://www.chinesestudies.eu/index.php/433-letter-of-protest-at-interference-in-eacs-conference-in-portugal-july-2014.

22 »China's Confucius Institutes: An inquiry by the Conservative Party Human Rights Commission«, Februar 2019, http://conservativehumanrights.com/news/2019/CPHRC_Confucius_Institutes_report_FEBRUARY_2019.pdf.

23 Ebd.

24 Henry Jom, »Victoria Uni cancelled documentary due to Chinese consular pressure, documents reveal«, *NTD*, 3. Dezember 2018.

25 »Staff code of conduct«, https://policy.vu.edu.au/document/view.php?id=176&version=2.

26 Anonym, »Sydney University criticised for blocking Dalai Lama visit«, in: *The Guardian*, 18. April 2013.

27 Adam Harvey, »Uni under fire for pulling pin on Dalai Lama event«, in: ABC News online, 18. April 2013.

28 Jordan Baker, »China debate raises spectre of White Australia Policy, says uni chief«, in: *Sydney Morning Herald*, 23. August 2019.

29 Fergus Hunter, »Foreign influence showdown as universities decline to register China-funded Confucius Institutes«, in: *Sydney Morning Herald*, 21. März 2019.

30 Diamond und Schell, *China's Influence & American Interests*, S. 41. In einem Interview mit der BBC bestätigt Xu Lin dies ebenfalls, indem sie erklärt, die entsandten Lehrer seien chinesische Bürger und müssten die chinesischen Gesetze befolgen (1:12–1:28). John Sudworth, »Confucius Institute: the hard side of China's soft power«, BBC, 22. Dezember 2014.

31 Daniel Sanderson, »Universities ›sign Chinese gagging clause‹«, in: *The Times*, 5. September 2018.

32 Daniel Golden, »China says no talking Tibet as Confucius funds U.S. universities«, *Bloomberg*, 2. November 2011; Hannah Knowles und Berber Jin, »Warnings of Chinese government ›influence‹ on campuses divide Stanford community«, in: *Stanford Daily*, 30. Mai 2019.

33 Shiany Perez-Cheng, »La embajada de China en España coaccionó a la Universidad de Salamanca para cancelar eventos culturales de Taiwán«, in: *Sociopolítica de Asia Pacífico*, 25. August 2018, https://deasiapacifico.wordpress.com/2018/08/25/la-embajada-de-china-en-espana-coacciono-a-la-universidad-de-salamanca-para-cancelar-eventos-culturales-de-taiwan/.

34 Elaine Hou und Chung Yu-chen, »MOFA condemns attempted exclusion of Taiwan students in Hungary«, in: *Focus Taiwan*, 4. Mai 2019.

35 Vanessa Frangville @VanessaFrangvi, Twitter status, https://twitter.com/VanessaFrangvi1/status/1112417710355431426.

36 Anastasya Lloyd-Damnjanovic, *A Preliminary Study of PRC Political Influence and Interference Activities in American Higher Education*, (Washington, D. C.: Wilson Center, 2018), S. 74.

37 Peter Mattis und Alex Joske, »The third magic weapon: reforming China's united front«, in: *War in the Rocks*, 24. Juni 2019.

38 »Guanyu xuelian« (关于学联) [Über die Vereinigung], Website der Chinese Students and Scholars Association UK, https://tinyurl.com/trz6gh5.

39 »BUCSSA 波士顿大学中国学生学者联合会 是波士顿大学唯一在纽约总领馆注册的华人组织。我们致力于贴心高效地服务于波士顿大学华人«. Vgl. »BUCSSA jieshao« (BUCSSA 介绍) [Einführung der BUCSSA], Website der Boston University's Chinese Students and Scholars Association, o. D., https://web.archive.org/web/20190802154850/http://www.bucssa.net/portal.php; »Guanyu women« (关于我们) [Über uns], Website der Vanderbilt University Chinese Students and Scholars Association, https://web.archive.org/web/20190802154939/https://studentorg.vanderbilt.edu/vucssa/?page_id=14.

40 Lloyd-Damnjanovic, *A Preliminary Study of PRC Political Influence and Interference Activities in American Higher Education*; Diamond und Schell, *China's Influence & American Interests*, S. 180 f.

41 Vgl. »2005 nian Kunshilanzhou Zhongguo xuesheng xuezhe lianyihui gongzuo huiyi shunli zhaokai« (2005 年昆士兰州中国学生学者联谊会工作会议顺利召开) [Konferenz 2005 der Queensland Chinese Students and Scholars Association erfolgreich durchgeführt], Website der chinesischen Botschaft in Australien, 11. Mai 2005, http://archive.ph/2019.08.27-232636/http://au.china-embassy.org/chn/zagx/jyjl/t195066.htm#selection-

287.0-287.26. Laut dem Artikel finanzierte die Bildungsabteilung des Konsulats »sinnvolle Aktivitäten mit besonderem Augenmerk auf große Veranstaltungen mit mehr als 200 Teilnehmern«.

42 Hooghe, Montulet, de Wolff und Pieke, »Assessing Europe-China collaboration in higher education and research«, S. 27.

43 Ben Packham, »China diplomat slapped down over uni protest«, in: *The Australian*, 27. Juli 2019.

44 Jennifer Creery, »Don't mind the haters: Tibetan-Canadian student Chemi Lhamo brushes off pro-China cyberbullying campaign«, in: *Hong Kong Free Press*, 31. März 2019.

45 Jennifer Creery, »Don't mind the haters«, L. Kennedy, »Update on petition«, https://www.change.org/p/update-on-petition. Der Originaltext der Petition scheint nicht länger verfügbar zu sein; es gibt nur noch eine Aktualisierung, die nach der Reaktion auf die Cyberbullying-Kampagne veröffentlicht wurde. Die hier genannten Zitate und Inhalte stammen aus dem aktualisierten (und vermutlich schwächer formulierten) Text der Petition.

46 Gerry Shih und Emily Rauhala, »Angry over campus speech by Uighur activist, Chinese students in Canada contact their consulate, film presentation«, in: *Washington Post*, 14. Februar 2019.

47 Justin Mowat, »McMaster student government bans Chinese students' group from campus«, CBC, 26. September 2019.

48 Shih und Rauhala, »Angry over campus speech by Uighur activist«.

49 Lloyd-Damnjanovic, *A Preliminary Study of PRC Political Influence and Interference Activities in American Higher Education*, S. 76 f.

50 Ingrid d'Hooghe, Annemarie Montulet, Marijn de Wolff und Frank N. Pieke, *Assessing Europe-China Collaboration in Higher Education and Research*. Leiden: LeidenAsiaCentre, 2018, S. 27.

51 Persönliche Mitteilung, Februar 2019.

52 Perry Link, »China: the anaconda in the chandelier«.

53 Sheena Chestnut Greitens und Rory Truex, »Repressive experiences among China scholars: new evidence from survey data«, in: *China Quarterly*, 1. August 2018, S. 18; Lloyd-Damnjanovic, *A preliminary study of PRC political influence and interference activities in American higher education*, S. 56, 64 f.

54 Greitens und Truex, »Repressive experiences among China scholars«, S. 3.

55 Lloyd-Damnjanovic, *A Preliminary Study of PRC Political Influence and Interference Activities in American Higher Education*, S. 45.

56 »The debate over Confucius Institutes: a ChinaFile conversation«, in: *China-File*, 23. Juni 2014, http://www.chinafile.com/conversation/debate-over-confucius-institutes.

57 Vgl. z. B. Edward Wong, »China denies entry to American scholar who spoke up for a Uighur colleague«, in: *New York Times*, 7. Juli 2014; Perry Link, »The long shadow of Chinese blacklists on American Academe«, in: *Chronicle of Higher Education*, 22. November 2013.

58 Vgl. Greitens und Truex, »Repressive experiences among China scholars«.

59 Persönliche Erfahrung, Dezember 2017. Dasselbe Muster war bei anderen den Autoren bekannten Personen zu beobachten, die kein Visum erhielten.

60 Concerned scholars of China, »An open letter from concerned scholars of China and the Chinese diaspora: Australia's debate on ›Chinese influence‹«, in: *Policy Forum*, 26. März 2018.

61 Anonym, »Shifou tingzhi ›Zhongguo shentoulun‹ Aodaliya liang pai xuezhe zhenfengxiangdui« (是否停止»中国渗透论« 澳大利亚两派学者针锋相对) [Zwei Fraktionen von australischen Wissenschaftlern streiten über die Frage, ob die »chinesische Infiltrationsdebatte beendet werden sollte«], in: *Global Times Online*, 29. März 2018.

62 Vgl. die Aussage von Prof. Christopher Hughes (LSE) im Außenpolitischen Ausschuss des britischen Unterhauses zu »Autokratien und britische Außenpolitik«, 3. September 2019, https://tinyurl.com/wwhv9ch.

63 Vgl. Christopher Hughes, »Confucius Institutes and the university: distinguishing the political mission from the cultural«, in: *Issues & Studies* 50, Nr. 4 (Dezember 2014), S. 49 f.

64 Vgl. Aussage von Prof. Christopher Hughes (LSE) im Außenpolitischen Ausschuss des britischen Unterhauses zu »Autokratien und britische Außenpolitik«, 3. September 2019, https://tinyurl.com/wwhv9ch.

65 Paul Musgrave, »Universities aren't ready for trade war casualties«, in: *Foreign Policy*, 19. Mai 2019.

66 »Canada's foreign student enrolment took another big jump in 2018«, *ICEF Monitor*, 20. Februar 2019, https://monitor.icef.com/2019/02/canadas-foreign-student-enrolment-took-another-big-jump-2018/.

67 »International student statistics in UK 2019«, Studying-in-UK.org, https://www.studying-in-uk.org/international-student-statistics-in-uk/. Aus Indien und den USA, die nach China die meisten ausländischen Studenten stellten, kamen jeweils weniger als 20 000.

68 Hazel Ferguson und Henry Sherrell, »Overseas students in Australian higher education: a quick guide«, Website des australischen Parlaments, 20. Juni 2019, https://www.aph.gov.au/About_Parliament/Parliamentary_Departments/Parliamentary_Library/pubs/rp/rp1819/Quick_Guides/OverseasStudents.

69 Josh Rudolph, »UCSD stands by Dalai Lama invite despite protest«, in: *China Digital Times*, 17. Februar 2017.

70 Lloyd-Damnjanovic, *A Preliminary Study of PRC Political Influence and Interference Activities in American Higher Education*, S. 62.

71 »Introduction of the World Forum on China Studies«, Website des World Forum on China Studies, https://web.archive.org/web/20190802155359/http://www.chinastudies.org.cn/zgxlte1/1.htm.

72 Liu Xiangrui, »Sinologists get a look at local culture«, in: *China Watch*, 17. Juli 2018, https://www.telegraph.co.uk/china-watch/culture/sinology-programme-beijing/. Nach der URL zu urteilen, stammt dieser Artikel aus dem *Telegraph*, aber das ist nicht richtig. Es ist einer von vielen »China-Watch«-Artikeln, die von der Redaktion des *China Daily* verfasst wurden.

73 »Rang waiguo xuezhe jiang hao Zhongguo gushi 2019 qingnian Hanxuejia yanxiu jihua Shanghai ban kaiban« (让外国学者讲好中国故事 2019 青年汉学家研修计划上海班开班) [Lasst ausländische Wissenschaftler Chinas Geschichte richtig erzählen. Unterricht im Rahmen des Young Sinologist Training Plan im Jahr 2019 beginnt in Shanghai], in: *Dongfangwang*, 17. Juni 2019, https://web.archive.org/web/20191128022003/http://www.gxnews.com.cn/staticpages/20190617/newgx5d072662-18423310.shtml.

74 »Chinese government special scholarship – CEE special scholarship«, Website des chinesischen Hochschulzulassungssystems, https://web.archive.org/web/20190802155554/https://scholarship.cucas.edu.cn/China_Youth_University_for_Political_Sciences_scholarships/Chinese_Government_Scholarships_scholarship/Chinese_Government_Special_Scholarship_CEE_Special_Scholarship_scholarship_1884.html.

75 Lloyd-Damnjanovic, *A Preliminary Study of PRC Political Influence and Interference Activities in American Higher Education*, S. 58.

76 »›Waiguoren xiezuo Zhongguo jihua‹ di si qi zhengji zhiyin fabu« (»外国人写作中国计划《第四期征集指引发布》) [Leitlinien für erste Ausschreibung für das Projekt »Ausländer schreiben über China« veröffentlicht], Website des Chinesischen Forschungszentrums für die Unterstützung von Kultur und Übersetzungsstudien, 22. August 2019, https://web.archive.org/web/20191128025551/http://www.cctss.org/article/headlines/5386.

77 Malcolm Moore, »Cambridge University under fresh scrutiny over Chinese government-linked donation«, in: *The Telegraph*, 8. Oktober 2014.

78 Tarak Barkawi, »Power, knowledge and the universities«, Al Jazeera, 9. Februar 2012, https://www.aljazeera.com/indepth/opinion/2012/02/2012269402871736.html.

79 »China Executive Leadership Program«, Website der Chinesischen Stiftung für Entwicklungsforschung, https://web.archive.org/web/20190802155639/http://cdrf-en.cdrf.org.cn/qgb/index.jhtml.

80 Bethany Allen-Ebrahimian, »This Beijing-linked billionaire is funding policy research at Washington's most influential institutions«.

81 Elizabeth Redden, »Thanks, but no, thanks«.

82 Primrose Riordan, »London School of Economics academics outraged by proposed China programme«, in: *Financial Times*, 27. Oktober 2019.

83 Hinnerk Feldwisch-Drentrup, »Wie sich die FU an chinesische Gesetze bindet«, *Tagesspiegel*, 29. Januar 2020.

84 Tilmann Warnecke, »FU muss umstrittene China-Professur nachverhandeln«, *Tagesspiegel*, 25. Februar 2020.

85 Mike Gow, »Sino-foreign joint venture universities: an introduction«, in: *The Newsletter* 77 (Sommer 2017), International Institute for Asian Studies.

86 Ebd.

87 Vgl. insbesondere Artikel 5 der Vorschriften der Volksrepublik China über chinesisch-ausländische Bildungskooperation, https://web.archive.org/web/20190610164330/http://www.fdi.gov.cn/1800000121_39_1937_0_7.html.

88 Zhuang Pinghui, »Cambridge and Peking universities in talks about partnership plan for ›role model‹ Shenzhen«, in: *South China Morning Post*, 7. September 2019.

89 »History«, Website der Sias-Universität, o.D., https://web.archive.org/web/20190802155723/http://en.sias.edu.cn/AboutSias/168/894.html.

90   Yojana Sharma, »Ministry ends hundreds of Sino-foreign HE partnerships«, University World News, 6. Juli 2018.

91   Marjorie Heins, »Trading academic freedom for foreign markets«, National Coalition against Censorship, 30. Juli 2012, https://ncac.org/fepp-articles/trading-academic-freedom-for-foreign-markets.

92   Diamond und Schell, *China's Influence & American Interests*, S. 181.

93   John Levine, »NYU Shanghai campus ›self-censoring, politically neutral‹ on Hong Kong: faculty«, in: *New York Post*, 19. Oktober 2019.

94   Zitiert in Levine, »NYU Shanghai campus ›self-censoring, politically neutral‹ on Hong Kong: faculty«.

95   Marjorie Heins, »Trading academic freedom for foreign markets«; Daniel Golden, »China halts U.S. academic freedom at classroom door for colleges«, Bloomberg, 28. November 2011.

96   Chinesische Berichte liefern einige Erkenntnisse über den Aufbau von Parteistrukturen in Gemeinschaftshochschulen. Vgl. »Quanguo Zhong wai hezuo banxue dangjian gongzuo tuijinhui zai Chengdu juban« (全国中外合作办学党建工作推进会在成都举办) [Nationale Konferenz in Chengdu über die Förderung der Parteistrukturen in gemeinsam von China und ausländischen Trägern betriebenen Hochschulen], ursprünglich veröffentlicht bei Renmin zhengxie wang, 24. Mai 2018, http://archive.ph/2019.11.28-110411/https://cfcrs.xmu.edu.cn/2018/0601/c4034a344069/page.htm#selection-1235.0-1235.20.

97   Emily Feng, »China tightens grip on foreign university joint ventures«, in: *Financial Times*, 7. August 2018.

98   Zheping Huang, »A Dutch university has canceled plans to offer degrees at its China campus«, in: *Quartz*, 30. Januar 2018.

99   Ein Beispiel aus einer Studiensitzung an der Sino-Dutch Biomedical and Information Engineering School: Anonym, »Xueyuan danwei juxing dang zhibu shuji niandu shuzhi dahui« (学院党委举行党支部书记年度述职大会) [Parteikomitee der Schule führt jährliche Nachbesprechung mit den Sekretären der Parteizweigstelle durch], Website des College of Medicine and Biological Information Engineering, 6. Juni 2019, https://web.archive.org/web/20190802155816/http://www.bmie.neu.edu.cn/2019/0606/c576a129912/page.htm; Beispiel aus dem Bangor College der Central South University of Forestry and Technology: Anonym, »Bangge xueyuan dang zongzhi zhongxinzu 2019 nian di er ci lilun xuexi« (班戈学院党总支中心组2019年第二次理论学习) [Zweite theoretische Studiensitzung der Parteizweigstelle Bangor im Jahr 2019], Website des Bangor College, https://web.archive.org/web/20190802155855/http://bangor.csuft.edu.cn/djgz/201903/t20190319_84465.html; Beispiel aus Leeds-SWJTU: »ASO«, »Lizi xueyuan kaizhan benzhou yewu xuexi huiyi« (利兹学院开展本周业务学习会议) [Leeds College führt Studiensitzung diese Woche durch], Website der Southwest Jiaotong University–Leeds Joint School, 3. Juni 2019, https://web.archive.org/web/20190802155934/https://leeds.swjtu.edu.cn/info/1041/2034.htm.

100   Ebd.

101   Zuo Qian (左倩), »Wo xiao kaizhan qingzhu Zhongguo Gongchandang chengli 98 zhounian ›bu wang chuxin laoji shiming‹ chongwen rudang shici zhuti dangri huodong« (我校开展庆祝中国共产党成立98周年»不忘初心牢记使命«重温入党誓词主题党日活动) [Unsere Schule veranstaltete einen Tag der Partei anlässlich des 98. Jahrestags der Gründung der Kommunistischen Partei mit dem Thema »Vergesst die Ursprünge nicht, erinnert euch an die Mission« und erneute den Parteieid], https://web.archive.org/web/20190802160503/http://news.sias.edu.cn/contents/309/29795.html.

102   Levine, »NYU Shanghai campus ›self-censoring, politically neutral‹ on Hong Kong: faculty«.

103 Colleen O'Dea, »Chinese government to control Kean U faculty in Wenzhou? Union up in arms«, in: *NJ Spotlight*, 16. November 2018, https://www.njspotlight.com/stories/18/11/15/chinese-government-to-control-kean-u-faculty-in-wenzhou-union-asks-nj-to-investigate/.

104 »Mission statement«, Website der Duke University, genehmigt vom Kuratorium der Duke University am 1. Oktober 1994 und überarbeitet am 23. Februar 2001, https://trustees.duke.edu/governing-documents/mission-statement.

105 Joanna Gagis, »Teachers union critical of Kean ceding control of China campus«, NJTV News, 13. Dezember 2018, https://www.njtvonline.org/news/video/teachers-union-critical-of-kean-ceding-control-of-china-campus/; Donna M. Chiera, »Op-ed: Kean University's China fiasco illustrates need for state oversight«, 13. Februar 2019, https://www.njspotlight.com/stories/19/02/12/op-ed-kean-universitys-china-fiasco-illustrates-need-for-state-oversight/.

106 Elizabeth Redden, »Is Kean giving control of its overseas faculty to Chinese government?«, in: *Inside Higher Ed*, 16. November 2018; Kelly Heyboer, »Communist Party members ›preferred‹ for jobs on Kean U.'s new China campus, ad says«, in: *NJ.com*, 23. Juli 2015.

107 »About us: leadership«, Website der Wenzhou-Kean University, o.D., https://web.archive.org/web/20190802160618/http://www.wku.edu.cn/en/org/.

108 »Introduction to Asia Europe Business School (AEBS)«, China Admissions, o.D., https://web.archive.org/web/20191201225457/https://www.china-admissions.com/asia-europe-business-school-aebs/.

109 Friedman, zitiert in: Jessica Chen Weiss, »Cornell University suspended two exchange programs with China's Renmin University: here's why«, in: *Washington Post*, 1. November 2018.

110 »Fudan-European China Forum 2017 successfully held«, Website des Fudan-European Centre for China Studies, 8. Mai 2017, https://web.archive.org/web/20190802160731/https://www.fudancentre.eu/news/2017/5/26/fudan-european-china-forum-2017.

111 »About«, Website der Brussels Academy for China-European Studies, o.D., http://www.baces.be/about/.

112 Bruno Struys, »Waarom de Chinese directeur van het Confuciusinstituut aan de VUB ons land niet meer binnen mag«, in: *DeMorgen*, 29. Oktober 2019.

113 Du Xiaoying, »Peking University opens UK campus«, in: *China Daily Online*, 26. März 2018.

114 »UC is home to the first CASS Chinese Studies Centre in Portugal«, Universität Coimbra, https://web.archive.org/web/20190825011406/http://www.uc.pt/en/iii/initiatives/china/2018_12_05_CASS.

115 »Guojia sheke jijin Zhonghua xueshu wai yi xiangmu jianjie« (国家社科基金中华学术外译项目简介) [Kurze Einführung in das Projekt des Nationalen Sozialwissenschaftlichen Fonds für Übersetzungen akademischer Werke in Fremdsprachen], Website des Nationalen Amts für Philosophie und Sozialwissenschaften, 7. September 2011, https://web.archive.org/web/20190802160848/http://www.npopss-cn.gov.cn/GB/230094/231486/15611673.html.

116 Javier C. Hernández, »Leading Western publisher bows to Chinese censorship«, in: *New York Times*, 1. November 2017.

117 »Peer review boycott of Springer Nature publishing company«, Petition auf change.org, gestartet von Charlene Makley, Change.org, 1. November 2017, https://web.archive.org/web/20190802160927/https://www.change.org/p/peer-review-boycott-of-academic-publications-that-censor-content-in-china/u/21865528.

118 Elizabeth Redden, »An unacceptable breach of trust«, in: *Inside Higher Ed*, 3. Oktober 2018.

119 »Taylor & Francis Social Sciences and Humanities Library: statement«,

Website der Taylor & Francis Group, 20. Dezember 2018, https://newsroom. taylorandfrancisgroup.com/taylor-francis-social-sciences-and-humanities-library/.

120 Persönliche Kommunikation. Vgl. auch »Publishers pledge on Chinese censorship of translated works«, https://pen.org/sites/default/files/Publishers_Pledge_Chinese_Censor ship_Translated_Works.pdf.

121 Anonym, »Foreign authors warned about book censorship in China«, in: The Guardian, 21. Mai 2015.

122 Für die vollständigen Listen vgl. https://twitter.com/CliveCHamilton/status/1099454938453659649.

123 Harrison Christian, »Kiwi publishers face censorship demands from Chinese printers«, in: Stuff.co.nz, 18. August 2019.

124 Es handelt sich um Clive Hamiltons Buch Silent Invasion. Dies war nicht die vorrangige Befürchtung, die ins Feld geführt wurde. Die größte Sorge galt einem Rechtsstreit, das heißt dem Einsatz des Justizsystems, um Allen & Unwin finanziellen Schaden zuzufügen, indem regimefreundliche Agenten schikanöse Verleumdungsklagen anstrengten. Ein dritter Grund war die Furcht vor von Beijing angeregten Cyberattacken, mit denen die Website des Unternehmens lahmgelegt werden konnte, die unverzichtbar für sein Marketing ist. Nick McKenzie und Richard Baker, »Free speech fears after book critical of China is pulled from publication«, in: Sydney Morning Herald, 12. November 2017.

125 Michael Bachelard, »Chinese government censors ruling lines through Australian books«, in: Sydney Morning Herald, 23. Februar 2019.

126 »Zhong Mei hezuo chuban shi shang de kaituo xianfeng« (中美合作出版史上的开拓先锋), in: People's Daily Online, 15. November 2006, https://web.archive.org/web/20190824165314/http://book.people.com.cn/GB/69360/5045049.html.

127 Ke Liming (可黎明), »Zhongguo xueshu ›zou chuqu‹: Zhongguo shehui kexue chubanshe Faguo fenshe zai Bo'erduo chengli« (中国学术»走出去«：中国社会科学出版社法国分社在波尔多成立) [Chinas akademische Gemeinschaft »zieht in die Welt hinaus«: Chinese Social Sciences Press gründet französische Niederlassung in Bordeaux], in: People's Daily Online, 11. April 2017, http://archive.today/2019.11.28-100840/http://world.people.com.cn/n1/2017/0411/c1002-29201762.html.

128 Martin Albrow, China's Role in a Shared Human Future: Towards a theory for global leadership (Global China Press, 2018). Aus der Biographie des Autors: »Er besuchte China erstmals 1987 im Rahmen einer Beobachtungstour mit der Staatlichen Kommission für Familienplanung, und in den letzten Jahren hat er Beiträge zum jährlichen Symposium über Chinastudien der Akademie der Sozialwissenschaften und des Kultusministeriums der Volksrepublik China geleistet.« Vgl. https://www.amazon.com/Chinas-Role-Shared-Human-Future/dp/1910334340.

129 Michael Bates und Xuelin Li Bates, Walk for Peace: Transcultural experiences in China (Global China Press, 2016).

130 »Belt and Road Initiative: Cutting-edge studies relating to China's massive BRI project«, https://tinyurl.com/radd58a.

131 Cai Fang und Peter Nolan (Hg.), Routledge Handbook of the Belt and Road (Routledge, 2019).

132 »Science Bulletin«, https://www.journals.elsevier.com/science-bulletin.

133 »Springer Nature partners with FLTRP in promoting Chinese thought and culture overseas«, Website von Springer Nature, 25. August 2016, https://tinyurl.com/vv6fmpk.

134 Die vier Zeitschriften waren Frontiers of Literary Studies in China, Frontiers of History in China, Frontiers of Law in China und Frontiers of Philosophy in China, gemeinsam mit Higher

Education Press veröffentlicht, das zum chinesischen Bildungsministerium gehört. »Brill has terminated its agreement with Higher Education Press in China«, Website von Brill, 25. April 2019, https://brill.com/newsitem/126/brill-has-terminated-its-agreement-with-higher-education-press-in-china.

135 Jacob Edmond, »Three new essays on the Chinese script and a new twist to the old problem of censorship in Chinese studies«, 18. April 2019, https://tinyurl.com/yyexdqgf.

136 Ebd.

137 Ebd. Ein weiterer Fall, der publik gemacht wurde, war der von Timothy Groose, einem Assistenzprofessor am Rose-Hulman Institute of Technology in Indiana. Groose hatte auf Ersuchen der neuen Zeitschrift *China and Asia: A journal in historical studies*, die ebenfalls von Brill herausgegeben wurde, eine Buchrezension geschrieben. Aufgrund der gravierenden Geschehnisse in Xinjiang hatte er die Rezension mit einem Absatz über die Masseninternierung von Uiguren und anderen ethnischen Minderheiten in Xinjiang eröffnet. Einen Tag nachdem Groose die Rezension eingereicht hatte, bekam er eine redigierte Fassung zurückgeschickt, in der die Passage über Xinjiang gestrichen worden war. Nachdem Groose seine Besorgnis über dieses Vorgehen ausgedrückt und den Chefredakteur der Zeitschrift, Han Xiaorong, kontaktiert hatte, wurde ihm mitgeteilt, dass seine Rezension möglicherweise überhaupt nicht veröffentlicht würde. Als sich Groose nach mehrmonatigem Schweigen an die Öffentlichkeit wandte, antwortete Han Xiaorong öffentlich und erklärte, die Rezension sei nicht gedruckt worden, weil sie »nicht direkt relevant für das zentrale Thema unserer Zeitschrift ist, nämlich Chinas historische Beziehungen zu anderen asiatischen Ländern«. Er räumte ein, dass er verlangt hatte, die Bemerkungen zu der Masseninternierung in Xinjiang zu löschen, und

begründete dies damit, dass diese Äußerungen »in erster Linie politischer Natur waren und aktuelle Geschehnisse betrafen, die sich noch entwickelten«, bestritt jedoch, dass es sich um eine Form von Zensur handle. Vgl. Timothy Groose, »How an academic journal censored my review on Xinjiang«, in: *Los Angeles Review of Books China Channel*, 13. Mai 2019; Elizabeth Redden, »X-ing Out Xinjiang«, in: *Inside Higher Ed*, 20. Mai 2019; »My response to Timothy Groose's ›How an academic journal censored my review on Xinjiang‹«, MCLC Resource Center, 16. Mai 2019.

138 Edmond, »Three new essays on the Chinese script and a new twist to the old problem of censorship in Chinese studies«.

139 John Ross, »Journal articles ›tacitly support China territory grab‹«, in: *Times Higher Education*, 11. Dezember 2019; Clive Hamilton, »Scientific publishers disregard international law«, in: *Journal of Political Risk*, 7:12, Dezember 2019.

140 Hamilton, »Scientific publishers disregard international law«.

13 Der Umbau der globalen Ordnung

1 Melanie Hart und Blaine Johnson, »Mapping China's global governance ambitions«, in: *Center for American Progress*, 28. Februar 2019; »Xi urges breaking new ground in major country diplomacy with Chinese characteristics«, Xinhua, 24. Juni 2018.

2 Hart und Johnson, »Mapping China's global governance ambitions«.

3 Ariana King, »China is ›champion of multilateralism‹, foreign minister says«, in: *Nikkei Asian Review*, 29. September 2018.

4 Yi Ling und Liu Tian, »Xinhua headlines: at G20, Xi leads chorus for multilateralism«, China.org.cn, 29. Juni 2019, https://web.archive.org/web/20191202191647/http://www.china.org.cn/world/Off_the_Wire/2019-06/29/content_74935190.htm.

5 Anonym, »China, EU vow to uphold multilateralism, facilitate bilateral trade, investment«, China.org.cn, 10. April 2019, https://web.archive.org/web/20190514153948/http://www.china.org.cn/world/2019-04/10/content_74664092.htm.

6 Hart und Johnson, »Mapping China's global governance ambitions«.

7 Maaike Okano-Heijmans und Frans-Paul van der Putten, *A United Nations with Chinese characteristics?* Clingendael-Bericht, Dezember 2018, S. 2, https://www.clingendael.org/sites/default/files/2018-12/China_in_the_UN_1.pdf.

8 Colum Lynch und Robbie Gramer, »Outfoxed and outgunned: how China routed the U.S. in a U.N. agency«, in: *Foreign Policy*, 23 Oktober 2019.

9 »Mr. Liu Zhenmin, Under-Secretary-General«, Hauptabteilung Wirtschaftliche und Soziale Angelegenheiten der Vereinten Nationen (United Nations Department of Economic and Social Affairs, UN DESA), https://www.un.org/development/desa/statements/usg-liu.html. Lius Vorgänger war Wu Hongbo (吴红波). Zur Beratung in Fragen der Internet-Aufsicht vgl. Okano-Heijmans und van der Putten, *A United Nations with Chinese characteristics?*, S. 13.

10 Zitiert in: Colum Lynch, »China enlists U.N. to promote its Belt and Road project«, in: *Foreign Policy*, 10. Mai 2018, https://foreignpolicy.com/2018/05/10/china-enlists-u-n-to-promote-its-belt-and-road-project/.

11 Okano-Heijmans und van der Putten, *A United Nations with Chinese characteristics?*, S. 13.

12 »Jointly building Belt and Road towards SDGS«, Hauptabteilung Wirtschaftliche und Soziale Angelegenheiten der Vereinten Nationen (United Nations Department of Economic and Social Affairs, UN DESA), https://www.brisdgs.org/about-bri-sdgs.

13 Okano-Heijmans und van der Putten, *A United Nations with Chinese characteristics?*, S. 4.

14 »UN agencies Belt and Road involvement«, Website des Umweltprogramms der Vereinten Nationen (UN Environment Programme, UNEP), o.D., https://tinyurl.com/w49oc8t.

15 »Zhongguo zhengfu yu Lianheguo Kaifa Jihua Shu qianshu ›Guanyu gongtong tuijin sichou zhi lu jingji dai he 21 shiji haishang sichou zhi lu jianshe de liangjie beiwanglu‹« (中国政府与联合国开发计划署签署›关于共同推进丝绸之路经济带和21世纪海上丝绸之路建设的谅解备忘录) [Die chinesische Regierung und das Entwicklungsprogramm der Vereinten Nationen unterzeichnen eine Absichtserklärung über die gemeinsame Förderung der wirtschaftlichen Verbindung der Neuen Seidenstraße und der Maritimen Seidenstraße für das 21. Jahrhundert], Website der chinesischen Regierung, 19. September 2016, https://tinyurl.com/yjjjskw4.

16 »UNDP and China to cooperate on Belt and Road Initiative«, Entwicklungsprogramm der Vereinten Nationen (United Nations Development Programme, UNDP), 19. September 2016, https://www.undp.org/content/undp/en/home/presscenter/pressreleases/2016/09/19/undp-and-china-to-cooperate-on-belt-and-road-initiative.html. Vgl. auch *Sinopsis* und Jichang Lulu, »United Nations with Chinese characteristics: elite capture and discourse management on a global scale«, in: *Sinopsis*, 25. Juni 2018.

17 »Cooperation for common prosperity«, 14. Mai 2017, https://tinyurl.com/tv9ukgf. Der Governance Report 2017 der UNDP konzentrierte sich auf die Seidenstraßen-Initiative und die Analyse ihrer potenziellen Beiträge zur nachhaltigen Entwicklung. »A new means to transformative global governance towards sustainable development«, 9. Mai 2017, https://tinyurl.com/rztq9fq.

18 »At China's Belt and Road Forum, Guterres calls for ›inclusive, sustainable and durable‹ development«, UN News, 26. April 2019, https://news.un.org/en/story/2019/04/1037381.

19 »United Nations poised to support alignment of China's Belt and Road Initiative with sustainable development goals, secretary-general says at opening ceremony«, Vereinte Nationen, 26. April 2019, https://www.un.org/press/en/2019/sgsm19556.doc.htm.

20 Human Rights Watch, »The cost of international advocacy: China's interference in United Nations' human rights mechanisms«, Human Rights Watch, 5. September 2017, https://www.hrw.org/report/2017/09/05/costs-international-advocacy/chinas-interference-united-nations-human-rights.

21 Ted Piccone, »China's long game on human rights at the UN«, Brookings, September 2018, S. 4, https://www.brookings.edu/wp-content/uploads/2018/09/FP_20181009_china_human_rights.pdf.

22 Human Rights Watch, »The cost of international advocacy«.

23 Ebd.

24 Ebd.

25 »Chi wo huzhao wufa ru Lianheguo zongbu qiagong waijiaobu jiaoshe zhong« (持我护照无法入联合国总部洽公外交部交涉中), in: Apple Daily, 20. Oktober 2015, https://tw.appledaily.com/new/realtime/20151020/715101/.

26 Lu Yi-hsuan und Jake Chung, »UN body turns away Taiwanese without Chinese IDs«, in: Taipei Times, 17. Juni 2017, http://www.taipeitimes.com/News/front/archives/2017/06/17/2003672712.

27 Jennifer Creery, »Taiwan lodges protest with the United Nations for denying entry to Taiwanese reporter«, in: Hong Kong Free Press, 15. Oktober 2018.

28 »In an interview with @CCTV, former UN Under-Secretary-General & head of @UNDESA Wu Hongbo said he represented Chinese national interests in his position as a UN official, saying he ordered that WUC President @Dolkun_Isa be expelled from the 2017 UN Indigenous Forum @UN4Indigenous«, World Uyghur Congress auf Twitter, 25. April 2019, https://twitter.com/uyghurcongress/status/11213490824574

85312?lang=de; Human Rights Watch, »The cost of international advocacy«.

29 Randy Mulyanto, »Taiwan weighs options after diplomatic allies switch allegiance«, Al Jazeera, 26. September 2019, https://www.aljazeera.com/news/2019/09/taiwan-weighs-options-diplomatic-allies-switch-allegiance-190925070254771.html.

30 Chen Shih-chung, »Taiwan's participation vital to global influenza pandemic preparedness and response«, in: Voice Publishing, 22. Mai 2017, https://thevoiceslu.com/2017/05/taiwans-participation-vital-global-influenza-pandemic-preparedness-response/.

31 Amir Attaran, »Taiwan, China and the WHO: of pandas and pandemics«, in: Canadian Medical Association Journal, Bd. 180, 2009, https://www.ncbi.nlm.nih.gov/pmc/articles/PMC2679814/.

32 Steven Menashi, »The politics of the WHO«, in: New Atlantis, Herbst 2003, https://www.thenewatlantis.com/publications/the-politics-of-the-who.

33 https://tinyurl.com/u6bhadn.

34 Ben Blanchard, »Taiwan calls China ›vile‹ for limiting WHO access during virus outbreak«, Reuters, 4. Februar 2020.

35 Rintaro Hosukawa and Tsukasa Hadano, »Did WHO's China ties slow decision to declare emergency?«, Nikkei Asian Review, 1. Februar 2020.

36 Kimmy Chung, »Beijing never pressured me in office, former WHO chief Margaret Chan says«, South China Morning Post, 7. Juli 2017.

37 Vgl. z. B. Jeremy Page und Betsy McKay, »The World Health Organization Draws Flak for Coronavirus Response«, in: Wall Street Journal, 12. Februar 2020.

38 »Taiwan accuses World Health Organization of bowing to Beijing over invitation to top health meeting«, in: South China Morning Post, 8. Mai 2018: »Der Sprecher des Außenministeriums, Geng Shuang, erklärte am Montag in Beijing, die Insel habe nur von 2009 bis 2016 an der Versammlung teilnehmen können, weil sich die vorherge-

hende Regierung Taiwans mit Beijing darüber einig gewesen sei, dass es nur ›ein China‹ gebe.«.»Taiwan: Ministry of Foreign Affairs urges WHO to issue invitation to annual assembly«, Underrepresented Nations and Peoples Organization, 20. Februar 2019, https:// unpo.org/article/21384.

39 Jennifer Creery, »Watchdog urges United Nations to defy Chinese pressure and let Taiwanese journalists cover events«, in: *Hong Kong Free Press*, 19. September 2018.

40 Sam Yeh, »YAR: let's not abandon Taiwan on international stage«, in: *Toronto Sun*, 3, Mai 2019.

41 »China: framework agreement aims to help enterprises reduce risks in overseas operations«, Website des Internationalen Komitees vom Roten Kreuz, 27. März 2019, https://www.icrc.org/en/document/icrc-cccmc-dcaf-sign-framework-agreement-in-responsible-business-conduct.

42 »ICRC's special envoy to China Jacques Pellet speaks with CGTN«, YouTube-Kanal von CGTN, 23. April 2019, https://www.youtube.com/watch?v=IgPN_RvuTGs.

43 »China: livelihood project reduces poverty, changes mindset in Xinjiang«, Internationales Komitee vom Roten Kreuz, 26. März 2019, https://www.icrc.org/en/document/china-ecosec-xinjiang-livelihood-2019.

44 Matt Schrader, »›Chinese Assistance Centers‹ grow United Front Work Department global presence«, Jamestown Foundation, 5. Januar 2019.

45 »2018 ›Hua zhu zhongxin‹ nianhui huimou: ning qiao xin qiao li gongxiang minzu fuxing meng« (2018 »华助中心« 年会回眸：凝侨心侨力 共享民族复兴梦 [Rückblick auf das Jahrestreffen 2018 der »Hilfszentrale für Auslandschinesen«: Stärkung der Herzen und der Macht der Auslandschinesen, gemeinsamer Traum von der nationalen Wiederauferstehung], in: *Olian News*, 14. Januar 2018), https://web.archive.org/web/20191011062010/http:/www.oliannews.com/qw/2018/01-14/213548.shtml.

46 Ebd.

47 Frank Chung, »›It's a police station honouring a police state‹: outrage as Melbourne cop shop raises Chinese Communist flag«, in: News.com.au, 3. Oktober 2019.

48 Thomas Eder, Bertram Lang und Moritz Rudolf, »China's global law enforcement drive: the need for a European response«, MERICS China Monitor, 18. Januar 2017, https://web.archive.org/web/20191011035019/https://www.merics.org/sites/default/files/2018-05/Merics_China-Monitor_36_Law-Enforcement.pdf.

49 »Europol and the People's Republic of China join forces to fight transnational crime«, Europol, 19. April 2017, https://www.europol.europa.eu/newsroom/news/europol-and-people's-republic-of-china-join-forces-to-fight-transnational-crime.

50 »Europol executive director receives the vice minister of China at agency's headquarters«, Europol, 19. Januar 2018, https://www.europol.europa.eu/newsroom/news/europol-executive-director-receives-vice-minister-of-china-agency's-headquarters.

51 Michael Martina, Philip Wen und Ben Blanchard, »Exiled Uighur group condemns Italy's detention of its general secretary«, Reuters, 28. Juli 2017.

52 Ben Blanchard, »China upset as Interpol removes wanted alert for exiled Uighur leader«, Reuters, 24. Februar 2018.

53 Bethany Allen-Ebrahimian, »Can the Chinese be trusted to lead global institutions?«, in: *Foreign Policy*, 11. Oktober 2018.

54 Chris Buckley, »Ex-president of Interpol is sent to prison for bribery in China«, in: *New York Times*, 21. Januar 2020.

55 Eder, Lang und Rudolf, »China's global law enforcement drive: the need for a European response«.

56 Michael Laha, »Taking the anti-corruption campaign abroad: China's quest for extradition treaties«, CCP Watch, 13. März 2019, https://www.ccpwatch.

org/single-post/2019/03/13/Taking-the-Anti-Corruption-Campaign-Abroad-Chinas-Quest-for-Extradition-Treaties.

57 Kevin Ponniah, »Why is Spain in the middle of a spat between China and Taiwan?«, BBC, 23. März 2017.

58 Anonym, »Spain deports 94 Taiwanese to Beijing for telecom fraud«, Reuters, 7. Juni 2019.

59 »Zhongguo jingyuan jiangshu shouci Zhong Yi jingwu lianhe xunluo jingli« (中国警员讲述首次中意警务联合巡逻经历) [Chinesischer Polizeibeamter berichtet über erste gemeinsame chinesisch-italienische Polizeipatrouille], Xinhua, 18. Mai 2015), https://web.archive.org/web/20191011034150/http://www.xinhuanet.com/world/2016-05/18/c_1118891085.htm.

60 Eder, Lang und Rudolf, »China's global law enforcement drive«.

61 Ebd.

62 Emma Graham-Harrison, »China suspends cooperation with France on police affairs, says report«, in: The Guardian, 3. August 2019.

63 Anonym, »China says its police brought graft suspect back from France«, Reuters, 13. März 2017; Harold Thibault und Brice Pedroletti, »Quand la Chine vient récupérer ses fugitifs en France«, in: Le Monde, 23. Mai 2017, https://www.lemonde.fr/asie-pacifique/article/2017/05/23/quand-la-chine-vient-recuperer-ses-fugitifs-en-france_5132103_3216.html.

64 Anonym, »China says its police brought graft suspect back from France«.

65 Philip Wen, »Operation Fox Hunt: Melbourne grandmother Zhou Shiqin returns to China«, in: Sydney Morning Herald, 26. Oktober 2016.

66 Tim Nicholas Rühlig, Björn Jerdén, Frans-Paul van der Putten, John Seaman, Miguel Otero-Iglesias und Alice Ekman, »Political values in Europe-China relations«, Bericht des European Think Tank Network on China 2018, S. 25 f.

67 Kate O'Keeffe, Aruna Viswanatha und Cezary Podkul, »China's pursuit of fugitive businessman Guo Wengui kicks off Manhattan caper worthy of spy thriller«, in: Wall Street Journal, 22. Oktober 2017; Josh Rogin, »Without Rex Tillerson's protection, a top State Department Asia nominee is in trouble«, in: Washington Post, 15. März 2018.

68 Peter Walker, »Xi Jinping protesters arrested and homes searched over London demonstrations«, in: The Guardian, 23. Oktober 2015.

69 Rühlig u. a., »Political values in Europe-China relations«, S. 25; »Tibetan protest targeted in Belgium and Nepal«, Free Tibet, 3. April 2014, https://freetibet.org/news-media/na/tibetan-protest-targeted-belgium-and-nepal.

70 Anonym, »Dozens arrested during Swiss protests against Chinese president's visit«, in: The Guardian, 15. Januar 2017.

71 Zitiert in: Peter Walker, »Xi Jinping protesters arrested and homes searched over London demonstrations«.

72 Dou Kelin (窦克林), »Guojia jiancha tizhi gaige zhuli fan fubai guoji zhuitao zhuizang« (国家监察体制改革助力反腐败国际追逃追赃) [Reform des nationalen Aufsichtssystems erleichtert internationalen Kampf gegen die Korruption], in: Zhongguo jijian jiancha zazhi, Nr. 1, 2019, S. 1, https://web.archive.org/web/20191202181143/http://zgjjjc.ccdi.gov.cn/bqml/bqxx/201901/t20190109_186640.html.

73 »Swedish Supreme Court rules against extradition to China«, Safeguard Defenders, https://safeguarddefenders.com/en/swedish-supreme-court-refuses-extradition-china.

74 Anonym, »Kinas ambassadör: ›Vi har hagelgevär för våra fiender‹«, in: Expressen, 2. Dezember 2019; https://twitter.com/jojjeols/status/1201376527713099776.

75 Eder, Lang und Rudolf, »China's global law enforcement drive«; Julie Boland, »Ten Years of the Shanghai Cooperation Organization: A lost decade? A partner for the United States?«, Brookings Institution, 24. Juni 2011, S. 8.

76 Peter Stubley, »Uighur Muslims forbidden to pray or grow beards in China's ›re-education‹ camps, former detainee reveals«, in: *The Independent*, 22. März 2019.

77 Interpol SCO-RATS Memorandum of Understanding, 2014, https://www.interpol.int/en/content/download/11136/file/21-%20SCO-RATS.pdf.

78 »Guanyu Shanghai Hezuo Zuzhi Diqu Fankongbu jigou zhiweihui daibiaotuan canjia guoji xingjing zuzhi ›Ka'erkan‹ xiaogmu gongzuo zu huiyi qingkuang« (关于上海合作组织地区反恐怖机构执委会代表团参加国际刑警组织›卡尔坎‹项目工作组会议情况) [Über die Teilnahme einer Delegation des Exekutivkomitees der Terrorbekämpfungsstruktur der Shanghaier Organisation für Zusammenarbeit an der Interpol-Projektgruppe »Kalkan«], Website von SCO-RATS, 21. Juli 2017, http://ecrats.org/cn/news/6915.

79 »New framework for enhanced cooperation between RATS SCO and UN CTED«, Komitee des UN-Sicherheitsrats für Terrorbekämpfung, 25. März 2019, https://www.un.org/sc/ctc/news/2019/03/25/new-framework-enhanced-cooperation-rats-sco-un-cted/.

80 Jan-Peter Westad, Richard Assheton und Peter Oborne, »Campaigners against Uighur oppression blacklisted on terrorism database«, in: *Middle East Eye*, 16. April 2019, https://www.middleeasteye.net/news/exclusive-campaigners-against-uighur-oppression-blacklisted-terrorism-database.

81 Ebd.

82 Winslow Robertson, zitiert in: Lily Kuo und Niko Kommenda, »What is China's Belt and Road Initiative?«, in: *The Guardian*, 30. Juli 2018.

83 Alice Ekman, »China's ›new type of security partnership‹ in Asia and beyond: a challenge to the alliance system and the ›Indo-pacific‹ strategy«, Real Instituto Elcano, 25. März 2019.

84 Ebd.

85 Ebd.

86 Früher als »16+1« oder »China und die mittel- und osteuropäischen Länder« bezeichnet, wurde die Gruppe im Jahr 2019 um Griechenland erweitert. Der Gipfel ist nach Einschätzung von Experten »im Wesentlichen ein Netzwerk bilateraler Beziehungen«. Vgl. Richard Q. Turcsanyi, »Growing tensions between China and the EU over 16+1 platform«, in: *The Diplomat*, 29. November 2017.

87 Vgl. z. B. 9. Business Forum of CEEC & China, https://croatia-forum2019-ceec-china.hgk.hr/.

88 Piccone, »China's long game on human rights at the UN«, S. 18.

89 Ravid Prasad, »EU ambassadors condemn China's Belt and Road Initiative«, in: *The Diplomat*, 21. April 2018.

90 Informationsbüro des Staatsrats der Volksrepublik China, »Human rights in China«, Beijing, November 1991, http://www.china.org.cn/e-white/7/index.htm.

91 »China Society for Human Rights Studies«, Chinahumanrights.org, 1. August 2014, http://www.chinahumanrights.org/html/2014/BRIEFINGS_0801/126.html.

92 »Zhongguo renquan yanjiuhui jianjie« (中国人权研究会简介) [Vorstellung der Chinesischen Gesellschaft für Menschenrechtsstudien], *Zhongguo renquan*, 17. Juni 2014, http://www.humanrights.cn/html/2014/1_0617/675.html. Für Cui Yuying vgl. »Cui Yuying chuxi ›goujian renlei mingyun gongtongti yu quanqiu renquan zhili‹ lilun yantaohui bing zhi ci« (崔玉英出席»构建人类命运共同体与全球人权治理«理论研讨会并致辞), humanrights.cn, 8. Juni 2017, https://tinyurl.com/yzpgw2d3. Seit Januar 2018 ist sie Vorsitzende der Politischen Konsultativkonferenz von Fujian.

93 »Zhongguo renquan yanjiuhui jianjie«.

94 »Human rights record of the United States«, Website der chinesischen Botschaft in den USA, ins Netz gestellt am 23. Oktober 2003, http://www.china-embassy.org/eng/zt/zgrq/t36633.htm.

95 »China Society for Human Rights Studies«, Chinahumanrights.org, 1. August

2014, http://www.chinahumanrights.org/html/2014/BRIEFINGS_0801/126.html.

96 Sonya Sceats und Shaun Breslin, »China and the international human rights system«, Chatham House, Oktober 2012, https://www.chathamhouse.org/sites/default/files/public/Research/International%20Law/r1012_sceatsbreslin.pdf, S. 10 f., 18 f..

97 UN Human Rights Council, »Report of the Working Group on the Universal Periodic Review – China«, S. 8, 10, 13.

98 Danny Mok, »Canto-pop singer Denise Ho calls on UN Human Rights Council to remove China over ›abuses‹ in Hong Kong«, in: South China Morning Post, 9. Juli 2019.

99 Anonym, »Internet regulations can protect human rights: experts«, China Human Rights, 24. Juli 2014, https://web.archive.org/web/20191206020516/http://www.chinahumanrights.org/html/2014/IE_0724/34.html.

100 »EU: suspend China human rights dialogue«, Human Rights Watch, 19. Juli 2017, https://www.hrw.org/news/2017/06/19/eu-suspend-china-human-rights-dialogue.

101 Hinnerk Feldwisch-Drentrup, »Peking sagt Dialog mit Berlin ab«, in: TAZ, 6. Dezember 2019.

102 Piccone, »China's long game on human rights at the UN«, S. 4.

103 Ebd.

104 »Full text of Beijing Declaration adopted by the First South-South Human Rights Forum«, Portal des South-South Human Rights Forum, 10. Dezember 2017, http://p.china.org.cn/2017-12/10/content_50095729.htm.

105 »Chinese human rights delegation visits UK«, in: China Daily, 5. Juli 2018, http://www.chinadaily.com.cn/cndy/2018-07/05/content_36514008.htm. Die CSHRS veranstaltet mindestens seit 2015 auch ein jährliches Europäisch-Chinesisches Seminar für Menschenrechte in verschiedenen europäischen Städten. Die Einladung und Programmbeschreibung zum Seminar 2019 liegen den Autoren vor.

106 Vgl. z. B. Informationsbüro des Staatsrats, »The fight against terrorism and extremism and human rights protection in Xinjiang«, Weißbuch, März 2019; Jun Mai, »Chinese state media ›terrorism‹ documentaries seek to justify Xinjiang crackdown after US vote on human rights bill«, in: South China Morning Post, 8. Dezember 2019.

107 Anonym, »Human rights improve in Xinjiang, experts say«, in: China Daily, 27. Juni 2018, http://www.chinadaily.com.cn/kindle/2018-06/27/content_36464925.htm.

108 Cate Cadell, »China think tank calls for ›democratic‹ internet governance«, Reuters, 4. Dezember 2017.

109 Josh Horwitz, »Tim Cook and Sundar Pichai's surprise remarks at China's ›open internet‹ conference«, in: Quartz, 4. Dezember 2017.

110 Ebd.

111 Adrian Shahbaz, »Freedom on the net 2018: the rise of digital authoritarianism«, Freedom House, S. 8, https://freedomhouse.org/sites/default/files/FOTN_2018_Final%20Booklet_11_1_2018.pdf.

112 Trinh Huu Long, »Vietnam's cyber-security draft law: made in China?«, in: The Vietnamese, 8. November 2017, https://www.thevietnamese.org/2017/11/vietnams-cyber-security-draft-law-made-in-china/.

113 Zak Doffman, »Putin signs ›Russian Internet Law‹ to disconnect Russia from the World Wide Web«, in: Forbes, 1. Mai 2019.

114 Yao Tsz Yan, »Smart cities or surveillance? Huawei in Central Asia«, in: The Diplomat, 7. August 2019. Für ein weiteres Beispiel für die weltweite Expansion des »technologisch aufgerüsteten Autoritarismus« der KPCh vgl. Samantha Hoffman, »Engineering global consent: the Chinese Communist Party's data-driven power expansion«, in: ASPI Policy Brief, Nr. 21, 2019.

115 Joe Parkinson, Nicholas Bariyo und Josh Chin, »Huawei technicians helped African governments spy on political

opponents«, in: *Wall Street Journal*, 15. August 2019.

116 Kristin Shi-Kupfer und Mareike Ohlberg, »China's digital rise: challenges for Europe«, in: *MERICS-Studien zu China*, Nr. 7, April 2019, S. 21. Kurzfassung in deutscher Sprache: https://www.merics.org/de/papers-on-china/chinas-digital-rise.

117 Ebd.

118 Anna Gross, Madhumita Murgia und Yuan Yang, »Chinese tech groups shaping UN facial recognition standards«, in: *Financial Times*, 1. Dezember 2019.

119 Ebd.

GLOSSAR

Biaotai	表态	Kurzform von *biaoshi taidu*, wörtlich »die eigene Einstellung ausdrücken«. Kann sich auf einen politisch signifikanten Akt oder auf ein Treuebekenntnis zur KPCh mittels Wiederholung und Bekräftigung ihrer politischen Phrasen beziehen.
Der chinesische Ansatz	中国方案	Begriff, der zur Beschreibung eines chinesischen Modells verwendet wird, das exportiert werden kann, damit andere Länder davon lernen.
Difang baowei zhongyang	地方包围中央	»Die Peripherie nutzen, um das Zentrum zu umzingeln«; eine Beschreibung der Taktik, gute Beziehungen zu lokalen Akteuren zu nutzen, um die Regierung eines Landes auf nationaler Ebene unter Druck zu setzen.
Dokument Nr. 9	9号文件	Die übliche Bezeichnung für ein im April 2013 vom Parteizentrum in Umlauf gebrachtes internes Dokument mit dem Titel »Mitteilung über die gegenwärtige Situation der ideologischen Sphäre«, in dem sieben »falsche ideologische Tendenzen« beschrieben sind.
Einheitsfrontarbeit	统战 （统一战线）工作	Die politische Arbeit, Beziehungen zu Gruppen und Personen außerhalb der Kommunistischen Partei zu pflegen. Ziel ist es, eine möglichst große Koalition gegen den Hauptfeind zu bilden.

Friedlicher Aufstieg	和平崛起	Eine von Zheng Bijian, einem politischen Berater und ehemaligen Funktionär der Propagandaabteilung, entwickelte Theorie über den friedfertigen Charakter des chinesischen Aufstiegs; später in »friedliche Entwicklung« geändert.
Friedliche Evolution	和平演变	Eine Theorie der KPCh über die vermeintliche Strategie des Westens, mit friedlichen Mitteln gezielt einen Regimewechsel in China herbeizuführen, vor allem durch die Verbreitung von liberal-demokratischen Werten, die das chinesische System von innen schwächen.
Führungskleingruppe	领导小组	Ein Koordinierungs- und Beratungsmechanismus, der im politischen System üblich ist; Funktionäre aus verschiedenen Abteilungen und Ministerien kommen in diesen Gruppen zusammen, um ihre Arbeit in einem bestimmten Bereich zu koordinieren.
Geborgte Boote	借舟出海	Wörtlich »Boote ausborgen, um zur See zu fahren«; bezieht sich auf die Nutzung anderer (wie ausländischer Medien) zur Verbreitung der Botschaft der KPCh.
Groß angelegte Auslandspropaganda	大外宣	Auf Ausländer zielende Propagandaarbeit, die nicht nur von den Propagandaabteilungen, sondern von sämtlichen Partei- und Staatsorganen sowie von der Gesellschaft betrieben werden soll.
»Große Firewall«		Übliche Bezeichnung für die Regelungen und Technologien, die eingesetzt werden, um das chinesische vom internationalen Internet abzuschotten bzw. den Informationsfluss zu kontrollieren.
Huaqiao	华侨	Eine Person chinesischer Herkunft, die im Ausland lebt. *Huaqiao*, im Gegensatz zum breiter verwendeten *Huaren*, bezeichnet in der Regel Personen mit chinesischer Staatsbürgerschaft.

Huaren canzheng	华人参政	Wörtlich »Teilhabe der ethnischen Chinesen an der Politik«; eine Einheitsfrontstrategie zur Maximierung des politischen Einflusses der KPCh in demokratischen Ländern.
Huayuquan	话语权	Wörtlich »Diskursmacht«; von der KPCh verwendeter Begriff, der sich auf die Fähigkeit bezieht, die Themen für die internationale Debatte vorzugeben und den öffentlichen Diskurs in die von der Partei bevorzugte Richtung zu lenken.
Kouhao	口号	Politischer Slogan; die Verwendung von Slogans ist ein übliches Phänomen in der Politik der VR China.
Lao pengyou	老朋友	»Alter Freund Chinas«; Bezeichnung für einflussreiche Ausländer, die sich in den Dienst der strategischen Interessen der KPCh stellen.
Positive Energie	正能量	Ein Begriff, den Xi Jinping und die Partei verwenden, um von Medien und anderen Organisationen zu verlangen, positive Inhalte zu verbreiten statt kritischen Journalismus zu betreiben.
Qiaowu	侨务	»Arbeit mit Auslandschinesen«; eine Art von Einheitsfrontarbeit, die auf im Ausland lebende Chinesen zielt.
Schicksalsgemeinschaft der Menschheit	人类命运共同体	Eine politische Phrase *(tifa)* der KPCh, die unter Xi Jinping verwendet wird, um die Vision der Partei für die internationale Gemeinschaft zu beschreiben.
Tausend Talente Plan	千人计划	Ein Programm, das die chinesische Regierung seit 2008 betreibt, um Experten und Wissenschaftler aus dem Ausland an chinesische Universitäten zu holen.
Tifa	提法	Spezifische, richtungsweisende ideologische Begriffe und Phrasen; wichtiger Bestandteil der politischen Kommunikation der KPCh.

Volksfeind	人民的敌人	Eine Person, die der kleinen Minderheit von »Feinden« der Partei angehört, die als solche nicht »dem Volk« angehören. Für den Umgang der KPCh mit Personen, die als Feinde eingestuft werden, gelten andere Regeln.
Wai yuan nei fang	外圆内方	»Außen rund, innen eckig«; ein Prinzip der Einheitsfrontarbeit, das strategische Flexibilität ermöglicht, ohne von den eigenen Prinzipien abzuweichen.
Xiao ma da bangmang	小骂大帮忙	»Unterstützung in großen Fragen und Kritik bei kleinen Fragen«; Strategie, in geringfügigen Fragen ein wenig Kritik zu üben, um glaubwürdiger zu klingen, wenn man die KPCh (oder eine andere Organisation) in wichtigeren Fragen unterstützt.
Xinqiao	新桥	Personen chinesischer Herkunft, die sich vor Kurzem außerhalb Chinas niedergelassen haben.
Yi shang bi zheng	以商逼政	»Die Wirtschaft einsetzen, um Druck auf die Politik auszuüben«, das heißt ausländische Unternehmen dazu bewegen, sich bei ihren Regierungen für China/die KPCh einzusetzen.
Youyi	友谊	»Freundschaft«; der Begriff wird mit der Bemühung assoziiert, Ausländer dafür zu gewinnen, die Interessen der KPCh zu verteidigen und zu fördern.

ABKÜRZUNGSVERZEICHNIS

2VBA		2. Abteilung der ehemaligen Generalstabsabteilung der Volksbefreiungsarmee (VBA). Ihr Nachfolger ist das Nachrichtendienstbüro der Gemeinsamen Stabsabteilung der Zentralen Militärkommission.
3VBA		3. Abteilung der ehemaligen Generalstabsabteilung der VBA, war für die Fermeldeaufklärung zuständig.
ABP	Advanced Business Park	Ein in Beijing ansässiges Immobilienunternehmen, das vom seinerzeitigen Londoner Bürgermeister Boris Johnson den Zuschlag für ein Entwicklungsprojekt im Wert von 1 Mrd. £ im Royal Albert Dock erhielt.
ACPAI	America China Public Affairs Institute	Gemeinnützige Einrichtung, die sich für engere Beziehungen zwischen den USA und China einsetzt. Präsident des Instituts ist Fred Teng, der auch Sonderrepräsentant von CUSEF in den USA ist.

ACFROC	All-China Federation of Returned Overseas Chinese (Allchinesischer Bund repatriierter Auslandschinesen)	中华全国归国华侨联合会	Einheitsfrontorganisation (gegründet 1956), dessen Zielgruppen nach China eingewanderte ausländische Staatsbürger chinesischer Herkunft und chinesische Staatsbürger sind, die nach einem längeren Auslandsaufenthalt heimgekehrt sind.
BRI	Belt and Road Initiative (Seidenstraßen-Initiative)	丝绸之路经济带和21世纪海上丝绸之路	Ein ambitioniertes chinesisches Regierungsprogramm, das weltweit Infrastrukturprojekte finanziert.
C100	Committee of 100	百人会	Eine Organisation prominenter Amerikaner chinesischer Herkunft (gegründet 1990), die sich offiziell für die Teilhabe von Amerikanern chinesischer Herkunft an der US-Gesellschaft und für konstruktive Beziehungen zwischen den USA und Großchina einsetzt.
CAIEP	China Association for International Exchange of Personnel (Chinesische Vereinigung für Internationalen Personalaustausch)	中国国际人才交流协会	Eine chinesische Organisation, die sich offiziell dem beruflichen »Volk zu Volk«-Austausch widmet und Büros in den USA, Kanada, Russland, Deutschland, Großbritannien, Australien, Israel, Japan, Singapur und Hongkong hat.
CAIFC	China Association for International Friendly Contact (Chinesische Vereinigung für internationale Freundschaftskontakte)	中国国际友好联络会	Der Verbindungsabteilung der Abteilung für politische Arbeit der Zentralen Militärkommission unterstehende Frontorganisation. Sammelt nachrichtendienstliche Informationen und führt Propagandakampagnen durch.
CAFI	China Arts Foundation International	中国艺术基金会（纽约）	Der New Yorker Ableger der China Arts Foundation. Wurde 2014 gegründet, um Einfluss auszüüben und durch kulturelle Aktivitäten nachrichtendienstliche Informationen zu sammeln. Die China Arts Foundation wurde 2006 von Deng Xiaopings Tochter Deng Rong mit Unterstützung der mit der VBA verbundenen CAIFC gegründet.

CASS	Chinese Academy of Social Sciences (Chinesische Akademie der Sozialwissenschaften)	中国社会科学院	Chinas wichtigste nationale Forschungseinrichtung für Geistes- und Sozialwissenschaften (gegründet 1977). Sie hat den Status eines Ministeriums und untersteht direkt dem Staatsrat.
CBA	Chinese Benevolent Association	中华会馆/中华公所	Bezeichnung für verschiedene Organisationen in chinesischen Vierteln in nordamerikanischen Städten. Im Westen des Kontinents auch als Zhonghua huiguan und im Osten als Zhonghua gongsuo bekannt.
CBBC	China-Britain Business Council	英中贸易协会	Eine britische Lobbygruppe, die für Handel und Investitionen zwischen Großbritannien und China wirbt. 1991 mit Unterstützung des 48 Group Club als China-Britain Trade Group gegründet.
CCIEE	China Center for International Economic Exchanges	中国国际经济交流中心	In Beijing ansässige, hochrangig besetzte Denkfabrik (gegründet 2009). Untersteht der Nationalen Kommission für Reform und Entwicklung und wird vom ehemaligen stellvertretenden Ministerpräsidenten Zeng Peiyan geleitet.
CCG	Center for China and Globalization	中国与全球化智库	Eine 2008 gegründete, in Beijing ansässige Denkfabrik mit engen Verbindungen zur Einheitsfront. Ihr Leiter ist Wang Huiyao.
CCPIT	China Council for the Promotion of International Trade (Chinesischer Rat für die Förderung des internationalen Handels)	中国国际贸易促进委员会	1952 auf Anweisung des früheren chinesischen Ministerpräsidenten Zhou Enlai gegründete Einheitsfrontorganisation. Seinerzeit hatte der Rat die Aufgabe, ausländische Regierungen zur Aufnahme von Handelsbeziehungen mit China zu bewegen, das nach der kommunistischen Machtergreifung im Jahr 1949 mit einem Handelsembargo belegt worden war. Wirbt weiterhin für Handelsbeziehungen zwischen China und anderen Ländern und knüpft politische Beziehungen.

CCPPNR	China Council for the Promotion of Peaceful National Reunification (Chinesischer Rat für die Förderung der friedlichen nationalen Wiedervereinigung)	中国和平统一促进会	Einheitsfrontorganisation, die den Standpunkt der KPCh in der Frage Taiwans vertreten und abweichende Meinungen unterdrücken soll, jedoch auch den umfassenderen Zielen der Partei dient.
CCTV	China Central Television (Chinesisches Zentralfernsehen)	中央电视台	Der wichtigste nationale Fernsehsender Chinas. Wurde 2018 mit dem Chinesischen Nationalen Radio und dem Chinesischen Internationalen Radio zur China Media Group verschmolzen, die der Propagandaabteilung der KPCh untersteht.
CEIBS	China Europe International Business School		1994 auf Vereinbarung zwischen der chinesischen Regierung und der Europäischen Kommission gegründete Wirtschaftsuniversität in Shanghai.
CETC	China Electronics Technology Group Corporation	中国电子科技集团	Ein staatliches chinesisches Firmenkonglomerat, das sich auf Kommunikationsausrüstung, Computer, Software und andere Elektronik spezialisiert hat. Sein Ziel ist es, »zivile Elektronik für die VBA nutzbar zu machen«.
CGTN	China Global Television Network	中国环球电视网	Der internationale Arm des Chinesischen Zentralfernsehens CCTV. Hat Produktionszentren in Washington, D. C., Nairobi und London. Früher unter dem Namen CCTV International bekannt, wurde der Sender 2016 umbenannt.
CIC	China Investment Corporation	中国投资有限责任公司	Staatsfonds, der einen Teil der Devisenreserven der Volksrepublik verwaltet.

CICIR	China Institutes of Contemporary International Relations (Chinesisches Institut für zeitgenössische internationale Beziehungen)	中国现代国际关系研究院	1965 gegründete Denkfabrik in Beijing, die dem Ministerium für Staatssicherheit untersteht.
CIPG	China International Publishing Group	中国国际出版集团	Die in der Außendarstellung verwendete Bezeichnung des Fremdprachenbüros der KPCh, das der Propagandaabteilung des Zentralkomitees der KPCh untersteht. Wird auch als China Foreign Languages Publishing Administration bezeichnet.
CITIC	China International Trust and Investment Corporation	中国中信集团有限公司	Eine mit der Volksbefreiungsarmee verbundene staatliche Investmentgesellschaft.
CMG	China Media Group	中央广播电视总台	Eine 2018 durch die Fusion vom Chinesischen Zentralfernsehen, dem Chinesischen Nationalen Radio und dem Chinesischen Internationalen Radio entstandene Medienorganisation. In China wird sie normalerweise als Zentrale Rundfunk- und Fernsehanstalt bezeichnet. Sie untersteht der Propagandaabteilung der KPCh.
CPAFFC	Chinese People's Association for Friendship with Foreign Countries (Gesellschaft des Chinesischen Volkes für Freundschaft mit dem Ausland)	中国人民对外友好协会	1954 gegründete Einheitsfrontorganisation, die heute von Li Xiaolin geleitet wird, der Tochter des früheren chinesischen Staatspräsidenten Li Xiannian.
CRI	China Radio International (Chinesisches Internationales Radio)	中国国际广播电台	Amtlicher internationaler Radiosender Chinas, seit 2018 Teil der China Media Group.

CSIS	Canadian Security Intelligence Service		Der wichtigste kanadische Nachrichtendienst.
CSSA	Chinese Students and Scholars Association (Vereinigung chinesischer Studenten und Wissenschaftler)	中国学生学者联合(谊)会	Einheitsfrontorganisation für chinesische Studenten und Wissenschaftler im Ausland. Diese Vereinigungen in Universitäten in aller Welt sind normalerweise mit der chinesischen Botschaft oder dem Konsulat verbunden.
CUSEF	China-US Exchange Foundation	中美交流基金会	Eine 2008 gegründete, in Hongkong ansässige Stiftung, die vom ehemaligen Hongkonger Chief Executive (Regierungschef) Tung Chee-hwa geleitet wird, einer wichtigen Figur in der Einheitsfront. Sie hat auch Verbindungen zur Volksbefreiungsarmee.
EDI Media		鹰龙传媒有限公司	Ein in Los Angeles ansässiges chinesisch-amerikanisches Multimediaunternehmen mit Verbindungen zu China Radio International. Sein Vizepräsident James Su ist auch stellvertretender Vorsitzender von ACFROC.
G77	Gruppe der 77		Ein Zusammenschluss von 135 Entwicklungsländern in den Vereinten Nationen mit 77 Gründungsmitgliedern. China ist kein offizielles Mitglied, stimmt sein Vorgehen jedoch regelmäßig mit der Gruppe ab und gibt unter der Bezeichnung »Gruppe der 77 und China« gemeinsame Erklärungen mit ihr heraus.
HNA Group	Hainan Airlines Group	海航集团有限公司	Ein in Haikou ansässiges chinesisches Firmenkonglomerat, das in zahlreichen Industriezweigen tätig ist, darunter Luftfahrt, Bausektor und Finanzdienstleistungen, und vermutlich Verbindungen zur Parteispitze hat.

ICAS	Institute for China-America Studies	中美研究中心	Ein Think Tank in Washington, D. C., 2015 als Außenposten des chinesischen Nationalen Instituts für Studien zum Südchinesischen Meer gegründet. Wird von der Hainan Nanhai Forschungsstiftung finanziert.
ICPT	International Committee for the Promotion of Trade (Internationales Komitee für die Förderung des Handels)		Eine 1952 gegründete sowjetische Frontorganisation, die Wege zur Umgehung der Handelsbeschränkungen finden sollte.
KPdSU	Kommunistische Partei der Sowjetunion		Die herrschende Partei in der ehemaligen Sowjetunion.
KPCh	Kommunistische Partei Chinas	中国共产党	Die in der Volksrepublik China herrschende Einheitspartei.
MÖS	Ministerium für Öffentliche Sicherheit	中华人民共和国公安部	Wichtigste chinesische Behörde für innere Sicherheit.
MSS	Ministerium für Staatssicherheit	中华人民共和国国家安全部	Wichtigste chinesische Regierungsbehörde für Nachrichtendienstarbeit und politische Sicherheit.
NACPU	National Association for China's Peaceful Reunification (Nationale Vereinigung für die friedliche Wiedervereinigung Chinas)		In Washington, D. C., ansässige Dachorganisation der amerikanischen Niederlassungen des Chinesischen Rats für die friedliche nationale Wiedervereinigung (China Council for the Promotion of Peaceful National Reunification, CCPPNR).
NAS	National Association of Scholars		Konservative Interessenvertretung in den USA, die sich auf den Bildungssektor konzentriert.
NUDT	National University of Defense Technology (Nationale Universität für Verteidigungstechnologie)	国防科技大学	Eine der wichtigsten chinesischen Universitäten in Changsha (Hunan), untersteht der Zentralen Militärkommission.

NYU	New York University		Eine private Forschungsuniversität in New York City mit Niederlassungen in Shanghai und Abu Dhabi.
OBOR	One Belt, One Road	一带一路	Früheres englisches Akronym für die Seidenstraßen-Initiative (Belt and Road Initiative, BRI).
OCAO	Overseas Chinese Affairs Office (Büro für auslandschinesische Angelegenheiten)	国务院侨务办公室	Ehemalige chinesische Regierungsbehörde, zuständig für die Beziehungen zu den Auslandschinesen. Wurde 2018 in die Abteilung für Einheitsfrontarbeit integriert, obwohl der Name in der Öffentlichkeit weiterhin verwendet wird.
PKKCV	Politische Konsultativkonferenz des Chinesischen Volkes	中国人民政治协商会议	Das Gegenstück des Nationalen Volkskongresses für die Einheitsfrontarbeit der KPCh. Sowohl der Volkskongress als auch die Konsultativkonferenz treten alljährlich im März zusammen (die »zwei Sitzungen«).
RMB	Renminbi	人民币	Währung der Volksrepublik China, auch als Yuan bezeichnet.
SAFEA	State Administration of Foreign Experts Affairs (Staatliche Verwaltung für ausländische Experten)	国家外国专家局	Dem Staatsrat unterstellte Behörde, die für die Zulassung von in der Volksrepublik arbeitenden ausländischen Experten zuständig ist. Diese Behörde verleiht den Freundschaftspreis.
SAIS	School of Advanced International Studies		Eine führende US-Hochschule für internationale Beziehungen an der Johns Hopkins University.
SARS	Severe acute respiratory symptom	严重急性呼吸系统综合症	Eine virale Atemwegserkrankung.

SASTIND	State Administration for Science, Technology and Industry for National Defense (Staatliche Verwaltung für Wissenschaft, Technologie und Industrie in der Landesverteidigung)	国家国防科技工业局	Chinesische Regierungsbehörde, die dem Ministerium für Industrie und Informationstechnologie untersteht. Vorgängerin war die Kommission für Wissenschaft, Technologie und Industrie in der Landesverteidigung (COSTIND).
SCO	Shanghai Cooperation Organisation (Shanghaier Organisation für Zusammenarbeit)	上海合作组织	Eine von China dominierte eurasische Sicherheitsorganisation, gegründet 2001 in Shanghai mit Sitz in Beijing. Zu den Mitgliedern zählen Russland, Kasachstan, Kirgisistan, Tadschikistan, Usbekistan, Indien und Pakistan.
SCOBA	Silicon Valley Chinese Overseas Business Association	硅谷留美博士企业家协会	Zusammenschluss von Geschäftsleuten und technischen Experten, darunter sowohl Festlandchinesen als auch chinesischstämmige Amerikaner. Einige Mitglieder sind Berater nationaler und provinzieller Regierungsbehörden in China.
UdSSR	Union der sozialistischen Sowjetrepubliken		Offizielle Bezeichnung der ehemaligen Sowjetunion.
UNDP	United Nations Development Program (Entwicklungsprogramm der Vereinten Nationen)	联合国开发计划署	Das globale Entwicklungsnetz der Vereinten Nationen.
UNHRC	United Nations Human Rights Council (Menschenrechtsrat der Vereinten Nationen)	联合国人权理事会	Für Förderung und Schutz der Menschenrechte zuständige UN-Einrichtung. Gegründet 2006, ersetzte die UN-Menschenrechtskommission.
USCPFA	U.S.-China Peoples Friendship Association	美中人民友好协会	In den USA ansässige »Freundschaftsorganisation«, gegründet 1974.
VBA	Volksbefreiungsarmee	中国人民解放军	Bewaffneter Flügel der Kommunistischen Partei Chinas.

VRC	Volksrepublik China	中华人民共和国	Amtliche Bezeichnung Chinas, nicht zu verwechseln mit der Republik China (die offizielle Bezeichnung Taiwans).
WHA	World Health Assembly (Weltgesundheitsversammlung)	世界卫生大会	Leitungsgremium der WHO, bestehend aus den Gesundheitsministern der Mitgliedstaaten.
WHO	World Health Organisation (Weltgesundheitsorganisation)	世界卫生组织	Behörde der Vereinten Nationen, die sich weltweit mit der öffentlichen Gesundheit beschäftigt.
ZJUKA	Zhejiang UK Association	英国浙江联谊会	Ein Heimatverband für in Großbritannien ansässige Chinesen und Personen chinesischer Herkunft, die ursprünglich aus der Provinz Zhejiang stammen (Einheitsfrontorganisation).